Guy de Maupassant

Bel-Ami

(1885)

suivi d'une **anthologie sur le personnage de l'ambitieux**

Collection dirigée par **Johan Faerber**

Édition annotée et commentée par **Gabrielle Saïd**
certifiée de lettres modernes, docteur ès lettres

Bel-Ami

QUESTIONS

pour vous GUIDER

Une rubrique, au fil du texte, pour vous aider à interpréter les passages clés et acquérir des outils d'analyse

© Hatier Paris 2015 - ISBN 978-2-218-99145-5

Conception graphique de la maquette : c-album, Jean-Baptiste Taisne, Rachel Pfleger ; Studio Favre & Lhaïk ; dossier : Lauriane Tiberghien • Mise en pages : Chesteroc Ltd • Suivi éditorial : Luce Camus.

Anthologie sur
Le personnage de l'ambitieux

1. Ambition et réussite sociale

2. Ambition et passion

3. L'ambition au féminin

Le dossier

REPÈRES CLÉS

POUR SITUER L'ŒUVRE

FICHES DE LECTURE

POUR APPROFONDIR SA LECTURE

THÈME ET DOCUMENTS

POUR COMPARER

Thème > **La représentation du couple dans la littérature du xixe siècle**

Bel-Ami

PREMIÈRE PARTIE

1

Quand la caissière lui eut rendu la monnaie de sa pièce de cent sous, Georges Duroy sortit du restaurant.

Comme il portait beau[1], par nature et par pose d'ancien sous-officier, il cambra sa taille, frisa sa moustache d'un geste militaire et familier, et jeta sur les dîneurs attardés un regard rapide et circulaire, un de ces regards de joli garçon qui s'étendent comme des coups d'épervier[2].

Les femmes avaient levé la tête vers lui, trois petites ouvrières, une maîtresse de musique entre deux âges, mal peignée, négligée, coiffée d'un chapeau toujours poussiéreux et vêtue d'une robe toujours de travers, et deux bourgeoises[3] avec leurs maris, habituées de cette gargote à prix fixe[4].

Lorsqu'il fut sur le trottoir, il demeura un instant immobile se demandant ce qu'il allait faire. On était au 28 juin, et il lui restait juste en poche trois francs quarante pour finir le mois. Cela représentait deux dîners sans déjeuners, ou deux déjeuners sans dîners, au choix. Il réfléchit que les repas du matin étant de vingt-deux sous[5], au lieu de trente que coûtaient ceux du soir, il lui resterait, en se contentant des déjeuners, un franc vingt centimes de boni[6],

---

1. Portait beau : avait belle allure.

2. Épervier : oiseau de proie au vol rapide, l'épervier est aussi un filet de pêche circulaire qu'on lance à la main pour attraper le poisson.

3. Bourgeoises : femmes des classes moyennes.

4. Gargote à prix fixe : petit restaurant bon marché qui sert un menu à prix fixe.

5. Vingt sous valent un franc.

6. Boni : excédent, surplus.

20 ce qui représentait encore deux collations[1] au pain et au saucisson, plus deux bocks[2] sur le boulevard[3]. C'était là sa grande dépense et son grand plaisir des nuits, et il se mit à descendre la rue Notre-Dame de Lorette[4].

Il marchait ainsi qu'au temps où il portait l'uniforme des
25 hussards[5], la poitrine bombée, les jambes un peu entrouvertes comme s'il venait de descendre de cheval; et il avançait brutalement dans la rue pleine de monde, heurtant les épaules, poussant les gens pour ne point se déranger de sa route. Il inclinait légèrement sur l'oreille son chapeau à haute forme assez défraîchi, et
30 battait le pavé de son talon. Il avait l'air de toujours défier quelqu'un, les passants, les maisons, la ville entière, par chic de beau soldat tombé dans le civil[6].

Quoique habillé d'un complet[7] de soixante francs, il gardait une certaine élégance tapageuse[8], un peu commune, réelle cepen-
35 dant. Grand, bien fait, blond, d'un blond châtain vaguement roussi, avec une moustache retroussée, qui semblait mousser sur sa lèvre, des yeux bleus, clairs, troués d'une pupille toute petite, des cheveux frisés naturellement, séparés par une raie au milieu du crâne, il ressemblait bien au mauvais sujet des romans populaires.
40 C'était une de ces soirées d'été où l'air manque dans Paris. La ville, chaude comme une étuve, paraissait suer dans la nuit étouffante. Les égouts soufflaient par leurs bouches de granit leurs haleines empestées, et les cuisines souterraines jetaient à la rue,

---

1. Collations : en-cas.
2. Bocks : verres d'un quart de litre de bière, demis.
3. Le boulevard : le boulevard des Italiens, très animé à l'époque.
4. Rue Notre-Dame de Lorette : rue du 9e arrondissement de Paris, située en dessous de la place Pigalle.
5. Hussards : soldats de cavalerie.
6. Le civil : le monde civil (par opposition au monde militaire).
7. Complet : costume composé de trois pièces (veste, pantalon et gilet).
8. Tapageuse : tape-à-l'œil.

**pages 11-12
lignes 1-39**

Le rôle de l'incipit

« Quand la caissière [...] populaires. »

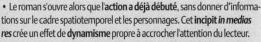

Comment le lecteur est-il introduit dans la fiction ?

• Le roman s'ouvre alors que l'**action a déjà débuté**, sans donner d'informations sur le cadre spatiotemporel et les personnages. Cet **incipit** *in medias res* crée un effet de **dynamisme** propre à accrocher l'attention du lecteur.
• De nombreux indices textuels permettent d'**identifier époque, lieux** et **personnage** : l'action se déroule en été dans le quartier de Pigalle et des grands boulevards de Paris. Le personnage de Georges Duroy, nommé dès la première ligne, domine la scène.

Qu'apprend-on sur le personnage ?

• Cet incipit offre un portrait à la fois **physique, social et psychologique. Portrait en mouvement**, il souligne la volonté d'action de Duroy qui fend la foule avec violence, sans se préoccuper des autres.
• Sa beauté et son maintien militaire **séduisent** les femmes, laissant transparaître **un souci de l'apparence** et **une attitude conquérante**. Sa pauvreté, loin de l'amoindrir, semble animer chez lui un **esprit de revanche** et un désir de réussite sociale.
• C'est toutefois un personnage **indécis**, qui déambule dans les rues de Paris à la recherche de plaisirs sans un sou en poche. Le manque d'argent détermine son action : c'est un **calculateur**.

Qu'est-ce qu'annonce cet incipit ?

Centré sur Duroy, cet incipit permet d'identifier :
• le **personnage principal**, Bel-Ami, et sa situation, le cadre ;
• les **thèmes principaux** : l'argent, l'ambition sociale, l'amour et les plaisirs ;
• l'**intrigue** : l'ascension d'un jeune ambitieux sans scrupule ;
• le **genre** : le roman réaliste, que révèlent cadre et thèmes.

Les fonctions de l'incipit

• L'incipit, **début** d'un roman, a trois fonctions principales :
– **informer** : il crée un monde fictif en donnant des informations sur les **personnages**, le **lieu**, le **temps** ;
– **accrocher** : il doit **éveiller la curiosité du lecteur**, stimulée par l'attente de l'action à venir, la formulation d'une **énigme** ou la perspective d'une **intrigue** attrayante ;
– **programmer** : il **annonce** la suite du texte, définit **genre, registres, choix de narration** et présente les **thèmes**.

par leurs fenêtres basses, les miasmes[1] infâmes des eaux de vais-
45 selle et des vieilles sauces.

Les concierges, en manches de chemise[2], à cheval sur des chaises
en paille, fumaient la pipe sous les portes cochères[3], et les passants
allaient d'un pas accablé, le front nu, le chapeau à la main.

Quand Georges Duroy parvint au boulevard, il s'arrêta encore,
50 indécis sur ce qu'il allait faire. Il avait envie maintenant de gagner
les Champs-Élysées et l'avenue du Bois-de-Boulogne pour trouver
un peu d'air frais sous les arbres ; mais un désir aussi le travaillait,
celui d'une rencontre amoureuse.

Comment se présenterait-elle ? Il n'en savait rien, mais il l'at-
55 tendait depuis trois mois, tous les jours, tous les soirs. Quelquefois
cependant, grâce à sa belle mine et à sa tournure galante, il volait,
par-ci par-là, un peu d'amour, mais il espérait toujours plus et
mieux.

La poche vide et le sang bouillant, il s'allumait au contact des
60 rôdeuses[4] qui murmurent à l'angle des rues : « Venez-vous chez
moi, joli garçon ? » mais il n'osait les suivre ne les pouvant payer ;
et il attendait aussi autre chose, d'autres baisers moins vulgaires.

Il aimait cependant les lieux où grouillent les filles publiques,
leurs bals, leurs cafés, leurs rues ; il aimait les coudoyer[5], leur
65 parler, les tutoyer, flairer leurs parfums violents, se sentir près
d'elles. C'étaient des femmes enfin, des femmes d'amour. Il ne les
méprisait point du mépris inné des hommes de famille.

Il tourna vers la Madeleine[6] et suivit le flot de foule qui
coulait accablé par la chaleur. Les grands cafés, pleins de monde,

---

1. Miasmes : émanations malodorantes.
2. En manches de chemise : sans veste.
3. Portes cochères : portes à deux battants par où passent les voitures à cheval.
4. Rôdeuses : prostituées.
5. Coudoyer : côtoyer.
6. La Madeleine : la place de la Madeleine, à Paris.

70 débordaient sur le trottoir, étalant leur public de buveurs sous
lumière éclatante et crue[1] de leur devanture illuminée. Devant
eux, sur de petites tables carrées ou rondes, les verres contenaient
des liquides rouges, jaunes, verts, bruns, de toutes les nuances ; et
dans l'intérieur des carafes on voyait briller les gros cylindres
75 transparents de glace qui refroidissaient la belle eau claire.

Duroy avait ralenti sa marche, et l'envie de boire lui séchait
la gorge.

Une soif chaude, une soif de soir d'été le tenait, et il pensait à
la sensation délicieuse des boissons froides coulant dans la bouche.
80 Mais s'il buvait seulement deux bocks[2] dans la soirée, adieu le
maigre souper du lendemain, et il les connaissait trop les heures
affamées de la fin du mois.

Il se dit : « Il faut que je gagne dix heures, et je prendrai mon
bock à l'Américain[3]. Nom d'un chien ! que j'ai soif tout de même ! »
85 Et il regardait tous ces hommes attablés et buvant, tous ces hommes
qui pouvaient se désaltérer tant qu'il leur plaisait. Il allait, passant
devant les cafés d'un air crâne et gaillard[4], et il jugeait d'un coup
d'œil, à la mine, à l'habit, ce que chaque consommateur devait
porter d'argent sur lui. Et une colère l'envahissait contre ces gens
90 assis et tranquilles. En fouillant leurs poches, on trouverait de l'or,
de la monnaie blanche[5] et des sous. En moyenne, chacun devait
avoir au moins deux louis[6] ; ils étaient bien une centaine par café ;
cent fois deux louis font quatre mille francs ! Il murmurait : « Les
cochons ! » tout en se dandinant[7] avec grâce. S'il avait pu en tenir

---

1. Crue : aveuglante.

2. Bocks : verres d'un quart de litre de bière, demis.

3. L'Américain : le Café Américain, lieu festif très en vogue à l'époque, situé
boulevard des Capucines.

4. Crâne et gaillard : fier et décidé.

5. Monnaie blanche : pièces en argent.

6. Louis : ancienne monnaie d'or valant vingt francs (Georges Duroy n'a que
trois francs en poche).

7. En se dandinant : en se déhanchant.

95 un au coin d'une rue, dans l'ombre bien noire, il lui aurait tordu le cou, ma foi, sans scrupule, comme il faisait aux volailles des paysans, aux jours de grandes manœuvres[1].

Et il se rappelait ses deux années d'Afrique, la façon dont il rançonnait[2] les Arabes dans les petits postes du Sud. Et un sourire
100 cruel et gai passa sur ses lèvres au souvenir d'une escapade qui avait coûté la vie à trois hommes de la tribu des Ouled-Alane et qui leur avait valu, à ses camarades et à lui, vingt poules, deux moutons et de l'or, et de quoi rire pendant six mois.

On n'avait jamais trouvé les coupables, qu'on n'avait guère
105 cherchés d'ailleurs, l'Arabe étant un peu considéré comme la proie naturelle du soldat.

À Paris, c'était autre chose. On ne pouvait pas marauder[3] gentiment, sabre au côté et revolver au poing, loin de la justice civile, en liberté. Il se sentait au cœur tous les instincts du sous-
110 off[4] lâché en pays conquis. Certes il les regrettait, ses deux années de désert. Quel dommage de n'être pas resté là-bas ! Mais voilà, il avait espéré mieux en revenant. Et maintenant !... Ah oui, c'était du propre, maintenant !

Il faisait aller sa langue dans sa bouche, avec un petit claque-
115 ment, comme pour constater la sécheresse de son palais.

La foule glissait autour de lui, exténuée et lente, et il pensait toujours : « Tas de brutes ; tous ces imbéciles-là ont des sous dans leur gilet. » Il bousculait les gens de l'épaule, et sifflotait des airs joyeux. Des messieurs heurtés se retournaient en grognant ; des
120 femmes prononçaient : « En voilà un animal ! »

Il passa devant le Vaudeville[5], et s'arrêta en face du Café Américain, se demandant s'il n'allait pas prendre son bock, tant la

---

1. **Manœuvres** : exercices militaires organisés en temps de paix.
2. **Rançonnait** : volait, dépouillait.
3. **Marauder** : chaparder, voler.
4. **Sous-off** : sous-officier (argot militaire).
5. **Le Vaudeville** : théâtre parisien situé boulevard des Capucines.

soif le torturait. Avant de se décider, il regarda l'heure aux horloges lumineuses, au milieu de la chaussée. Il était neuf heures un quart.

125 Il se connaissait : dès que le verre plein de bière serait devant lui, il l'avalerait. Que ferait-il ensuite, jusqu'à onze heures ?

Il passa : « J'irai jusqu'à la Madeleine[1], se dit-il, et je reviendrai tout doucement. »

Comme il arrivait au coin de la place de l'Opéra, il croisa un
130 gros jeune homme, dont il se rappela vaguement avoir vu la tête quelque part.

Il se mit à le suivre, en cherchant dans ses souvenirs, et répétant à mi-voix : « Où diable ai-je connu ce particulier-là[2] ? »

Il fouillait dans sa pensée sans parvenir à se le rappeler ; puis,
135 tout d'un coup, par un singulier phénomène de mémoire, le même homme lui apparut moins gros, plus jeune, vêtu d'un uniforme de hussard[3]. Il s'écria tout haut : « Tiens, Forestier » et, allongeant le pas, il alla frapper sur l'épaule du marcheur. L'autre se retourna, le regarda, puis dit : « Qu'est-ce que vous me voulez, Monsieur ? »

140 Duroy se mit à rire : « Tu ne me reconnais pas ?

— Non.

— Georges Duroy, du sixième hussards. »

Forestier tendit les deux mains : « Ah ! mon vieux ! comment vas-tu ?

145 — Très bien, et toi ?

— Oh ! moi, pas trop ; figure-toi que j'ai une poitrine de papier mâché[4] maintenant ; je tousse six mois sur douze, à la suite d'une bronchite que j'ai attrapée à Bougival[5], l'année de mon retour à Paris, voici quatre ans, maintenant.

---

1. La Madeleine : la place de La Madeleine, à Paris.

2. Ce particulier-là : ce type-là.

3. Hussard : soldat de cavalerie.

4. Une poitrine de papier mâché : une poitrine mal en point (qui manque de force et de résistance comme le papier mâché).

5. Bougival : petite ville des Yvelines, lieu de villégiature pour les Parisiens au XIXe siècle.

150 — Tiens ! tu as l'air solide, pourtant. »

Et Forestier, prenant le bras de son ancien camarade, lui parla de sa maladie, lui raconta les consultations, les opinions et les conseils des médecins, la difficulté de suivre leurs avis dans sa position. On lui ordonnait de passer l'hiver dans le Midi ; mais le
155 pouvait-il ? Il était marié et journaliste, dans une belle situation.

« Je dirige la politique[1] à *La Vie française.* Je fais le Sénat[2] au *Salut,* et, de temps en temps, des chroniques littéraires pour la *Planète*[3]. Voilà, j'ai fait mon chemin. »

Duroy, surpris, le regardait, il était bien changé, bien mûri.
160 Il avait maintenant une allure, une tenue, un costume d'homme posé, sûr de lui, et un ventre d'homme qui dîne bien. Autrefois il était maigre, mince et souple, étourdi, casseur d'assiettes, tapageur et toujours en train. En trois ans Paris en avait fait quelqu'un de tout autre, de gros et de sérieux, avec quelques
165 cheveux blancs sur les tempes, bien qu'il n'eût pas plus de vingt-sept ans.

Forestier demanda : « Où vas-tu ? »

Duroy répondit : « Nulle part, je fais un tour avant de rentrer.

— Eh bien veux-tu m'accompagner à *La Vie française,* où j'ai des
170 épreuves[4] à corriger ; puis nous irons prendre un bock ensemble ?

— Je te suis. »

Et ils se mirent à marcher en se tenant par le bras, avec cette familiarité facile qui subsiste entre compagnons d'école et entre camarades de régiment.

175 « Qu'est-ce que tu fais à Paris ? » dit Forestier.

Duroy haussa les épaules : « Je crève de faim, tout simplement. Une fois mon temps fini, j'ai voulu venir ici pour... pour faire

---

1. La politique : la rubrique politique.

2. Fais le Sénat : rédige les comptes rendus des séances du Sénat.

3. *La Vie française, Salut et Planète* : titres de journaux imaginaires mais qui rappellent les titres des journaux de l'époque.

4. Épreuves : texte imprimé que l'on corrige avant l'impression définitive.

fortune ou plutôt pour vivre à Paris ; et voilà six mois que je suis employé aux bureaux du chemin de fer du Nord, à quinze cents
180 francs par an, rien de plus. »

Forestier murmura : « Bigre, ça n'est pas gras.

— Je te crois. Mais comment veux-tu que je m'en tire ? Je suis seul, je ne connais personne, je ne peux me recommander de personne. Ce n'est pas la bonne volonté qui manque, mais les
185 moyens. »

Son camarade le regarda des pieds à la tête, en homme pratique, qui juge un sujet, puis il prononça d'un ton convaincu : « Vois-tu, mon petit, tout dépend de l'aplomb, ici. Un homme un peu malin devient plus facilement ministre que chef de bureau. Il faut
190 s'imposer et non pas demander. Mais comment diable n'as-tu pas trouvé mieux qu'une place d'employé au Nord ? »

Duroy reprit : « J'ai cherché partout, je n'ai rien découvert. Mais j'ai quelque chose en vue en ce moment, on m'offre d'entrer comme écuyer au manège[1] Pellerin. Là, j'aurai, au bas mot, trois
195 mille francs. »

Forestier s'arrêta net : « Ne fais pas ça, c'est stupide, quand tu devrais gagner dix mille francs. Tu te fermes l'avenir du coup. Dans ton bureau, au moins tu es caché, personne ne te connaît, tu peux en sortir si tu es fort, et faire ton chemin. Mais,
200 une fois écuyer, c'est fini. C'est comme si tu étais maître d'hôtel[2] dans une maison où Tout-Paris[3] va dîner. Quand tu auras donné des leçons d'équitation aux hommes du monde ou à leurs fils, ils ne pourront plus s'accoutumer à te considérer comme leur égal. »

205 Il se tut, réfléchit quelques secondes, puis demanda :

« Es-tu bachelier ?

— Non. J'ai échoué deux fois.

---

1. Écuyer : professeur d'équitation ; **manège** : école d'équitation.
2. Maître d'hôtel : personne qui dirige le service de table.
3. Tout-Paris : toute la haute société parisienne.

— Ça ne fait rien, du moment que tu as poussé tes études jusqu'au bout. Si on parle de Cicéron ou de Tibère[1], tu sais à peu près ce que c'est ?

— Oui, à peu près.

— Bon, personne n'en sait davantage, à l'exception d'une vingtaine d'imbéciles qui ne sont pas fichus de se tirer d'affaire. Ça n'est pas difficile de passer pour fort, va ; le tout est de ne pas se faire pincer en flagrant délit d'ignorance. On manœuvre, on esquive la difficulté, on tourne l'obstacle, et on colle les autres au moyen d'un dictionnaire. Tous les hommes sont bêtes comme des oies et ignorants comme des carpes. »

Il parlait en gaillard tranquille qui connaît la vie, et il souriait en regardant passer la foule. Mais tout d'un coup il se mit à tousser, et s'arrêta pour laisser finir la quinte, puis, d'un ton découragé : « Est-ce pas assommant de ne pouvoir se débarrasser de cette bronchite ? Et nous sommes en plein été. Oh ! cet hiver, j'irai me guérir à Menton[2]. Tant pis, ma foi, la santé avant tout. »

Ils arrivèrent au boulevard Poissonnière[3], devant une grande porte vitrée, derrière laquelle un journal ouvert était collé sur ses deux faces. Trois personnes arrêtées le lisaient.

Au-dessus de la porte s'étalait, comme un appel, en grandes lettres de feu dessinées par des flammes de gaz[4] : *La Vie française.* Et les promeneurs passant brusquement dans la clarté que jetaient ces trois mots éclatants, apparaissaient tout à coup en pleine lumière, visibles, clairs et nets comme au milieu du jour, puis rentraient aussitôt dans l'ombre.

---

1. Cicéron : philosophe et consul romain (Ier siècle av. J.-C.). **Tibère** : empereur romain (42-37 av. J.-C.) qui succéda à Auguste. Tous deux appartiennent à la culture classique enseignée à l'école au XIXe siècle.

2. Menton : station balnéaire de la Côte d'Azur.

3. Boulevard Poissonnière : grand boulevard parisien.

4. Les rues et les enseignes étaient éclairées au gaz.

235 Forestier poussa cette porte : « Entre », dit-il. Duroy entra, monta un escalier luxueux et sale que toute la rue voyait, parvint dans une antichambre[1], dont les deux garçons de bureau saluèrent son camarade, puis s'arrêta dans une sorte de salon d'attente, poussiéreux et fripé, tendu de faux velours d'un vert pisseux,
240 criblé de taches et rongé par endroits, comme si des souris l'eussent grignoté.

« Assieds-toi, dit Forestier, je reviens dans cinq minutes. »

Et il disparut par une des trois sorties qui donnaient dans ce cabinet.

245 Une odeur étrange, particulière, inexprimable, l'odeur des salles de rédaction flottait dans ce lieu. Duroy demeurait immobile, un peu intimidé, surpris surtout. De temps en temps des hommes passaient devant lui, en courant, entrés par une porte et partis par l'autre avant qu'il eût le temps de les
250 regarder.

C'étaient tantôt des jeunes gens, très jeunes, l'air affairé[2], et tenant à la main une feuille de papier qui palpitait au vent de leur course ; tantôt des ouvriers compositeurs[3], dont la blouse de toile tachée d'encre laissait voir un col de chemise bien blanc, et un
255 pantalon de drap[4] pareil à celui des gens du monde[5] ; et ils portaient avec précaution des bandes de papier imprimé, des épreuves[6] fraîches, tout humides. Quelquefois un petit monsieur entrait, vêtu avec une élégance trop apparente, la taille trop serrée dans la redingote[7], la jambe trop moulée sous l'étoffe, le pied

---

1. Antichambre : entrée.
2. Affairé : occupé.
3. Ouvriers compositeurs : ouvriers qui assemblent les caractères d'imprimerie pour former le texte à imprimer.
4. Drap : tissu de laine.
5. Gens du monde : personnes de la haute société.
6. Épreuves : texte imprimé que l'on corrige avant l'impression définitive. Elles sont « fraîches, tout humides » car l'encre n'est pas encore sèche.
7. Redingote : veste d'homme croisée à longs pans.

260 étreint[1] dans un soulier trop pointu, quelque reporter mondain apportant les échos[2] de la soirée.

D'autres encore arrivaient, graves, importants, coiffés de hauts chapeaux à bords plats, comme si cette forme les eût distingués du reste des hommes.

265 Forestier reparut tenant par le bras un grand garçon maigre, de trente à quarante ans, en habit noir et en cravate blanche, très brun, la moustache roulée en pointes aiguës, et qui avait l'air insolent et content de lui.

Forestier lui dit : « Adieu, cher maître. »

270 L'autre lui serra la main : « Au revoir, mon cher », et il descendit l'escalier en sifflotant, la canne sous le bras.

Duroy demanda : « Qui est-ce ?

– C'est Jacques Rival, tu sais, le fameux chroniqueur, le duelliste[3]. Il vient de corriger ses épreuves. Garin, Montel et lui sont les trois

275 premiers chroniqueurs d'esprit et d'actualité que nous ayons à Paris. Il gagne ici trente mille francs par an pour deux articles par semaine. »

Et comme ils s'en allaient, ils rencontrèrent un petit homme à longs cheveux, gros, d'aspect malpropre, qui montait les marches en soufflant.

280 Forestier salua très bas : « Norbert de Varenne, dit-il, le poète, l'auteur des *Soleils morts*, encore un homme dans les grands prix. Chaque conte qu'il nous donne coûte trois cents francs, et les plus longs n'ont pas deux cents lignes. Mais entrons au Napolitain[4], je commence à crever de soif. »

285 Dès qu'ils furent assis devant la table du café, Forestier cria : « Deux bocks », et il avala le sien d'un seul trait, tandis que Duroy

---

1. Étreint : serré.

2. Reporter mondain : journaliste qui traite l'actualité et les potins des gens en vue ; **échos** : potins mondains et politiques.

3. Chroniqueur : journaliste qui rédige des articles sur les faits d'actualité ; **duelliste** : spécialiste des duels.

4. Napolitain : café au boulevard des Capucines.

buvait la bière à lentes gorgées, la savourant et la dégustant, comme une chose précieuse et rare.

Son compagnon se taisait, semblait réfléchir, puis tout à coup :
290 « Pourquoi n'essayerais-tu pas du journalisme ? »

L'autre, surpris, le regarda ; puis il dit : « Mais… c'est que… je n'ai jamais rien écrit.

— Bah ! on essaye, on commence. Moi, je pourrais t'employer à aller me chercher des renseignements, à faire des démarches et des
295 visites. Tu aurais, au début, deux cent cinquante francs et tes voitures payées. Veux-tu que j'en parle au directeur ?

— Mais certainement que je veux bien.

— Alors, fais une chose, viens dîner chez moi demain ; j'ai cinq ou six personnes seulement, le patron, M. Walter, sa femme,
300 Jacques Rival et Norbert de Varenne, que tu viens de voir, plus une amie de Mme Forestier. Est-ce entendu ? »

Duroy hésitait, rougissant, perplexe. Il murmura enfin : « C'est que… je n'ai pas de tenue convenable. »

Forestier fut stupéfait : « Tu n'as pas d'habit ? Bigre ! en voilà
305 une chose indispensable pourtant. À Paris, vois-tu, il vaudrait mieux n'avoir pas de lit que pas d'habit. »

Puis tout à coup, fouillant dans la poche de son gilet, il en tira une pincée d'or, prit deux louis[1], les posa devant son ancien camarade, et, d'un ton cordial et familier : « Tu me rendras ça quand tu
310 pourras. Loue ou achète au mois, en donnant un acompte, les vêtements qu'il te faut ; enfin, arrange-toi, mais viens dîner à la maison, demain, sept heures et demie, dix-sept, rue Fontaine[2]. »

Duroy, troublé, ramassait l'argent en balbutiant : « Tu es trop aimable, je te remercie bien… sois certain que je n'oublierai pas… »
315 L'autre l'interrompit : « Allons, c'est bon. Encore un bock, n'est-ce pas ? » Et il cria : « Garçon, deux bocks ! »

---

1. **Louis** : ancienne monnaie d'or valant vingt francs.
2. **Rue Fontaine** : rue située dans le 9ᵉ arrondissement de Paris, près de la place Pigalle.

Puis, quand ils les eurent bus, le journaliste demanda :

« Veux-tu flâner un peu, pendant une heure ?

— Mais certainement. »

320 Et ils se remirent en marche vers la Madeleine.

« Qu'est-ce que nous ferions bien ? demanda Forestier. On prétend qu'à Paris un flâneur peut toujours s'occuper ; ça n'est pas vrai. Moi, quand je veux flâner, le soir, je ne sais jamais où aller. Un tour au bois n'est amusant qu'avec une femme ; et on n'en a pas 325 toujours une sous la main ; les cafés-concerts[1] peuvent distraire mon pharmacien et son épouse, mais pas moi. Alors, quoi faire ? Rien. Il devrait y avoir ici un jardin d'été comme le parc Monceau[2], ouvert la nuit, où on entendrait de la très bonne musique en buvant des choses fraîches sous les arbres. Ce ne serait pas un lieu 330 de plaisir, mais un lieu de flâne ; et on payerait cher pour entrer, afin d'attirer les jolies dames. On pourrait marcher dans des allées bien sablées, éclairées à la lumière électrique, et s'asseoir quand on voudrait pour écouter la musique de près ou de loin. Nous avons eu à peu près ça autrefois chez Musard[3] ; mais avec un goût de 335 bastringue[4], et trop d'airs de danse, pas assez d'étendue, pas assez d'ombre, pas assez de sombre. Il faudrait un très beau jardin, très vaste. Ce serait charmant. Où veux-tu aller ? »

Duroy, perplexe, ne savait que dire ; enfin, il se décida : « Je ne connais pas les Folies-Bergère[5]. J'y ferais volontiers un tour. »

340 Son compagnon s'écria : « Les Folies-Bergère, bigre ! nous y cuirons comme dans une rôtissoire. Enfin, soit, c'est toujours drôle. »

---

1. Cafés-concerts : cabarets.

2. Parc Monceau : parc situé dans le 17e arrondissement de Paris.

3. Musard (Philippe, 1792-1859) : compositeur de musique festive très célèbre au XIXe siècle, qui organisait des concerts publics et des bals sur les Champs-Élysées.

4. Bastringue : bal populaire (terme péjoratif).

5. Folies-Bergère : music-hall très célèbre, construit en 1867 dans le 9e arrondissement de Paris.

Et ils pivotèrent sur leurs talons pour gagner la rue du Faubourg-Montmartre.

345 La façade illuminée de l'établissement jetait une grande lueur dans les quatre rues qui se joignent devant elle. Une file de fiacres[1] attendait la sortie.

Forestier entrait, Duroy l'arrêta :

« Nous oublions de passer au guichet. »

350 L'autre répondit d'un ton important :

« Avec moi on ne paye pas. »

Quand il s'approcha du contrôle, les trois contrôleurs le saluèrent. Celui du milieu lui tendit la main. Le journaliste demanda :

« Avez-vous une bonne loge[2] ?

355 — Mais, certainement, monsieur Forestier. »

Il prit le coupon qu'on lui tendait, poussa la porte matelassée à battants garnis de cuir, et ils se trouvèrent dans la salle.

Une vapeur de tabac voilait un peu, comme un très fin brouillard, les parties lointaines, la scène et l'autre côté du théâtre. Et

360 s'élevant sans cesse, en minces filets blanchâtres, de tous les cigares et de toutes les cigarettes que fumaient tous ces gens, cette brume légère montait toujours, s'accumulait au plafond et formait, sous le large dôme[3], autour du lustre, au-dessus de la galerie[4] du premier chargée de spectateurs, un ciel ennuagé de fumée.

365 Dans le vaste corridor d'entrée qui mène à la promenade[5] circulaire, où rôde la tribu parée des filles[6], mêlée à la foule sombre des hommes, un groupe de femmes attendait les arrivants devant un des comptoirs où trônaient, fardées et défraîchies, trois marchandes de boissons et d'amour.

---

1. Fiacres : voitures à cheval louées à la course (comme les taxis aujourd'hui).

2. Loge : compartiment contenant plusieurs sièges dans une salle de théâtre.

3. Dôme : voûte.

4. Galerie : couloir ouvert sur la salle.

5. Corridor : couloir ; **promenade** : partie du théâtre où l'on peut circuler.

6. Filles : prostituées.

Les hautes glaces, derrières elles, reflétaient leurs dos et les visages des passants.

Forestier ouvrait les groupes, avançait vite, en homme qui a droit à la considération.

Il s'approcha d'une ouvreuse[1] : « La loge dix-sept ? dit-il.

375 — Par ici, monsieur. »

Et on les enferma dans une petite boîte en bois, découverte, tapissée de rouge, et qui contenait quatre chaises de même couleur, si rapprochées qu'on pouvait à peine se glisser entre elles. Les deux amis s'assirent ; et, à droite comme à gauche, suivant une
380 longue ligne arrondie aboutissant à la scène par les deux bouts, une suite de cases semblables contenait des gens assis également et dont on ne voyait que la tête et la poitrine.

Sur la scène, trois jeunes hommes en maillot collant, un grand, un moyen, un petit, faisaient, tour à tour, des exercices sur un trapèze.

385 Le grand s'avançait d'abord, à pas courts et rapides, en souriant, et saluait avec un mouvement de la main comme pour envoyer un baiser.

On voyait, sous le maillot, se dessiner les muscles des bras et des jambes ; il gonflait sa poitrine pour dissimuler son estomac trop saillant[2] ; et sa figure semblait celle d'un garçon coiffeur, car une raie
390 soignée ouvrait sa chevelure en deux parties égales, juste au milieu du crâne. Il atteignait le trapèze d'un bond gracieux, et, pendu par les mains tournait autour comme une roue lancée ; ou bien, les bras roides[3], le corps droit, il se tenait immobile, couché horizontalement dans le vide, attaché seulement à la barre fixe par la force des poignets.

395 Puis il sautait à terre, saluait de nouveau en souriant sous les applaudissements de l'orchestre[4] et allait se coller contre

---

1. Ouvreuse : personne chargée d'accueillir et de placer les gens dans une salle de théâtre.

2. Saillant : rebondi.

3. Roides : raides

4. Orchestre : partie d'une salle de théâtre située en bas de la scène ; par métonymie, les spectateurs qui occupent ces places.

le décor, en montrant bien, à chaque pas, la musculature de sa jambe.

Le second, moins haut, plus trapu[1], s'avançait à son tour et
400 répétait le même exercice, que le dernier recommençait encore,
au milieu de la faveur[2] plus marquée du public.

Mais Duroy ne s'occupait guère du spectacle, et, la tête
tournée, il regardait sans cesse derrière lui le grand promenoir[3]
plein d'hommes et de prostituées.

405 Forestier lui dit : « Remarque donc l'orchestre : rien que des
bourgeois[4] avec leurs femmes et leurs enfants, de bonnes têtes
stupides qui viennent pour voir. Aux loges, des boulevardiers[5],
quelques artistes, quelques filles de demi-choix[6] ; et, derrière
nous, le plus drôle de mélange qui soit dans Paris. Quels sont ces
410 hommes ? Observe-les. Il y a de tout, de toutes les professions et
de toutes les castes[7], mais la crapule domine. Voici des employés,
employés de banque, de magasin, de ministère, des reporters, des
souteneurs, des officiers en bourgeois, des gommeux en habit[8],
qui viennent de dîner au cabaret et qui sortent de l'Opéra avant
415 d'entrer aux Italiens[9], et puis encore tout un monde d'hommes
suspects qui défient l'analyse. Quant aux femmes, rien qu'une
marque : la soupeuse de l'Américain[10], la fille à un ou deux louis[11]
qui guette l'étranger de cinq louis et prévient ses habitués quand

---

1. Trapu : petit et robuste.

2. Faveur : intérêt, enthousiasme.

3. Promenoir : partie du théâtre où l'on peut circuler ou se tenir debout.

4. Bourgeois : gens des classes moyennes.

5. Boulevardiers : hommes fréquentant théâtres et cafés des Grands Boulevards.

6. Filles de demi-choix : prostituées de second rang.

7. Castes : catégories sociales.

8. Souteneurs : proxénètes ; **en bourgeois** : en civil ; **gommeux** : jeunes gens
prétentieux et d'une élégance excessive ; **en habit** : en costume.

9. Les Italiens : théâtre des Italiens.

10. Soupeuse de l'Américain : entraîneuse dont le but est de faire dépenser de
l'argent au nouveau venu qui l'invite à *souper* (dîner).

11. Louis : ancienne monnaie d'or valant vingt francs.

elle est libre. On les connaît toutes depuis dix ans ; on les voit tous
420 les soirs, toute l'année, aux mêmes endroits, sauf quand elles font
une station hygiénique à Saint-Lazare ou à Lourcine[1]. »

Duroy n'écoutait plus. Une de ces femmes, s'étant accoudée à
leur loge, le regardait. C'était une grosse brune à la chair blanchie
par la pâte[2], à l'œil noir, allongé, souligné par le crayon, encadré
425 sous des sourcils énormes et factices[3]. Sa poitrine, trop forte,
tendait la soie sombre de sa robe ; et ses lèvres peintes, rouges
comme une plaie, lui donnaient quelque chose de bestial, d'ardent, d'outré[4], mais qui allumait le désir cependant.

Elle appela, d'un signe de tête, une de ses amies qui passait,
430 une blonde aux cheveux rouges, grasse aussi, et elle lui dit, d'une
voix assez forte pour être entendue : « Tiens v'là un joli garçon :
s'il veut de moi pour dix louis je ne dirai pas non. »

Forestier se retourna, et, souriant, il tapa sur la cuisse de
Duroy : « C'est pour toi, ça, tu as du succès, mon cher. Mes
435 compliments. »

L'ancien sous-off[5] avait rougi ; et il tâtait, d'un mouvement
machinal du doigt, les deux pièces d'or dans la poche de son gilet.

Le rideau s'était baissé ; l'orchestre maintenant jouait une valse.

Duroy dit : « Si nous faisions un tour dans la galerie ? »
440 — Comme tu voudras. »

Ils sortirent, et furent aussitôt entraînés dans le courant
des promeneurs. Pressés, poussés, serrés, ballottés, ils allaient,
ayant devant les yeux un peuple de chapeaux. Et les filles, deux
par deux, passaient dans cette foule d'hommes, la traversaient
445 avec facilité, glissaient entre les coudes, entre les poitrines, entre

---

1. **Saint-Lazare, Lourcine** : établissements où l'on soignait les maladies
sexuelles.
2. **Pâte** : fard, fond de teint.
3. **Factices** : faux.
4. **D'outré** : d'exagéré.
5. **Sous-off** : sous-officier (argot militaire).

les dos, comme si elles eussent été bien chez elles, bien à l'aise, à la façon des poissons dans l'eau, au milieu de ce flot de mâles.

Duroy, ravi, se laissait aller, buvait avec ivresse l'air vicié par le tabac, par l'odeur humaine et les parfums des drôlesses[1]. Mais
450 Forestier suait, soufflait, toussait.

« Allons au jardin », dit-il.

Et, tournant à gauche, ils pénétrèrent dans une espèce de jardin couvert, que deux grandes fontaines de mauvais goût rafraîchissaient. Sous des ifs et des thuyas en caisse[2], des hommes et des
455 femmes buvaient sur des tables de zinc[3].

« Encore un bock[4] ? demanda Forestier.

– Oui, volontiers. »

Ils s'assirent, en regardant passer le public.

De temps en temps, une rôdeuse s'arrêtait, puis demandait
460 avec un sourire banal : « M'offrez-vous quelque chose, monsieur ? » Et comme Forestier répondait : « Un verre d'eau à la fontaine », elle s'éloignait en murmurant : « Va donc, mufle[5] ! »

Mais la grosse brune qui s'était appuyée tout à l'heure derrière la loge[6] des deux camarades, reparut, marchant arrogamment[7],
465 le bras passé sous celui de la grosse blonde. Cela faisait vraiment une belle paire de femmes, bien assorties.

Elle sourit en apercevant Duroy comme si leurs yeux se fussent dit déjà des choses intimes et secrètes ; et, prenant une chaise, elle s'assit tranquillement en face de lui et fit asseoir son amie, puis
470 elle commanda d'une voix claire : « Garçon, deux grenadines ! » Forestier, surpris, prononça : « Tu ne te gênes pas, toi ! »

---

1. Drôlesses : femmes (péjoratif).

2. Ifs, thuyas : arbres ornementaux à feuilles persistantes ; **en caisse** : en pot.

3. Zinc : métal.

4. Bock : verre d'un quart de litre de bière, demi.

5. Mufle : individu sans éducation, grossier personnage.

6. Loge : compartiment contenant plusieurs sièges dans une salle de théâtre.

7. Arrogamment : avec arrogance.

Elle répondit : « C'est ton ami qui me séduit. C'est vraiment un joli garçon. Je crois qu'il me ferait faire des folies ! »

Duroy, intimidé, ne trouvait rien à dire. Il retroussait sa moustache frisée en souriant d'une façon niaise. Le garçon apporta les sirops que les femmes burent d'un seul trait ; puis elles se levèrent ; et la brune, avec un petit salut amical de la tête et un léger coup d'éventail sur le bras, dit à Duroy : « Merci, mon chat. Tu n'as pas la parole facile. »

Et elles partirent en balançant leur croupe.

Alors Forestier se mit à rire : « Dis donc, mon vieux, sais-tu que tu as vraiment du succès auprès des femmes. Il faut soigner ça. Ça peut te mener loin. » Il se tut une seconde, puis reprit, avec ce ton rêveur des gens qui pensent tout haut : « C'est encore par elles qu'on arrive[1] le plus vite. »

Et comme Duroy souriait toujours sans répondre, il demanda : « Est-ce que tu restes encore ? moi, je vais rentrer, j'en ai assez. »

L'autre murmura : « Oui, je reste encore un peu. Il n'est pas tard. »

Forestier se leva : « Eh bien, adieu, alors. À demain. N'oublie pas ? Dix-sept, rue Fontaine[2], sept heures et demie.

– C'est entendu ; à demain, Merci. »

Ils se serrèrent la main, et le journaliste s'éloigna.

Dès qu'il eut disparu, Duroy se sentit libre, et de nouveau il tâta joyeusement les deux pièces d'or dans sa poche ; puis, se levant, il se mit à parcourir la foule qu'il fouillait de l'œil.

Il les aperçut bientôt, les deux femmes, la blonde et la brune, qui voyageaient toujours de leur allure fière de mendiantes, à travers la cohue des hommes.

Il alla droit sur elles, et, quand il fut tout près, il n'osa plus.

La brune lui dit : « As-tu retrouvé ta langue ? »

---

1. Qu'on arrive : qu'on réussit socialement.
2. Rue Fontaine : rue située dans le 9e arrondissement de Paris, près de la place Pigalle.

Il balbutia : « Parbleu », sans parvenir à prononcer autre chose que cette parole.

Ils restaient debout tous les trois, arrêtés, arrêtant le mouvement du promenoir[1], formant un remous autour d'eux.

Alors, tout à coup elle demanda :

« Viens-tu chez moi ? »

Et lui, frémissant de convoitise, répondit brutalement :

« Oui, mais je n'ai qu'un louis[2] dans ma poche. »

Elle sourit avec indifférence : « Ça ne fait rien. »

Et elle prit son bras en signe de possession.

Comme ils sortaient, il songeait qu'avec les autres vingt francs il pourrait facilement se procurer, en location, un costume de soirée pour le lendemain.

---

1. Promenoir : partie du théâtre où l'on peut circuler.
2. Louis : ancienne monnaie d'or valant vingt francs.

2

« Monsieur Forestier, s'il vous plaît ?

– Au troisième, la porte à gauche. »

Le concierge avait répondu cela d'une voix aimable où apparaissait une considération pour son locataire. Et Georges Duroy
monta l'escalier.

Il était un peu gêné, intimidé, mal à l'aise. Il portait un habit[1]
pour la première fois de sa vie, et l'ensemble de sa toilette l'inquiétait. Il la sentait défectueuse en tout, par les bottines non
vernies, mais assez fines cependant, car il avait la coquetterie du
pied, par la chemise de quatre francs cinquante achetée le matin
même au Louvre[2], et dont le plastron[3] trop mince se cassait déjà.
Ses autres chemises, celles de tous les jours, ayant des avaries[4] plus
ou moins graves, il n'avait pu utiliser même la moins abîmée.

Son pantalon, un peu trop large, dessinait mal la jambe,
semblait s'enrouler autour du mollet, avait cette apparence fripée
que prennent les vêtements d'occasion sur les membres qu'ils
recouvrent par aventure[5]. Seul, l'habit n'allait pas mal, s'étant
trouvé à peu près juste pour la taille.

Il montait lentement les marches, le cœur battant, l'esprit
anxieux, harcelé surtout par la crainte d'être ridicule ; et, soudain,

---

1. Habit : costume.

2. Au Louvre : aux grands magasins du Louvre.

3. Plastron : pièce de tissu rigide de forme arrondie cousue sur le devant de la
chemise, au niveau de la poitrine.

4. Avaries : dommages, dégâts.

5. Par aventure : par hasard.

il aperçut en face de lui un monsieur en grande toilette qui le regardait. Ils se trouvaient si près l'un de l'autre que Duroy fit un mouvement en arrière, puis il demeura stupéfait : c'était lui-même, reflété par une haute glace en pied qui formait sur le palier
25 du premier une longue perspective de galerie. Un élan de joie le fit tressaillir tant il se jugea mieux qu'il n'aurait cru.

N'ayant chez lui que son petit miroir à barbe, il n'avait pu se contempler entièrement, et comme il n'y voyait que fort mal les diverses parties de sa toilette[1] improvisée, il s'exagérait les imper-
30 fections, s'affolait à l'idée d'être grotesque.

Mais voilà qu'en s'apercevant brusquement dans la glace, il ne s'était même pas reconnu ; il s'était pris pour un autre, pour un homme du monde, qu'il avait trouvé fort bien, fort chic, au premier coup d'œil.
35 Et maintenant, en se regardant avec soin, il reconnaissait que, vraiment, l'ensemble était satisfaisant.

Alors il s'étudia comme font les acteurs pour apprendre leurs rôles. Il se sourit, se tendit la main, fit des gestes, exprima des sentiments : l'étonnement, le plaisir, l'approbation ; et il chercha les degrés du
40 sourire et les intentions de l'œil pour se montrer galant auprès des dames, leur faire comprendre qu'on les admire et qu'on les désire.

Une porte s'ouvrit dans l'escalier. Il eut peur d'être surpris et il se mit à monter fort vite, avec la crainte d'avoir été vu minau-dant[2] ainsi, par quelque invité de son ami.
45 En arrivant au second étage, il aperçut une autre glace et il ralentit sa marche pour se regarder passer. Sa tournure lui parut vraiment élégante. Il marchait bien. Et une confiance immodérée en lui-même emplit son âme. Certes, il réussirait avec cette figure-là et son désir d'arriver, et la résolution qu'il se connaissait
50 et l'indépendance de son esprit. Il avait envie de courir, de sauter

---

1. **Toilette** : tenue vestimentaire.
2. **Minaudant** : faisant des manières, prenant des poses pour séduire.

en gravissant le dernier étage. Il s'arrêta devant la troisième glace, frisa sa moustache d'un mouvement qui lui était familier, ôta son chapeau pour rajuster sa chevelure, et murmura à mi-voix, comme il faisait souvent : « Voilà une excellente invention. » Puis,
55 tendant la main vers le timbre[1], il sonna.

La porte s'ouvrit presque aussitôt, et il se trouva en présence d'un valet en habit noir, grave, rasé, si parfait de tenue que Duroy se troubla de nouveau sans comprendre d'où lui venait cette vague émotion : d'une inconsciente comparaison peut-être, entre la
60 coupe de leurs vêtements. Ce laquais[2], qui avait des souliers vernis, demanda, en prenant le pardessus que Duroy tenait sur son bras par peur de montrer les taches :

« Qui dois-je annoncer ? »

Et il jeta le nom derrière une portière[3] soulevée, dans un salon
65 où il fallait entrer.

Mais Duroy, tout à coup, perdant son aplomb, se sentit perclus de crainte, haletant[4]. Il allait faire son premier pas dans l'existence attendue, rêvée. Il s'avança, pourtant. Une jeune femme, blonde, était debout qui l'attendait, toute seule, dans une grande
70 pièce bien éclairée et pleine d'arbustes, comme une serre.

Il s'arrêta net, tout à fait déconcerté. Quelle était cette dame qui souriait ? Puis il se souvint que Forestier était marié ; et la pensée que cette jolie blonde élégante devait être la femme de son ami acheva de l'effarer.

75 Il balbutia : « Madame, je suis… » Elle lui tendit la main : « Je le sais, monsieur. Charles m'a raconté votre rencontre d'hier soir, et je suis très heureuse qu'il ait eu la bonne inspiration de vous prier de dîner avec nous aujourd'hui. »

---

1. Timbre : sonnette.

2. Laquais : domestique.

3. Portière : rideau qui masque l'entrée d'une pièce.

4. Perclus de crainte : paralysé par la crainte ; **haletant** : en proie à une vive émotion.

Le portrait d'un ambitieux

« Monsieur Forestier [...] aujourd'hui. »

Ce portrait est-il péjoratif ou mélioratif ?

• Le portrait, d'abord **dévalorisant**, insiste sur la gaucherie du personnage et le manque de qualité de sa tenue, décrite de façon morcelée.
• Il devient **valorisant** quand Duroy s'observe dans le miroir. Saisissant de lui-même une vision d'ensemble, il découvre un « monsieur en grande toilette », un « homme du monde ».
• À chaque étage gravi, **l'image de soi se valorise** et le personnage gagne en confiance.

Par qui le personnage est-il perçu ?

Ce portrait fait **alterner focalisation zéro et focalisation interne**.
• Le narrateur **omniscient** suit les actions du personnage et identifie les lieux. Duroy monte les escaliers et s'observe, tout en se mettant en scène par un jeu de mimiques.
• La **focalisation interne** est introduite par les **verbes de perception**. Une analepse (retour en arrière) explicative permet de comprendre pourquoi son regard sur lui-même évolue : n'ayant qu'un « miroir à barbe » chez lui, Duroy n'a pu voir sa silhouette et s'imagine mal habillé.

Quel effet de lecture la focalisation produit-elle ?

• Elle **met en abyme** le portrait de l'ambitieux : le narrateur observe le personnage en train de s'observer et de se métamorphoser. Duroy découvre en lui l'image d'un homme d'une classe sociale supérieure et cherche à adopter, par sa gestuelle, cette nouvelle identité.
• Ce procédé éclaire aussi le **jeu des apparences** : Duroy passe pour un acteur jouant la comédie. Le point de vue du narrateur omniscient surplombe celui du personnage et **se moque ironiquement** de l'ambitieux qui se singe.

Focalisations interne et zéro

Le narrateur superpose deux points de vue ou focalisations :

• la **focalisation interne** : le narrateur adopte la **perception d'un personnage**, usant notamment du **discours indirect libre** (« Certes, il réussirait avec cette figure-là »). Il est alors difficile de savoir qui voit et qui parle, et si le portrait de Duroy est positif ou négatif ;

• la **focalisation zéro** : le narrateur **omniscient** sait tout de la situation, des personnages, des événements passés et futurs. Sa **vision** est **globale et illimitée**.

Il rougit jusqu'aux oreilles, ne sachant plus que dire ; et il se
80 sentait examiné, inspecté des pieds à la tête, pesé, jugé.

Il avait envie de s'excuser, d'inventer une raison pour expliquer
les négligences de sa toilette ; mais il ne trouva rien, et n'osa pas
toucher à ce sujet difficile.

Il s'assit sur un fauteuil qu'elle lui désignait, et quand il sentit
85 plier sous lui le velours élastique et doux du siège, quand il se
sentit enfoncé, appuyé, étreint par ce meuble caressant dont le
dossier et les bras capitonnés[1] le soutenaient délicatement, il lui
sembla qu'il entrait dans une vie nouvelle et charmante, qu'il
prenait possession de quelque chose de délicieux, qu'il devenait
90 quelqu'un, qu'il était sauvé ; et il regarda Mme Forestier dont les
yeux ne l'avaient point quitté.

Elle était vêtue d'une robe de cachemire bleu pâle qui dessinait
bien sa taille souple et sa poitrine grasse.

La chair des bras et de la gorge sortait d'une mousse de dentelle
95 blanche dont étaient garnis le corsage et les courtes manches ; et
les cheveux relevés au sommet de la tête, frisant un peu sur la
nuque, faisaient un léger nuage de duvet blond au-dessus du cou.

Duroy se rassurait sous son regard, qui lui rappelait, sans qu'il
sût pourquoi, celui de la fille rencontrée la veille aux Folies-
100 Bergère. Elle avait les yeux gris, d'un gris azuré[2] qui en rendait
étrange l'expression, le nez mince, les lèvres fortes, le menton un
peu charnu, une figure irrégulière et séduisante, pleine de gentillesse et de malice. C'était un de ces visages de femme dont chaque
ligne révèle une grâce particulière, semble avoir une signification,
105 dont chaque mouvement paraît dire ou cacher quelque chose.

Après un court silence, elle lui demanda : « Vous êtes depuis
longtemps à Paris ? »

Il répondit, en reprenant peu à peu possession de lui :

---

1. **Capitonnés** : recouverts d'un tissu rembourré fixé par des piqûres régulières.
2. **Azuré** : bleuté.

« Depuis quelques mois seulement, madame. J'ai un emploi dans les chemins de fer ; mais Forestier m'a laissé espérer que je pourrais, grâce à lui, pénétrer dans le journalisme. »

Elle eut un sourire plus visible, plus bienveillant ; et elle murmura, en baissant la voix : « Je sais. »

Le timbre avait tinté de nouveau. Le valet[1] annonça :

« Madame de Marelle. »

C'était une petite brune, de celles qu'on appelle des brunettes.

Elle entra d'une allure alerte ; elle semblait dessinée, moulée des pieds à la tête dans une robe sombre toute simple.

Seule une rose rouge, piquée dans ses cheveux noirs, attirait l'œil violemment, semblait marquer sa physionomie, accentuer son caractère spécial, lui donner la note vive et brusque qu'il fallait.

Une fillette en robe courte la suivait. Mme Forestier s'élança :

« Bonjour Clotilde.

— Bonjour Madeleine. »

Elles s'embrassèrent. Puis l'enfant tendit son front avec une assurance de grande personne, en prononçant :

« Bonjour, cousine. »

Mme Forestier la baisa ; puis fit les présentations :

« Monsieur Georges Duroy, un bon camarade de Charles.

Madame de Marelle, mon amie, un peu ma parente. »

Elle ajouta : « Vous savez, nous sommes ici sans cérémonie, sans façon, et sans pose. C'est entendu, n'est-ce pas ? »

Le jeune homme s'inclina.

Mais la porte s'ouvrit de nouveau, et un petit gros monsieur, court et rond, parut, donnant le bras à une grande et belle femme, plus haute que lui, beaucoup plus jeune, de manières distinguées et d'allure grave[2]. C'était M. Walter, député, financier, homme

---

1. **Valet** : domestique.
2. **Grave** : sérieuse.

d'argent et d'affaires, juif et méridional, directeur de *La Vie*
140 *française*[1], et sa femme, née Basile-Ravalau, fille du banquier de
ce nom.

Puis parurent, coup sur coup, Jacques Rival, très élégant, et
Norbert de Varenne, dont le col d'habit luisait, un peu ciré par le
frottement des longs cheveux, qui tombaient jusqu'aux épaules,
145 et semaient dessus quelques grains de poussière blanche[2].

Sa cravate, mal nouée, ne semblait pas à sa première sortie.
Il s'avança avec des grâces de vieux beau et, prenant la main de
Mme Forestier, mit un baiser sur son poignet. Dans le mouvement qu'il fit en se baissant, sa longue chevelure se répandit
150 comme de l'eau sur le bras nu de la jeune femme.

Et Forestier entra à son tour, en s'excusant d'être en retard.
Mais il avait été retenu au journal par l'affaire Morel. M. Morel,
député radical[3], venait d'adresser une question au ministère sur
une demande de crédits relative à la colonisation de l'Algérie[4].

155 Le domestique cria : « Madame est servie ! »

Et on passa dans la salle à manger.

Duroy se trouvait placé entre Mme de Marelle et sa fille. Il se
sentait de nouveau gêné, ayant peur de commettre quelque erreur
dans le maniement conventionnel de la fourchette, de la cuiller[5]
160 ou des verres. Il y en avait quatre, dont un légèrement teinté de
bleu. Que pouvait-on boire dans celui-là ?

On ne dit rien pendant qu'on mangeait le potage, puis Norbert
de Varenne demanda : « Avez-vous lu ce procès Gauthier ? quelle
drôle de chose ! »

---

1. *La Vie française* : journal pour lequel travaille Forestier.

2. À l'époque, les hommes se poudraient les cheveux, d'où « les grains de poussière blanche ».

3. **Député radical** : député appartenant au parti radical.

4. La deuxième moitié du XIXe siècle est une période active de la colonisation
française en Afrique du Nord. La politique française en Afrique et en Asie est
alors un grand sujet d'actualité.

5. **Cuiller** : cuillère.

165   Et on discuta sur ce cas d'adultère compliqué de[1] chantage. On n'en parlait point comme on parle, au sein des familles, des événements racontés dans les feuilles[2] publiques, mais comme on parle d'une maladie entre médecins ou de légumes entre fruitiers. On ne s'indignait pas, on ne s'étonnait pas des faits ; on en cherchait
170 les causes profondes, secrètes, avec une curiosité professionnelle et une indifférence absolue pour le crime lui-même. On tâchait d'expliquer nettement les origines des actions, de déterminer tous les phénomènes cérébraux dont était né le drame, résultat scientifique d'un état d'esprit particulier[3]. Les femmes aussi se passion-
175 naient à cette poursuite, à ce travail. Et d'autres événements récents furent examinés, commentés, tournés sous toutes leurs faces, pesés à leur valeur, avec ce coup d'œil pratique et cette manière de voir spéciale des marchands de nouvelles, des débitants de comédie humaine à la ligne[4], comme on examine,
180 comme on retourne et comme on pèse, chez les commerçants, les objets qu'on va livrer au public.

    Puis il fut question d'un duel et Jacques Rival prit la parole. Cela lui appartenait ; personne autre ne pouvait traiter cette affaire.

    Duroy n'osait point placer un mot. Il regardait parfois sa voisine,
185 dont la gorge ronde le séduisait. Un diamant tenu par un fil d'or pendait au bas de l'oreille, comme une goutte d'eau qui aurait glissé sur la chair. De temps en temps, elle faisait une remarque qui éveillait toujours un sourire sur les lèvres. Elle avait un esprit drôle, gentil, inattendu, un esprit de gamine expérimentée qui voit les choses avec
190 insouciance et les juge avec un scepticisme[5] léger et bienveillant.

---

1. Adultère : infidélité de l'époux ou de l'épouse ; **compliqué de** : mêlé de.

2. Feuilles : journaux.

3. Les personnages ne jugent pas l'adultère sur le plan moral, comme on le ferait en famille, mais l'analysent scientifiquement, en essayant d'en déterminer les causes psychologiques et sociales.

4. Marchands de nouvelles, débitants de comédie humaine à la ligne : expressions désignant les mauvais auteurs réalistes ou naturalistes.

5. Scepticisme : doute, défiance.

Duroy cherchait en vain quelque compliment à lui faire, et, ne trouvant rien, il s'occupait de sa fille, lui versait à boire, lui tenait ses plats, la servait. L'enfant, plus sévère que sa mère, remerciait avec une voix grave, faisait de courts saluts de la tête : « Vous êtes
195 bien aimable, Monsieur », et elle écoutait les grandes personnes d'un petit air réfléchi.

Le dîner était fort bon, et chacun s'extasiait. M. Walter mangeait comme un ogre, ne parlait presque pas, et considérait d'un regard oblique[1], glissé sous ses lunettes, les mets[2] qu'on lui présentait.
200 Norbert de Varenne lui tenait tête et laissait tomber parfois des gouttes de sauce sur son plastron[3] de chemise.

Forestier, souriant et sérieux, surveillait, échangeait avec sa femme des regards d'intelligence[4], à la façon de compères accomplissant ensemble une besogne difficile et qui marche à souhait.

205 Les visages devenaient rouges, les voix s'enflaient. De moment en moment, le domestique murmurait, à l'oreille des convives : « Corton – Château-Laroze[5] ? »

Duroy avait trouvé le Corton de son goût et il laissait chaque fois emplir son verre. Une gaieté délicieuse entrait en lui, une gaieté
210 chaude qui lui montait du ventre à la tête, lui courait dans les membres, le pénétrait tout entier. Il se sentait envahi par un bien-être complet, un bien-être de vie et de pensée, de corps et d'âme.

Et une envie de parler lui venait, de se faire remarquer, d'être écouté, apprécié comme ces hommes dont on savourait les moindres
215 expressions.

Mais la causerie qui allait sans cesse, accrochant les idées les unes aux autres, sautant d'un sujet à l'autre sur un mot, un rien,

---

1. Oblique : en biais.

2. Mets : plats.

3. Plastron : pièce de tissu rigide de forme arrondie cousue sur le devant de la chemise, au niveau de la poitrine.

4. Intelligence : complicité.

5. Corton, Château-Laroze : noms de grands vins.

après avoir fait le tour des événements du jour et avoir effleuré, en passant, mille questions, revint à la grande interpellation[1] de
220 M. Morel sur la colonisation de l'Algérie.

M. Walter, entre deux services, fit quelques plaisanteries, car il avait l'esprit sceptique et gras[2]. Forestier raconta son article du lendemain, Jacques Rival réclama un gouvernement militaire[3] avec des concessions[4] de terres accordées à tous les officiers après
225 trente années de service colonial.

« De cette façon, disait-il, vous créerez une société énergique, ayant appris depuis longtemps à connaître et à aimer le pays, sachant sa langue et au courant de toutes ces graves questions locales auxquelles se heurtent infailliblement les nouveaux venus. »
230 Norbert de Varenne l'interrompit :

« Oui… ils sauront tout, excepté l'agriculture. Ils parleront l'arabe, mais ils ignoreront comment on repique des betteraves et comment on sème du blé. Ils seront même forts en escrime, mais très faibles sur les engrais. Il faudrait au contraire ouvrir large-
235 ment ce pays neuf à tout le monde. Les hommes intelligents s'y feront une place, les autres succomberont. C'est la loi sociale. »

Un léger silence suivit. On souriait.

Georges Duroy ouvrit la bouche et prononça, surpris par le son de sa voix, comme s'il ne s'était jamais entendu parler : « Ce qui
240 manque le plus là-bas, c'est la bonne terre. Les propriétés vrai-ment fertiles coûtent aussi cher qu'en France, et sont achetées, comme placement de fonds[5], par des Parisiens très riches. Les vrais colons[6], les pauvres, ceux qui s'exilent faute de pain, sont rejetés dans le désert où il ne pousse rien, par manque d'eau. »

---

1. Interpellation : demande, question.
2. Sceptique : incrédule, porté au doute ; **gras** : épais, manquant de finesse.
3. Les personnages débattent toujours à propos de l'Algérie.
4. Concessions : attributions.
5. Placement de fonds : investissement financier.
6. Les vrais colons : les Français qui ont quitté la France pour s'installer en Algérie.

245 Tout le monde le regardait. Il se sentit rougir. M. Walter demandait : « Vous connaissez l'Algérie, Monsieur ? »

Il répondit : « Oui, Monsieur, j'y suis resté vingt-huit mois, et j'ai séjourné dans les trois provinces[1]. »

Et brusquement, oubliant la question Morel, Norbert de
250 Varenne l'interrogea sur un détail de mœurs[2] qu'il tenait d'un officier. Il s'agissait du Mzab[3], cette étrange petite république arabe née au milieu du Sahara, dans la partie la plus desséchée de cette région brûlante.

Duroy avait visité deux fois le Mzab, et il raconta les mœurs de
255 ce singulier pays où les gouttes d'eau ont la valeur de l'or, où chaque habitant est tenu à tous les services publics, où la probité[4] commerciale est poussée plus loin que chez les peuples civilisés.

Il parla avec une certaine verve hâbleuse[5], excité par le vin et par le désir de plaire, il raconta des anecdotes de régiment, des
260 traits de la vie arabe, des aventures de guerre. Il trouva même quelques mots colorés pour exprimer ces contrées jaunes et nues, interminablement désolées[6] sous la flamme dévorante du soleil.

Toutes les femmes avaient les yeux sur lui. Mme Walter murmura de sa voix lente : « Vous feriez avec vos souvenirs une
265 charmante série d'articles. » Alors Walter considéra le jeune homme par-dessus le verre de ses lunettes, comme il faisait pour bien voir les visages. Il regardait les plats par-dessous.

Forestier saisit le moment : « Mon cher patron, je vous ai parlé tantôt de M. Georges Duroy, en vous demandant de me l'ad-
270 joindre pour le service des informations politiques. Depuis que

---

1. Les trois provinces : les provinces d'Alger, d'Oran et de Constantine. Maupassant connaît bien l'Algérie, il a rédigé un récit de voyage intitulé *Au soleil* (1884).

2. Mœurs : usages, coutumes.

3. M'zab : ensemble d'oasis situé dans le sud du Sahara algérien.

4. Probité : honnêteté, droiture.

5. Verve hâbleuse : fougue vantarde.

6. Désolées : désertiques.

Marambot nous a quittés, je n'ai personne pour aller prendre les renseignements urgents et confidentiels ; et le journal en souffre. »

Le père Walter devint sérieux et releva tout à fait ses lunettes pour regarder Duroy bien en face. Puis il dit : « Il est certain que
275 M. Duroy a un esprit original. S'il veut bien venir causer avec moi, demain à trois heures, nous arrangerons ça. » Puis, après un silence, et se tournant tout à fait vers le jeune homme : « Mais faites-nous tout de suite une petite série fantaisiste[1] sur l'Algérie. Vous raconterez vos souvenirs ; et vous mêlerez à ça la question de la coloni-
280 sation, comme tout à l'heure. C'est d'actualité, tout à fait d'actualité, et je suis sûr que ça plaira beaucoup à nos lecteurs. Mais dépêchez-vous. Il me faut le premier article pour demain ou après-demain, pendant qu'on discute à la Chambre[2], afin d'amorcer[3] le public. »

285 Mme Walter ajouta, avec cette grâce sérieuse qu'elle mettait en tout et qui donnait un air de faveurs[4] à ses paroles : « Et vous avez un titre charmant : *Souvenirs d'un Chasseur d'Afrique,* n'est-ce pas, monsieur Norbert ? »

Le vieux poète, arrivé tard à la renommée[5], détestait et redou-
290 tait les nouveaux venus. Il répondit d'un air sec :

« Oui, excellent, à condition que la suite soit dans la note[6], car c'est là la grande difficulté ; la note juste, ce qu'en musique on appelle le ton. »

Mme Forestier couvrait Duroy d'un regard protecteur et
295 souriant, d'un regard de connaisseur qui semblait dire : « Toi, tu arriveras. » Mme de Marelle s'était, à plusieurs reprises, tournée

---

1. **Une petite série** : un ensemble d'articles, de chroniques ; **fantaisiste** : exotique.
2. **La Chambre** : aujourd'hui l'Assemblée nationale.
3. **Amorcer** : appâter.
4. **Faveurs** : bienveillance.
5. **Arrivé tard à la renommée** : ayant connu tardivement la renommée.
6. **À condition que la suite soit dans la note** : à condition que le texte (qui suit le titre) ait du style.

vers lui, et le diamant de son oreille tremblait sans cesse comme si la fine goutte d'eau allait se détacher et tomber.

La petite fille demeurait immobile et grave, la tête baissée sur 300 son assiette.

Mais le domestique faisait le tour de la table versant dans les verres bleus du vin de Johannisberg ; et Forestier portait un toast en saluant M. Walter : « À la longue prospérité de *La Vie française !* »

Tout le monde s'inclina vers le Patron qui souriait et Duroy, gris 305 de[1] triomphe, but d'un trait. Il aurait vidé de même une barrique entière, lui semblait-il, il aurait mangé un bœuf, étranglé un lion. Il se sentait dans les membres une vigueur surhumaine, dans l'esprit une résolution invincible et une espérance infinie. Il était chez lui, maintenant, au milieu de ces gens ; il venait d'y pendre posi- 310 tion, d'y conquérir sa place. Son regard se posait sur les visages avec une assurance nouvelle, et il osa, pour la première fois, adresser la parole à sa voisine :

« Vous avez, madame, les plus jolies boucles d'oreilles que j'aie jamais vues. »

315 Elle se tourna vers lui en souriant : « C'est une idée à moi de pendre des diamants comme ça, simplement au bout d'un fil. On dirait vraiment de la rosée, n'est-ce pas ? »

Il murmura, confus de son audace et tremblant de dire une sottise :

320 « C'est charmant… mais l'oreille aussi fait valoir la chose. »

Elle le remercia d'un regard, d'un de ces clairs regards de femme qui pénètrent jusqu'au cœur.

Et comme il tournait la tête, il rencontra encore les yeux de Mme Forestier, toujours bienveillants, mais il crut y voir une 325 gaieté plus vive, une malice, un encouragement.

Tous les hommes maintenant parlaient en même temps avec des gestes et des éclats de voix ; on discutait le grand projet du

---

1. Gris de (sens figuré) : transporté, exalté par.

chemin de fer métropolitain[1]. Le sujet ne fut épuisé qu'à la fin du dessert, chacun ayant une quantité de choses à dire sur la lenteur des communications dans Paris, les inconvénients des tramways, les ennuis des omnibus[2] et la grossièreté des cochers de fiacre[3].

Puis on quitta la salle à manger pour aller prendre le café. Duroy, par plaisanterie, offrit son bras à la petite fille. Elle le remercia gravement et se haussa sur la pointe des pieds pour arriver à poser la main sur le coude de son voisin.

En entrant dans le salon, il eut de nouveau la sensation de pénétrer dans une serre. De grands palmiers ouvraient leurs feuilles élégantes dans les quatre coins de la pièce, montaient jusqu'au plafond, puis s'élargissaient en jets d'eau.

Des deux côtés de la cheminée, des caoutchoucs[4], ronds comme des colonnes, étageaient[5] l'une sur l'autre leurs longues feuilles d'un vert sombre, et sur le piano deux arbustes inconnus, ronds et couverts de fleurs, l'un tout rose et l'autre tout blanc, avaient l'air de plantes factices[6], invraisemblables, trop belles pour être vraies.

L'air était frais et pénétré d'un parfum vague, doux, qu'on n'aurait pu définir, dont on ne pouvait dire le nom.

Et le jeune homme, plus maître de lui, considéra avec attention l'appartement. Il n'était pas grand ; rien n'attirait le regard en dehors des arbustes ; aucune couleur vive ne frappait ; mais on se sentait à son aise dedans, on se sentait tranquille, reposé ; il enveloppait doucement, il plaisait, mettait autour du corps quelque chose comme une caresse.

---

1. **Chemin de fer métropolitain** : métro parisien dont la première ligne sera inaugurée en 1900.
2. **Omnibus** : bus.
3. **Cochers de fiacre** : conducteurs de fiacre, voiture à cheval louée à la course (comme les taxis aujourd'hui).
4. **Caoutchoucs** : plantes ornementales.
5. **Étageaient** : disposaient en étages, superposaient.
6. **Factices** : artificielles.

Les murs étaient tendus avec une étoffe ancienne d'un violet
355 passé, criblée de petites fleurs de soie jaune, grosses comme des
mouches.

Des portières[1] en drap bleu-gris, en drap de soldat où l'on avait
brodé quelques œillets de soie rouge retombaient sur les portes ;
et les sièges, de toutes les formes, de toutes les grandeurs, épar-
360 pillés au hasard dans l'appartement, chaises longues, fauteuils
énormes ou minuscules, poufs et tabourets, étaient couverts de
soie Louis XVI ou de beau velours d'Utrecht[2], fond crème, à
dessins grenat.

« Prenez-vous du café, monsieur Duroy ? »

365 Et Mme Forestier lui tendait une tasse pleine, avec ce sourire
ami qui ne quittait point sa lèvre.

« Oui, madame, je vous remercie. »

Il reçut la tasse, et comme il se penchait plein d'angoisse pour
cueillir avec la pince d'argent un morceau de sucre dans le sucrier
370 que portait la petite fille, la jeune femme lui dit à mi-voix :

« Faites donc votre cour à Mme Walter. »

Puis elle s'éloigna avant qu'il eût pu répondre un mot.

Il but d'abord son café qu'il craignait de laisser tomber sur le
tapis ; puis, l'esprit plus libre, il chercha un moyen de se rappro-
375 cher de la femme de son nouveau directeur et d'entamer une
conversation.

Tout à coup il s'aperçut qu'elle tenait à la main sa tasse vide ;
et, comme elle se trouvait loin d'une table, elle ne savait où la
poser. Il s'élança.

380 « Permettez, madame.

– Merci, monsieur. »

Il emporta la tasse, puis il revint : « Si vous saviez, madame,
quels bons moments m'a fait passer *La Vie française,* quand j'étais

---

1. Portières : rideaux qui couvrent les portes.
2. Velours d'Utrecht : velours de laine utilisé pour l'ameublement, fabriqué à
Utrecht, ville des Pays-Bas.

là-bas dans le désert. C'est vraiment le seul journal qu'on puisse
385 lire hors de France, parce qu'il est plus littéraire, plus spirituel et
moins monotone que tous les autres. On trouve de tout là-dedans. »

Elle sourit, avec une indifférence aimable, et répondit gravement :
« M. Walter a eu bien du mal pour créer ce type de journal qui
répondait à un besoin nouveau. »

390 Et ils se mirent à causer. Il avait la parole facile et banale, du
charme dans la voix, beaucoup de grâce dans le regard et une
séduction irrésistible dans la moustache. Elle s'ébouriffait sur sa
lèvre, crépue, frisée, jolie, d'un blond teinté de roux avec une
nuance plus pâle dans les poils hérissés des bouts.

395 Ils parlèrent de Paris, des environs, des bords de la Seine, des
villes d'eaux, des plaisirs de l'été, de toutes les choses courantes sur
lesquelles on peut discourir indéfiniment sans se fatiguer l'esprit.

Puis, comme M. Norbert de Varenne s'approchait, un verre de
liqueur à la main, Duroy s'éloigna par discrétion.

400 Mme de Marelle, qui venait de causer avec Mme Forestier,
l'appela : « Eh bien ! monsieur, lui dit-elle brusquement, vous
voulez donc tâter du journalisme ? »

Alors il parla de ses projets, en termes vagues, puis recommença
avec elle la conversation qu'il venait d'avoir avec Mme Walter ;
405 mais, comme il possédait mieux son sujet, il s'y montra supérieur,
répétant comme de lui des choses qu'il venait d'entendre. Et sans
cesse il regardait dans les yeux sa voisine, comme pour donner à ce
qu'il disait un sens profond.

Elle lui raconta à son tour des anecdotes, avec un entrain facile
410 de femme qui se sait spirituelle et qui veut toujours être drôle ; et,
devenant familière, elle posait la main sur son bras, baissait la voix
pour dire des riens qui prenaient ainsi un caractère d'intimité.
Il s'exaltait intérieurement à frôler cette jeune femme qui s'occupait de lui. Il aurait voulu tout de suite se dévouer pour elle, la
415 défendre, montrer ce qu'il valait ; et les retards qu'il mettait à lui
répondre indiquaient la préoccupation de sa pensée.

Mais tout à coup, sans raison, Mme de Marelle appela : « Laurine ! » et la petite fille s'en vint.

« Assieds-toi là, mon enfant, tu aurais froid près de la fenêtre. »

Et Duroy fut pris d'une envie folle d'embrasser la fillette, comme si quelque chose de ce baiser eût dû retourner à la mère.

Il demanda, d'un ton galant et paternel : « Voulez-vous me permettre de vous embrasser, mademoiselle ? »

L'enfant leva les yeux sur lui d'un air surpris. Mme de Marelle dit en riant : « Réponds : "Je veux bien, monsieur, pour aujourd'hui ; mais ce ne sera pas toujours comme ça". »

Duroy, s'asseyant aussitôt, prit sur son genou Laurine, puis effleura des lèvres les cheveux ondés[1] et fins de son front.

La mère s'étonna : « Tiens, elle ne s'est pas sauvée ; c'est stupéfiant. Elle ne se laisse d'ordinaire embrasser que par les femmes. Vous êtes irrésistible, monsieur Duroy. »

Il rougit, sans répondre, et d'un mouvement léger il balançait la petite fille sur sa jambe.

Mme Forestier s'approcha et, poussant un cri d'étonnement : « Tiens, voilà Laurine apprivoisée, quel miracle ! »

Jacques Rival aussi s'en venait, un cigare à la bouche, et Duroy se leva pour partir, ayant peur de gâter par quelque mot maladroit la besogne faite, son œuvre de conquête commencée.

Il salua, prit et serra doucement la petite main tendue des femmes, puis secoua avec force la main des hommes. Il remarqua que celle de Jacques Rival était sèche et chaude et répondait cordialement à sa pression ; celle de Norbert de Varenne humide et froide et fuyait en glissant entre les doigts ; celle du père Walter froide et molle, sans énergie, sans expression ; celle de Forestier, grasse et tiède. Son ami lui dit à mi-voix :

« Demain, trois heures, n'oublie pas.

— Oh non ! ne crains rien. »

---

1. Ondés : ondulés.

Quand il se retrouva sur l'escalier, il eut envie de descendre en courant, tant sa joie était véhémente, et il s'élança, enjambant les
450 marches deux par deux ; mais tout à coup il aperçut, dans la grande glace du second étage, un monsieur pressé qui venait en gambadant à sa rencontre et il s'arrêta net, honteux comme s'il venait d'être surpris en faute.

Puis il se regarda longuement, émerveillé d'être vraiment aussi
455 joli garçon ; puis il se sourit avec complaisance ; puis, prenant congé de son image, il se salua très bas, avec cérémonie, comme on salue les grands personnages.

3

Quand Georges Duroy se retrouva dans la rue, il hésita sur ce qu'il ferait. Il avait envie de courir, de rêver, d'aller devant lui en songeant à l'avenir et en respirant l'air doux de la nuit ; mais la pensée de la série d'articles demandés par le père Walter le poursuivait, et il se décida à rentrer tout de suite pour se mettre au travail.

Il revint à grands pas, gagna le boulevard extérieur, et le suivit jusqu'à la rue Boursault[1] qu'il habitait. Sa maison[2], haute de six étages, était peuplée par vingt petits ménages ouvriers et bourgeois, et il éprouva, en montant l'escalier, dont il éclairait avec des allumettes-bougies[3] les marches sales où traînaient des bouts de papiers, des bouts de cigarettes, des épluchures de cuisine, une écœurante sensation de dégoût, et une hâte de sortir de là, de loger comme les hommes riches, en des demeures propres, avec des tapis. Une odeur lourde de nourriture, de fosse d'aisances et d'humanité[4], une odeur stagnante de crasse et de vieille muraille, qu'aucun courant d'air n'eût pu chasser de ce logis[5], l'emplissait du haut en bas.

La chambre du jeune homme, au cinquième étage, donnait, comme sur un abîme[6] profond, sur l'immense tranchée du chemin

---

1. Rue Boursault : rue située dans le 17ᵉ arrondissement de Paris.
2. Sa maison : son immeuble.
3. Allumettes-bougies : allumettes constituées d'une mèche imprégnée de cire.
4. Fosse d'aisances : toilettes, W. C. ; **d'humanité** : d'hommes.
5. Logis : logement.
6. Abîme : gouffre, trou.

de fer de l'Ouest, juste au-dessus de la sortie du tunnel, près de la gare des Batignolles[1]. Duroy ouvrit sa fenêtre et s'accouda sur l'appui de fer rouillé.

Au-dessous de lui, dans le fond du trou sombre, trois signaux rouges immobiles avaient l'air de gros yeux de bête ; et plus loin on en voyait d'autres, et encore d'autres, encore plus loin. À tout instant des coups de sifflet prolongés ou courts passaient dans la nuit, les uns proches, les autres à peine perceptibles, venus de là-bas, du côté d'Asnières[2]. Ils avaient des modulations comme des appels de voix. Un d'eux se rapprochait, poussant toujours son cri plaintif qui grandissait de seconde en seconde, et bientôt une grosse lumière jaune apparut, courant avec un grand bruit ; et Duroy regarda le long chapelet[3] des wagons s'engouffrer sous le tunnel.

Puis il se dit : « Allons, au travail. » Il posa sa lumière sur sa table ; mais au moment de se mettre à écrire, il s'aperçut qu'il n'avait chez lui qu'un cahier de papier à lettres.

Tant pis, il l'utiliserait en ouvrant la feuille dans toute sa grandeur. Il trempa sa plume dans l'encre et écrivit en tête, de sa plus belle écriture :

Souvenirs d'un chasseur d'Afrique.

Puis il chercha le commencement de la première phrase.

Il restait le front dans sa main, les yeux fixés sur le carré blanc déployé devant lui.

Qu'allait-il dire ? Il ne trouvait plus rien maintenant de ce qu'il avait raconté tout à l'heure, pas une anecdote, pas un fait, rien. Tout à coup il pensa : « Il faut que je débute par mon départ. » Et il écrivit : « C'était en 1874, aux environs du 15 mai, alors que

---

1. Gare des Batignolles : ancienne gare de marchandises (aujourd'hui station Pont-Cardinet).
2. Asnières : ville de banlieue située au nord-est de Paris, par où se prolonge la ligne de chemin de fer.
3. Le long chapelet : la longue série.

la France épuisée se reposait après les catastrophes de l'année
50 terrible[1]... »

Et il s'arrêta net, ne sachant comment amener ce qui suivrait,
son embarquement, son voyage, ses premières émotions.

Après dix minutes de réflexion il se décida à remettre au lendemain la page préparatoire du début, et à faire tout de suite une
55 description d'Alger.

Et il traça sur son papier: « Alger est une ville toute
blanche... » sans parvenir à énoncer autre chose. Il revoyait en
souvenir la jolie cité claire, dégringolant, comme une cascade de
maisons plates, du haut de sa montagne dans la mer, mais il ne
60 trouvait plus un mot pour exprimer ce qu'il avait vu, ce qu'il avait
senti.

Après un grand effort, il ajouta: « Elle est habitée en partie par
des Arabes... » Puis il jeta sa plume sur la table et se leva.

Sur son petit lit de fer, où la place de son corps avait fait un
65 creux, il aperçut ses habits de tous les jours jetés là, vides, fatigués, flasques[2], vilains comme des hardes de la Morgue[3]. Et, sur
une chaise de paille, son chapeau de soie, son unique chapeau
semblait ouvert pour recevoir l'aumône.

Ses murs, tendus d'un papier gris à bouquets bleus, avaient
70 autant de taches que de fleurs, des taches anciennes, suspectes, dont
on n'aurait pu dire la nature, bêtes écrasées ou gouttes d'huile,
bouts de doigts graissés de pommade ou écume de la cuvette[4]
projetée pendant les lavages. Cela sentait la misère honteuse, la

---

1. L'année terrible: de septembre 1870 à mai 1871, période marquée par la
défaite de la France contre la Prusse à Sedan, défaite qui entraîne la chute du Second
Empire et la proclamation de la IIIe République, le siège de Paris par les Prussiens
puis, devant l'incapacité du gouvernement à régler la situation militaire et politique, l'instauration du gouvernement révolutionnaire de la Commune.

2. Flasques: relâchés, sans forme.

3. Hardes: vêtements pauvres et usés ; **Morgue**: lieu où les cadavres non identifiés sont exposés pour être reconnus.

4. Écume: mousse formée par l'eau sale et savonneuse ; **cuvette**: bassine.

misère en garni[1] de Paris. Et une exaspération le souleva contre
75 la pauvreté de sa vie. Il se dit qu'il fallait sortir de là, tout de
suite, qu'il fallait en finir dès le lendemain avec cette existence
besogneuse[2].

Une ardeur de travail l'ayant soudain ressaisi, il se rassit devant
sa table et recommença à chercher des phrases pour bien raconter la
80 physionomie étrange et charmante d'Alger, cette antichambre[3] de
l'Afrique mystérieuse et profonde[4], l'Afrique des Arabes vagabonds
et des nègres inconnus, l'Afrique inexplorée et tentante, dont on
nous montre parfois, dans les jardins publics, les bêtes invraisemblables qui semblent créées pour des contes de fées, les autruches,
85 ces poules extravagantes, les gazelles, ces chèvres divines, les girafes
surprenantes et grotesques[5], les chameaux graves, les hippopotames
monstrueux, les rhinocéros informes, et les gorilles, ces frères
effrayants de l'homme.

Il sentait vaguement des pensées lui venir ; il les aurait dites,
90 peut-être, mais il ne les pouvait point formuler avec des mots
écrits. Et, son impuissance l'enfiévrant, il se leva de nouveau, les
mains humides de sueur et le sang battant aux tempes.

Et ses yeux étant tombés sur la note de sa blanchisseuse, montée,
le soir même, par le concierge, il fut saisi brusquement par un déses-
95 poir éperdu[6]. Toute sa joie disparut en une seconde, avec sa confiance
en lui et sa foi dans l'avenir. C'était fini ; tout était fini, il ne ferait
rien ; il ne serait rien ; il se sentait vide, incapable, inutile, condamné.

Et il retourna s'accouder à la fenêtre, juste au moment où un
train sortait du tunnel avec un bruit subit et violent. Il s'en allait

---

1. Garni : appartement ou chambre meublée (souvent misérablement).
2. Besogneuse : miséreuse.
3. Antichambre : seuil.
4. L'Afrique noire était encore peu connue des Européens qui s'imaginaient une contrée étrange, à la fois magique et inquiétante.
5. Grotesques : bizarres et pouvant prêter à rire.
6. Éperdu : violent.

100 là-bas, à travers les champs et les plaines, vers la mer. Et le souvenir
de ses parents entra au cœur de Duroy.

Il allait passer près d'eux, ce convoi, à quelques lieues[1] seulement de leur maison. Il la revit, la petite maison, au haut de la
côte, dominant Rouen et l'immense vallée de la Seine, à l'entrée
105 du village de Canteleu[2].

Son père et sa mère tenaient un petit cabaret, une guinguette[3]
où les bourgeois[4] des faubourgs venaient déjeuner le dimanche :
À la Belle-Vue. Ils avaient voulu faire de leur fils un monsieur, et
l'avaient mis au collège. Ses études finies et son baccalauréat
110 manqué, il était parti pour le service avec l'intention de devenir
officier, colonel, général. Mais, dégoûté de l'état militaire bien
avant d'avoir fini ses cinq années, il avait rêvé de faire fortune à
Paris.

Il y était venu, son temps expiré, malgré les prières du père et
115 de la mère, qui, leur songe envolé, voulaient le garder maintenant.
À son tour, il espérait un avenir ; il entrevoyait le triomphe au
moyen d'événements encore confus dans son esprit, qu'il saurait
assurément faire naître et seconder[5].

Il avait eu au régiment des succès de garnison[6], des bonnes
120 fortunes[7] faciles et même des aventures dans un monde plus élevé,
ayant séduit la fille d'un percepteur qui voulait tout quitter pour
le suivre, et la femme d'un avoué[8] qui avait tenté de se noyer par
désespoir d'être délaissée.

---

1. Lieues : ancienne mesure de distance (une lieue équivaut à environ quatre
kilomètres).
2. Canteleu : village situé à quelques kilomètres de Rouen.
3. Guinguette : café populaire de banlieue, en plein air et au bord de l'eau, où
l'on boit et où l'on danse.
4. Bourgeois : gens des classes moyennes.
5. Seconder : soutenir.
6. De garnison : alors qu'il était en garnison ; le mot désigne les troupes caser-
nées dans une ville.
7. Bonnes fortunes : rencontres galantes.
8. Percepteur : personne chargée de collecter les impôts ; avoué : officier de justice.

Ses camarades disaient de lui : « C'est un malin, c'est un roublard[1],
125 c'est un débrouillard qui saura se tirer d'affaire. » Et il s'était promis
en effet d'être un malin, un roublard et un débrouillard.

Sa conscience native de Normand, frottée par la pratique quotidienne de l'existence de garnison, distendue par les exemples de
maraudages[2] en Afrique, de bénefs[3] illicites, de supercheries suspectes,
130 fouettée aussi par les idées d'honneur qui ont cours dans l'armée,
par les bravades militaires, les sentiments patriotiques, les histoires
magnanimes racontées entre sous-off et par la gloriole[4] du métier,
était devenue une sorte de boîte à triple fond où l'on trouvait de tout.

Mais le désir d'arriver y régnait en maître.

135 Il s'était remis, sans s'en apercevoir, à rêvasser, comme il faisait
chaque soir. Il imaginait une aventure d'amour magnifique qui
l'amenait, d'un seul coup, à la réalisation de son espérance. Il
épousait la fille d'un banquier ou d'un grand seigneur rencontrée
dans la rue et conquise à première vue.

140 Le sifflet strident d'une locomotive qui, sortie toute seule du
tunnel, comme un gros lapin de son terrier, et courant à toute
vapeur sur les rails, filait vers le garage des machines où elle allait
se reposer, le réveilla de son songe.

Alors, ressaisi par l'espoir confus et joyeux qui hantait toujours
145 son esprit, il jeta, à tout hasard, un baiser dans la nuit, un baiser
d'amour vers l'image de la femme attendue, un baiser de désir vers
la fortune convoitée. Puis il ferma sa fenêtre et commença à se
dévêtir en murmurant :

« Bah, je serai mieux disposé demain matin. Je n'ai pas l'esprit
150 libre ce soir. Et puis, j'ai peut-être aussi un peu trop bu. On ne
travaille pas bien dans ces conditions-là. »

---

1. Roublard : malin en affaires.
2. Maraudages : vols.
3. Bénefs : bénéfices.
4. Magnanimes : belles, exemplaires ; **sous-off** : sous-officiers ; **gloriole** : orgueil, vanité dérisoire.

Il se mit au lit, souffla sa lumière, et s'endormit presque aussitôt.

Il se réveilla de bonne heure, comme on s'éveille aux jours d'espérance vive ou de souci, et, sautant du lit, il alla ouvrir sa fenêtre pour avaler une bonne tasse d'air frais, comme il disait.

Les maisons de la rue de Rome[1], en face, de l'autre côté du large fossé du chemin de fer, éclatantes dans la lumière du soleil levant, semblaient peintes avec de la clarté blanche. Sur la droite, au loin, on apercevait les coteaux d'Argenteuil, les hauteurs de Sannois et les moulins d'Orgemont[2] dans une brume bleuâtre et légère, semblable à un petit voile flottant et transparent qui aurait été jeté sur l'horizon.

Duroy demeura quelques minutes à regarder la campagne lointaine, et il murmura : « Il ferait bougrement bon, là-bas, un jour comme ça. » Puis, il songea qu'il lui fallait travailler, et tout de suite, et aussi envoyer, moyennant dix sous, le fils de sa concierge dire à son bureau qu'il était malade.

Il s'assit devant sa table, trempa sa plume dans l'encrier, prit son front dans sa main et chercha des idées. Ce fut en vain. Rien ne venait.

Il ne se découragea pas cependant. Il pensa : « Bah, je n'en ai pas l'habitude. C'est un métier à apprendre comme tous les métiers. Il faut qu'on m'aide les premières fois. Je vais trouver Forestier, qui me mettra mon article sur pied en dix minutes. »

Et il s'habilla.

Quand il fut dans la rue, il jugea qu'il était encore trop tôt pour se présenter chez son ami qui devait dormir tard. Il se promena donc, tout doucement, sous les arbres du boulevard extérieur.

---

1. **Rue de Rome** : rue presque parallèle à la rue Boursault où vit Duroy, située de l'autre côté des rails.

2. **Argenteuil, Sannois, Orgemont** : villes périphériques situées au nord de Paris.

180 Il n'était pas encore neuf heures, et il gagna le parc Monceau[1] tout frais de l'humidité des arrosages.

S'étant assis sur un banc, il se remit à rêver. Un jeune homme allait et venait devant lui, très élégant, attendant une femme sans doute.

185 Elle parut, voilée, le pied rapide, et, ayant pris son bras, après une courte poignée de main, ils s'éloignèrent.

Un tumultueux besoin d'amour entra au cœur de Duroy, un besoin d'amours distinguées, parfumées, délicates[2]. Il se leva et se remit en route en songeant à Forestier. Avait-il de la chance,
190 celui-là !

Il arriva devant sa porte au moment où son ami sortait.

« Te voilà ! à cette heure-ci ! Que me voulais-tu ? »

Duroy, troublé de le rencontrer ainsi comme il s'en allait, balbutia :

« C'est que… c'est que… je ne peux pas arriver à faire mon
195 article, tu sais, l'article que M. Walter m'a demandé sur l'Algérie. Ça n'est pas bien étonnant, étant donné que je n'ai jamais écrit. Il faut de la pratique pour ça comme pour tout. Je m'y ferai bien vite, j'en suis sûr, mais, pour débuter, je ne sais pas comment m'y prendre. J'ai bien les idées, je les ai toutes, et je ne parviens pas à
200 les exprimer. »

Il s'arrêta, hésitant un peu. Forestier souriait, avec malice[3] :

« Je connais ça. »

Duroy reprit : « Oui, ça doit arriver à tout le monde en commençant. Eh bien, je venais… je venais te demander un coup de main…
205 En dix minutes, tu me mettrais ça sur pied, toi, tu me montrerais la tournure qu'il faut prendre. Tu me donnerais là une bonne leçon de style, et sans toi je ne m'en tirerai pas. »

L'autre souriait toujours d'un air gai. Il tapa sur le bras de son ancien camarade et lui dit :

---

1. Parc Monceau : parc du 17e arrondissement de Paris.
2. Au pluriel, dans la langue littéraire, le mot *amour* est au féminin.
3. Avec malice : d'un air moqueur.

210 « Va-t'en trouver ma femme, elle t'arrangera ton affaire aussi bien que moi. Je l'ai dressée à cette besogne[1]-là. Moi, je n'ai pas le temps ce matin, sans quoi je l'aurais fait bien volontiers. »

Duroy, intimidé soudain, hésitait, n'osait point :

« Mais, à cette heure-ci, je ne peux pas me présenter devant 215 elle ?...

– Si, parfaitement. Elle est levée. Tu la trouveras dans mon cabinet de travail, en train de mettre en ordre des notes pour moi. »

L'autre refusait de monter.

« Non... ça n'est pas possible... »

220 Forestier le prit par les épaules, le fit pivoter sur ses talons, et le poussant vers l'escalier : « Mais, va donc, grand serin[2], quand je te dis d'y aller. Tu ne vas pas me forcer à regrimper mes trois étages pour te présenter et expliquer ton cas. »

Alors Duroy se décida : « Merci, j'y vais. Je lui dirai que tu m'as 225 forcé, absolument forcé à venir la trouver.

– Oui. Elle ne te mangera pas, sois tranquille. Surtout n'oublie pas, tantôt, trois heures.

– Oh ! ne crains rien. »

Et Forestier s'en alla de son air pressé tandis que Duroy se mit 230 à monter lentement, marche à marche, cherchant ce qu'il allait dire et inquiet de l'accueil qu'il recevrait.

Le domestique vint lui ouvrir. Il avait un tablier bleu et tenait un balai dans ses mains.

« Monsieur est sorti », dit-il, sans attendre la question.

235 Duroy insista : « Demandez à Mme Forestier si elle peut me recevoir, et prévenez-la que je viens de la part de son mari que j'ai rencontré dans la rue. »

Puis il attendit. L'homme revint, ouvrit une porte à droite, et annonça : « Madame attend monsieur. »

---

1. Besogne : travail, corvée.
2. Serin : bêta, sot.

240   Elle était assise sur un fauteuil de bureau, dans une petite pièce dont les murs se trouvaient entièrement cachés par des livres bien rangés sur des planches de bois noir. Les reliures[1], de tons différents, rouges, jaunes, vertes, violettes et bleues, mettaient de la couleur et de la gaieté dans cet alignement monotone de volumes[2].

245   Elle se retourna, souriant toujours, enveloppée d'un peignoir blanc garni de dentelle ; et elle tendit sa main, montrant son bras nu dans la manche largement ouverte.

    « Déjà ? » dit-elle. Puis elle reprit : « Ce n'est point un reproche, c'est une simple question. »

250   Il balbutia : « Oh ! madame, je ne voulais pas monter ; mais votre mari, que j'ai rencontré en bas, m'y a forcé. Je suis tellement confus que je n'ose pas dire ce qui m'amène. »

    Elle montrait un siège : « Asseyez-vous et parlez. »

    Elle maniait entre deux doigts une plume d'oie[3] en la tournant
255 agilement ; et, devant elle, une grande page de papier demeurait écrite à moitié, interrompue à l'arrivée du jeune homme.

    Elle avait l'air chez elle devant cette table de travail, à l'aise comme dans son salon, occupée à sa besogne ordinaire. Un parfum léger s'envolait du peignoir, le parfum frais de la toilette récente.
260 Et Duroy cherchait à deviner, croyait voir le corps jeune et clair, gras et chaud, doucement enveloppé dans l'étoffe moelleuse.

    Elle reprit, comme il ne parlait pas : « Eh bien, dites, qu'est-ce que c'est ? »

    Il murmura, en hésitant : « Voilà... mais vraiment... je n'ose
265 pas... C'est que j'ai travaillé hier soir très tard... et ce matin... très tôt... pour faire cet article sur l'Algérie que M. Walter m'a demandé... et je n'arrive à rien de bon... j'ai déchiré tous mes essais... Je n'ai pas l'habitude de ce travail-là, moi ; et je venais demander à Forestier de m'aider... pour une fois... »

---

1. Reliures : couvertures.
2. Volumes : livres.
3. La plume d'oie servait à écrire, on plongeait la pointe taillée dans l'encre.

270 Elle l'interrompit, en riant de tout son cœur, heureuse, joyeuse, et flattée : « Et il vous a dit de venir me trouver… ? C'est gentil, ça…

– Oui, madame. Il m'a dit que vous me tireriez d'embarras mieux que lui… mais, moi, je n'osais pas, je ne voulais pas. Vous comprenez ? »

Elle se leva : « Ça va être charmant de collaborer comme ça.
275 Je suis ravie de votre idée. Tenez, asseyez-vous à ma place, car on connaît mon écriture au journal. Et nous allons vous tourner[1] un article, mais là, un article à succès. »

Il s'assit, prit une plume, étala devant lui une feuille de papier, et attendit.

280 Mme Forestier, restée debout, le regardait faire ses préparatifs ; puis elle atteignit une cigarette[2] sur la cheminée et l'alluma :

« Je ne puis pas travailler sans fumer, dit-elle, voyons, qu'allez-vous raconter ? »

Il leva la tête vers elle avec étonnement.

285 « Mais je ne sais pas, moi, puisque je suis venu vous trouver pour ça. »

Elle reprit : « Oui, je vous arrangerai la chose. Je ferai la sauce, mais il me faut le plat. »

Il demeurait embarrassé ; enfin il prononça, avec hésitation :
290 « Je voudrais raconter mon voyage depuis le commencement… »

Alors elle s'assit, en face de lui, de l'autre côté de la grande table, et, le regardant dans les yeux :

« Eh bien, racontez-le-moi d'abord, pour moi toute seule, vous entendez, bien doucement, sans rien oublier et je choisirai ce qu'il
295 faut prendre. »

Mais comme il ne savait pas par où commencer, elle se mit à l'interroger comme aurait fait un prêtre au confessionnal[3], posant

---

1. Tourner : arranger.
2. À cette époque, il était rare de voir une femme fumer car cela était inconvenant. Madame Forestier est donc une femme libre, émancipée.
3. Confessionnal : meuble en forme d'isoloir où le prêtre entend la *confession* du pénitent.

des questions précises qui lui rappelaient des détails oubliés, des personnages rencontrés, des figures seulement aperçues.

300 Quand elle l'eut contraint à parler ainsi pendant un petit quart d'heure, elle l'interrompit tout à coup : « Maintenant nous allons commencer. D'abord, nous supposons que vous adressez à un ami vos impressions, ce qui vous permet de dire un tas de bêtises, de faire des remarques de toute espèce, d'être naturel et drôle, si nous

305 pouvons. Commencez :

« Mon cher Henry, tu veux savoir ce que c'est que l'Algérie ; tu le sauras. Je vais t'envoyer, n'ayant rien à faire dans la petite case de boue sèche[1] qui me sert d'habitation, une sorte de journal de ma vie, jour par jour, heure par heure. Ce sera un peu vif, quelquefois, tant pis, tu

310 n'es pas obligé de le montrer aux dames de ta connaissance… »

Elle s'interrompit pour rallumer sa cigarette éteinte ; et, aussitôt, le petit grincement criard de la plume d'oie sur le papier s'arrêta.

« Nous continuons, dit-elle.

L'Algérie est un grand pays français sur la frontière des grands

315 pays inconnus qu'on appelle le désert, le Sahara, l'Afrique centrale, etc., etc.

Alger est la porte, la porte blanche et charmante de cet étrange continent.

Mais d'abord il faut y aller, ce qui n'est pas rose pour tout le monde.

320 Je suis, tu le sais, un excellent écuyer[2], puisque je dresse les chevaux du colonel, mais on peut être bon cavalier et mauvais marin. C'est mon cas.

Te rappelles-tu le major Simbretas, que nous appelions le docteur Ipéca[3] ? Quand nous nous jugions mûrs pour vingt-quatre heures d'infirmerie, pays béni, nous passions à la visite.

325 Il était assis sur sa chaise, avec ses grosses cuisses ouvertes dans son pantalon rouge, ses mains sur ses genoux, les bras formant

---

1. Case de boue sèche : habitation dont les murs sont constitués de boue séchée. Pour rendre sa rédaction plus exotique, Duroy fait comme s'il écrivait d'Algérie.
2. Écuyer : cavalier.
3. Ipéca : plante dont on extrait un vomitif.

pont, le coude en l'air, et il roulait ses gros yeux de loto[1] en mordillant sa moustache blanche.

Tu te rappelles sa prescription :

330 "Ce soldat est atteint d'un dérangement d'estomac. Administrez-lui le vomitif n° 3 selon ma formule, puis douze heures de repos ; il ira bien."

Il était souverain, ce vomitif, souverain et irrésistible. On l'avalait donc, puisqu'il le fallait. Puis, quand on avait passé par la formule du 335 docteur Ipéca, on jouissait de douze heures de repos bien gagné.

Eh bien, mon cher, pour atteindre l'Afrique, il faut subir, pendant quarante heures, une autre sorte de vomitif irrésistible, selon la formule de la Compagnie Transatlantique[2]... »

Elle se frottait les mains, tout à fait heureuse de son idée.

340 Elle se leva et se mit à marcher, après avoir allumé une autre cigarette, et elle dictait, en soufflant des filets de fumée qui sortaient d'abord tout droit d'un petit trou rond au milieu de ses lèvres serrées, puis s'élargissant, s'évaporaient en laissant par places, dans l'air, des lignes grises, une sorte de brume transpa-345 rente, une buée pareille à des fils d'araignée. Parfois, d'un coup de sa main ouverte, elle effaçait ces traces légères et plus persistantes ; parfois aussi elle les coupait d'un mouvement tranchant de l'index et regardait ensuite, avec une attention grave, les deux tronçons d'imperceptible vapeur disparaître lentement.

350 Et Duroy, les yeux levés, suivait tous ses gestes, toutes ses atti-tudes, tous les mouvements de son corps et de son visage occupés à ce jeu vague qui ne prenait point sa pensée[3].

Elle imaginait maintenant les péripéties de la route, portraitu-rait[4] des compagnons de voyage inventés par elle, et ébauchait

---

1. Yeux de loto : yeux tout ronds, comme les pions du jeu de loto.
2. Compagnie Transatlantique : compagnie maritime française assurant le trajet Marseille-Alger.
3. Qui ne prenait point sa pensée : qui ne détournait pas sa pensée.
4. Portraiturait : faisait le portrait, décrivait.

355 une aventure d'amour avec la femme d'un capitaine d'infanterie qui allait rejoindre son mari.

Puis, s'étant assise, elle interrogea Duroy sur la topographie[1] de l'Algérie qu'elle ignorait absolument. En dix minutes, elle en sut autant que lui, et elle fit un petit chapitre de géographie poli-
360 tique et coloniale pour mettre le lecteur au courant et le bien préparer à comprendre les questions sérieuses qui seraient soulevées dans les articles suivants.

Puis elle continua par une excursion dans la province d'Oran[2], une excursion fantaisiste, où il était surtout question des femmes,
365 des Mauresques[3], des Juives, des Espagnoles.

« Il n'y a que ça qui intéresse », disait-elle.

Elle termina par un séjour à Saïda[4], au pied des hauts plateaux, et par une jolie petite intrigue entre le sous-officier Georges Duroy et une ouvrière espagnole employée à la manu-
370 facture d'alfa[5] de Aïn-el-Hadjar[6]. Elle racontait les rendez-vous, la nuit, dans la montagne pierreuse et nue, alors que les chacals, les hyènes et les chiens arabes crient, aboient et hurlent au milieu des rocs.

Et elle prononça d'une voix joyeuse : « La suite à demain[7]. »
375 Puis, se relevant : « C'est comme ça qu'on écrit un article, mon cher monsieur. Signez, s'il vous plaît. »

Il hésitait.

« Mais signez donc ! »

Alors il se mit à rire et écrivit au bas de la page :
380 « Georges Duroy. »

---

1. **Topographie** : configuration.
2. **Oran** : ville côtière d'Algérie (à l'ouest d'Alger).
3. **Mauresques** : Maghrébines.
4. **Saïda** : ville de la province d'Oran, située au pied de terres montagneuses.
5. **Alfa** : plante utilisée dans la fabrication de la pâte à papier et des paniers.
6. **Aïn-el-Hadjar** : ville située à proximité de Saïda.
7. **La suite à demain** : à suivre (formule type terminant les feuilletons dans les quotidiens).

Elle continuait à fumer en marchant ; et il la regardait toujours, ne trouvant rien à dire pour la remercier, heureux d'être près d'elle, pénétré de reconnaissance et du bonheur sensuel de cette intimité naissante. Il lui semblait que tout ce qui l'entourait faisait partie
385 d'elle, tout, jusqu'aux murs couverts de livres. Les sièges, les meubles, l'air où flottait l'odeur du tabac, avaient quelque chose de particulier, de bon, de doux, de charmant, qui venait d'elle.

Brusquement elle demanda :

« Qu'est-ce que vous pensez de mon amie, madame de Marelle ? »
390 Il fut surpris : « Mais... je la trouve... je la trouve très séduisante.

– N'est-ce pas ?

– Oui, certainement. »

Il avait envie d'ajouter : « Mais pas autant que vous. » Il n'osa
395 point.

Elle reprit : « Et si vous saviez comme elle est drôle, originale, intelligente ! C'est une bohème[1], par exemple, une vraie bohème. C'est pour cela que son mari ne l'aime guère. Il ne voit que le défaut et n'apprécie point les qualités. »
400 Duroy fut stupéfait d'apprendre que Mme de Marelle était mariée. C'était bien naturel, pourtant.

Il demanda : « Tiens... elle est mariée ? Et qu'est-ce que fait son mari ? »

Mme Forestier haussa tout doucement les épaules et les sourcils
405 d'un seul mouvement plein de significations incompréhensibles.

« Oh ! il est inspecteur de la ligne[2] du Nord. Il passe huit jours par mois à Paris. Ce que sa femme appelle "le service obligatoire" ou encore "la corvée de semaine", ou encore "la semaine sainte". Quand vous la connaîtrez mieux, vous verrez comme elle est fine
410 et gentille. Allez donc la voir un de ces jours. »

---

1. Bohème : personne qui ne se préoccupe pas des conventions sociales.
2. Ligne : ligne de chemin de fer.

Duroy ne pensait plus à partir, il lui semblait qu'il allait rester toujours, qu'il était chez lui.

Mais la porte s'ouvrit sans bruit, et un grand monsieur s'avança, qu'on n'avait point annoncé.

415 Il s'arrêta en voyant un homme. Mme Forestier parut gênée une seconde, puis elle dit, de sa voix naturelle, bien qu'un peu de rose lui fût monté des épaules au visage :

« Mais entrez donc, mon cher. Je vous présente un bon camarade de Charles, M. Georges Duroy, un futur journaliste. »

420 Puis, sur un ton différent, elle annonça : « Le meilleur et le plus intime de nos amis, le comte de Vaudrec. »

Les deux hommes se saluèrent en se regardant au fond des yeux, et Duroy tout aussitôt se retira.

On ne le retint pas. Il balbutia quelques remerciements, serra la 425 main tendue de la jeune femme, s'inclina encore devant le nouveau venu qui gardait un visage froid et sérieux d'homme du monde, et il sortit tout à fait troublé, comme s'il venait de commettre une sottise.

En se retrouvant dans la rue, il se sentit triste, mal à l'aise, obsédé par l'obscure sensation d'un chagrin voilé. Il allait devant 430 lui, se demandant pourquoi cette mélancolie subite lui était venue ; il ne trouvait point, mais la figure sévère du comte de Vaudrec, un peu vieux déjà, avec des cheveux gris, l'air tranquille et insolent d'un particulier très riche et sûr de lui, revenait sans cesse dans son souvenir.

435 Et il s'aperçut que l'arrivée de cet inconnu, brisant un tête-à-tête charmant où son cœur s'accoutumait déjà, avait fait passer en lui cette impression de froid et de désespérance qu'une parole entendue, une misère entrevue, les moindres choses parfois suffisent à nous donner.

440 Et il lui semblait aussi que cet homme, sans qu'il devinât pourquoi, avait été mécontent de le trouver là.

Il n'avait plus rien à faire jusqu'à trois heures ; et il n'était pas encore midi. Il lui restait en poche six francs cinquante : il alla

déjeuner au bouillon Duval[1]. Puis il rôda sur le boulevard;
et comme trois heures sonnaient, il monta l'escalier-réclame de
La Vie française[2].

Les garçons de bureau, assis sur une banquette, les bras croisés,
attendaient, tandis que, derrière une sorte de petite chaire de
professeur, un huissier[3] classait la correspondance qui venait
d'arriver. La mise en scène était parfaite pour en imposer aux
visiteurs. Tout le monde avait de la tenue, de l'allure, de la
dignité, du chic, comme il convenait dans l'antichambre[4] d'un
grand journal.

Duroy demanda: « M. Walter, s'il vous, plaît? »

L'huissier répondit: «M. le directeur est en conférence. Si
monsieur veut bien s'asseoir un peu.» Et il indiqua le salon
d'attente, déjà plein de monde.

On voyait là des hommes graves, décorés, importants, et des
hommes négligés au linge invisible, dont la redingote[5], fermée
jusqu'au col, portait sur la poitrine des dessins de taches rappelant
les découpures des continents et des mers sur les cartes de géographie. Trois femmes étaient mêlées à ces gens. Une d'elles était
jolie, souriante, parée, et avait l'air d'une cocotte[6]; sa voisine, au
masque tragique, ridée, parée aussi d'une façon sévère, portait en
elle ce quelque chose de fripé, d'artificiel qu'ont, en général, les
anciennes actrices, une sorte de fausse jeunesse éventée[7], comme
un parfum d'amour ranci[8].

---

1. Bouillon: restaurant populaire bon marché. Le **bouillon Duval** a réellement existé.
2. **Escalier-réclame**: escalier tapissé d'affiches publicitaires; de *La Vie française*: des bureaux de rédaction du journal *La Vie française*.
3. **Chaire de professeur**: tribune, estrade; **huissier**: employé chargé d'accueillir les visiteurs.
4. **Antichambre**: salle d'entrée, où attendent les visiteurs.
5. **Redingote**: veste d'homme croisée à longs pans.
6. **Parée**: apprêtée, ornée (de bijoux ou autres); **cocotte**: femme légère, prostituée.
7. **Éventée**: évaporée, dégradée.
8. **Ranci**: vieilli, altéré.

La troisième femme, en deuil, se tenait dans un coin, avec une allure de veuve désolée. Duroy pensa qu'elle venait demander l'aumône.

Cependant on ne faisait entrer personne et plus de vingt minutes s'étaient écoulées.

Alors Duroy eut une idée, et, retournant trouver l'huissier : « M. Walter m'a donné rendez-vous à trois heures, dit-il. En tous cas, voyez si mon ami M. Forestier n'est pas ici. »

Alors on le fit passer par un long corridor[1] qui l'amena dans une grande salle où quatre messieurs écrivaient autour d'une large table verte.

Forestier, debout devant la cheminée, fumait une cigarette en jouant au bilboquet[2]. Il était très adroit à ce jeu et piquait à tous coups la bille énorme en buis[3] jaune sur la petite pointe de bois. Il comptait : « Vingt-deux, vingt-trois, vingt-quatre, vingt-cinq. »

Duroy prononça : « Vingt-six ». Et son ami leva les yeux, sans arrêter le mouvement régulier de son bras : « Tiens, te voilà ! Hier j'ai fait cinquante-sept coups de suite. Il n'y a que Saint-Potin qui soit plus fort que moi ici. As-tu vu le patron ? Il n'y a rien de plus drôle que de regarder cette vieille bedole[4] de Norbert jouer au bilboquet. Il ouvre la bouche comme pour avaler la boule. »

Un des rédacteurs tourna la tête vers lui :

« Dis donc, Forestier, j'en connais un à vendre, un superbe, en bois des îles. Il a appartenu à la reine d'Espagne, à ce qu'on dit. On en réclame soixante francs. Ça n'est pas cher. »

Forestier demanda : « Où loge-t-il ? » Et comme il avait manqué son trente-septième coup, il ouvrit une armoire où Duroy aperçut

---

1. Corridor : couloir.
2. Bilboquet : jouet en bois composé d'un petit bâton pointu relié à une boule percée d'un trou. Le jeu consiste à enfiler la boule sur l'extrémité pointue du bâton.
3. Buis : bois jaunâtre et dur.
4. Bedole : personne âgée et affaiblie.

495 une vingtaine de bilboquets superbes, rangés et numérotés comme des bibelots[1] dans une collection. Puis ayant posé son instrument à sa place ordinaire, il répéta : « Où loge-t-il ce joyau ? »

Le journaliste répondit : « Chez un marchand de billets du Vaudeville. Je t'apporterai la chose demain, si tu veux.

500 — Oui, c'est entendu. S'il est vraiment beau, je le prends ; on n'a jamais trop de bilboquets. »

Puis se tournant vers Duroy : « Viens avec moi, je vais t'introduire chez le patron, sans quoi tu pourrais moisir jusqu'à sept heures du soir. »

505 Ils retraversèrent le salon d'attente, où les mêmes personnes demeuraient dans le même ordre. Dès que Forestier parut, la jeune femme et la vieille actrice se levant vivement, vinrent à lui.

Il les emmena, l'une après l'autre, dans l'embrasure de la fenêtre, et, bien qu'ils prissent soin de causer à voix basse, Duroy

510 remarqua qu'il les tutoyait l'une et l'autre.

Puis, ayant poussé deux portes capitonnées[2], ils pénétrèrent chez le directeur.

La conférence, qui durait depuis une heure, était une partie d'écarté[3] avec quelques-uns de ces messieurs à chapeaux plats que

515 Duroy avait remarqués la veille.

M. Walter tenait les cartes et jouait avec une attention concentrée et des mouvements cauteleux[4], tandis que son adversaire abattait, relevait, maniait les légers cartons coloriés avec une souplesse, une adresse et une grâce de joueur exercé. Norbert de

520 Varenne écrivait un article, assis dans le fauteuil directorial, et Jacques Rival, étendu tout au long sur un divan, fumait un cigare, les yeux fermés.

---

1. Bibelots : petits objets décoratifs.

2. Capitonnées : recouvertes d'un tissu rembourré fixé par des piqûres régulières.

3. Écarté : jeu de cartes.

4. Cauteleux : à la fois prudents et rusés.

On sentait là-dedans le renfermé, le cuir des meubles, le vieux tabac et l'imprimerie ; on sentait cette odeur particulière des salles de rédaction que connaissent tous les journalistes.

Sur la table en bois noir aux incrustations de cuivre, un incroyable amas de papiers gisait : lettres, cartes, journaux, revues, notes de fournisseurs, imprimés de toute espèce.

Forestier serra les mains des parieurs debout derrière les joueurs, et sans dire un mot regarda la partie ; puis, dès que le père Walter eut gagné, il présenta :

« Voici mon ami Duroy. »

Le directeur considéra brusquement le jeune homme de son coup d'œil glissé par-dessus le verre des lunettes, puis il demanda :

« M'apportez-vous mon article ? Ça irait très bien aujourd'hui, en même temps que la discussion Morel. »

Duroy tira de sa poche les feuilles de papier pliées en quatre : « Voici, monsieur. »

Le patron parut ravi, et, souriant : « Très bien, très bien. Vous êtes de parole. Il faudra me revoir ça. Forestier ? »

Mais Forestier s'empressa de répondre :

« Ce n'est pas la peine, monsieur Walter, j'ai fait la chronique avec lui pour lui apprendre le métier. Elle est très bonne. »

Et le directeur, qui recevait à présent les cartes données par un grand monsieur maigre, un député du centre gauche[1], ajouta avec indifférence : « C'est parfait, alors. »

Forestier ne le laissa pas commencer sa nouvelle partie ; et, se baissant vers son oreille : « Vous savez que vous m'avez promis d'engager Duroy pour remplacer Marambot. Voulez-vous que je le retienne[2] aux mêmes conditions ?

– Oui, parfaitement. »

_____

1. Centre gauche : parti politique.
2. Que je le retienne : que je l'engage.

Et prenant le bras de son ami, le journaliste l'entraîna pendant que M. Walter se remettait à jouer.

555 Norbert de Varenne n'avait pas levé la tête, il semblait n'avoir pas vu ou reconnu Duroy. Jacques Rival, au contraire, lui avait serré la main avec une énergie démonstrative et voulue de bon camarade sur qui on peut compter en cas d'affaire.

Ils retraversèrent le salon d'attente, et comme tout le monde
560 levait les yeux, Forestier dit à la plus jeune des femmes, assez haut pour être entendu des autres patients[1] :

« Le directeur va vous recevoir tout à l'heure. Il est en conférence en ce moment avec deux membres de la commission du budget. »

565 Puis il passa vivement, d'un air important et pressé, comme s'il allait rédiger aussitôt une dépêche[2] de la plus extrême gravité.

Dès qu'ils furent rentrés dans la salle de rédaction, Forestier retourna prendre immédiatement son bilboquet, et, tout en se remettant à jouer, et en coupant ses phrases pour compter les
570 coups, il dit à Duroy : « Voilà. Tu viendras ici tous les jours à trois heures et je te dirai les courses et les visites qu'il faudra faire, soit dans le jour, soit dans la soirée, soit dans la matinée. – Un, – je vais te donner d'abord une lettre d'introduction pour le chef du premier bureau de la préfecture de police, – deux, – qui te mettra
575 en rapport avec un de ses employés. Et tu t'arrangeras avec lui pour toutes les nouvelles importantes, – trois, – du service de la préfecture, les nouvelles officielles et quasi officielles, bien entendu. Pour tout le détail, tu t'adresseras à Saint-Potin, qui est au courant, – quatre, – tu le verras tout à l'heure ou demain.
580 Il faudra surtout t'accoutumer à tirer les vers du nez[3] des gens que je t'enverrai voir, – cinq, – et à pénétrer partout malgré les portes fermées, – six. – Tu toucheras pour cela deux cents francs par mois

---

1. Patients : personnes qui attendent.
2. Dépêche : courrier.
3. Tirer les vers du nez : obtenir des informations (expression populaire).

de fixe, plus deux sous la ligne[1] pour les échos intéressants de ton cru[2], – sept, – plus deux sous la ligne également pour les articles qu'on te commandera sur des sujets divers, – huit. »

Puis il ne fit plus attention qu'à son jeu, et il continua à compter lentement, – neuf, – dix ; – onze, – douze, – treize. – Il manqua le quatorzième et, jurant : « Nom de dieu de treize ; il me porte toujours la guigne, ce bougre-là[3]. Je mourrai, un treize certainement. »

Un des rédacteurs qui avait fini sa besogne[4], prit à son tour un bilboquet dans l'armoire ; c'était un tout petit homme qui avait l'air d'un enfant, bien qu'il fût âgé de trente-cinq ans ; et plusieurs autres journalistes étant entrés, ils allèrent l'un après l'autre chercher le joujou qui leur appartenait. Bientôt ils furent six, côte à côte, le dos au mur, qui lançaient en l'air, d'un mouvement pareil et régulier, les boules rouges, jaunes ou noires, suivant la nature du bois. Et une lutte s'étant établie, les deux rédacteurs qui travaillaient encore se levèrent pour juger les coups.

Forestier gagna de onze points. Alors le petit homme à l'air enfantin, qui avait perdu, sonna le garçon de bureau et commanda : « Neuf bocks[5]. » Et ils se remirent à jouer en attendant les rafraîchissements.

Duroy but un verre de bière avec ses nouveaux confrères, puis il demanda à son ami :

« Que faut-il que je fasse ? » L'autre répondit : « Je n'ai rien pour toi aujourd'hui. Tu peux t'en aller si tu veux.

– Et… notre… notre article… est-ce ce soir qu'il passera ?

---

1. **Deux sous la ligne** : deux sous (ancienne monnaie) par ligne écrite.

2. **Échos** : rubrique du journal qui rapporte les potins mondains et politiques ; **de ton cru** : que tu auras rédigés.

3. **Guigne** : poisse (terme familier) ; **ce bougre-là** : ce type-là.

4. **Besogne** : travail.

5. **Bocks** : verres d'un quart de litre de bière.

610 — Oui, mais ne t'en occupe pas, je corrigerai les épreuves[1]. Fais la suite pour demain, et viens ici à trois heures, comme aujourd'hui. »

Et Duroy ayant serré toutes les mains sans savoir même le nom de leurs possesseurs, redescendit le bel escalier, le cœur joyeux et l'esprit allègre[2].

---

1. Épreuves : texte imprimé que l'on corrige avant l'impression définitive.
2. Allègre : léger, gai.

4

Georges Duroy dormit mal, tant l'excitait le désir de voir imprimé son article. Dès que le jour parut, il fut debout et il rôdait dans la rue bien avant l'heure où les porteurs de journaux vont, en courant, de kiosque en kiosque.

Alors il gagna la gare Saint-Lazare, sachant bien que *La Vie française* y arriverait avant de parvenir dans son quartier. Comme il était encore trop tôt, il erra sur le trottoir.

Il vit arriver la marchande qui ouvrit sa boutique de verre, puis il aperçut un homme portant sur sa tête un tas de grands papiers pliés. Il se précipita : c'étaient *Le Figaro,* le *Gil-Blas, Le Gaulois, L'Événement*[1], et deux ou trois autres feuilles[2] du matin ; mais *La Vie française* n'y était pas.

Une peur le saisit : « Si on avait remis au lendemain *Les Souvenirs d'un Chasseur d'Afrique*, ou si, par hasard, la chose n'avait pas plu, au dernier moment, au père Walter ? »

En redescendant vers le kiosque, il s'aperçut qu'on vendait le journal sans qu'il l'eût vu apporter. Il se précipita, le déplia après avoir jeté les trois sous, et parcourut les titres de la première page. — Rien. — Son cœur se mit à battre ; il ouvrit la feuille, et il eut une forte émotion en lisant, au bas d'une colonne, en grosses lettres : « Georges Duroy. » Ça y était ! quelle joie !

---

1. *Le Figaro,* le *Gil-Blas, Le Gaulois, L'Événement :* noms de journaux qui paraissaient en France à cette époque. Maupassant a publié des chroniques et/ou des nouvelles dans les trois premiers.
2. **Feuilles** : journaux.

Il se mit à marcher, sans penser, le journal à la main, le chapeau sur le côté, avec une envie d'arrêter les passants pour leur dire : « Achetez ça – achetez ça. Il y a un article de moi. » Il aurait voulu pouvoir crier de
25 tous ses poumons, comme font certains hommes, le soir, sur les boulevards : « Lisez *La Vie française*, lisez l'article de *Georges Duroy : Les Souvenirs d'un chasseur d'Afrique*! » Et, tout à coup, il éprouva le désir de lire lui-même cet article, de le lire dans un endroit public, dans un café, bien en vue. Et il chercha un établissement qui fût déjà fréquenté. Il lui fallut
30 marcher longtemps. Il s'assit enfin devant une espèce de marchand de vin où plusieurs consommateurs étaient déjà installés et il demanda : « Un rhum », comme il aurait demandé : « Une absinthe[1] », sans songer à l'heure. Puis il appela : « Garçon, donnez-moi *La Vie française*. »

Un homme à tablier blanc accourut :
35 « Nous ne l'avons pas, monsieur, nous ne recevons que *Le Rappel, Le Siècle, La Lanterne* et *Le Petit Parisien*[2]. »

Duroy déclara, d'un ton furieux et indigné : « En voilà une boîte[3] ! Alors, allez me l'acheter. » Le garçon y courut, la rapporta. Duroy se mit à lire son article ; et plusieurs fois il dit, tout haut :
40 « *Très bien, très bien !* » pour attirer l'attention des voisins et leur inspirer le désir de savoir ce qu'il y avait dans cette feuille. Puis il la laissa sur la table en s'en allant. Le patron s'en aperçut, le rappela :

« Monsieur, monsieur, vous oubliez votre journal ! »

Et Duroy répondit : « Je vous le laisse, je l'ai lu. Il y a d'ailleurs
45 aujourd'hui, dedans, une chose très intéressante. »

Il ne désigna pas la chose, mais il vit, en s'en allant, un de ses voisins prendre *La Vie française* sur la table où il l'avait laissée.

Il pensa : « Que vais-je faire, maintenant ? » Et il se décida à aller à son bureau toucher son mois et donner sa démission. Il tressaillit

---

1. Absinthe : liqueur verte alcoolisée et toxique, très à la mode à la fin du XIXe siècle.
2. *Le Rappel, Le Siècle, La Lanterne et Le Petit Parisien* : noms de journaux de l'époque soutenant l'opposition, contrairement à *La Vie française*.
3. Boîte : blague.

50 d'avance de plaisir à la pensée de la tête que feraient son chef et ses collègues. L'idée de l'effarement du chef, surtout, le ravissait.

Il marchait lentement pour ne pas arriver avant neuf heures et demie, la caisse n'ouvrant qu'à dix heures.

Son bureau était une grande pièce sombre, où il fallait tenir le gaz
55 allumé presque tout le jour en hiver. Elle donnait sur une cour étroite, en face d'autres bureaux. Ils étaient huit employés là-dedans, plus un sous-chef dans un coin, caché derrière un paravent[1].

Duroy alla d'abord chercher ses cent dix-huit francs vingt-cinq centimes, enfermés dans une enveloppe jaune et déposés dans le tiroir
60 du commis chargé des payements, puis il pénétra d'un air vainqueur dans la vaste salle de travail où il avait déjà passé tant de jours.

Dès qu'il fut entré, le sous-chef, M. Potel, l'appela :

« Ah ! c'est vous M. Duroy ? Le chef vous a déjà demandé plusieurs fois. Vous savez qu'il n'admet pas qu'on soit malade
65 deux jours de suite sans attestation de médecin. »

Duroy, qui se tenait debout au milieu du bureau, préparant son effet, répondit d'une voix forte :

« Je m'en fiche un peu, par exemple. »

Il y eut parmi les employés un mouvement de stupéfaction, et
70 la tête de M. Potel apparut, effarée, au-dessus du paravent qui l'enfermait comme une boîte.

Il se barricadait là-dedans, par crainte des courants d'air, car il était rhumatisant. Il avait seulement percé deux trous dans le papier pour surveiller son personnel.

75 On entendait voler les mouches. Le sous-chef, enfin, demanda avec hésitation :

« Vous avez dit ?

— J'ai dit que je m'en fichais un peu. Je ne viens aujourd'hui que pour donner ma démission. Je suis entré comme rédacteur à

---

1. Paravent : grand panneau servant de séparation et de protection contre les courants d'air.

80 *La Vie française* avec cinq cents francs par mois[1], plus les lignes. J'y ai même débuté ce matin. »

Il s'était pourtant promis de faire durer le plaisir ; mais il n'avait pu résister à l'envie de tout lâcher d'un seul coup.

L'effet, du reste, était complet. Personne ne bougeait.

85 Alors Duroy déclara : « Je vais prévenir M. Perthuis, puis je viendrai vous faire mes adieux. » Et il sortit pour aller trouver le chef, qui s'écria en l'apercevant :

« Ah ! vous voilà. Vous savez que je ne veux pas… »

L'employé lui coupa la parole :

90 « Ce n'est pas la peine de gueuler comme ça… »

M. Perthuis, un gros homme rouge comme une crête de coq, demeura suffoqué par la surprise.

Duroy reprit : « J'en ai assez de votre boutique. J'ai débuté ce matin dans le journalisme, où on me fait une très belle position.

95 J'ai bien l'honneur de vous saluer. »

Et il sortit. Il était vengé.

Il alla en effet serrer la main de ses anciens collègues qui osaient à peine lui parler, par peur de se compromettre, car on avait entendu sa conversation avec le chef, la porte étant restée

100 ouverte.

Et il se retrouva dans la rue avec son traitement[2] dans sa poche. Il se paya un déjeuner succulent dans un bon restaurant à prix modérés, qu'il connaissait ; puis ayant encore acheté et laissé *La Vie française* sur la table où il avait mangé, il pénétra dans plusieurs

105 magasins où il acheta de menus objets, rien que pour les faire livrer chez lui et donner son nom : Georges Duroy. Il ajoutait : « Je suis le rédacteur de *La Vie française.* »

Puis il indiquait la rue et le numéro, en ayant soin de stipuler : « Vous laisserez chez le concierge. »

---

1. Cinq cents francs par mois : somme gonflée par rapport aux deux cent cinquante francs annoncés par Forestier.

2. Traitement : salaire.

110   Comme il avait encore du temps, il entra chez un lithographe[1] qui fabriquait des cartes de visite à la minute, sous les yeux des passants ; et il s'en fit faire immédiatement une centaine, qui portaient, imprimée sous son nom, sa nouvelle qualité.

    Puis il se rendit au journal.

115   Forestier le reçut de haut, comme on reçoit un inférieur : « Ah ! te voilà, très bien. J'ai justement plusieurs affaires pour toi. Attends-moi dix minutes. Je vais d'abord finir ma besogne[2]. » Et il continua une lettre commencée.

    À l'autre bout de la grande table, un petit homme très pâle, 120 bouffi, très gras, chauve, avec un crâne tout blanc et luisant, écrivait le nez sur son papier, par suite d'une myopie excessive.

    Forestier lui demanda : « Dis donc, Saint-Potin, à quelle heure vas-tu interviewer nos gens ?

    – À quatre heures.

125   – Tu emmèneras avec le toi le jeune Duroy ici présent et tu lui dévoileras les arcanes[3] du métier.

    – C'est entendu. »

    Puis, se tournant vers son ami, Forestier ajouta :

    « As-tu apporté la suite sur l'Algérie ? Le début de ce matin a 130 eu beaucoup de succès. »

    Duroy, interdit, balbutia : « Non, – j'avais cru avoir le temps dans l'après-midi, – j'ai eu un tas de choses à faire, – je n'ai pas pu… »

    L'autre leva les épaules d'un air mécontent : « Si tu n'es pas plus 135 exact que ça, tu rateras ton avenir, toi. Le père Walter comptait sur ta copie[4]. Je vais lui dire que ce sera pour demain. Si tu crois que tu seras payé pour ne rien faire, tu te trompes. »

---

1. Lithographe : graveur, imprimeur.
2. Ma besogne : mon travail.
3. Arcanes : secrets.
4. Copie : article.

Puis, après un silence, il ajouta : « On doit battre le fer quand il est chaud[1], que diable. »

140 Saint-Potin se leva : « Je suis prêt », dit-il.

Alors Forestier, se renversant sur sa chaise, prit une pose presque solennelle[2] pour donner ses instructions, et, se tournant vers Duroy : « Voilà. Nous avons à Paris depuis deux jours le général chinois Li-Theng-Fao, descendu au Continental, et le rajah[3] Taposahib Ramaderao Pali,

145 descendu à l'Hôtel Bristol[4]. Vous allez leur prendre une conversation[5]. »

Puis, se tournant vers Saint-Potin : « N'oublie point les principaux points que je t'ai indiqués. Demande au général et au rajah leur opinion sur les menées de l'Angleterre dans l'Extrême-Orient, leurs idées sur son système de colonisation et de domina-

150 tion, leurs espérances relatives à l'intervention de l'Europe, et de la France en particulier, dans leurs affaires[6]. »

Il se tut, puis il ajouta, parlant à la cantonade[7] : « Il sera on ne peut plus intéressant pour nos lecteurs de savoir en même temps ce qu'on pense en Chine et dans les Indes sur ces questions, qui

155 passionnent si fort l'opinion publique en ce moment. »

Il ajouta, pour Duroy : « Observe comment Saint-Potin s'y prendra, c'est un excellent reporter, et tâche d'apprendre les ficelles pour vider un homme[8] en cinq minutes. »

Puis il recommença à écrire avec gravité, avec l'intention

160 évidente de bien établir les distances, de bien mettre à sa place son ancien camarade et nouveau confrère.

---

1. On doit battre le fer quand il est chaud (proverbe) : on doit agir sans tarder quand l'occasion se présente.

2. Solennelle : grave, sérieuse.

3. Rajah : en Inde, souverain d'une principauté indépendante.

4. Le Continental, le Bristol : hôtels les plus prestigieux de Paris à l'époque.

5. Leur prendre une conversation : les interviewer.

6. En 1881, les prétentions coloniales de la France sur le Tonkin (région du nord du Vietnam) créent des tensions avec l'Annam (région centrale du Vietnam) et la Chine.

7. À la cantonade : sans s'adresser à quelqu'un en particulier.

8. Vider un homme : extirper des informations à quelqu'un.

Dès qu'ils eurent franchi la porte, Saint-Potin se mit à rire et dit à Duroy : « En voilà un faiseur[1] ! Il nous la fait à nous-mêmes. On dirait vraiment qu'il nous prend pour ses lecteurs. »

165 Puis ils descendirent sur le boulevard et le reporter demanda :

« Buvez-vous quelque chose ?

– Oui, volontiers. Il fait très chaud. »

Ils entrèrent dans un café et se firent servir des boissons fraîches. Et Saint-Potin se mit à parler. Il parla de tout le monde et du 170 journal avec une profusion de détails surprenants.

« Le patron ? Un vrai juif ! Et vous savez, les juifs, on ne les changera jamais. Quelle race ! » Et il cita des traits étonnants d'avarice, de cette avarice particulière aux fils d'Israël, des économies de dix centimes, des marchandages de cuisinière, des rabais 175 honteux demandés et obtenus, toute une manière d'être d'usurier, de prêteur à gages[2].

« Et avec ça, pourtant, un bon zig[3] qui ne croit à rien et roule tout le monde. Son journal qui est officieux, catholique, libéral, républicain, orléaniste[4], tarte à la crème et boutique à treize[5], n'a été fondé 180 que pour soutenir ses opérations de Bourse et ses entreprises de toute sorte. Pour ça il est très fort, et il gagne des millions au moyen de sociétés qui n'ont pas quatre sous de capital… »

Il allait toujours, appelant Duroy « mon cher ami ».

---

1. Faiseur : homme qui se donne des airs.

2. Usuriers : ceux qui prêtent de l'argent à un taux très élevé ; **prêteurs à gages** : ceux chez qui on dépose un objet de valeur en contrepartie d'un emprunt. Saint-Potin énumère une série de clichés antisémites très répandus à l'époque.

3. Zig : gars (familier).

4. Officieux : qui soutient les idées du gouvernement sans que cela soit officiel ; **libéral, républicain, orléaniste** : tendances politiques du centre et de droite.

5. Tarte à la crème : banal, commun ; **boutique à treize** : boutique ou bazar vendant des objets sans valeur à treize sous ; Saint-Potin dénonce ici le manque de qualité et de sérieux du journal.

« Et il a des mots à la Balzac[1], ce grigou[2]. Figurez-vous que l'autre jour, je me trouvais dans son cabinet avec cette antique bedole[3] de Norbert, et ce Don Quichotte[4] de Rival, quand Montelin, notre administrateur, arrive avec sa serviette en maroquin[5] sous le bras, cette serviette que tout Paris connaît. Walter leva le nez et demanda : "Quoi de neuf ?" »

Montelin répondit avec naïveté : « Je viens de payer les seize mille francs que nous devions au marchand de papier. »

Le patron fit un bond, un bond étonnant.

« Vous dites ?

— Que je viens de payer M. Privas.

— Mais vous êtes fou !

— Pourquoi ?

— Pourquoi… pourquoi… pourquoi… »

Il ôta ses lunettes, les essuya. Puis il sourit, d'un drôle de sourire qui court autour de ses grosses joues chaque fois qu'il va dire quelque chose de malin ou de fort, et avec un ton gouailleur[6] et convaincu, il prononça : « Pourquoi ? Parce que nous pouvions obtenir là-dessus une réduction de quatre à cinq mille francs. »

Montelin, étonné, reprit : « Mais, monsieur le directeur, tous les comptes étaient réguliers, vérifiés par moi et approuvés par vous… »

Alors le patron, redevenu sérieux, déclara : « On n'est pas naïf comme vous. Sachez, monsieur Montelin, qu'il faut toujours accumuler ses dettes pour transiger[7]. »

---

1. À la Balzac : dignes de Balzac (1799-1850), dont les romans mettent en scène une société corrompue.

2. Grigou : radin (familier).

3. Bedole : personne âgée et affaiblie.

4. Don Quichotte : chevalier de pacotille, héros du roman éponyme de l'auteur espagnol Miguel de Cervantès (1547-1616).

5. Serviette en maroquin : porte-documents en cuir ; le maroquin est de la peau de chèvre ou de mouton, tannée et teinte, préparée à l'origine au Maroc, d'où son nom.

6. Gouailleur : moqueur (familier).

7. Transiger : négocier.

Et Saint-Potin ajouta, avec un hochement de tête de connaisseur : « Hein ? Est-il à la Balzac, celui-là ? »

210 Duroy n'avait pas lu Balzac, mais il répondit avec conviction : « Bigre, oui. »

Puis le reporter parla de Mme Walter, une grande dinde, de Norbert de Varenne, un vieux raté, de Rival, une ressucée de Fervacques[1]. Puis, il en vint à Forestier. « Quant à celui-là, il a de 215 la chance d'avoir épousé sa femme, voilà tout. »

Duroy demanda :

« Qu'est-ce au juste que sa femme ? »

Saint-Potin se frotta les mains : « Oh ! une rouée, une fine mouche[2]. C'est la maîtresse d'un vieux viveur[3] nommé Vaudrec, 220 le comte de Vaudrec, qui l'a dotée[4] et mariée… »

Duroy sentit brusquement une sensation de froid, une sorte de crispation nerveuse, un besoin d'injurier et de gifler ce bavard. Mais il l'interrompit simplement pour lui demander :

« C'est votre nom, Saint-Potin ? »

225 L'autre répondit avec simplicité :

« Non, je m'appelle Thomas. C'est au journal qu'on m'a surnommé Saint-Potin. »

Et Duroy, payant les consommations, reprit : « Mais il me semble qu'il est tard et que nous avons deux nobles seigneurs à visiter. »

230 Saint-Potin se mit à rire : « Vous êtes encore naïf, vous ! Alors vous croyez comme ça que je vais aller demander à ce Chinois et à cet Indien ce qu'ils pensent de l'Angleterre. Comme si je ne le savais pas mieux qu'eux, ce qu'ils doivent penser pour les lecteurs de *La Vie française*. J'en ai déjà interviewé[5] cinq cents de ces

---

1. Ressucée : pâle copie ; **Fervacques** : pseudonyme d'un chroniqueur (Léon Duchemin) mort en 1876.
2. Rouée : personne sans scrupule ; **fine mouche** : personne rusée.
3. Viveur : homme qui mène une vie dissolue, fêtard.
4. L'a dotée : lui a constitué une *dot* (bien que la femme apporte en se mariant).
5. Interviewé : interviewé (mot très récent à l'époque de Maupassant, d'où l'erreur orthographique).

235 Chinois, Persans, Hindous, Chiliens, Japonais et autres. Ils
répondent tous la même chose, d'après moi. Je n'ai qu'à reprendre
mon article sur le dernier venu et à le copier mot pour mot. Ce
qui change, par exemple, c'est leur tête, leur nom, leurs titres,
leur âge, leur suite. Oh! là-dessus il ne faut pas d'erreur parce que
240 je serais relevé raide[1] par *Le Figaro* ou *Le Gaulois.* Mais sur ce sujet
le concierge de l'hôtel Bristol et celui du Continental m'auront
renseigné en cinq minutes. Nous irons à pied jusque-là en fumant
un cigare. Total : cent sous de voiture à réclamer au journal. Voilà,
mon cher, comment on s'y prend, quand on est pratique. »

245 Duroy demanda : « Ça doit rapporter bon d'être reporter dans
ces conditions-là ? »

Le journaliste répondit avec mystère : « Oui, mais rien ne
rapporte autant que les échos, à cause des réclames[2] déguisées. »

Ils s'étaient levés et suivaient le boulevard, vers la Madeleine.
250 Et Saint-Potin, tout à coup, dit à son compagnon : « Vous savez,
si vous avez à faire quelque chose, je n'ai pas besoin de vous, moi. »

Duroy lui serra la main, et s'en alla.

L'idée de son article à écrire dans la soirée le tracassait, et il se
mit à y songer. Il emmagasina des idées, des réflexions, des juge-
255 ments, des anecdotes, tout en marchant, et il monta jusqu'au bout
de l'avenue des Champs-Élysées, où on ne voyait que de rares
promeneurs, Paris étant vide par ces jours de chaleur.

Ayant dîné chez un marchand de vin auprès de l'Arc de
triomphe de l'Étoile, il revint lentement à pied chez lui par les
260 boulevards extérieurs, et il s'assit devant sa table, pour travailler.

Mais dès qu'il eut sous les yeux la grande feuille de papier blanc,
tout ce qu'il avait amassé de matériaux s'envola de son esprit,
comme si sa cervelle se fût évaporée. Il essayait de ressaisir des
bribes de souvenirs et de les fixer : ils lui échappaient à mesure qu'il

---

1. Relevé raide : vivement critiqué.
2. Échos : rubrique du journal qui rapporte les potins mondains et politiques ;
réclames : annonces publicitaires.

265 les reprenait, ou bien ils se précipitaient pêle-mêle, et il ne savait
comment les présenter, les habiller, ni par lequel commencer.

Après une heure d'efforts, et cinq pages de papier noircies par des
phrases de début qui n'avaient point de suite, il se dit : « Je ne suis
pas encore assez rompu[1] au métier. Il faut que je prenne une nouvelle
270 leçon. » Et tout de suite la perspective d'une autre matinée de travail
avec Mme Forestier, l'espoir de ce long tête-à-tête intime, cordial, si
doux, le firent tressaillir de désir. Il se coucha bien vite, ayant presque
peur à présent de se remettre à la besogne et de réussir tout à coup.

Il ne se leva, le lendemain, qu'un peu tard, éloignant et savou-
275 rant d'avance le plaisir de cette visite.

Il était dix heures passées quand il sonna chez son ami.

Le domestique répondit :

« C'est que Monsieur est en train de travailler. »

Duroy n'avait point songé que le mari pouvait être là. Il insista
280 cependant : « Dites-lui que c'est moi, pour une affaire pressante. »

Après cinq minutes d'attente on le fit entrer dans le cabinet où
il avait passé une si bonne matinée.

À la place occupée par lui, Forestier maintenant était assis et
écrivait, en robe de chambre, les pieds dans ses pantoufles, la tête
285 couverte d'une petite toque anglaise ; tandis que sa femme, enveloppée du même peignoir blanc, et accoudée à la cheminée,
dictait, une cigarette à la bouche.

Duroy, s'arrêtant sur le seuil, murmura : « Je vous demande bien
pardon, je vous dérange ? »

290 Et son ami, ayant tourné la tête, une tête furieuse, grogna :
« Qu'est-ce que tu veux encore ? Dépêche-toi, nous sommes pressés. »

L'autre, interdit, balbutiait : « Non, ce n'est rien, pardon. »

Mais Forestier, se fâchant : « Allons, sacrebleu ! ne perds pas de
temps, tu n'as pourtant pas forcé ma porte pour le plaisir de nous
295 dire bonjour. »

---

1. Rompu : entraîné, habitué.

Alors Duroy fort troublé, se décida : « Non… voilà… c'est que… je n'arrive pas encore à faire mon article… et tu as été… vous avez été si… si… si gentils la dernière fois que… que j'espérais… que j'ai osé venir. »

300 Forestier lui coupa la parole :

« Tu te fiches du monde, à la fin. Alors tu t'imagines que je vais faire ton métier, et que tu n'auras qu'à passer à la caisse au bout du mois. Non ! Elle est bonne, celle-là ! »

La jeune femme continuait à fumer, sans dire un mot, souriant
305 toujours d'un vague sourire qui semblait un masque aimable sur l'ironie de sa pensée.

Et Duroy, rougissant, bégayait : « Excusez-moi… j'avais cru… j'avais pensé… » Puis brusquement, d'une voix claire : « Je vous demande mille fois pardon, Madame, en vous adressant encore
310 mes remerciements les plus vifs pour la chronique si charmante que vous m'avez faite hier. »

Puis il salua, dit à Charles : « Je serai à trois heures au journal », et il sortit.

Il retourna chez lui, à grands pas, en grommelant : « Eh bien,
315 je m'en vais la faire celle-là, et tout seul, et ils verront… »

À peine rentré, la colère l'excitant, il se mit à écrire.

Il continua l'aventure commencée par Mme Forestier, accumulant des détails de roman-feuilleton [1], des péripéties surprenantes et des descriptions ampoulées [2], avec une maladresse de style de
320 collégien et des formules de sous-officier. En une heure, il eut terminé une chronique qui ressemblait à un chaos de folies, et il la porta, avec assurance, à *La Vie française.*

La première personne qu'il rencontra fut Saint-Potin qui, lui serrant la main avec une énergie de complice, demanda :

---

1. Roman-feuilleton : roman publié dans la presse quotidienne par épisode très apprécié par le public mais décrié par la critique qui lui reproche de sacrifier l'esthétique à l'émotion.

2. Ampoulées : pleines d'emphase et d'exagération (péjoratif).

325 « Vous avez lu ma conversation avec le Chinois et avec l'Hindou. Est-ce assez drôle ? Ça a amusé tout Paris. Et je n'ai pas vu seulement le bout de leur nez. »

Duroy, qui n'avait rien lu, prit aussitôt le journal, et il parcourut de l'œil un long article intitulé : « Inde et Chine », pendant que le
330 reporter lui indiquait et soulignait les passages les plus intéressants.

Forestier survint, soufflant, pressé, l'air affairé :

« Ah bon, j'ai besoin de vous deux. »

Et il leur indiqua une série d'informations politiques qu'il fallait se procurer pour le soir même.

335 Duroy lui tendit son article.

« Voici la suite sur l'Algérie.

— Très bien, donne, je vais la remettre au patron. »

Ce fut tout.

Saint-Potin entraîna son nouveau confrère, et lorsqu'ils furent
340 dans le corridor, il lui dit :

« Avez-vous passé à la caisse ?

— Non. Pourquoi ?

— Pourquoi ? Pour vous faire payer. Voyez-vous, il faut toujours prendre un mois d'avance. On ne sait pas ce qui peut arriver.

345 — Mais… je ne demande pas mieux.

— Je vais vous présenter au caissier. Il ne fera point de difficultés. On paye bien ici. »

Et Duroy alla toucher ses deux cents francs, plus vingt-huit francs pour son article de la veille, qui, joints à ce qui lui restait de son traitement[1] du chemin de fer, lui faisait trois cent quarante francs en poche.
350

Jamais il n'avait tenu pareille somme ; et il se crut riche pour des temps indéfinis.

Puis Saint-Potin l'emmena bavarder dans les bureaux de quatre ou cinq feuilles rivales[2], espérant que les nouvelles qu'on l'avait chargé

---

1. **Traitement** : salaire.
2. **Feuilles rivales** : journaux concurrents.

355 de recueillir avaient été prises déjà par d'autres, et qu'il saurait bien les leur souffler, grâce à l'abondance et à l'astuce de sa conversation.

Le soir venu, Duroy, qui n'avait plus rien à faire, songea à retourner aux Folies-Bergère[1], et, payant d'audace, il se présenta au contrôle :

« Je m'appelle Georges Duroy, rédacteur à *La Vie française*. Je suis
360 venu l'autre jour avec M. Forestier, qui m'avait promis de demander mes entrées. Je ne sais s'il y a songé. »

On consulta un registre. Son nom ne s'y trouvait pas inscrit. Cependant le contrôleur, homme très affable[2], lui dit : « Entrez toujours, monsieur, et adressez vous-même votre demande à
365 M. le directeur qui y fera droit assurément. »

Il entra, et presque aussitôt il rencontra Rachel, la femme emmenée le premier soir.

Elle vint à lui : « Bonjour, mon chat. Tu vas bien ?

– Très bien, et toi ?

370 – Moi, pas mal. Tu ne sais pas, j'ai rêvé deux fois de toi depuis l'autre jour. »

Duroy sourit, flatté : « Ah ! ah ! et qu'est-ce que ça prouve ?

– Ça prouve que tu m'as plu, gros serin[3], et que nous recommencerons quand ça te dira.

375 – Aujourd'hui si tu veux.

– Oui, je veux bien.

– Bon, mais écoute… » Il hésitait, un peu confus de ce qu'il allait faire : « C'est que, cette fois, je n'ai pas le sou, je viens du cercle où j'ai tout claqué[4]. »

380 Elle le regardait au fond des yeux, flairant le mensonge avec son instinct et sa pratique de fille habituée aux roueries[5] et aux

---

1. Folies-Bergère : music-hall très célèbre, construit en 1867 dans le 9e arrondissement de Paris.

2. Affable : aimable.

3. Serin : bêta, sot.

4. Cercle : club de jeu privé ; **claqué** : dépensé.

5. Roueries : fourberies.

marchandages des hommes. Elle dit : « Blagueur ! Tu sais, ça n'est pas gentil avec moi cette manière-là. »

385 Il eut un sourire embarrassé : « Si tu veux dix francs, c'est tout ce qui me reste. »

Elle murmura avec un désintéressement de courtisane [1] qui se paye un caprice :

« Ce qui te plaira, mon chéri, je ne veux que toi. »

Et levant ses yeux séduits vers la moustache du jeune homme,
390 elle prit son bras et s'appuya dessus amoureusement :

« Allons boire une grenadine d'abord. Et puis nous ferons un tour ensemble. Moi je voudrais aller à l'Opéra, comme ça, avec toi, pour te montrer. Et puis nous rentrerons de bonne heure, n'est-ce pas ? »

395 ....

Il dormit tard, chez cette fille. Il faisait jour quand il sortit, et la pensée lui vint aussitôt d'acheter *La Vie française.* Il ouvrit le journal d'une main fiévreuse ; sa chronique n'y était pas ; et il demeurait debout sur le trottoir, parcourant anxieusement de
400 l'œil les colonnes imprimées avec l'espoir d'y trouver, enfin, ce qu'il cherchait.

Quelque chose de pesant tout à coup accablait son cœur, car, après la fatigue d'une nuit d'amour, cette contrariété tombant sur sa lassitude [2] avait le poids d'un désastre.

405 Il remonta chez lui et s'endormit tout habillé sur son lit.

En entrant quelques heures plus tard dans les bureaux de la rédaction, il se présenta devant M. Walter : « J'ai été tout surpris ce matin, monsieur, de ne pas trouver mon second article sur l'Algérie. »

Le directeur leva la tête, et d'une voix sèche : « Je l'ai donné à
410 votre ami Forestier, en le priant de le lire ; il ne l'a pas trouvé suffisant, il faudra me le refaire. »

---

1. **Courtisane** : femme vivant de ses charmes, femme entretenue.
2. **Lassitude** : fatigue.

Duroy, furieux, sortit sans répondre un mot, et, pénétrant brusquement dans le cabinet de son camarade : « Pourquoi n'as-tu pas fait paraître, ce matin, ma chronique ? »

415 Le journaliste fumait une cigarette, le dos au fond de son fauteuil et les pieds sur sa table, salissant de ses talons un article commencé. Il articula tranquillement avec un son de voix ennuyé et lointain, comme s'il parlait du fond d'un trou : « Le patron l'a trouvé mauvais, et m'a chargé de te le remettre pour le recommencer. Tiens, le voilà. »

420 Et il indiquait du doigt les feuilles dépliées sous un presse-papier.

Duroy, confondu, ne trouva rien à dire, et, comme il mettait sa prose dans sa poche, Forestier reprit : « Aujourd'hui tu vas te rendre d'abord à la préfecture... »

Et il indiqua une série de courses d'affaires, de nouvelles à 425 recueillir. Duroy s'en alla, sans avoir pu découvrir le mot mordant qu'il cherchait.

Il rapporta son article le lendemain. Il lui fut rendu de nouveau. L'ayant refait une troisième fois, et le voyant refusé, il comprit qu'il allait trop vite et que la main de Forestier pouvait seule l'aider dans sa route.

430 Il ne parla donc plus des *Souvenirs d'un chasseur d'Afrique,* en se promettant d'être souple et rusé, puisqu'il le fallait, et de faire, en attendant mieux, son métier de reporter avec zèle.

Il connut les coulisses des théâtres et celles de la politique, les corridors[1] et le vestibule[2] des hommes d'État et de la Chambre 435 des députés[3], les figures importantes des attachés de cabinet[4] et les mines renfrognées des huissiers[5] endormis.

Il eut des rapports continus avec des ministres, des concierges, des généraux, des agents de police, des princes, des souteneurs, des courtisanes, des ambassadeurs, des évêques, des proxénètes, des rastaquouères,

---

1. **Corridors** : couloirs.
2. **Vestibule** : entrée où l'on fait attendre les visiteurs.
3. **Chambre des députés** : aujourd'hui Assemblée nationale.
4. **Attachés de cabinet** : conseillers ministériels.
5. **Huissiers** : employés chargés d'accueillir les visiteurs.

440 des hommes du monde, des grecs, des cochers de fiacre[1], des garçons
de café et bien d'autres, étant devenu l'ami intéressé et indifférent de
tous ces gens, les confondant dans son estime, les toisant[2] à la même
mesure, les jugeant avec le même œil, à force de les voir tous les jours,
à toute heure, sans transition d'esprit, et de parler avec eux tous des
445 mêmes affaires concernant son métier. Il se comparait lui-même à un
homme qui goûterait, coup sur coup, les échantillons de tous les vins
et ne distinguerait bientôt plus le Château-Margaux de l'Argenteuil[3].

Il devint en peu de temps un remarquable reporter, sûr de ses
informations, rusé, rapide, subtil, une vraie valeur pour le journal,
450 comme disait le père Walter, qui s'y connaissait en rédacteurs.

Cependant, comme il ne touchait que dix centimes la ligne,
plus ses deux cents francs de fixe, et comme la vie de boulevard,
la vie de café, la vie de restaurant coûte cher, il n'avait jamais le
sou et se désolait de sa misère.

455 C'est un truc à saisir, pensait-il, en voyant certains confrères aller
la poche pleine d'or, sans jamais comprendre quels moyens secrets
ils pouvaient bien employer pour se procurer cette aisance[4]. Et il
soupçonnait avec envie des procédés inconnus et suspects, des
services rendus, toute une contrebande[5] acceptée et consentie. Or
460 il lui fallait pénétrer le mystère, entrer dans l'association tacite[6],
s'imposer aux camarades qui partageaient sans lui.

Et il rêvait souvent le soir, en regardant de sa fenêtre passer les
trains, aux procédés qu'il pourrait employer.

---

1. Rastaquouères : étrangers à la fortune suspecte (péjoratif) ; **grecs** : tricheurs
au jeu (figuré et péjoratif) ; **cochers de fiacre** : conducteurs de voiture à cheval
louée à la course (comme les taxis aujourd'hui).

2. Les toisant : les regardant avec mépris.

3. Château-Margaux : grand vin de Bordeaux ; **Argenteuil** : petit vin de la région
parisienne.

4. Aisance : richesse.

5. Contrebande : commerce illicite.

6. Tacite : secrète.

5

Deux mois s'étaient écoulés ; on touchait à septembre, et la fortune rapide que Duroy avait espérée lui semblait bien lente à venir. Il s'inquiétait surtout de la médiocrité morale[1] de sa situation et ne voyait point par quelle voie il escaladerait les hauteurs où l'on trouve la considération, la puissance et l'argent.

Il se sentait enfermé dans ce métier médiocre de reporter, muré là-dedans à n'en pouvoir sortir. On l'appréciait, mais on l'estimait selon son rang. Forestier même, à qui il rendait mille services, ne l'invitait plus à dîner, le traitait en tout comme un inférieur, bien qu'il le tutoyât comme un ami.

De temps en temps, il est vrai, Duroy, saisissant une occasion, plaçait un bout d'article, et ayant acquis par ses échos[2] une souplesse de plume et un tact qui lui manquaient lorsqu'il avait écrit sa seconde chronique sur l'Algérie, il ne courait plus aucun risque de voir refuser ses actualités. Mais de là à faire des chroniques au gré de sa fantaisie ou à traiter, en juge, les questions politiques, il y avait autant de différence qu'à conduire dans les avenues du Bois[3], étant cocher, ou à conduire, étant maître[4]. Ce qui l'humiliait surtout, c'était de sentir fermées les portes du monde, de n'avoir pas de relations[5] à traiter en égal, de ne pas

---

1. **Médiocrité morale** : pauvreté intellectuelle et sociale.
2. **Échos** : rubrique du journal qui rapporte les potins mondains et politiques.
3. **Bois** : bois de Boulogne, lieu de promenade de la haute société parisienne à l'époque.
4. Le cocher, qui n'est qu'un valet, ne possède pas son véhicule, contrairement au maître qui conduit sa propre voiture.
5. **Du monde** : de la haute société ; **relations** : relations avec des personnes influentes.

entrer dans l'intimité des femmes, bien que plusieurs actrices connues l'eussent parfois accueilli avec une familiarité intéressée.

Il savait d'ailleurs, par expérience, qu'elles éprouvaient pour lui, toutes, mondaines ou cabotines, un entraînement[1] singulier, une sympathie instantanée, et il ressentait, de ne point connaître celles dont pourrait dépendre son avenir, une impatience de cheval entravé[2].

Bien souvent il avait songé à faire une visite à Mme Forestier ; mais la pensée de leur dernière rencontre l'arrêtait, l'humiliait ; et il attendait, en outre, d'y être engagé par le mari. Alors le souvenir lui vint de Mme de Marelle, et, se rappelant qu'elle l'avait prié de la venir voir, il se présenta chez elle, un après-midi qu'il n'avait rien à faire.

« J'y suis toujours jusqu'à trois heures », avait-elle dit.

Il sonnait à sa porte, à deux heures et demie.

Elle habitait rue de Verneuil[3], au quatrième.

Au bruit du timbre[4], une bonne vint ouvrir, une petite servante dépeignée qui nouait son bonnet en répondant :

« Oui, madame est là, mais je ne sais pas si elle est levée. »

Et elle poussa la porte du salon qui n'était point fermée.

Duroy entra. La pièce était assez grande, peu meublée et d'aspect négligé. Les fauteuils, défraîchis et vieux, s'alignaient le long des murs, selon l'ordre établi par la domestique, car on ne sentait en rien le soin élégant d'une femme qui aime le chez-soi. Quatre pauvres tableaux, représentant une barque sur un fleuve, un navire sur la mer, un moulin dans une plaine et un bûcheron dans un bois, pendaient au milieu des quatre panneaux, au bout de cordons

---

1. **Mondaines** : femmes fréquentant les réunions mondaines (soirées, bals, spectacles, etc.) ; **cabotines** : femmes aux manières affectées, manquant de naturel ; **entraînement** : attirance.

2. **Entravé** : bridé, attaché.

3. **Rue de Verneuil** : rue du quartier Saint-Germain, sur la rive gauche de Paris, où résidait l'aristocratie.

4. **Timbre** : sonnette.

inégaux, et tous les quatre accrochés de travers. On devinait que depuis longtemps ils restaient penchés ainsi sous l'œil négligent d'une indifférente.

Duroy s'assit et attendit. Il attendit longtemps. Puis une porte s'ouvrit et Mme de Marelle entra en courant, vêtue d'un peignoir japonais en soie rose où étaient brodés des paysages d'or, des fleurs bleues et des oiseaux blancs et elle s'écria :

« Figurez-vous que j'étais encore couchée. Que c'est gentil à vous de venir me voir. J'étais persuadée que vous m'aviez oubliée. »

Elle tendit ses deux mains d'un geste ravi, et Duroy, que l'aspect médiocre de l'appartement mettait à son aise, les ayant prises, en baisa une, comme il avait vu faire à Norbert de Varenne.

Elle le pria de s'asseoir ; puis, le regardant des pieds à la tête : « Comme vous êtes changé ! Vous avez gagné de l'air[1]. Paris vous fait du bien. Allons, racontez-moi les nouvelles. »

Et ils se mirent à bavarder tout de suite, comme s'ils eussent été d'anciennes connaissances, sentant naître entre eux une familiarité instantanée, sentant s'établir un de ces courants de confiance, d'intimité et d'affection qui font amis, en cinq minutes, deux êtres de même caractère et de même race[2].

Tout à coup, la jeune femme s'interrompit, et s'étonnant : « C'est drôle comme je suis avec vous. Il me semble que je vous connais depuis dix ans. Nous deviendrons, sans doute, bons camarades. Voulez-vous ? »

Il répondit : « Mais, certainement », avec un sourire qui en disait plus.

Il la trouvait tout à fait tentante, dans son peignoir éclatant et doux, moins fine que l'autre dans son peignoir blanc, moins chatte, moins délicate, mais plus excitante, plus poivrée[3].

---

1. De l'air : de l'allure.
2. Race : espèce, nature.
3. Tentante : séduisante ; **chatte** : femme aux manières douces et caressantes ; **poivrée** : excitante, piquante.

Quand il sentait près de lui Mme Forestier, avec son sourire immobile et gracieux qui attirait et arrêtait en même temps, qui semblait dire : « Vous me plaisez » et aussi : « Prenez garde », dont

80 on ne comprenait jamais le sens véritable, il éprouvait surtout le désir de se coucher à ses pieds, ou de baiser la fine dentelle de son corsage et d'aspirer lentement l'air chaud et parfumé qui devait sortir de là, glissant entre les seins. Auprès de Mme de Marelle, il sentait en lui un désir plus brutal, plus précis, un désir qui frémis-

85 sait dans ses mains devant les contours soulevés de la soie[1] légère.

Elle parlait toujours, semant en chaque phrase cet esprit facile dont elle avait pris l'habitude, comme un ouvrier saisit le tour de main[2] qu'il faut pour accomplir une besogne réputée difficile et dont s'étonnent les autres. Il l'écoutait, pensant : « C'est bon à

90 retenir tout ça. On écrirait des chroniques parisiennes charmantes en la faisant bavarder sur les événements du jour. »

Mais on frappa doucement, tout doucement à la porte par laquelle elle était venue ; et elle cria : « Tu peux entrer, mignonne. » La petite fille parut, alla droit à Duroy et lui tendit la main.

95 La mère étonnée murmura : « Mais c'est une conquête. Je ne la reconnais plus[3]. » Le jeune homme ayant embrassé l'enfant, la fit asseoir à côté de lui, et lui posa, avec un air sérieux, des questions gentilles sur ce qu'elle avait fait depuis qu'ils ne s'étaient vus. Elle répondait de sa petite voix de flûte[4], avec son air grave de grande

100 personne.

La pendule sonna trois heures. Le journaliste se leva.

« Venez souvent, demanda Mme de Marelle, nous bavarderons comme aujourd'hui, vous me ferez toujours plaisir. Mais pourquoi ne vous voit-on plus chez les Forestier ? »

---

1. Soie : soie de son peignoir. Le tissu moule ses formes rebondies.
2. Tour de main : geste.
3. La fille de Mme de Marelle est habituellement timide et réservée. Duroy a su la conquérir, gagner sa sympathie.
4. Voix de flûte : voix aiguë.

105 Il répondit : « Oh ! pour rien. J'ai eu beaucoup à faire. J'espère bien que nous nous y retrouverons un de ces jours. »

Et il sortit, le cœur plein d'espoir, sans savoir pourquoi.

Il ne parla pas à Forestier de cette visite.

Mais il en garda le souvenir, les jours suivants, plus que le
110 souvenir, une sorte de sensation de la présence irréelle et persistante de cette femme. Il lui semblait avoir pris quelque chose d'elle, l'image de son corps restée dans ses yeux et la saveur de son être moral restée en son cœur. Il demeurait sous l'obsession de son image, comme il arrive quelquefois quand on a passé des heures
115 charmantes auprès d'un être. On dirait qu'on subit une possession étrange, intime, confuse, troublante et exquise, parce qu'elle est mystérieuse.

Il fit une seconde visite au bout de quelques jours.

La bonne l'introduisit dans le salon, et Laurine[1] parut aussitôt.
120 Elle tendit, non plus sa main, mais son front, et dit : « Maman m'a chargée de vous prier de l'attendre. Elle en a pour un quart d'heure, parce qu'elle n'est pas habillée. Je vous tiendrai compagnie. »

Duroy, qu'amusaient les manières cérémonieuses[2] de la fillette,
125 répondit : « Parfaitement, mademoiselle, je serai enchanté de passer un quart d'heure avec vous ; mais je vous préviens que je ne suis pas sérieux du tout, moi, je joue toute la journée ; je vous propose donc de faire une partie de chat perché. »

La gamine demeura saisie, puis elle sourit, comme aurait fait
130 une femme, de cette idée qui la choquait un peu et l'étonnait aussi, et elle murmura :

« Les appartements ne sont pas faits pour jouer. »

Il reprit : « Ça m'est égal. Moi, je joue partout. Allons, attrapez-moi. » Et il se mit à tourner autour de la table, en l'excitant à le

---

1. Laurine : fille de Mme de Marelle.
2. Cérémonieuses : excessivement sérieuses et solennelles.

135 poursuivre, tandis qu'elle s'en venait derrière lui, souriant toujours
avec une sorte de condescendance[1] polie, et étendant parfois la main
pour le toucher, mais sans s'abandonner jusqu'à courir.

Il s'arrêtait, se baissait, et lorsqu'elle approchait, de son petit
pas hésitant, il sautait en l'air comme les diables enfermés en des
140 boîtes, puis il s'élançait d'une enjambée à l'autre bout du salon.
Elle trouvait ça drôle, finissait par rire, et, s'animant, commençait
à trottiner derrière lui, avec de légers cris joyeux et craintifs,
quand elle avait cru le saisir. Il déplaçait les chaises, en faisait des
obstacles, la forçait à pivoter pendant une minute autour de la
145 même, puis, quittant celle-là, en saisissait une autre. Laurine
courait maintenant, s'abandonnait tout à fait au plaisir de ce jeu
nouveau et, la figure rose, elle se précipitait d'un grand élan
d'enfant ravie, à chacune des fuites, à chacune des ruses, à chacune
des feintes de son compagnon.

150 Brusquement, comme elle s'imaginait l'atteindre, il la saisit
dans ses bras, et, l'élevant jusqu'au plafond, il cria : « Chat perché ! »

La fillette enchantée agitait ses jambes pour s'échapper et riait
de tout son cœur.

Mme de Marelle entra et, stupéfaite : « Ah ! Laurine... Laurine
155 qui joue... Vous êtes un ensorceleur, monsieur. »

Il reposa par terre la gamine, baisa la main de la mère, et ils
s'assirent, l'enfant entre eux. Ils voulurent causer, mais Laurine,
grisée[2], si muette d'ordinaire, parlait tout le temps, et il fallut
l'envoyer à sa chambre.

160 Elle obéit sans répondre, mais avec des larmes dans les yeux.

Dès qu'ils furent seuls, Mme de Marelle baissa la voix : « Vous ne
savez pas, j'ai un grand projet, et j'ai pensé à vous. Voilà : comme je
dîne toutes les semaines chez les Forestier, je leur rends ça, de temps
en temps, dans un restaurant. Moi, je n'aime pas à avoir du monde

---

1. Condescendance : supériorité bienveillante.
2. Grisée : excitée.

165 chez moi, je ne suis pas organisée pour ça, et, d'ailleurs, je n'entends rien aux choses de la maison, rien à la cuisine, rien à rien. J'aime vivre à la diable[1]. Donc je les reçois de temps en temps au restaurant, mais ça n'est pas gai quand nous ne sommes que nous trois, et mes connaissances à moi ne vont guère avec eux. Je vous dis ça pour

170 vous expliquer une invitation peu régulière. Vous comprenez, n'est-ce pas, que je vous demande d'être des nôtres samedi, au Café Riche[2], sept heures et demie. Vous connaissez la maison ? »

Il accepta avec bonheur. Elle reprit : « Nous serons tous les quatre seulement, une vraie partie carrée[3]. C'est très amusant ces petites

175 fêtes-là, pour nous autres femmes qui n'y sommes pas habituées. »

Elle portait une robe marron foncé, qui moulait sa taille, ses hanches, sa gorge, ses bras d'une façon provocante et coquette ; et Duroy éprouvait un étonnement confus, presque une gêne dont il ne saisissait pas bien la cause, du désaccord de cette élégance soignée

180 et raffinée avec l'insouci visible pour le logis[4] qu'elle habitait.

Tout ce qui vêtait son corps, tout ce qui touchait intimement et directement sa chair, était délicat et fin, mais ce qui l'entourait ne lui importait plus.

Il la quitta, gardant, comme l'autre fois, la sensation de sa

185 présence continuée dans une sorte d'hallucination de ses sens. Et il attendit le jour du dîner avec une impatience grandissante.

Ayant loué pour la seconde fois un habit noir, ses moyens ne lui permettant point encore d'acheter un costume de soirée, il arriva le premier au rendez-vous, quelques minutes avant l'heure.

190 On le fit monter au second étage, et on l'introduisit dans un petit salon de restaurant, tendu de rouge[5] et ouvrant sur le boulevard son unique fenêtre.

---

1. **À la diable** : de façon désorganisée, négligée.
2. **Café Riche** : célèbre restaurant du boulevard des Italiens.
3. **Partie carrée** : réunion entre deux femmes et deux hommes.
4. **Logis** : logement.
5. **Tendu de rouge** : dont les murs étaient tapissés de tissu rouge.

Une table carrée, de quatre couverts, étalait sa nappe blanche, si luisante qu'elle semblait vernie ; et les verres, l'argenterie, le
195 réchaud[1] brillaient gaiement sous la flamme de douze bougies portées par deux hauts candélabres[2].

Au dehors on apercevait une grande tache d'un vert clair que faisaient les feuilles d'un arbre, éclairées par la lumière vive des cabinets particuliers[3].

200 Duroy s'assit sur un canapé très bas, rouge comme les tentures des murs, et dont les ressorts fatigués, s'enfonçant sous lui, lui donnèrent la sensation de tomber dans un trou. Il entendait dans toute cette vaste maison une rumeur confuse, ce bruissement des grands restaurants fait du bruit des vaisselles et des argenteries heurtées, du bruit des pas
205 rapides des garçons, adoucis par le tapis des corridors[4], du bruit des portes un moment ouvertes et qui laissent échapper le son des voix de tous ces étroits salons où sont enfermés des gens qui dînent. Forestier entra et lui serra la main avec une familiarité cordiale, qu'il ne lui témoignait jamais dans les bureaux de *La Vie française*.

210 « Ces deux dames vont arriver ensemble, dit-il ; c'est très gentil ces dîners-là. »

Puis il regarda la table, fit éteindre tout à fait un bec de gaz[5] qui brûlait en veilleuse, ferma un battant de la fenêtre, à cause du courant d'air, et choisit sa place bien à l'abri, en déclarant : « Il faut
215 que je fasse grande attention ; j'ai été mieux pendant un mois, et me voici repris depuis quelques jours. J'aurai attrapé froid mardi en sortant du théâtre. »

On ouvrit la porte et les deux jeunes femmes parurent, suivies d'un maître d'hôtel, voilées, cachées, discrètes, avec cette allure

---

1. **Réchaud** : chauffe-plat.
2. **Candélabres** : chandeliers.
3. **Cabinets particuliers** : pièces privatives du restaurant, comme celle où se tient Duroy.
4. **Corridors** : couloirs.
5. **Bec de gaz** : lampe à gaz.

220 de mystère charmant, qu'elles prennent en ces endroits où les voisinages et les rencontres sont suspects.

Comme Duroy saluait Mme Forestier, elle le gronda fort de n'être pas revenu la voir, puis elle ajouta, avec un sourire vers son amie : « C'est ça, vous me préférez Mme de Marelle, vous trouvez 225 bien le temps pour elle. »

Puis on s'assit, et le maître d'hôtel ayant présenté à Forestier la carte des vins, Mme de Marelle s'écria : « Donnez à ces messieurs ce qu'ils voudront ; quant à nous, du champagne frappé[1], du meilleur, du champagne doux par exemple, rien autre chose. » Et 230 l'homme étant sorti, elle annonça avec un rire excité : « Je veux me pocharder ce soir, nous allons faire une noce[2], une vraie noce. »

Forestier, qui paraissait n'avoir point entendu, demanda : « Cela ne vous ferait-il rien qu'on fermât la fenêtre ? J'ai la poitrine un peu prise depuis quelques jours.

235 — Non, rien du tout. »

Il alla donc pousser le battant resté entrouvert et il revint s'asseoir avec un visage rasséréné, tranquillisé.

Sa femme ne disait rien, paraissait absorbée ; et, les yeux baissés vers la table, elle souriait aux verres, de ce sourire vague qui 240 semblait promettre toujours pour ne jamais tenir.

Les huîtres d'Ostende[3] furent apportées, mignonnes et grasses, semblables à de petites oreilles enfermées en des coquilles, et fondant entre le palais et la langue ainsi que des bonbons salés.

Puis, après le potage, on servit une truite rose comme de la 245 chair de jeune fille ; et les convives commencèrent à causer.

On parla d'abord d'un cancan[4] qui courait les rues, l'histoire d'une femme du monde surprise, par un ami de son mari, soupant avec un prince étranger en cabinet particulier.

---

1. Frappé : refroidi dans de la glace.
2. Me pocharder : me soûler (familier) ; **noce** : fête.
3. Ostende : port de pêche situé en Belgique.
4. Cancan : potin, ragot (familier).

Forestier riait beaucoup de l'aventure ; les deux femmes décla-
250 raient que le bavard indiscret n'était qu'un goujat[1] et qu'un lâche.
Duroy fut de leur avis et proclama bien haut qu'un homme a le
devoir d'apporter en ces sortes d'affaires, qu'il soit acteur, confident
ou simplement témoin, un silence de tombeau. Il ajouta :

«Comme la vie serait pleine de choses charmantes si nous
255 pouvions compter sur la discrétion absolue les uns des autres. Ce
qui arrête souvent, bien souvent, presque toujours les femmes,
c'est la peur du secret dévoilé. »

Puis il ajouta, souriant : «Voyons, n'est-ce pas vrai ? Combien
y en a-t-il qui s'abandonneraient à un rapide désir, au caprice
260 brusque et violent d'une heure, à une fantaisie d'amour, si elles ne
craignaient de payer par un scandale irrémédiable[2] et par des
larmes douloureuses un court et léger bonheur ! »

Il parlait avec une conviction contagieuse, comme s'il avait
plaidé une cause, sa cause, comme s'il eût dit : «Ce n'est pas avec
265 moi qu'on aurait à craindre de pareils dangers. Essayez pour voir. »

Elles le contemplaient toutes les deux, l'approuvant du regard,
trouvant qu'il parlait bien et juste, confessant par leur silence ami
que leur morale flexible de Parisiennes n'aurait pas tenu longtemps devant la certitude du secret.

270 Et Forestier, presque couché sur le canapé, une jambe repliée
sous lui, la serviette glissée dans son gilet pour ne point maculer[3]
son habit, déclara tout à coup, avec un rire convaincu de sceptique :
«Sacristi oui, on s'en payerait si on était sûr du silence. Bigre de
bigre ! les pauvres maris ! »

275 Et on se mit à parler d'amour. Sans l'admettre éternel, Duroy
le comprenait durable, créant un lien, une amitié tendre, une
confiance ! L'union des sens n'était qu'un sceau à[4] l'union des cœurs.

---

1. Goujat : homme mal élevé, grossier.
2. Irrémédiable : irréparable.
3. Maculer : tacher.
4. Un sceau à : une confirmation de.

Mais il s'indignait des jalousies harcelantes, des drames, des scènes, des misères qui, presque toujours, accompagnent les ruptures.

280 Quand il se tut, Mme de Marelle soupira : « Oui, c'est la seule bonne chose de la vie, et nous la gâtons souvent par des exigences impossibles. »

Mme Forestier, qui jouait avec un couteau, ajouta : « Oui... oui... c'est bon d'être aimée... »

285 Et elle semblait pousser plus loin son rêve, songer à des choses qu'elle n'osait point dire.

Et comme la première entrée n'arrivait pas, ils buvaient de temps en temps une gorgée de champagne en grignotant des croûtes arrachées sur le dos des petits pains ronds. Et la pensée de 290 l'amour, lente et envahissante, entrait en eux, enivrait peu à peu leur âme, comme le vin clair, tombé goutte à goutte en leur gorge, échauffait leur sang et troublait leur esprit.

On apporta des côtelettes d'agneau, tendres, légères, couchées sur un lit épais et menu de pointes d'asperges.

295 « Bigre ! la bonne chose ! » s'écria Forestier. Et ils mangeaient avec lenteur, savourant la viande fine et le légume onctueux comme une crème.

Duroy reprit : « Moi, quand j'aime une femme, tout disparaît du monde autour d'elle. »

300 Il disait cela avec conviction, s'exaltant à la pensée de cette jouissance d'amour, dans le bien-être de la jouissance de table qu'il goûtait.

Mme Forestier murmura, avec son air de n'y point toucher : « Il n'y a pas de bonheur comparable à la première pression des mains, quand l'une demande : "M'aimez-vous ?" et quand l'autre répond : 305 "Oui, je t'aime." »

Mme de Marelle, qui venait de vider d'un trait une nouvelle flûte de champagne, dit gaiement, en reposant son verre : « Moi, je suis moins platonique[1]. »

---

1. Platonique : chaste, prude.

Et chacun se mit à ricaner, l'œil allumé, en approuvant cette
310 parole.

Forestier s'étendit sur le canapé, ouvrit les bras, les appuya sur
des coussins et d'un ton sérieux : « Cette franchise vous honore et
prouve que vous êtes une femme pratique. Mais peut-on vous
demander quelle est l'opinion de M. de Marelle ? »

315 Elle haussa les épaules lentement, avec un dédain infini,
prolongé, puis d'une voix nette : « M. de Marelle n'a pas d'opinion
en cette matière. Il n'a que des… que des abstentions[1]. »

Et la causerie, descendant des théories élevées sur la tendresse,
entra dans le jardin fleuri des polissonneries[2] distinguées.

320 Ce fut le moment des sous-entendus adroits, des voiles levés par
des mots, comme on lève des jupes, le moment des ruses de langage,
des audaces habiles et déguisées, de toutes les hypocrisies impu-
diques de la phrase qui montre des images dévêtues avec des expressions couvertes, qui fait passer dans l'œil et dans l'esprit la vision
325 rapide de tout ce qu'on ne peut pas dire, et permet aux gens du
monde une sorte d'amour subtil et mystérieux, une sorte de contact
impur des pensées par l'évocation simultanée, troublante et sensuelle
comme une étreinte, de toutes les choses secrètes, honteuses et désirées de l'enlacement[3]. On avait apporté le rôti, des perdreaux flan-
330 qués de cailles, puis des petits pois, puis une terrine de foies gras
accompagnée d'une salade aux feuilles dentelées, emplissant comme
une mousse verte un grand saladier en forme de cuvette. Ils avaient
mangé de tout cela sans y goûter, sans s'en douter, uniquement
préoccupés de ce qu'ils disaient, plongés dans un bain d'amour.

335 Les deux femmes, maintenant, en lançaient de roides[4],
Mme de Marelle avec une audace naturelle qui ressemblait à une

---

1. Abstentions : refus de se prononcer, de donner son opinion.
2. Théories : principes abstraits ; **polissonneries** : propos coquins, libertins.
3. Cette discussion au sujet des relations charnelles se fait à mots couverts, de
façon implicite et figurée.
4. En lançaient de roides : lançaient des paroles osées.

provocation, Mme Forestier avec une réserve charmante, une pudeur dans le ton, dans la voix, dans le sourire, dans toute l'allure, qui soulignait, en ayant l'air de les atténuer, les choses hardies[1] sorties de sa bouche.

Forestier, tout à fait vautré sur les coussins, riait, buvait, mangeait sans cesse et jetait parfois une parole tellement osée ou tellement crue que les femmes, un peu choquées par la forme et pour la forme, prenaient un petit air gêné qui durait deux ou trois secondes. Quand il avait lâché quelque polissonnerie trop grosse, il ajoutait : « Vous allez bien, mes enfants. Si vous continuez comme ça, vous finirez par faire des bêtises. »

Le dessert vint, puis le café ; et les liqueurs versèrent dans les esprits excités un trouble plus lourd et plus chaud.

Comme elle l'avait annoncé en se mettant à table, Mme de Marelle était pocharde[2], et elle le reconnaissait, avec une grâce gaie et bavarde de femme qui accentue, pour amuser ses convives, une pointe d'ivresse très réelle.

Mme Forestier se taisait maintenant, par prudence peut-être ; et Duroy, se sentant trop allumé[3] pour ne pas se compromettre, gardait une réserve habile.

On alluma des cigarettes et Forestier, tout à coup, se mit à tousser.

Ce fut une quinte terrible qui lui déchirait la gorge ; et, la face rouge, le front en sueur, il étouffait dans sa serviette.

Lorsque la crise fut calmée, il grogna, d'un air furieux : « Ça ne me vaut rien, ces parties-là[4] ; c'est stupide. » Toute sa bonne humeur avait disparu dans la terreur du mal qui hantait sa pensée.

« Rentrons chez nous », dit-il.

Mme de Marelle sonna le garçon et demanda l'addition. On la lui apporta presque aussitôt. Elle essaya de la lire, mais les chiffres

---

1. **Hardies** : osées.
2. **Pocharde** : ivre (familier).
3. **Allumé** : excité.
4. **Ces parties-là** : ces soirées-là.

Les plaisirs d'une partie carrée

« Les huîtres d'Ostende [...] sa bouche. »

POUR VOUS GUIDER

3 QUESTIONS

1

Comment l'évocation de l'amour agit-elle sur les personnages ?

• L'amour, thème de la discussion, **agit physiquement** sur les personnages. La « pensée de l'amour », notion abstraite, devient substance physique par la comparaison avec le « vin clair ». Corps et esprits subissent son pouvoir ensorceleur.

• D'abord « tombé goutte à goutte », le sentiment amoureux envahit peu à peu les personnages qui, au dernier paragraphe, sont « plongés dans un bain d'amour ».

2

Comment la description des plats renforce-t-elle cette sensualité ?

• La « jouissance d'amour » est évoquée par le biais de la « jouissance de table ». La **description** des plats suggère les plaisirs charnels : les « côtelettes d'agneau, tendres et légères » sont « couchées sur un *lit* épais ».

• La **progression de la discussion** suit **la progression du repas**. D'abord silencieux, les personnages se contentent de penser à l'amour et de grignoter des croûtes de pain. Puis le premier plat, léger et raffiné, les invite à parler d'amour. Enfin, la conversation devient franchement polissonne alors qu'on sert des plats gras et lourds.

3

Comment le double langage fonctionne-t-il ?

• Le narrateur évoque de façon **implicite** les plaisirs amoureux en jouant sur la **polysémie**. Si les plats servis dénotent le plaisir gastronomique, ils **connotent** aussi le plaisir érotique.

• Le dernier paragraphe insiste sur le **double langage** des personnages. Les antithèses, les champs lexicaux de la dissimulation et de la sensualité montrent comment l'impudeur des propos est voilée tout en étant suggérée. Le discours amoureux, moralement tabou, doit être proféré au moyen de « ruses » et d'« hypocrisies », ce qui en fait un **discours trompeur**.

DÉFINITION CLÉ

Fonctions du langage

Les mots peuvent référer à autre chose que ce qu'ils désignent directement et avoir une **fonction psychologique ou symbolique**.

• **Fonction psychologique** : le plaisir de la table suggère **implicitement** le désir amoureux et la sensualité.

• **Fonction symbolique et annonciatrice** : ce dîner annonce les futures amours de Duroy, de même qu'au chapitre précédent, la montée des escaliers symbolisait l'ascension de l'ambitieux.

tournaient devant ses yeux, et elle passa le papier à Duroy : « Tenez, payez pour moi, je n'y vois plus, je suis trop grise[1]. »

Et elle lui jeta en même temps sa bourse dans les mains.

370 Le total montait à cent trente francs. Duroy contrôla et vérifia la note, puis donna deux billets, et reprit la monnaie, en demandant à mi-voix : « Combien faut-il laisser aux garçons ?

– Ce que vous voudrez, je ne sais pas. »

Il mit cinq francs sur l'assiette, puis rendit la bourse à la jeune femme, en lui disant :

375 « Voulez-vous que je vous reconduise à votre porte ?

– Mais certainement. Je suis incapable de retrouver mon adresse. »

On serra les mains des Forestier ; et Duroy se trouva seul avec Mme de Marelle dans un fiacre[2] qui roulait.

380 Il la sentait contre lui, si près, enfermée avec lui dans cette boîte noire, qu'éclairaient brusquement, pendant un instant, les becs de gaz[3] des trottoirs. Il sentait, à travers sa manche, la chaleur de son épaule, et il ne trouvait rien à lui dire, absolument rien, ayant l'esprit paralysé par le désir impérieux de la saisir dans 385 ses bras.

« Si j'osais, que ferait-elle ? » pensait-il. Et le souvenir de toutes les polissonneries chuchotées pendant le dîner l'enhardissait, mais la peur du scandale le retenait en même temps.

Elle ne disait rien non plus, immobile, enfoncée en son coin. 390 Il eût pensé qu'elle dormait s'il n'avait vu briller ses yeux chaque fois qu'un rayon de lumière pénétrait dans la voiture.

« Que pensait-elle ? » Il sentait bien qu'il ne fallait point parler, qu'un mot, un seul mot, rompant le silence, emporterait ses chances ; mais l'audace lui manquait, l'audace de l'action brusque 395 et brutale.

---

1. Grise : ivre.
2. Fiacre : voiture à cheval louée à la course (comme les taxis aujourd'hui).
3. Becs de gaz : lampadaires fonctionnant au gaz.

Tout à coup il sentit remuer son pied. Elle avait fait un mouvement, un mouvement sec, nerveux, d'impatience ou d'appel peut-être. Ce geste, presque insensible, lui fit courir, de la tête aux pieds, un grand frisson sur la peau, et, se tournant vivement, il se jeta sur elle, cherchant la bouche avec ses lèvres et la chair nue avec ses mains.

Elle jeta un cri, un petit cri, voulut se dresser, se débattre, le repousser, puis elle céda, comme si la force lui eût manqué pour résister plus longtemps.

Mais la voiture s'étant arrêtée bientôt devant la maison qu'elle habitait, Duroy, surpris, n'eut point à chercher des paroles passionnées pour la remercier, la bénir et lui exprimer son amour reconnaissant. Cependant elle ne se levait pas, elle ne remuait point, étourdie par ce qui venait de se passer. Alors il craignit que le cocher n'eût des doutes, et il descendit le premier pour tendre la main à la jeune femme.

Elle sortit enfin du fiacre en trébuchant et sans prononcer une parole. Il sonna, et, comme la porte s'ouvrait, il demanda, en tremblant : « Quand vous reverrai-je ? »

Elle murmura si bas qu'il entendit à peine : « Venez déjeuner avec moi demain. » Et elle disparut dans l'ombre du vestibule en repoussant le lourd battant[1] qui fit un bruit de coup de canon.

Il donna cent sous au cocher et se mit à marcher devant lui, d'un pas rapide et triomphant, le cœur débordant de joie.

Il en tenait une, enfin, une femme mariée ! une femme du monde ! du vrai monde ! du monde parisien ! Comme ça avait été facile et inattendu !

Il s'était imaginé jusque-là que pour aborder et conquérir une de ces créatures tant désirées, il fallait des soins infinis, des attentes interminables, un siège[2] habile fait de galanteries, de paroles d'amour, de soupirs et de cadeaux. Et voilà que tout d'un

---

1. Battant : porte.
2. Siège : entreprise de séduction.

coup, à la moindre attaque, la première qu'il rencontrait s'abandonnait à lui, si vite qu'il en demeurait stupéfait.

« Elle était grise, pensait-il ; demain ce sera une autre chanson. J'aurai les larmes. » Cette idée l'inquiéta, puis il se dit : « Ma foi, tant pis. Maintenant que je la tiens, je saurai bien la garder. »

Et, dans le mirage confus où s'égaraient ses espérances, espérances de grandeur, de succès, de renommée, de fortune et d'amour, il aperçut tout à coup, pareilles à ces guirlandes de figurantes qui se déroulent dans le ciel des apothéoses[1], une procession de femmes élégantes, riches, puissantes, qui passaient en souriant pour disparaître l'une après l'autre au fond du nuage doré de ses rêves.

Et son sommeil fut peuplé de visions.

Il était un peu ému, le lendemain, en montant l'escalier de Mme de Marelle. Comment allait-elle le recevoir ? Et si elle ne le recevait pas ? Si elle avait défendu l'entrée de sa demeure ? Si elle racontait… ? Mais non, elle ne pouvait rien dire sans laisser deviner la vérité tout entière. Donc il était maître de la situation.

La petite bonne ouvrit la porte. Elle avait son visage ordinaire. Il se rassura, comme s'il se fût attendu à ce que la domestique lui montrât une figure bouleversée.

Il demanda : « Madame va bien ? »

Elle répondit : « Oui, monsieur, comme toujours. »

Et elle le fit entrer dans le salon.

Il alla droit à la cheminée pour constater l'état de ses cheveux et de sa toilette ; et il rajustait sa cravate devant la glace, quand il aperçut dedans la jeune femme qui le regardait, debout sur le seuil de sa chambre.

Il fit semblant de ne l'avoir point vue, et ils se considérèrent quelques secondes, au fond du miroir, s'observant, s'épiant, avant de se trouver face à face.

---

1. **Guirlandes de figurantes** : ribambelles de danseuses ; **apothéose** : tableau final et triomphal d'une pièce à grand spectacle, auquel participe toute la troupe.

Il se retourna. Elle n'avait point bougé, et semblait attendre. Il s'élança, balbutiant : « Comme je vous aime ! Comme je vous aime ! » Elle ouvrit les bras et tomba sur sa poitrine ; puis, ayant levé la tête vers lui, ils s'embrassèrent longtemps.

460 Il pensait : « C'est plus facile que je n'aurais cru. Ça va très bien. » Et, leurs lèvres s'étant séparées, il souriait, sans dire un mot, en tâchant de mettre dans son regard une infinité d'amour.

Elle aussi souriait, de ce sourire qu'elles ont pour offrir leur désir, leur consentement, leur volonté de se donner. Elle murmura : « Nous
465 sommes seuls. J'ai envoyé Laurine déjeuner chez une camarade. »

Il soupira, en lui baisant les poignets : « Merci, je vous adore. »

Alors elle lui prit le bras, comme s'il eût été son mari, pour aller jusqu'au canapé où ils s'assirent côte à côte.

Il lui fallait un début de causerie habile et séduisant ; ne le
470 découvrant point à son gré, il balbutia :

« Alors, vous ne m'en voulez pas trop ? »

Elle lui mit une main sur la bouche :

« Tais-toi ! »

Ils demeurèrent silencieux, les regards mêlés, les doigts enlacés
475 et brûlants.

« Comme je vous désirais ! » dit-il.

Elle répéta : « Tais-toi. »

On entendait la bonne remuer les assiettes dans la salle, derrière le mur.

480 Il se leva : « Je ne veux pas rester si près de vous. Je perdrais la tête. »

La porte s'ouvrit : « Madame est servie. »

Et il offrit son bras avec gravité.

Ils déjeunèrent face à face, se regardant et se souriant sans cesse,
485 occupés uniquement d'eux, tout enveloppés par le charme si doux d'une tendresse qui commence. Ils mangeaient sans savoir quoi. Il sentit un pied, un petit pied, qui rôdait sous la table. Il le prit entre les siens et l'y garda, le serrant de toute sa force.

La bonne allait, venait, apportait et enlevait les plats d'un air nonchalant, sans paraître rien remarquer.

Quand ils eurent fini de manger, ils rentrèrent dans le salon et reprirent leur place sur le canapé, côte à côte.

Peu à peu, il se serrait contre elle, essayant de l'étreindre. Mais elle le repoussait avec calme : « Prenez garde, on pourrait entrer. »

Il murmura : « Quand pourrai-je vous voir bien seule pour vous dire comme je vous aime ? »

Elle se pencha vers son oreille, et prononça tout bas : « J'irai vous faire une petite visite chez vous un de ces jours. »

Il se sentit rougir : « C'est que… chez moi… c'est… c'est bien modeste… »

Elle sourit : « Ça ne fait rien. C'est vous que j'irai voir et non pas l'appartement. »

Alors il la pressa pour savoir quand elle viendrait. Elle fixa un jour éloigné de la semaine suivante, et il la supplia d'avancer la date, avec des paroles balbutiées, des yeux luisants, en lui maniant et lui broyant les mains, le visage rouge, enfiévré, ravagé de désir, de ce désir impétueux qui suit les repas en tête à tête.

Elle s'amusait de le voir l'implorer avec cette ardeur, et cédait un jour, de temps en temps. Mais il répétait : « Demain… dites… demain. »

Elle y consentit à la fin : « Oui. Demain. Cinq heures. »

Il poussa un long soupir de joie ; et ils causèrent presque tranquillement, avec des allures d'intimité, comme s'ils se fussent connus depuis vingt ans.

Un coup de timbre[1] les fit tressaillir ; et, d'une secousse, ils s'éloignèrent l'un de l'autre.

Elle murmura : « Ce doit être Laurine. »

---

1. Timbre : sonnette.

520 L'enfant parut, puis s'arrêta interdite, puis courut vers Duroy
en battant des mains, transportée de plaisir en l'apercevant, et elle
cria : « Ah ! Bel-Ami. »

Mme de Marelle se mit à rire :

« Tiens ! Bel-Ami ! Laurine vous a baptisé ! C'est un bon petit
525 nom d'amitié pour vous, ça ; moi aussi je vous appellerai Bel-Ami ! »

Il avait pris sur ses genoux la fillette, et il dut jouer avec elle à
tous les petits jeux qu'il lui avait appris.

Il se leva à trois heures moins vingt minutes, pour se rendre au
journal ; et, sur l'escalier, par la porte entrouverte il murmura
530 encore, du bout des lèvres : « Demain. Cinq heures. »

La jeune femme répondit : « Oui », d'un sourire, et disparut.

Dès qu'il eut fini sa besogne[1] journalière, il songea à la façon
dont il arrangerait sa chambre pour recevoir sa maîtresse et dissimuler le mieux possible la pauvreté du local. Il eut l'idée d'épin-
535 gler sur les murs de menus bibelots japonais, et il acheta pour
cinq francs toute une collection de crépons, de petits éventails et
de petits écrans[2], dont il cacha les taches trop visibles du papier.
Il appliqua sur les vitres de la fenêtre des images transparentes
représentant des bateaux sur des rivières, des vols d'oiseaux à
540 travers des ciels rouges, des dames multicolores sur des balcons et
des processions de petits bonshommes noirs dans des plaines
remplies de neige.

Son logis[3], grand tout juste pour y dormir et s'y asseoir, eut
bientôt l'air de l'intérieur d'une lanterne de papier peint. Il jugea
545 l'effet satisfaisant, et il passa la soirée à coller sur le plafond des
oiseaux découpés dans des feuilles coloriées qui lui restaient.

Puis il se coucha, bercé par le sifflet des trains.

---

1. **Sa besogne** : son travail.

2. **Bibelots japonais** : petits objets décoratifs japonais, très en vogue dans les
années 1880 ; **crépons** : illustrations japonaises de mauvaise qualité ; **écrans** :
sortes d'éventails.

3. **Logis** : logement.

Il rentra de bonne heure le lendemain, portant un sac de gâteaux et une bouteille de madère achetée chez l'épicier. Il dut ressortir pour se procurer deux assiettes et deux verres ; et il disposa cette collation sur sa table de toilette, dont le bois sale fut caché par une serviette, la cuvette et le pot à l'eau étant dissimulés par-dessous.

Puis il attendit.

Elle arriva vers cinq heures un quart, et, séduite par le papillotement coloré des dessins, elle s'écria :

« Tiens, c'est gentil, chez vous. Mais il y a bien du monde dans l'escalier. »

Il l'avait prise dans ses bras, et il baisait ses cheveux avec emportement, entre le front et le chapeau, à travers le voile.

Une heure et demie plus tard, il la reconduisit à la station de fiacres[1] de la rue de Rome. Lorsqu'elle fut dans la voiture, il murmura : « Mardi, à la même heure. »

Elle dit : « À la même heure, mardi. » Et, comme la nuit était venue, elle attira sa tête dans la portière et le baisa sur les lèvres. Puis, le cocher ayant fouetté sa bête, elle cria : « Adieu, Bel-Ami » et le vieux coupé[2] s'en alla au trot fatigué d'un cheval blanc.

Pendant trois semaines, Duroy reçut ainsi Mme de Marelle tous les deux ou trois jours, tantôt le matin, tantôt le soir.

Comme il l'attendait, un après-midi, un grand bruit dans l'escalier l'attira sur sa porte. Un enfant hurlait. Une voix furieuse, celle d'un homme, cria : « Qu'est-ce qu'il a encore à gueuler, ce bougre-là ? » La voix glapissante et exaspérée d'une femme répondit : « C'est c'te sale cocotte[3] qui vient chez l'journalisse d'en haut qu'a renversé Nicolas sur l'palier. Comme si on devrait

---

1. Fiacres : voitures à cheval louées à la course (comme les taxis aujourd'hui).
2. Coupé : voiture à cheval fermée, à quatre roues et deux places.
3. Cocotte : femme légère, prostituée.

laisser des roulures[1] comme ça qui n'font seulement pas attention aux éfans[2] dans les escaliers ! »

580 Duroy, éperdu, se recula, car il entendait un rapide frôlement de jupes et un pas précipité gravissant l'étage au-dessous de lui.

On frappa bientôt à sa porte, qu'il venait de refermer. Il ouvrit, et Mme de Marelle se jeta dans la chambre, essoufflée, affolée, balbutiant :

« As-tu entendu ? »

Il fit semblant de ne rien savoir.

585 « Non, quoi ?

— Comme ils m'ont insultée ?

— Qui ça ?

— Les misérables qui habitent au-dessous.

— Mais non, qu'est-ce qu'il y a, dis-moi ! »

590 Elle se mit à sangloter sans pouvoir prononcer un mot.

Il dut la décoiffer, la délacer[3], l'étendre sur le lit, lui tapoter les tempes avec un linge mouillé ; elle suffoquait ; puis quand son émotion se fut un peu calmée, toute sa colère indignée éclata.

Elle voulait qu'il descendît tout de suite, qu'il se battît, qu'il
595 les tuât.

Il répétait : « Mais ce sont des ouvriers, des rustres. Songe qu'il faudrait aller en justice, que tu pourrais être reconnue, arrêtée, perdue. On ne se commet pas avec des gens comme ça. »

Elle passa à une autre idée : « Comment ferons-nous, mainte-
600 nant ? Moi, je ne peux pas rentrer ici. » Il répondit : « C'est bien simple, je vais déménager. »

Elle murmura : « Oui, mais ce sera long. » Puis, tout d'un coup, elle imagina une combinaison, et, rassérénée[4] brusquement :

---

1. Roulures : prostituées (terme très injurieux).

2. L'journaliste, éfans : le journaliste, les enfants (le narrateur reproduit le parler populaire du personnage).

3. Délacer : desserrer son corset, sous-vêtement féminin à baleines (tiges rigides), noué par des *lacets*, destiné à maintenir la taille et le ventre.

4. Rassérénée : tranquillisée.

« Non, écoute, j'ai trouvé, laisse-moi faire, ne t'occupe de rien.
605 Je t'enverrai un petit bleu demain matin. »

Elle appelait des « petits bleus » les télégrammes fermés circu-
lant dans Paris[1].

Elle souriait maintenant, ravie de son invention, qu'elle ne
voulait pas révéler ; et elle fit mille folies d'amour.

610 Elle était bien émue cependant, en redescendant l'escalier, et
elle appuyait de toute sa force sur le bras de son amant, tant elle
sentait fléchir ses jambes.

Ils ne rencontrèrent personne.

Comme il se levait tard, il était encore au lit, le lendemain vers onze
615 heures, quand le facteur du télégraphe lui apporta le petit bleu promis.

Duroy l'ouvrit et lut : « Rendez-vous tantôt, cinq heures, rue
de Constantinople, 127[2]. Tu te feras ouvrir l'appartement loué
par Mme Duroy.

Clo[3] t'embrasse. »

620 À cinq heures précises, il entrait chez le concierge d'une grande
maison meublée et demandait : « C'est ici que Mme Duroy a loué
un appartement ?

— Oui, monsieur.

— Voulez-vous m'y conduire, s'il vous plaît. »

625 L'homme, habitué sans doute aux situations délicates où la
prudence est nécessaire, le regardait dans les yeux, puis, choisissant dans la longue file de clefs :

« Vous êtes bien M. Duroy ?

— Mais oui, parfaitement. »

630 Et il ouvrit un petit logement composé de deux pièces et situé
au rez-de-chaussée, en face de la loge.

---

1. Petit bleu : télégramme (sur papier bleu). Enfermés dans des tubes appelés
« navettes », les télégrammes étaient propulsés à l'intérieur de longs tubes
pneumatiques qui reliaient les principaux bâtiments publics.
2. Rue de Constantinople : rue située non loin de chez Duroy. Elle n'a jamais
comporté de numéro 127.
3. Clo : premières lettres de Clotilde, prénom de Mme de Marelle.

Le salon, tapissé de papier ramagé[1], assez frais, possédait un meuble d'acajou recouvert en reps[2] verdâtre à dessins jaunes, et un maigre tapis à fleurs, si mince que le pied sentait le bois par-dessous.

635 La chambre à coucher était si exiguë que le lit l'emplissait aux trois quarts. Il tenait le fond, allant d'un mur à l'autre, un grand lit de maison meublée, enveloppé de rideaux bleus et lourds, également en reps, et écrasé sous un édredon de soie rouge maculé de taches suspectes.

640 Duroy, inquiet et mécontent, pensait : « Ça va me coûter un argent fou, ce logis-là[3]. Il va falloir que j'emprunte encore. C'est idiot, ce qu'elle a fait. »

La porte s'ouvrit, et Clotilde se précipita en coup de vent, avec un grand bruit de robe, les bras ouverts. Elle était enchantée :
645 « Est-ce gentil, dis, est-ce gentil ? Et pas à monter, c'est sur la rue, au rez-de-chaussée ! On peut entrer et sortir par la fenêtre sans que le concierge vous voie. Comme nous nous aimerons là-dedans ! »

Il l'embrassait froidement, n'osant faire la question qui lui venait aux lèvres.

650 Elle avait posé un gros paquet sur le guéridon[4], au milieu de la pièce. Elle l'ouvrit et en tira un savon, une bouteille d'eau de Lubin[5], une éponge, une boîte d'épingles à cheveux, un tire-bouchon et un petit fer à friser pour rajuster les mèches de son front qu'elle défaisait toutes les fois.

655 Et elle joua à l'installation, cherchant la place de chaque chose, s'amusant énormément.

Elle parlait tout en ouvrant les tiroirs : « Il faudra que j'apporte un peu de linge, pour pouvoir en changer à l'occasion. Ce sera très

---

1. Ramagé : à *ramages*, dessins représentant des feuilles, des branchages ou des fleurs.
2. Reps : tissu d'ameublement.
3. Logis-là : logement-là.
4. Guéridon : petite table ronde à un seul pied.
5. Eau de Lubin : eau de toilette du parfumeur Lubin.

commode. Si je reçois une averse, par hasard, en faisant des courses,
je viendrai me sécher ici. Nous aurons chacun notre clef, outre celle
laissée dans la loge pour le cas où nous oublierions les nôtres. J'ai
loué pour trois mois, à ton nom, bien entendu, puisque je ne
pouvais donner le mien. »

Alors il demanda :

« Tu me diras quand il faudra payer ? »

Elle répondit simplement : « Mais c'est payé, mon chéri ! »

Il reprit : « Alors, c'est à toi que je le dois ? »

– Mais non, mon chat, ça ne te regarde pas, c'est moi qui veux
faire cette petite folie. »

Il eut l'air de se fâcher : « Ah ! mais non, par exemple. Je ne le
permettrai point. »

Elle vint à lui suppliante, et, posant les mains sur ses épaules :
« Je t'en prie, Georges, ça me fera tant de plaisir, tant de plaisir
que ce soit à moi, notre nid, rien qu'à moi. Ça ne peut pas te
froisser ? En quoi ? Je voudrais apporter ça dans notre amour. Dis
que tu veux bien, mon petit Géo, dis que tu veux bien ?… » Elle
l'implorait du regard, de la lèvre, de tout son être.

Il se fit prier, refusant avec des mines irritées, puis il céda,
trouvant cela juste, au fond.

Et quand elle fut partie, il murmura, en se frottant les mains
et sans chercher dans les replis de son cœur d'où lui venait, ce
jour-là, cette opinion : « Elle est gentille, tout de même. »

Il reçut quelques jours plus tard un autre petit bleu[1] qui lui
disait : « Mon mari arrive ce soir, après six semaines d'inspection.
Nous aurons donc relâche huit jours. Quelle corvée, mon chéri !

Ta Clo. »

Duroy demeura stupéfait. Il ne songeait vraiment plus qu'elle
était mariée. En voilà un homme dont il aurait voulu voir la tête,
rien qu'une fois, pour le connaître.

---

1. Petit bleu : télégramme (sur papier bleu).

690   Il attendit avec patience cependant le départ de l'époux, mais il passa aux Folies-Bergère deux soirées qui se terminèrent chez Rachel.

Puis, un matin, nouveau télégramme contenant quatre mots : « Tantôt, cinq heures. – Clo. »

695   Ils arrivèrent tous les deux en avance au rendez-vous. Elle se jeta dans ses bras avec un grand élan d'amour, le baisant passionnément à travers le visage, puis elle lui dit : « Si tu veux, quand nous nous serons bien aimés, tu m'emmèneras dîner quelque part. Je me suis faite libre. »

700   On était justement au commencement du mois, et bien que son traitement fût escompté[1] longtemps d'avance, et qu'il vécût au jour le jour d'argent cueilli de tous les côtés, Duroy se trouvait par hasard en fonds[2] ; et il fut content d'avoir l'occasion de dépenser quelque chose pour elle.

705   Il répondit : « Mais oui, ma chérie, où tu voudras. » Ils partirent donc vers sept heures et gagnèrent le boulevard extérieur. Elle s'appuyait fortement sur lui et lui disait, dans l'oreille : « Si tu savais comme je suis contente de sortir à ton bras, comme j'aime te sentir contre moi. »

710   Il demanda : « Veux-tu aller chez le père Lathuile[3] ? »

Elle répondit : « Oh ! non, c'est trop chic. Je voudrais quelque chose de drôle, de commun, comme un restaurant où vont les employés et les ouvrières ; j'adore les parties dans les guinguettes[4] ! Oh ! si nous avions pu aller à la campagne ! »

715   Comme il ne connaissait rien en ce genre dans le quartier, ils errèrent le long du boulevard, et ils finirent par entrer chez un marchand de vin qui donnait à manger dans une salle à part. Elle

---

1. Escompté : dépensé.
2. Se trouvait en fonds : avait de l'argent.
3. Le père Lathuile : célèbre restaurant situé boulevard de Clichy.
4. Guinguettes : cafés populaires de banlieue, en plein air et au bord de l'eau, où l'on boit et où l'on danse.

avait vu, à travers la vitre, deux fillettes en cheveux[1] attablées en face de deux militaires.

720 Trois cochers de fiacre dînaient dans le fond de la pièce étroite et longue, et un personnage, impossible à classer dans aucune profession, fumait sa pipe, les jambes allongées, les mains dans la ceinture de sa culotte, étendu sur sa chaise et la tête renversée en arrière par-dessus la barre. Sa jaquette[2] semblait un musée de

725 taches, et dans les poches gonflées comme des ventres on apercevait le goulot d'une bouteille, un morceau de pain, un paquet enveloppé dans un journal, et un bout de ficelle qui pendait. Il avait des cheveux épais, crépus, mêlés, gris de saleté ; et sa casquette était par terre, sous sa chaise.

730 L'entrée de Clotilde fit sensation par l'élégance de sa toilette. Les deux couples cessèrent de chuchoter, les trois cochers cessèrent de discuter, et le particulier[3] qui fumait, ayant ôté sa pipe de sa bouche et craché devant lui, regarda en tournant un peu la tête.

Mme de Marelle murmura : « C'est très gentil ! Nous serons

735 très bien ; une autre fois, je m'habillerai en ouvrière. » Et elle s'assit sans embarras et sans dégoût en face de la table de bois vernie par la graisse des nourritures, lavée par les boissons répandues et torchée d'un coup de serviette par le garçon. Duroy, un peu gêné, un peu honteux, cherchait une patère[4] pour

740 y pendre son haut chapeau. N'en trouvant point, il le déposa sur une chaise.

Ils mangèrent un ragoût de mouton, une tranche de gigot et une salade. Clotilde répétait : « Moi, j'adore ça. J'ai des goûts canailles. Je m'amuse mieux ici qu'au Café Anglais[5]. » Puis elle

---

1. En cheveux : sans chapeau, signe d'appartenance à la classe populaire. Sortir sans chapeau pour les femmes de la bourgeoisie et de l'aristocratie était considéré comme impudique.

2. Jaquette : veste.

3. Le particulier : la personne, l'individu.

4. Patère : porte-manteau.

5. Café Anglais : restaurant réputé du boulevard des Italiens.

745   dit : « Si tu veux me faire tout à fait plaisir, tu me mèneras dans un bastringue[1]. J'en connais un très drôle près d'ici, qu'on appelle *La Reine-Blanche*[2]. »

Duroy, surpris, demanda : « Qui est-ce qui t'a menée là ? »

Il la regardait et il la vit rougir, un peu troublée, comme si
750   cette question brusque eût éveillé en elle un souvenir délicat. Après une de ces hésitations féminines si courtes qu'il les faut deviner, elle répondit : « C'est un ami… » puis, après un silence, elle ajouta… « qui est mort. » Et elle baissa les yeux avec une tristesse bien naturelle.

755   Et Duroy, pour la première fois, songea à tout ce qu'il ne savait point dans la vie passée de cette femme, et il rêva. Certes elle avait eu des amants, déjà, mais de quelle sorte ? de quel monde ? Une vague jalousie, une sorte d'inimitié[3] s'éveillait en lui contre elle, une inimitié pour tout ce qu'il ignorait, pour tout ce qui ne lui
760   avait point appartenu dans ce cœur et dans cette existence. Il la regardait, irrité du mystère enfermé dans cette tête jolie et muette et qui songeait, en ce moment-là même peut-être, à l'autre, aux autres, avec des regrets. Comme il eût aimé regarder dans ce souvenir, y fouiller, et tout savoir, tout connaître…

765   Elle répéta : « Veux-tu me conduire à *La Reine-Blanche ?* Ce sera une fête complète. »

Il pensa : « Bah ! qu'importe le passé ? Je suis bien bête de me troubler de ça. » Et, souriant, il répondit : « Mais certainement, ma chérie. »

770   Lorsqu'ils furent dans la rue, elle reprit, tout bas, avec ce ton mystérieux dont on fait les confidences : « Je n'osais point te demander ça, jusqu'ici ; mais tu ne te figures pas comme j'aime ces escapades de garçon dans tous ces endroits où les femmes ne vont

---

1. Bastringue : bal populaire.
2. *La Reine-Blanche* : cabaret situé boulevard de Clichy (où se trouve aujourd'hui le Moulin-Rouge).
3. Inimitié : ressentiment.

pas. Pendant le carnaval[1], je m'habillerai en collégien. Je suis drôle
775 comme tout, en collégien. »

Quand ils pénétrèrent dans la salle de bal, elle se serra contre
lui, effrayée et contente, regardant d'un œil ravi les filles et les
souteneurs[2] et, de temps en temps, comme pour se rassurer contre
un danger possible, elle disait, en apercevant un municipal[3] grave
780 et immobile : « Voilà un agent qui a l'air solide. » Au bout d'un
quart d'heure, elle en eut assez, et il la reconduisit chez elle.

Alors commença une série d'excursions dans tous les endroits
louches où s'amuse le peuple ; et Duroy découvrit dans sa maîtresse
un goût passionné pour ce vagabondage d'étudiants en goguette[4].
785 Elle arrivait au rendez-vous habituel vêtue d'une robe de toile,
la tête couverte d'un bonnet de soubrette, de soubrette de vaudeville[5] ; et, malgré la simplicité élégante et cherchée de la toilette,
elle gardait ses bagues, ses bracelets et ses boucles d'oreilles en
brillants, en donnant cette raison, quand il la suppliait de les ôter :
790 « Bah ! on croira que ce sont des cailloux du Rhin[6]. »

Elle se jugeait admirablement déguisée, et, bien qu'elle fût en
réalité cachée, à la façon des autruches, elle allait dans les tavernes
les plus mal famées.

Elle avait voulu que Duroy s'habillât en ouvrier, mais il résista
795 et garda sa tenue correcte de boulevardier[7] sans vouloir même
changer son haut chapeau contre un chapeau de feutre mou.

Elle s'était consolée de son obstination, par ce raisonnement :
« On pense que je suis une femme de chambre en bonne fortune

1. Carnaval : carnaval de Paris, qui débutait le 11 novembre et se terminait le
jour du mardi gras (en février ou mars).
2. Souteneurs : proxénètes.
3. Municipal : gendarme municipal.
4. En goguette : en sortie pour faire la fête.
5. Soubrette de vaudeville : servante de comédie.
6. Brillants : diamants ; cailloux du Rhin : cristal de roche (utilisé pour fabri-
quer des bijoux d'imitation).
7. Boulevardier : homme fréquentant les théâtres et les cafés des Grands Boulevards.

avec un jeune homme du monde. » Et elle trouvait délicieuse cette comédie.

Ils entraient ainsi dans les caboulots populaires et allaient s'asseoir au fond du bouge[1] enfumé, sur des chaises boiteuses, devant une vieille table de bois. Un nuage de fumée âcre[2] où restait une odeur de poisson frit du dîner emplissait la salle ; des hommes en blouse gueulaient en buvant des petits verres ; et le garçon étonné dévisageait ce couple étrange, en posant devant lui deux cerises à l'eau-de-vie.

Elle, tremblante, apeurée et ravie, se mettait à boire le jus rouge des fruits, à petits coups, en regardant autour d'elle d'un œil inquiet et allumé. Chaque cerise avalée lui donnait la sensation d'une faute commise, chaque goutte du liquide brûlant et poivré descendant en sa gorge lui procurait un plaisir âcre, la joie d'une jouissance scélérate[3] et défendue.

Puis elle disait à mi-voix : « Allons-nous en. » Et ils partaient. Elle filait vivement, la tête basse, d'un pas menu, d'un pas d'actrice qui quitte la scène, entre les buveurs accoudés aux tables qui la regardaient passer d'un air soupçonneux et mécontent ; et quand elle avait franchi la porte, elle poussait un grand soupir, comme si elle venait d'échapper à quelque terrible danger.

Quelquefois elle demandait à Duroy, en frissonnant : « Si on m'injuriait dans ces endroits-là, qu'est-ce que tu ferais ? »

Il répondait d'un ton crâne[4] : « Je te défendrais, parbleu ! »

Et elle lui serrait le bras avec bonheur, avec le désir confus peut-être d'être injuriée et défendue, de voir des hommes se battre pour elle, même ces hommes-là, avec son bien-aimé.

Mais ces excursions, se renouvelant deux ou trois fois par semaine, commençaient à fatiguer Duroy, qui avait grand mal

---

1. Caboulots : cafés de bas étage ; **bouge** : café malfamé.

2. Âcre : irritante.

3. Scélérate : criminelle.

4. Crâne : fier.

d'ailleurs, depuis quelque temps, à se procurer le demi-louis[1] qu'il lui fallait pour payer la voiture et les consommations.

830 Il vivait maintenant avec une peine infinie, avec plus de peine qu'aux jours où il était employé du Nord, car, ayant dépensé largement, sans compter, pendant ses premiers mois de journalisme, avec l'espoir constant de gagner de grosses sommes le lendemain, il avait épuisé toutes ses ressources et tous les moyens 835 de se procurer de l'argent.

Un procédé fort simple, celui d'emprunter à la caisse, s'était trouvé bien vite usé, et il devait déjà au journal quatre mois de son traitement[2], plus six cents francs sur ses lignes[3]. Il devait, en outre, cent francs à Forestier, trois cents francs à Jacques 840 Rival, qui avait la bourse large, et il était rongé par une multitude de petites dettes inavouables, de vingt francs ou de cent sous.

Saint-Potin, consulté sur les méthodes à employer pour trouver encore cent francs, n'avait découvert aucun expédient[4], bien qu'il 845 fût un homme d'invention ; et Duroy s'exaspérait de cette misère plus sensible maintenant qu'autrefois, parce qu'il avait plus de besoins. Une colère sourde contre tout le monde couvait en lui, et une irritation incessante, qui se manifestait à tout propos, à tout moment, pour les causes les plus futiles.

850 Il se demandait parfois comment il avait fait pour dépenser une moyenne de mille livres[5] par mois, sans aucun excès, ni aucune fantaisie ; et il constatait qu'en additionnant un déjeuner de huit francs avec un dîner de douze pris dans un grand café quelconque du boulevard, il arrivait tout de suite à un louis, qui, joint à une 855 dizaine de francs d'argent de poche, de cet argent qui coule, sans

1. **Louis** : ancienne monnaie d'or valant vingt francs.
2. **Traitement** : salaire.
3. **Lignes** : lignes d'écriture (les journalistes étaient payés à la ligne).
4. **Expédient** : moyen habile pour se sortir d'une situation délicate.
5. **Livres** : francs.

qu'on sache comment, formait un total de trente francs. Or, trente francs par jour donnent neuf cents francs à la fin du mois. Et il ne comptait pas là-dedans tous les frais d'habillement, de chaussure, de linge, de blanchissage[1], etc.

860 Donc, le 14 décembre, il se trouva sans un sou dans sa poche et sans un moyen dans l'esprit pour obtenir quelque monnaie.

Il fit comme il avait fait souvent jadis, il ne déjeuna point et il passa l'après-midi au journal à travailler, rageant et préoccupé.

Vers quatre heures, il reçut un petit bleu de sa maîtresse, qui 865 lui disait : « Veux-tu que nous dînions ensemble ? nous ferons ensuite une escapade. »

Il répondit aussitôt : « Impossible dîner. » Puis il réfléchit qu'il serait bien bête de se priver des moments agréables qu'elle pourrait lui donner, et il ajouta : « Mais je t'attendrai, à neuf heures, 870 dans notre logis. »

Et ayant envoyé un des garçons porter ce mot, afin d'économiser le prix du télégramme, il réfléchit à la façon dont il s'y prendrait pour se procurer le repas du soir.

À sept heures, il n'avait encore rien inventé ; et une faim 875 terrible lui creusait le ventre. Alors il eut recours à un stratagème de désespéré. Il laissa partir tous ses confrères, l'un après l'autre, et, quand il fut seul, il sonna vivement. L'huissier[2] du patron, resté pour garder les bureaux, se présenta.

Duroy debout, nerveux, fouillait ses poches, et d'une voix 880 brusque : « Dites donc, Foucart, j'ai oublié mon porte-monnaie chez moi et il faut que j'aille dîner au Luxembourg[3]. Prêtez-moi cinquante sous pour payer ma voiture. »

L'homme tira trois francs de son gilet, en demandant :

« Monsieur Duroy ne veut pas davantage ?

885 — Non, non, cela me suffit. Merci bien. »

---

1. **Blanchissage** : nettoyage du linge.
2. **Huissier** : employé chargé d'accueillir les visiteurs.
3. **Luxembourg** : palais du Luxembourg.

Et, ayant saisi les pièces blanches, Duroy descendit en courant l'escalier, puis alla dîner dans une gargote où il échouait aux jours de misère.

À neuf heures, il attendait sa maîtresse, les pieds au feu dans le petit salon.

Elle arriva, très animée, très gaie, fouettée par l'air froid de la rue : « Si tu veux, dit-elle, nous ferons d'abord un tour, puis nous rentrerons ici à onze heures. Le temps est admirable pour se promener. »

Il répondit d'un ton grognon : « Pourquoi sortir ? On est très bien ici. »

Elle reprit, sans ôter son chapeau : « Si tu savais, il fait un clair de lune merveilleux. C'est un vrai bonheur de se promener, ce soir.

– C'est possible, mais moi je ne tiens pas à me promener. »

Il avait dit cela d'un air furieux. Elle en fut saisie, blessée, et demanda : « Qu'est-ce que tu as ? pourquoi prends-tu ces manières-là ? J'ai le désir de faire un tour, je ne vois pas en quoi cela peut te fâcher. »

Il se leva, exaspéré : « Cela ne me fâche pas. Cela m'embête. Voilà ! »

Elle était de celles que la résistance irrite et que l'impolitesse exaspère.

Elle prononça, avec dédain, avec une colère froide : « Je n'ai pas l'habitude qu'on me parle ainsi. Je m'en irai seule, alors ; adieu ! »

Il comprit que c'était grave, et s'élançant vivement vers elle, il lui prit les mains, les baisa, en balbutiant :

« Pardonne-moi, ma chérie, pardonne-moi. Je suis très nerveux, ce soir, très irritable. C'est que j'ai des contrariétés, des ennuis, tu sais, des affaires de métier. »

Elle répondit, un peu adoucie, mais non calmée :

« Cela ne me regarde pas, moi ; et je ne veux point supporter le contrecoup de votre mauvaise humeur. »

Il la prit dans ses bras, l'attira vers le canapé :

920 « Écoute, ma mignonne, je ne voulais point te blesser ; je n'ai pas songé à ce que je disais. »

Il l'avait forcée à s'asseoir, et s'agenouillant devant elle :

« M'as-tu pardonné ? Dis-moi que tu m'as pardonné. »

Elle murmura, d'une voix froide : « Soit, mais ne recommence
925 pas. » Et, s'étant relevée, elle ajouta :

« Maintenant, allons faire un tour. »

Il était demeuré à genoux, entourant les hanches de ses deux bras ; il balbutia : « Je t'en prie, restons ici. Je t'en supplie. Accorde-moi cela. J'aimerais tant à te garder, ce soir, pour moi
930 tout seul, là, près du feu. Dis "oui", je t'en supplie, dis "oui". »

Elle répliqua nettement, durement : « Non. Je tiens à sortir, et je ne céderai pas à tes caprices. »

Il insista : « Je t'en supplie, j'ai une raison, une raison très sérieuse… »

935 Elle dit de nouveau : « Non. Et si tu ne veux pas sortir avec moi, je m'en vais. Adieu ! »

Elle s'était dégagée d'une secousse, et gagnait la porte. Il courut vers elle, l'enveloppa dans ses bras :

« Écoute, Clo, ma petite Clo, écoute, accorde-moi cela… » Elle
940 faisait non, de la tête, sans répondre, évitant ses baisers et cherchant à sortir de son étreinte pour s'en aller.

Il bégayait : « Clo, ma petite Clo, j'ai une raison. »

Elle s'arrêta, et le regardant en face : « Tu mens… Laquelle ? »

Il rougit, ne sachant que dire. Et elle reprit, indignée :

945 « Tu vois bien que tu mens… sale bête… » Et avec un geste rageur, les larmes aux yeux, elle lui échappa.

Il la prit encore une fois par les épaules, et désolé, prêt à tout avouer pour éviter cette rupture, il déclara avec un accent désespéré : « Il y a que je n'ai pas le sou… Voilà. »

950 Elle s'arrêta net, et le regardant au fond des yeux pour y lire la vérité : « Tu dis ? »

Il avait rougi jusqu'aux cheveux : « Je dis que je n'ai pas le sou. Comprends-tu ? Mais pas vingt sous, pas dix sous, pas de quoi payer un verre de cassis dans le café où nous entrerons. Tu me
955 forces à confesser des choses honteuses. Il ne m'était pourtant pas possible de sortir avec toi, et quand nous aurions été attablés devant deux consommations, de te raconter tranquillement que je ne pouvais pas les payer… »

Elle le regardait toujours en face : « Alors… c'est bien vrai…
960 ça ? »

En une seconde, il retourna toutes ses poches, celles du pantalon, celles du gilet, celles de la jaquette, et il murmura : « Tiens… es-tu contente… maintenant ? »

Brusquement, ouvrant ses deux bras avec un élan passionné,
965 elle lui sauta au cou, en bégayant : « Oh ! mon pauvre chéri… mon pauvre chéri… si j'avais su ! Comment cela t'est-il arrivé ? »

Elle le fit asseoir, et s'assit elle-même sur ses genoux, puis le tenant par le cou, le baisant à tout instant, baisant sa moustache, sa bouche, ses yeux, elle le força à raconter d'où lui venait cette
970 infortune [1].

Il inventa une histoire attendrissante. Il avait été obligé de venir en aide à son père qui se trouvait dans l'embarras. Il lui avait donné non seulement toutes ses économies, mais il s'était même endetté gravement.

975 Il ajouta : « J'en ai pour six mois au moins à crever de faim, car j'ai épuisé toutes mes ressources. Tant pis, il y a des moments de crise dans la vie. L'argent, après tout, ne vaut pas qu'on s'en préoccupe. »

Elle lui souffla dans l'oreille : « Je t'en prêterai, veux-tu ? »

Il répondit avec dignité : « Tu es bien gentille, ma mignonne,
980 mais ne parlons plus de ça, je te prie. Tu me blesserais. »

Elle se tut ; puis, le serrant dans ses bras, elle murmura : « Tu ne sauras jamais comme je t'aime. »

---

1. Cette infortune : ce malheur.

Ce fut une de leurs meilleures soirées d'amour. Comme elle allait partir, elle reprit en souriant :

985 « Hein ! quand on est dans ta situation, comme c'est amusant de retrouver de l'argent oublié dans une poche, une pièce qui avait glissé dans la doublure. »

Il répondit avec conviction : « Ah ! ça oui, par exemple. »

Elle voulut rentrer à pied sous prétexte que la lune était admi-
990 rable, et elle s'extasiait en la regardant.

C'était une nuit froide et sereine du commencement de l'hiver. Les passants et les chevaux allaient vite, piqués par une claire gelée. Les talons sonnaient sur les trottoirs.

En le quittant, elle demanda : « Veux-tu nous revoir après-
995 demain ?

— Mais oui, certainement.

— À la même heure ?

— À la même heure.

— Adieu, mon chéri. »

1000 Et ils s'embrassèrent tendrement.

Puis il revint à grands pas, se demandant ce qu'il inventerait le lendemain, afin de se tirer d'affaire. Mais, comme il ouvrait la porte de sa chambre, il fouilla dans la poche de son gilet, pour y trouver des allumettes, et il demeura stupéfait de rencontrer une
1005 pièce de monnaie qui roulait sous son doigt.

Dès qu'il eut de la lumière, il saisit cette pièce pour l'examiner. C'était un louis de vingt francs[1] !

Il se pensa devenu fou.

Il le tourna, le retourna cherchant par quel miracle cet argent
1010 se trouvait là. Il n'avait pourtant pas pu tomber du ciel dans sa poche.

Puis, tout à coup, il devina, et une colère indignée le saisit. Sa maîtresse avait parlé, en effet, de monnaie glissée dans la doublure

---

1. Un louis de vingt francs : une pièce de vingt francs.

et qu'on retrouvait aux heures de pauvreté. C'était elle qui lui
1015 avait fait cette aumône. Quelle honte !

Il jura : « Ah bien ! je vais la recevoir, après-demain ! Elle en
passera un joli quart d'heure ! »

Et il se mit au lit, le cœur agité de fureur et d'humiliation.

Il s'éveilla tard. Il avait faim. Il essaya de se rendormir pour ne
1020 se lever qu'à deux heures ; puis il se dit : « Cela ne m'avancera à
rien, il faut toujours que je finisse par découvrir de l'argent. » Puis
il sortit, espérant qu'une idée lui viendrait dans la rue.

Il ne lui en vint pas, mais en passant devant chaque restaurant
un désir ardent de manger lui mouillait la bouche de salive.
1025 À midi, comme il n'avait rien imaginé, il se décida brusquement :
« Bah ! je vais déjeuner sur les vingt francs de Clotilde. Cela ne
m'empêchera pas de les lui rendre demain. »

Il déjeuna donc dans une brasserie pour deux francs cinquante.
En entrant au journal il remit encore trois francs à l'huissier.
1030 « Tenez, Foucart, voici ce que vous m'avez prêté hier soir pour ma
voiture. »

Et il travailla jusqu'à sept heures. Puis il alla dîner et prit de
nouveau trois francs sur le même argent. Les deux bocks de la
soirée portèrent à neuf francs trente centimes sa dépense du jour.

1035 Mais comme il ne pouvait se refaire un crédit ni se recréer des
ressources en vingt-quatre heures, il emprunta encore six francs
cinquante le lendemain sur les vingt francs qu'il devait rendre le
soir même, de sorte qu'il vint au rendez-vous convenu avec quatre
francs vingt dans sa poche.

1040 Il était d'une humeur de chien enragé et se promettait bien de
faire nette tout de suite la situation. Il dirait à sa maîtresse : « Tu
sais, j'ai trouvé les vingt francs que tu as mis dans ma poche
l'autre jour. Je ne te les rends pas aujourd'hui parce que ma position n'a point changé, et que je n'ai pas eu le temps de m'occuper
1045 de la question d'argent. Mais je te les remettrai la première fois
que nous nous verrons. »

Elle arriva, tendre, empressée, pleine de craintes. Comment allait-il la recevoir ? Et elle l'embrassa avec persistance pour éviter une explication dans les premiers moments.

1050 Il se disait, de son côté : « Il sera bien temps tout à l'heure d'aborder la question. Je vais chercher un joint[1]. »

Il ne trouva pas de joint et ne dit rien, reculant devant les premiers mots à prononcer sur ce sujet délicat.

Elle ne parla point de sortir et fut charmante de toute façon.

1055 Ils se séparèrent vers minuit, après avoir pris rendez-vous seulement pour le mercredi de la semaine suivante, car Mme de Marelle avait plusieurs dîners en ville de suite.

Le lendemain, en payant son déjeuner, comme Duroy cherchait les quatre pièces de monnaie qui devaient lui rester, il s'aperçut 1060 qu'elles étaient cinq, dont une en or.

Au premier moment il crut qu'on lui avait rendu, la veille, vingt francs par mégarde ; puis il comprit, et il sentit une palpitation de cœur sous l'humiliation de cette aumône persévérante.

1065 Comme il regretta de n'avoir rien dit ! S'il avait parlé avec énergie, cela ne serait point arrivé.

Pendant quatre jours il fit des démarches et des efforts aussi nombreux qu'inutiles pour se procurer cinq louis[2], et il mangea le second de Clotilde.

1070 Elle trouva moyen, – bien qu'il lui eût dit, d'un air furieux : « Tu sais, ne recommence pas la plaisanterie des autres soirs, parce que je me fâcherais » – de glisser encore vingt francs dans la poche de son pantalon, la première fois qu'ils se rencontrèrent.

Quand il les découvrit, il jura « Nom de Dieu ! » et il les trans-1075 porta dans son gilet pour les avoir sous la main, car il se trouvait sans un centime.

---

1. **Chercher un joint** : chercher la meilleure façon de résoudre un problème.
2. **Cinq louis** : cent francs.

Il apaisait sa conscience par ce raisonnement : « Je lui rendrai le tout en bloc. Ce n'est en somme que de l'argent prêté. »

Enfin le caissier[1] du journal, sur ses prières désespérées, consentit à lui donner cent sous par jour. C'était tout juste assez pour manger, mais pas assez pour restituer soixante francs.

Or, comme Clotilde fut reprise de sa rage pour les excursions nocturnes dans tous les lieux suspects de Paris, il finit par ne plus s'irriter outre mesure de trouver un jaunet[2] dans une de ses poches, un jour même dans sa bottine, et un autre jour dans la boîte de sa montre, après leurs promenades aventureuses.

Puisqu'elle avait des envies qu'il ne pouvait satisfaire dans le moment, n'était-il pas naturel qu'elle les payât plutôt que de s'en priver ?

Il tenait compte d'ailleurs de tout ce qu'il recevait ainsi, pour le lui restituer un jour.

Un soir elle lui dit : « Croirais-tu que je n'ai jamais été aux Folies-Bergère[3] ? Veux-tu m'y mener ? » Il hésita, dans la crainte de rencontrer Rachel. Puis il pensa : « Bah ! je ne suis pas marié après tout. Si l'autre me voit, elle comprendra la situation et ne me parlera pas. D'ailleurs, nous prendrons une loge. »

Une raison aussi le décida. Il était bien aise de cette occasion d'offrir à Mme de Marelle une loge[4] au théâtre sans rien payer. C'était là une sorte de compensation.

Il laissa d'abord Clotilde dans la voiture pour aller chercher le coupon afin qu'elle ne vît pas qu'on le lui offrait, puis il la vint prendre et ils entrèrent, salués par les contrôleurs.

---

1. Caissier : trésorier.

2. Jaunet : louis d'or (argotique).

3. Folies-Bergère : music-hall très célèbre, construit en 1867 dans le 9e arrondissement de Paris.

4. Loge : dans une salle de théâtre, compartiment contenant plusieurs sièges.

Une foule énorme encombrait le promenoir[1]. Ils eurent grand-peine à passer à travers la cohue des hommes et des rôdeuses. Ils atteignirent enfin leur case et s'installèrent, enfermés entre l'orchestre immobile et le remous de la galerie[2].

Mais Mme de Marelle ne regardait guère la scène, uniquement préoccupée des filles qui circulaient derrière son dos ; et elle se retournait sans cesse pour les voir, avec une envie de les toucher, de palper leur corsage, leurs joues, leurs cheveux, pour savoir comment c'était fait, ces êtres-là.

Elle dit soudain : « Il y en a une grosse brune qui nous regarde tout le temps. J'ai cru tout à l'heure qu'elle allait nous parler. L'as-tu vue ? »

Il répondit : « Non, Tu dois te tromper. » Mais il l'avait aperçue depuis longtemps déjà. C'était Rachel qui rôdait autour d'eux avec une colère dans les yeux et des mots violents sur les lèvres.

Duroy l'avait frôlée tout à l'heure en traversant la foule, et elle lui avait dit « Bonjour » tout bas avec un clignement d'œil qui signifiait : « Je comprends. » Mais il n'avait point répondu à cette gentillesse dans la crainte d'être vu par sa maîtresse, et il avait passé froidement, le front haut, la lèvre dédaigneuse. La fille, qu'une jalousie inconsciente aiguillonnait[3] déjà, revint sur ses pas, le frôla de nouveau et prononça d'une voix plus forte : « Bonjour, Georges. »

Il n'avait encore rien répondu. Alors elle s'était obstinée à être reconnue, saluée, et elle revenait sans cesse derrière la loge, attendant un moment favorable.

Dès qu'elle s'aperçut que Mme de Marelle la regardait elle toucha du bout du doigt l'épaule de Duroy : « Bonjour. Tu vas bien ? »

Mais il ne se retourna pas.

---

1. Promenoir : partie du théâtre où l'on peut circuler.

2. Galerie : couloir ouvert sur la salle de spectacle.

3. Aiguillonnait : piquait.

Elle reprit : « Eh bien ? es-tu devenu sourd depuis jeudi ? »

1135 Il ne répondit point, affectant un air de mépris, qui l'empê-
chait de se compromettre, même par un mot, avec cette drôlesse[1].

Elle se mit à rire, d'un rire de rage et dit : « Te voilà donc muet ?
Madame t'a peut-être mordu la langue ? »

Il fit un geste furieux, et d'une voix exaspérée :

1140 « Qui est-ce qui vous permet de parler ? Filez ou je vous fais
arrêter. »

Alors, le regard enflammé, la gorge gonflée, elle gueula :

« Ah ! c'est comme ça ! Va donc, mufle[2] ! Quand on couche avec
une femme, on la salue au moins. C'est pas une raison parce que
1145 t'es avec une autre pour ne pas me reconnaître aujourd'hui. Si tu
m'avais seulement fait un signe quand j'ai passé contre toi, tout à
l'heure, je t'aurais laissé tranquille. Mais t'as voulu faire le fier,
attends, va ! Je vas te servir[3], moi ! Ah ! tu ne me dis seulement
pas bonjour quand je te rencontre… »

1150 Elle aurait crié longtemps, mais Mme de Marelle avait ouvert
la porte de la loge, et elle se sauvait, à travers la foule, cherchant
éperdument la sortie.

Duroy s'était élancé derrière elle et s'efforçait de la rejoindre.

Alors Rachel, les voyant fuir, hurla, triomphante :

1155 « Arrêtez-la ! Arrêtez-la ! Elle m'a volé mon amant. »

Des rires coururent dans le public. Deux messieurs, pour plai-
santer, saisirent par les épaules la fugitive et voulurent l'emmener
en cherchant à l'embrasser. Mais Duroy l'ayant rattrapée, la
dégagea violemment et l'entraîna dans la rue.

1160 Elle s'élança dans un fiacre[4] vide arrêté devant l'établissement.
Il y sauta derrière elle, et comme le cocher demandait : « Où
faut-il aller, bourgeois ? » Il répondit : « Où vous voudrez. »

---

1. Drôlesse : femme de mauvaise vie.
2. Mufle : homme sans éducation, goujat.
3. Servir : dénoncer ou arrêter.
4. Fiacre : voiture à cheval louée à la course (comme les taxis aujourd'hui).

La voiture se mit en route lentement, secouée par les pavés. Clotilde, en proie à une sorte de crise nerveuse, les mains sur sa face, étouffait, suffoquait ; et Duroy ne savait que faire ni que dire.

À la fin, comme il l'entendait pleurer, il bégaya : « Écoute, Clo, ma petite Clo, laisse-moi t'expliquer ! Ce n'est pas ma faute… J'ai connu cette femme-là autrefois… dans les premiers temps… »

Elle dégagea brusquement son visage, et, saisie par une rage de femme amoureuse et trahie, une rage furieuse qui lui rendit la parole, elle balbutia, par phrases rapides, hachées, en haletant : « Ah !… misérable… misérable… quel gueux[1] tu fais !… Est-ce possible ?… Quelle honte… Oh ! mon Dieu !… Quelle honte !… »

Puis, s'emportant de plus en plus, à mesure que les idées s'éclaircissaient en elle et que les arguments lui venaient :

« C'est avec mon argent que tu la payais, n'est-ce pas ? Et je lui donnais de l'argent… pour cette fille… Oh ! le misérable !… »

Elle sembla chercher, pendant quelques secondes, un autre mot plus fort qui ne venait point, puis soudain, elle expectora, avec le mouvement qu'on fait pour cracher : « Oh !… cochon… cochon… cochon… Tu la payais avec mon argent… cochon… cochon !… »

Elle ne trouvait plus autre chose et répétait : « Cochon… cochon… »

Tout à coup, elle se pencha dehors, et, saisissant le cocher par sa manche : « Arrêtez ! » puis, ouvrant la portière, elle sauta dans la rue.

Georges voulut la suivre, mais elle cria : « Je te défends de descendre », d'une voix si forte que les passants se massèrent autour d'elle ; et Duroy ne bougea point par crainte d'un scandale.

Alors elle tira sa bourse de sa poche et chercha de la monnaie à la lueur de la lanterne, puis ayant pris deux francs cinquante elle les mit dans la main du cocher, en lui disant d'un ton vibrant :

---

1. **Gueux** : homme méprisable, coquin.

«Tenez... voilà votre heure... C'est moi qui paye... Et recon-
1195 duisez-moi ce salop-là[1] rue Boursault, aux Batignolles. »

Une gaieté s'éleva dans le groupe qui l'entourait. Un monsieur
dit : « Bravo, la petite ! » et un jeune voyou arrêté entre les roues
du fiacre, enfonçant sa tête dans la portière ouverte, cria avec un
accent suraigu : « Bonsoir, Bibi[2]. »

1200 Puis la voiture se remit en marche, poursuivie par des rires.

---

1. **Salop** : le mot s'orthographie généralement « salaud ».
2. **Bibi** : chéri (familier).

6

Georges Duroy eut le réveil triste, le lendemain. Il s'habilla lentement, puis s'assit devant sa fenêtre et se mit à réfléchir. Il se sentait, dans tout le corps, une espèce de courbature, comme s'il avait reçu, la veille, une volée de coups de bâton.

Enfin, la nécessité de trouver de l'argent l'aiguillonna[1] et il se rendit d'abord chez Forestier.

Son ami le reçut, les pieds au feu, dans son cabinet:

« Qu'est-ce qui t'a fait lever si tôt ?

– Une affaire très grave, j'ai une dette d'honneur.

– De jeu ? »

Il hésita, puis avoua : « De jeu.

– Grosse ?

– Cinq cents francs ! »

Il n'en devait que deux cent quatre-vingts.

Forestier, sceptique, demanda :

« À qui dois-tu ça ? »

Duroy ne put pas répondre tout de suite.

« ... Mais à... à... à un Monsieur de Carleville.

– Ah ! Et où demeure-t-il ?

– Rue... rue... »

Forestier se mit à rire : « Rue du cherche-midi à quatorze heures, n'est-ce pas ? Je connais ce monsieur-là, mon cher. Si tu veux vingt francs, j'ai encore ça à ta disposition, mais pas davantage. »

Duroy accepta la pièce d'or.

---

1. L'aiguillonna : le stimula.

25 Puis il alla de porte en porte, chez toutes les personnes qu'il connaissait, et il finit par réunir, vers cinq heures, quatre-vingts francs.

Comme il lui en fallait trouver encore deux cents, il prit son parti résolument et, gardant ce qu'il avait recueilli, il murmura :

30 « Zut, je ne vais pas me faire de bile pour cette garce-là. Je la payerai quand je pourrai. »

Pendant quinze jours il vécut d'une vie économe, réglée et chaste, l'esprit plein de résolutions énergiques. Puis il fut pris d'un grand désir d'amour. Il lui semblait que plusieurs années

35 s'étaient écoulées depuis qu'il n'avait tenu une femme dans ses bras, et, comme le matelot qui s'affole en revoyant la terre, toutes les jupes rencontrées le faisaient frissonner.

Alors il retourna, un soir, aux Folies-Bergère[1], avec l'espoir d'y trouver Rachel. Il l'aperçut en effet, dès l'entrée, car elle ne quit-

40 tait guère cet établissement.

Il alla vers elle souriant, la main tendue. Mais elle le toisa de la tête aux pieds : « Qu'est-ce que vous me voulez ? »

Il essaya de rire : « Allons, ne fais pas ta poire[2]. »

Elle lui tourna les talons en déclarant : « Je ne fréquente pas les

45 dos verts[3]. »

Elle avait cherché la plus grossière injure. Il sentit le sang lui empourprer[4] la face, et il rentra seul.

Forestier, malade, affaibli, toussant toujours, lui faisait, au journal, une existence pénible, semblait se creuser l'esprit pour

50 lui trouver des corvées ennuyeuses. Un jour même dans un moment d'irritation nerveuse, et après une longue quinte d'étouf-fement, comme Duroy ne lui apportait pas un renseignement

---

1. Folies-Bergère : music-hall très célèbre, construit en 1867 dans le 9ᵉ arron-dissement de Paris.

2. Ta poire : ta fière.

3. Dos verts : proxénètes.

4. Empourprer : rougir.

demandé, il grogna : « Cristi [1], tu es plus bête que je n'aurais cru. »

L'autre faillit le gifler, mais il se contint et s'en alla en murmurant : « Toi, je te rattraperai. » Une pensée rapide lui traversa l'esprit, et il ajouta : « Je te vas [2] faire cocu, mon vieux. » Et il s'en alla en se frottant les mains, réjoui par ce projet.

Il voulut, dès le jour suivant, en commencer l'exécution. Il fit à Mme Forestier une visite en éclaireur.

Il la trouva qui lisait un livre, étendue tout au long sur son canapé.

Elle lui tendit la main, sans bouger, tournant seulement la tête, et elle dit : « Bonjour, Bel-Ami ! » Il eut la sensation d'un soufflet reçu : « Pourquoi m'appelez-vous ainsi ? »

Elle répondit en souriant : « J'ai vu Mme de Marelle l'autre semaine, et j'ai su comment on vous avait baptisé chez elle. »

Il se rassura devant l'air aimable de la jeune femme. Comment aurait-il pu craindre, d'ailleurs ?

Elle reprit : « Vous la gâtez ! Quant à moi, on me vient voir quand on y pense, les trente-six du mois, ou peu s'en faut ? »

Il s'était assis près d'elle et il la regardait avec une curiosité nouvelle, une curiosité d'amateur qui bibelote [3]. Elle était charmante, blonde d'un blond tendre et chaud, faite pour les caresses ; et il pensa : « Elle est mieux que l'autre, certainement. » Il ne doutait point du succès, il n'aurait qu'à allonger la main, lui semblait-il, et à la prendre, comme on cueille un fruit.

Il dit résolument : « Je ne venais point vous voir parce que cela valait mieux. »

Elle demanda, sans comprendre : « Comment ? Pourquoi ?

– Pourquoi ? Vous ne devinez pas ?

– Non, pas du tout.

– Parce que je suis amoureux de vous… oh ! un peu, rien qu'un peu… et que je ne veux pas le devenir tout à fait… »

---

1. Cristi : sacristi, sapristi (juron).

2. Je te vas : tournure patoisante.

3. Qui bibelote : qui marchande ou achète des *bibelots* (petits objets décoratifs).

Elle ne parut ni étonnée, ni choquée, ni flattée ; elle continuait à sourire du même sourire indifférent, et elle répondit avec tran-
85 quillité :

« Oh ! vous pouvez venir tout de même. On n'est jamais amoureux de moi longtemps. »

Il fut surpris du ton plus encore que des paroles, et il demanda : « Pourquoi ?

90 — Parce que c'est inutile et que je le fais comprendre tout de suite. Si vous m'aviez raconté plus tôt votre crainte je vous aurais rassuré et engagé au contraire à venir le plus possible. »

Il s'écria, d'un ton pathétique[1] : « Avec ça qu'on peut commander aux sentiments. »

95 Elle se tourna vers lui : « Mon cher ami, pour moi un homme amoureux est rayé du nombre des vivants. Il devient idiot, pas seulement idiot, mais dangereux. Je cesse, avec les gens qui m'aiment d'amour ou qui le prétendent, toute relation intime, parce qu'ils m'ennuient d'abord, et puis parce qu'ils me sont
100 suspects comme un chien enragé qui peut avoir une crise. Je les mets donc en quarantaine morale[2] jusqu'à ce que leur maladie soit passée. Ne l'oubliez point. Je sais bien que chez vous l'amour n'est autre chose qu'une espèce d'appétit, tandis que chez moi ce serait, au contraire, une espèce de… de… de communion des
105 âmes qui n'entre pas dans la religion des hommes[3] ! Vous en comprenez la lettre, et moi l'esprit. Mais… regardez-moi bien en face… »

Elle ne souriait plus. Elle avait un visage calme et froid, et elle dit en appuyant sur chaque mot : « Je ne serai jamais, jamais
110 votre maîtresse, entendez-vous. Il est donc absolument inutile, il serait même mauvais pour vous de persister dans ce désir…

---

1. Pathétique : très touchant.
2. Je les mets donc en quarantaine morale : je les tiens donc à l'écart sur le plan intellectuel, psychologique.
3. Dans la religion des hommes : dans le mode de pensée des hommes.

Et maintenant que… l'opération est faite… voulez-vous que nous soyons amis, bons amis, mais là, de vrais amis, sans arrière-pensée ?… »

115 Il avait compris que toute tentative resterait stérile devant cette sentence sans appel. Il en prit son parti tout de suite, franchement, et, ravi de pouvoir se faire cette alliée dans l'existence, il lui tendit les deux mains :

« Je suis à vous, madame, comme il vous plaira. »

120 Elle sentit la sincérité de la pensée dans la voix, et elle donna ses mains.

Il les baisa, l'une après l'autre, puis il dit simplement en relevant la tête : « Cristi[1], si j'avais trouvé une femme comme vous, avec quel bonheur je l'aurais épousée ! »

125 Elle fut touchée, cette fois, caressée par cette phrase comme les femmes le sont par les compliments qui trouvent leur cœur, et elle lui jeta un de ces regards rapides et reconnaissants qui nous font leurs esclaves.

Puis, comme il ne trouvait pas de transition pour reprendre la
130 conversation, elle prononça, d'une voix douce en posant un doigt sur son bras :

« Et je vais commencer tout de suite mon métier d'amie. Vous êtes maladroit, mon cher… »

Elle hésita, et demanda : « Puis-je parler librement ?
135 — Oui.
— Tout à fait ?
— Tout à fait.
— Eh bien ! allez donc voir Mme Walter, qui vous apprécie beaucoup, et plaisez-lui. Vous trouverez à placer par là vos
140 compliments, bien qu'elle soit honnête, entendez-moi bien, tout à fait honnête. Oh ! Pas d'espoir de… de maraudage[2] non plus de

---

1. Cristi : sacristi, sapristi (juron).
2. Pas d'espoir de maraudage : pas d'espoir de lui voler son cœur.

ce côté. Vous y pourrez trouver mieux, en vous faisant bien voir.
Je sais que vous occupez encore dans le journal une place inférieure. Mais ne craignez rien, ils reçoivent tous leurs rédacteurs
145 avec la même bienveillance. Allez-y, croyez-moi. »

Il dit, en souriant : « Merci, vous êtes un ange... un ange
gardien. » Puis ils parlèrent de choses et d'autres.

Il resta longtemps, voulant prouver qu'il avait plaisir à se
trouver près d'elle ; et, en la quittant, il demanda encore :

150 « C'est entendu, nous sommes des amis ?

– C'est entendu. »

Comme il avait senti l'effet de son compliment, tout à l'heure,
il l'appuya, ajoutant :

« Et si vous devenez jamais veuve. Je m'inscris. »

155 Puis il se sauva bien vite pour ne point lui laisser le loisir de se
fâcher.

Une visite à Mme Walter gênait un peu Duroy, car il n'avait
point été autorisé à se présenter chez elle, et il ne voulait pas
commettre de maladresse. Le patron lui témoignait de la bienveil-
160 lance, appréciait ses services, l'employait de préférence aux besognes
difficiles ; pourquoi ne profiterait-il pas de cette faveur pour pénétrer dans la maison ?

Un jour donc, s'étant levé de bonne humeur, il se rendit aux
halles[1] au moment des ventes, et il se procura, moyennant une
165 dizaine de francs, une vingtaine d'admirables poires. Les ayant
ficelées avec soin dans une bourriche[2] pour faire croire qu'elles
venaient de loin, il les porta chez le concierge de la patronne avec sa
carte où il avait écrit :

« *Georges Duroy*
170 *Prie humblement Mme Walter d'accepter ces quelques fruits qu'il a
reçus ce matin de Normandie.* »

---

1. Halles : grand marché couvert situé dans le centre de Paris (à l'emplacement
du quartier des Halles actuel).
2. Bourriche : panier.

Il trouva le lendemain dans sa boîte aux lettres, au journal, une enveloppe contenant, en retour, la carte de Mme Walter « qui remerciait *bien vivement M. Georges Duroy, et restait chez elle tous les*
175 *samedis* ».

Le samedi suivant, il se présenta.

Mme Walter habitait, boulevard Malesherbes[1], une maison double lui appartenant, et dont une partie était louée, procédé économique de gens pratiques. Un seul concierge, gîté[2] entre les
180 deux portes cochères, tirait le cordon[3] pour le propriétaire et pour le locataire, et donnait à chacune des entrées un grand air d'hôtel riche et comme il faut par sa belle tenue de suisse d'église[4], ses gros mollets emmaillotés[5] en des bas blancs, et son vêtement de représentation à boutons d'or et à revers écarlates[6].

185 Les salons de réception étaient au premier étage, précédés d'une antichambre tendue de tapisseries et enfermée par des portières[7]. Deux valets sommeillaient sur des sièges. Un d'eux prit le pardessus de Duroy, et l'autre s'empara de sa canne, ouvrit une porte, devança de quelques pas le visiteur, puis,
190 s'effaçant, le laissa passer, en criant son nom dans un appartement vide.

Le jeune homme, embarrassé, regardait de tous les côtés, quand il aperçut dans une glace des gens assis et qui semblaient fort loin. Il se trompa d'abord de direction, le miroir ayant égaré son œil,
195 puis il traversa encore deux salons vides pour arriver dans une

---

1. Boulevard Malesherbes : boulevard reliant les 17e et 8e arrondissements de Paris, où vit une population aisée.

2. Gîté : placé.

3. Cordon : corde par laquelle le concierge ouvre la porte.

4. Suisse d'église : employé en uniforme chargé de la garde d'une église ainsi que du bon déroulement des cérémonies religieuses.

5. Emmaillotés : ficelés.

6. Écarlates : rouges.

7. Antichambre : entrée, vestibule ; **tendue de** : dont les murs étaient couverts ; **portières** : rideaux recouvrant les portes.

sorte de petit boudoir[1] tendu de soie bleue à boutons d'or où quatre dames causaient à mi-voix autour d'une table ronde qui portait des tasses de thé.

Malgré l'assurance qu'il avait gagnée dans son existence parisienne et surtout dans son métier de reporter qui le mettait incessamment en contact avec des personnages marquants, Duroy se sentait un peu intimidé par la mise en scène de l'entrée et par la traversée des salons déserts.

Il balbutia : « Madame, je me suis permis… » en cherchant de l'œil la maîtresse de la maison.

Elle lui tendit la main qu'il prit en s'inclinant, et lui ayant dit : « Vous êtes fort aimable, monsieur, de venir me voir », elle lui montra un siège où, voulant s'asseoir, il se laissa tomber, l'ayant cru beaucoup plus haut.

On s'était tu. Une des femmes se remit à parler. Il s'agissait du froid qui devenait violent, pas assez cependant pour arrêter l'épidémie de fièvre typhoïde[2] ni pour permettre de patiner[3]. Et chacune donna son avis sur cette entrée en scène de la gelée à Paris ; puis elles exprimèrent leurs préférences dans les saisons, avec toutes les raisons banales qui traînent dans les esprits comme la poussière dans les appartements.

Un bruit léger de porte fit retourner la tête de Duroy et il aperçut, à travers deux glaces sans tain[4], une grosse dame qui s'en venait. Dès qu'elle apparut dans le boudoir une des visiteuses se leva, serra les mains, puis partit ; et le jeune homme suivit du regard, par les autres salons, son dos noir où brillaient des perles de jais[5].

---

1. **Boudoir** : petit salon de dame.
2. **Fièvre typhoïde** : maladie infectieuse et contagieuse due au manque d'hygiène, très répandue au XIXe siècle.
3. **Patiner** : patiner sur la glace.
4. **Glace sans tain** : miroir qui permet d'observer sans être vu.
5. **Jais** : pierre noire brillante.

Quand l'agitation de ce changement de personnes se fut calmée, on parla spontanément, sans transition, de la question du
225 Maroc et de la guerre en Orient, et aussi des embarras de l'Angleterre à l'extrémité de l'Afrique[1].

Ces dames discutaient ces choses de mémoire, comme si elles eussent récité une comédie mondaine[2] et convenable, répétée bien souvent.

230 Une nouvelle entrée eut lieu, celle d'une petite blonde frisée qui détermina la sortie d'une grande personne sèche entre deux âges.

Et on parla des chances qu'avait M. Linet pour entrer à l'Académie[3]. La nouvelle venue pensait fermement qu'il serait battu
235 par M. Cabanon-Lebas[4], l'auteur de la belle adaptation en vers français de *Don Quichotte*[5] pour le théâtre.

« Vous savez que ce sera joué à l'Odéon[6] l'hiver prochain ?

– Ah ! vraiment. J'irai certainement voir cette tentative très littéraire. »

240 Mme Walter répondait gracieusement, avec calme et indifférence, sans hésiter jamais sur ce qu'elle devait dire, son opinion étant toujours prête d'avance.

Mais elle s'aperçut que la nuit venait et elle sonna pour les lampes, tout en écoutant la causerie qui coulait comme un ruisseau

---

1. La question du Maroc : dans les années 1880, la politique coloniale française bat son plein. Déjà bien implantée en Algérie, la France s'intéresse désormais à la Tunisie à laquelle Maupassant fait allusion à travers la mention du Maroc (où les interventions françaises ne débuteront qu'en 1905) ; **la guerre en Orient** : sans doute une référence au conflit avec la Chine, conséquence de la politique française au Tonkin ; **les embarras de l'Angleterre à l'extrémité de l'Afrique** : allusion à la guerre des Boers, colons blancs d'origine néerlandaise installés en Afrique du Sud, qui, en 1880-1881, se soulèvent contre la suzeraineté britannique.

2. Mondaine : snob.

3. Académie : Académie française (dont les membres sont élus).

4. Linet et Cabanon-Lebas : personnages imaginaires.

5. *Don Quichotte* : titre du célèbre roman de l'auteur espagnol Miguel de Cervantès (1547-1616).

6. Odéon : célèbre théâtre parisien.

245 de guimauve, et en pensant qu'elle avait oublié de passer chez le
graveur pour les cartes d'invitation du prochain dîner.

Elle était un peu trop grasse, belle encore, à l'âge dangereux où la
débâcle[1] est proche. Elle se maintenait à force de soins, de précau-
tions, d'hygiène et de pâtes[2] pour la peau. Elle semblait sage en tout,
250 modérée et raisonnable, une de ces femmes dont l'esprit est aligné
comme un jardin français. On y circule sans surprise, tout en y trouvant un certain charme. Elle avait de la raison, une raison fine, discrète
et sûre qui lui tenait lieu de fantaisie, de la bonté, du dévouement, et
une bienveillance tranquille, large pour tout le monde et pour tout.

255 Elle remarqua que Duroy n'avait rien dit, qu'on ne lui avait point
parlé, et qu'il semblait un peu contraint[3]; et comme ces dames
n'étaient point sorties de l'Académie, ce sujet préféré les retenant
toujours longtemps, elle demanda: «Et vous qui devez être renseigné
mieux que personne, monsieur Duroy, pour qui sont vos préférences?»

260 Il répondit sans hésiter: «Dans cette question, madame, je
n'envisagerais jamais le mérite, toujours contestable, des candidats,
mais leur âge et leur santé. Je ne demanderais point leurs titres,
mais leur mal. Je ne rechercherais point s'ils ont fait une traduction
rimée de Lope de Vega[4], mais j'aurais soin de m'informer de l'état
265 de leur foie, de leur cœur, de leurs reins et de leur moelle épinière.
Pour moi, une bonne hypertrophie, une bonne albuminurie, et
surtout un bon commencement d'ataxie locomotrice[5] vaudraient
cent fois mieux que quarante volumes de digressions sur l'idée de
patrie dans la poésie barbaresque[6].»

---

1. **Débâcle**: déchéance physique.
2. **Pâtes**: crèmes.
3. **Contraint**: mal à l'aise.
4. **Lope de Vega**: célèbre poète et dramaturge espagnol (1562-1635).
5. **Hypertrophie**: gonflement anormal d'un organe ou d'une partie du corps;
albuminurie: présence anormale d'*albumine* (substance blanchâtre) dans les
urines; **ataxie locomotrice**: défaut de coordination des mouvements dû à une
atteinte du système nerveux.
6. **Barbaresque**: d'Afrique du Nord.

270   Un silence étonné suivit cette opinion.

Mme Walter, souriant, reprit : « Pourquoi donc ? » Il répondit :
« Parce que je ne cherche jamais que le plaisir qu'une chose peut
causer aux femmes. Or, madame, l'Académie n'a vraiment d'intérêt pour vous que lorsqu'un académicien meurt. Plus il en
275   meurt, plus vous devez être heureuses. Mais pour qu'ils meurent
vite, il faut les nommer vieux et malades. »

Comme on demeurait un peu surpris, il ajouta : « Je suis comme
vous d'ailleurs et j'aime beaucoup lire dans les échos[1] de Paris le
décès d'un académicien. Je me demande tout de suite : "Qui va le
280   remplacer ?" Et je fais ma liste. C'est un jeu, un petit jeu très gentil
auquel on joue dans tous les salons parisiens à chaque trépas d'immortel : "Le jeu de la mort et des quarante vieillards[2]." »

Ces dames, un peu déconcertées encore, commençaient cependant à sourire, tant était juste sa remarque.

285   Il conclut, en se levant : « C'est vous qui les nommez, mesdames,
et vous ne les nommez que pour les voir mourir. Choisissez-les donc
vieux, très vieux, le plus vieux possible, et ne vous occupez jamais
du reste. »

Puis il s'en alla, avec beaucoup de grâce.

290   Dès qu'il fut parti, une des femmes déclara : « Il est drôle, ce
garçon. Qui est-ce ? » Mme Walter répondit : « Un de nos rédacteurs, qui ne fait encore que la menue besogne[3] du journal, mais
je ne doute pas qu'il n'arrive vite[4]. »

Duroy descendait le boulevard Malesherbes gaiement, à grands
295   pas dansants, content de sa sortie et murmurant : « Bon départ. »

Il se réconcilia avec Rachel, ce soir-là.

---

1. **Échos** : rubrique des journaux rapportant les potins mondains et politiques.
2. **Trépas** : décès ; **immortel** : surnom traditionnel des académiciens ; **le jeu de
la mort et des quarante vieillards** : l'Académie française est constituée de
quarante membres.
3. **Besogne** : travail.
4. **Qu'il n'arrive vite** : qu'il ne réussisse vite.

La semaine suivante lui apporta deux événements. Il fut nommé chef des Échos[1] et invité à dîner chez Mme Walter. Il vit tout de suite un lien entre les deux nouvelles.

300 La Vie française était avant tout un journal d'argent, le patron étant un homme d'argent à qui la presse et la députation avaient servi de leviers. Se faisant de la bonhomie[2] une arme, il avait toujours manœuvré sous un masque souriant de brave homme, mais il n'employait à ses besognes, quelles qu'elles fussent, que des gens qu'il avait 305 tâtés, éprouvés, flairés, qu'il sentait retors[3], audacieux et souples. Duroy, nommé chef des Échos, lui semblait un garçon précieux.

Cette fonction avait été remplie jusque-là par le secrétaire de la rédaction[4], M. Boisrenard, un vieux journaliste correct, ponctuel et méticuleux comme un employé. Depuis trente ans il avait été secré-310 taire de la rédaction de onze journaux différents, sans modifier en rien sa manière de faire ou de voir. Il passait d'une rédaction dans une autre comme on change de restaurant, s'apercevant à peine que la cuisine n'avait pas tout à fait le même goût. Les opinions politiques et religieuses lui demeuraient étrangères. Il était dévoué au 315 journal quel qu'il fût, entendu dans la besogne, et précieux par son expérience. Il travaillait comme un aveugle qui ne voit rien, comme un sourd qui n'entend rien, et comme un muet qui ne parle jamais de rien. Il avait cependant une grande loyauté professionnelle, et ne se fût point prêté à une chose qu'il n'aurait pas jugée honnête, loyale 320 et correcte, au point de vue spécial de son métier.

M. Walter, qui l'appréciait cependant, avait souvent désiré un autre homme pour lui confier les Échos, qui sont, disait-il, la moelle du journal. C'est par eux qu'on lance les nouvelles, qu'on fait courir

---

1. Chef des Échos : chef de la rubrique du journal relatant les potins mondains et politiques.

2. Bonhomie : bienveillance.

3. Retors : très rusés.

4. Secrétaire de rédaction : journaliste chargé de relire, corriger, remanier les articles à paraître, ainsi que de superviser la composition du journal.

les bruits, qu'on agit sur le public et sur la rente[1]. Entre deux soirées
325 mondaines[2] il faut savoir glisser, sans avoir l'air de rien, la chose
importante, plutôt insinuée que dite. Il faut, par des sous-entendus,
laisser deviner ce qu'on veut, démentir de telle sorte que la rumeur
s'affirme, ou affirmer de telle manière que personne ne croie au fait
annoncé. Il faut que, dans les échos, chacun trouve, chaque jour, une
330 ligne au moins qui l'intéresse, afin que tout le monde les lise. Il faut
penser à tout et à tous, à tous les mondes, à toutes les professions, à
Paris et à la Province, à l'Armée et aux Peintres, au Clergé et à l'Uni-
versité, aux Magistrats et aux Courtisanes[3].

L'homme qui les dirige et qui commande au bataillon des
335 reporters doit être toujours en éveil, et toujours en garde, méfiant,
prévoyant, rusé, alerte et souple, armé de toutes les astuces et doué
d'un flair infaillible pour découvrir la nouvelle fausse du premier
coup d'œil, pour juger ce qui est bon à dire et bon à celer[4], pour
deviner ce qui portera sur le public; et il doit savoir le présenter
340 de telle façon que l'effet en soit multiplié.

M. Boisrenard, qui avait pour lui une bonne pratique, manquait
de maîtrise et de chic; il manquait surtout de la rouerie native[5]
qu'il fallait pour pressentir chaque jour les idées secrètes du patron.

Duroy devait faire l'affaire en perfection, et il complétait admi-
345 rablement la rédaction de cette feuille « qui naviguait sur les fonds
de l'État et sur les bas-fonds de la politique[6] », selon l'expression de
Norbert de Varenne.

---

1. Rente : rente perpétuelle de l'État. Ce dernier empruntait de l'argent aux particuliers en échange d'un revenu annuel perçu à vie. La rente de l'État était cotée en
Bourse, si bien que le taux fluctuait selon les événements ou les magouilles politiques. Cela explique le rôle de la presse, capable d'agir « sur le public et sur la rente ».
2. Mondaines : fréquentées par les gens en vue.
3. Courtisanes : femmes vivant de leurs charmes, femmes entretenues.
4. Celer : cacher.
5. Rouerie native : capacité de dissimulation innée.
6. Les fonds de l'État : l'argent de l'État ; **les bas-fonds de la politique** : les
hommes politiques les plus corrompus, sans la moindre morale.

Les inspirateurs et véritables rédacteurs de *La Vie française* étaient une demi-douzaine de députés intéressés dans toutes les spéculations[1] que lançait ou que soutenait le directeur. On les nommait à la Chambre[2] « la bande à Walter » et on les enviait parce qu'ils devaient gagner de l'argent avec lui et par lui.

Forestier, rédacteur politique, n'était que l'homme de paille[3] de ces hommes d'affaires, l'exécuteur des intentions suggérées par eux. Ils lui soufflaient ses articles de fond qu'il allait toujours écrire chez lui pour être tranquille, disait-il.

Mais, afin de donner au journal une allure littéraire et parisienne, on y avait attaché deux écrivains célèbres en des genres différents, Jacques Rival, chroniqueur[4] d'actualité, et Norbert de Varenne, poète et chroniqueur fantaisiste, ou plutôt conteur, suivant la nouvelle école[5].

Puis on s'était procuré, à bas prix, des critiques d'art, de peinture, de musique, de théâtre, un rédacteur criminaliste et un rédacteur hippique, parmi la grande tribu mercenaire[6] des écrivains à tout faire. Deux femmes du monde, « Domino rose » et « Patte blanche », envoyaient des variétés mondaines[7], traitaient les questions de mode, de vie élégante, d'étiquette[8], de savoir-vivre, et commettaient des indiscrétions sur les grandes dames.

---

1. **Spéculations** : opérations financières.
2. **La Chambre** : aujourd'hui l'Assemblée nationale.
3. **Homme de paille** : celui qui sert de couverture, de prête-nom dans des affaires plus ou moins honnêtes.
4. **Chroniqueur** : journaliste.
5. **La nouvelle école** : l'école littéraire que forment le réalisme et le naturalisme. Le genre du conte s'est particulièrement développé à partir de 1880 grâce à l'essor de la presse.
6. **Mercenaire** : qui ne travaille que pour l'argent.
7. **Variétés mondaines** : articles sur les gens en vue (les *people*).
8. **Étiquette** : règle de conduite dans la haute société.

Et *La Vie française* « naviguait sur les fonds et bas-fonds[1] », manœuvrée par toutes ces mains différentes.

Duroy était dans toute la joie de sa nomination aux fonctions de chef des Échos quand il reçut un petit carton gravé, où il lut :

375 « M. et Mme Walter prient monsieur Georges Duroy de leur faire le plaisir de venir dîner chez eux le jeudi 20 janvier. »

Cette nouvelle faveur, tombant sur l'autre, l'emplit d'une telle joie qu'il baisa l'invitation comme il eût fait d'une lettre d'amour. Puis il alla trouver le caissier pour traiter la grosse question des fonds.

380 Un chef des Échos a généralement son budget sur lequel il paye ses reporters et les nouvelles, bonnes ou médiocres, apportées par l'un ou par l'autre, comme les jardiniers apportent leurs fruits chez un marchand de primeurs.

Douze cents francs par mois, au début, étaient alloués à Duroy,
385 qui se proposait bien d'en garder une forte partie.

Le caissier, sur ses représentations[2] pressantes, avait fini par lui avancer quatre cents francs. Il eut, au premier moment, l'intention formelle de renvoyer à Mme de Marelle les deux cent quatre-vingts francs qu'il lui devait, mais il réfléchit presque aussitôt
390 qu'il ne lui resterait plus entre les mains que cent vingt francs, somme tout à fait insuffisante pour faire marcher, d'une façon convenable, son nouveau service, et il remit cette restitution à des temps plus éloignés.

Pendant deux jours, il s'occupa de son installation, car il héri-
395 tait d'une table particulière et de casiers à lettres, dans la vaste pièce commune à toute la rédaction. Il occupait un bout de cette pièce, tandis que Boisrenard, dont les cheveux d'un noir d'ébène[3] malgré son âge étaient toujours penchés sur une feuille de papier, tenait l'autre bout.

---

1. Les fonds et bas-fonds : l'argent et la partie de la société la plus corrompue et la plus immorale.

2. Représentations : sollicitations mêlées de reproches.

3. Ébène : bois très dur d'un noir foncé.

La longue table du centre appartenait aux rédacteurs volants. Généralement elle servait de banc pour s'asseoir, soit les jambes pendantes le long des bords, soit à la turque[1] sur le milieu. Ils étaient quelquefois cinq ou six accroupis sur cette table, et jouant au bilboquet[2] avec persévérance, dans une pose de magots chinois[3].

Duroy avait fini par prendre goût à ce divertissement et il commençait à devenir fort, sous la direction et grâce aux conseils de Saint-Potin.

Forestier, de plus en plus souffrant, lui avait confié son beau bilboquet en bois des îles, le dernier acheté, qu'il trouvait un peu lourd, et Duroy manœuvrait d'un bras vigoureux la grosse boule noire au bout de sa corde, en comptant tout bas : « Un – deux – trois – quatre – cinq – six. »

Il arriva justement, pour la première fois, à faire vingt points de suite, le jour même où il devait dîner chez Mme Walter. « Bonne journée, pensa-t-il, j'ai tous les succès. » Car l'adresse au bilboquet conférait vraiment une sorte de supériorité, dans les bureaux de *La Vie française*.

Il quitta la rédaction de bonne heure pour avoir le temps de s'habiller, et il remontait la rue de Londres, quand il vit trotter devant lui une petite femme qui avait la tournure de Mme de Marelle. Il sentit une chaleur lui monter au visage, et son cœur se mit à battre. Il traversa la rue pour la regarder de profil. Elle s'arrêta pour traverser aussi. Il s'était trompé ; il respira.

Il s'était souvent demandé comment il devrait se comporter en la rencontrant face à face. La saluerait-il ou bien aurait-il l'air de ne la point voir ?

---

1. À la turque : en tailleur (jambes croisées).

2. Bilboquet : jouet en bois composé d'un petit bâton pointu relié à une boule percée d'un trou. Le jeu consiste à enfiler la boule sur l'extrémité pointue du bâton.

3. Magots chinois : figurines de l'Extrême-Orient représentant un personnage obèse et souvent hilare, assis en tailleur.

« Je ne la verrais pas », pensa-t-il.

Il faisait froid, les ruisseaux gelés gardaient des empâtements de glace. Les trottoirs étaient secs et gris sous la lueur du gaz[1].

Quand le jeune homme entra chez lui, il songea : « Il faut que je change de logement. Cela ne me suffit plus maintenant. » Il se sentait nerveux et gai, capable de courir sur les toits, et il répétait tout haut, en allant de son lit à la fenêtre : « C'est la fortune qui arrive ! c'est la fortune ! Il faudra que j'écrive à papa. »

De temps en temps, il lui écrivait, à son père ; et la lettre apportait toujours une joie vive dans le petit cabaret[2] normand, au bord de la route, au haut de la grande côte d'où l'on domine Rouen et la large vallée de la Seine.

De temps en temps aussi il recevait une enveloppe bleue dont l'adresse était tracée d'une grosse écriture tremblée, et il lisait infailliblement les mêmes lignes au début de la lettre paternelle :

« Mon cher fils, la présente est pour te dire que nous allons bien, ta mère et moi. Pas grand-chose de nouveau dans le pays. Je t'apprendrai cependant... »

Et il gardait au cœur un intérêt pour les choses du village, pour les nouvelles des voisins et pour l'état des terres et des récoltes.

Il se répétait, en nouant sa cravate blanche devant sa petite glace : « Il faut que j'écrive à papa dès demain. S'il me voyait, ce soir, dans la maison où je vais, serait-il épaté, le vieux ! Sacristi, je ferai tout à l'heure un dîner comme il n'en a jamais fait. » Et il revit brusquement la cuisine noire de là-bas, derrière la salle du café vide, les casseroles jetant des lueurs jaunes le long des murs, le chat dans la cheminée, le nez au feu, avec sa pose de Chimère[3] accroupie, la table de bois graissée par le temps et par les liquides répandus, une soupière fumant au milieu, et une chandelle

---

1. Sous la lueur du gaz : sous la lueur des becs de gaz (réverbères).
2. Cabaret : café-restaurant.
3. Chimère : monstre mythologique à tête de lion, au corps de chèvre et à queue de dragon.

allumée entre deux assiettes. Et il les aperçut aussi, l'homme et la femme, le père et la mère, les deux paysans aux gestes lents, mangeant la soupe à petites gorgées. Il connaissait les moindres plis de leurs vieilles figures, les moindres mouvements de leurs bras et de leur tête. Il savait même ce qu'ils se disaient, chaque soir, en soupant face à face.

Il pensa encore : « Il faudra pourtant que je finisse par aller les voir. » Mais comme sa toilette était terminée, il souffla la lumière et descendit.

Le long du boulevard extérieur des filles l'accostèrent. Il leur répondait en dégageant son bras : « Fichez-moi donc la paix ! » avec un dédain violent, comme si elles l'eussent insulté, méconnu... Pour qui le prenaient-elles ? Ces rouleuses-là[1] ne savaient donc point distinguer les hommes. La sensation de son habit noir endossé pour aller dîner chez des gens très riches, très connus, très importants, lui donnait le sentiment d'une personnalité nouvelle, la conscience d'être devenu un autre homme, un homme du monde, du vrai monde.

Il entra avec assurance dans l'antichambre éclairée par les hautes torchères[2] de bronze et il remit, d'un geste naturel, sa canne et son pardessus aux deux valets qui s'étaient approchés de lui.

Tous les salons étaient illuminés. Mme Walter recevait dans le second, le plus grand. Elle l'accueillit avec un sourire charmant, et il serra la main des deux hommes arrivés avant lui, M. Firmin et M. Laroche-Mathieu, députés, rédacteurs anonymes de *La Vie française*. M. Laroche-Mathieu avait dans le journal une autorité spéciale provenant d'une grande influence sur la Chambre[3]. Personne ne doutait qu'il ne fût ministre un jour.

Puis arrivèrent les Forestier, la femme en rose, et ravissante. Duroy fut stupéfait de la voir intime avec les deux représentants du

---

1. Rouleuses : filles légères.
2. Torchères : grands chandeliers.
3. La Chambre : aujourd'hui l'Assemblée nationale.

pays. Elle causa tout bas, au coin de la cheminée, pendant plus de cinq minutes, avec M. Laroche-Mathieu. Charles paraissait exténué. Il avait maigri beaucoup depuis un mois, et il toussait sans cesse en
490 répétant : « Je devrais me décider à aller finir l'hiver dans le Midi. »

Norbert de Varenne et Jacques Rival apparurent ensemble. Puis une porte s'étant ouverte au fond de l'appartement, M. Walter entra avec deux grandes jeunes filles de seize et dix-huit ans, une laide et l'autre jolie.

495 Duroy savait pourtant que le patron était père de famille, mais il fut saisi d'étonnement. Il n'avait jamais songé aux filles de son directeur que comme on songe aux pays lointains qu'on ne verra jamais. Et puis il se les était figurées toutes petites et il voyait des femmes. Il en ressentait le léger trouble moral que produit un
500 changement à vue[1].

Elles lui tendirent la main, l'une après l'autre, après la présentation, et elles allèrent s'asseoir à une petite table qui leur était sans doute réservée, où elles se mirent à remuer un tas de bobines de soie dans une bannette[2].

505 On attendait encore quelqu'un et on demeurait silencieux, dans cette sorte de gêne qui précède les dîners entre gens qui ne se trouvent pas dans la même atmosphère d'esprit, après les occupations différentes de leur journée.

Duroy ayant levé par désœuvrement[3] les yeux vers le mur,
510 M. Walter lui dit, de loin, avec un désir visible de faire valoir son bien : « Vous regardez *mes t*ableaux ? »

Le *mes* sonna. « Je vais vous les montrer. » Et il prit une lampe pour qu'on pût distinguer tous les détails.

« Ici les paysages », dit-il.

515 Au centre du panneau on voyait une grande toile de Guillemet, une plage de Normandie sous un ciel d'orage. Au-dessous, un bois

---

1. À vue : de façon visible.
2. Bannette : petit panier d'osier.
3. Désœuvrement : inoccupation, oisiveté.

de Harpignies, puis une plaine d'Algérie, par Guillaumet[1], avec un chameau à l'horizon, un grand chameau sur ses hautes jambes, pareil à un étrange monument.

520 M. Walter passa au mur voisin et annonça, avec un ton sérieux, comme un maître des cérémonies : « La grande peinture[2]. » C'étaient quatre toiles : *Une visite d'hôpital*, par Gervex ; *Une moissonneuse*, par Bastien-Lepage ; *Une veuve*, par Bouguereau, et *Une exécution*, par Jean-Paul Laurens[3]. Cette dernière œuvre représentait un prêtre vendéen fusillé contre le mur de son église par un détachement de Bleus[4].

Un sourire passa sur la figure grave du patron en indiquant le panneau suivant : « Ici les fantaisistes. » On apercevait d'abord une petite toile de Jean Béraud[5], intitulée : *Le Haut et le Bas.* C'était une jolie Parisienne montant l'escalier d'un tramway en marche. Sa tête apparaissait au niveau de l'impériale[6], et les messieurs assis sur les bancs découvraient, avec une satisfaction avide, le jeune visage qui venait vers eux, tandis que les hommes debout sur la plate-forme du bas considéraient les jambes de la jeune femme avec une expression différente de dépit et de convoitise.

M. Walter tenait la lampe à bout de bras, et répétait en riant d'un rire polisson : « Hein ? Est-ce drôle ? est-ce drôle ? »

---

1. Antoine Guillemet : peintre paysagiste (1841-1918), ami de Maupassant et proche des peintres impressionnistes ; **Henri Harpignies** : peintre paysagiste (1819-1916) ; **Gustave Guillaumet** : peintre voyageur (1840-1882) qui s'est inspiré de l'Algérie.

2. Tous les titres de tableaux énumérés par M. Walter sont imaginaires.

3. Henri Gervex : peintre (1852-1929) proche des impressionnistes, ami de Maupassant ; **Jules Bastien-Lepage** : peintre naturaliste (1848-1884) ; **William Bouguereau** : peintre académique (1825-1905), célèbre à l'époque ; **Jean-Paul Laurens** : peintre (1838-1921) de scènes historiques.

4. Bleus : durant la Révolution, soldats de la République à l'uniforme bleu, par opposition aux Vendéens royalistes dont le drapeau était blanc.

5. Jean Béraud : peintre de scènes de la vie parisienne (1849-1936).

6. Impériale : partie supérieure du tramway pouvant accueillir des voyageurs.

Puis il déclara : « *Un sauvetage*, par Lambert[1]. »

540 Au milieu d'une table desservie, un jeune chat, assis sur son derrière, examinait avec étonnement et perplexité une mouche se noyant dans un verre d'eau. Il avait une patte levée, prêt à cueillir l'insecte d'un coup rapide. Mais il n'était point décidé. Il hésitait. Que ferait-il ?

545 Puis le patron montra un Detaille[2] : *La Leçon*, qui représentait un soldat dans une caserne, apprenant à un caniche à jouer du tambour, et il déclara : « En voilà de l'esprit ! »

Duroy riait d'un rire approbateur et s'extasiait : « Comme c'est charmant, comme c'est charmant, char… » Il s'arrêta net, en 550 entendant derrière lui la voix de Mme de Marelle qui venait d'entrer.

Le patron continuait à éclairer les toiles, en les expliquant.

Il montrait maintenant une aquarelle de Maurice Leloir[3] : *L'Obstacle*. C'était une chaise à porteurs arrêtée, la rue se trouvant 555 barrée par une bataille entre deux hommes du peuple, deux gaillards luttant comme des hercules. Et on voyait sortir par la fenêtre de la chaise un ravissant visage de femme qui regardait… qui regardait… sans impatience, sans peur, et avec une certaine admiration le combat de ces deux brutes.

560 M. Walter disait toujours : « J'en ai d'autres dans les pièces suivantes, mais ils sont de gens moins connus, moins classés. Ici c'est mon Salon carré[4]. J'achète des jeunes en ce moment, des tout jeunes, et je les mets en réserve dans les appartements intimes, en attendant le moment où les auteurs seront célèbres. » Puis il 565 prononça, tout bas : « C'est l'instant d'acheter des tableaux. Les peintres crèvent de faim. Ils n'ont pas le sou, pas le sou… »

---

1. Eugène Lambert : peintre animalier (1825-1900).
2. Édouard Detaille : peintre académique (1848-1912), spécialiste des scènes militaires.
3. Maurice Leloir : peintre et décorateur (1853-1940), ami de Maupassant.
4. Salon carré : nom d'une salle d'exposition du Louvre.

Mais Duroy ne voyait rien, entendait sans comprendre. Mme de Marelle était là, derrière lui. Que devait-il faire ? S'il la saluait n'allait-elle point lui tourner le dos ou lui jeter quelque insolence ? S'il ne s'approchait pas d'elle, que penserait-on ?

Il se dit : « Je vais toujours gagner du temps. » Il était tellement ému qu'il eut l'idée un moment de simuler une indisposition subite qui lui permettrait de s'en aller.

La visite des murs était finie. Le patron alla reposer sa lampe et saluer la dernière venue, tandis que Duroy recommençait tout seul l'examen des toiles comme s'il ne se fût pas lassé de les admirer.

Il avait l'esprit bouleversé. Que devait-il faire ? Il entendait les voix, il distinguait la conversation. Mme Forestier l'appela : « Dites donc, monsieur Duroy. » Il courut vers elle. C'était pour lui recommander une amie qui donnait une fête et qui aurait bien voulu une citation dans les Échos[1] de *La Vie française.*

Il balbutiait : « Mais certainement, madame, certainement… »

Mme de Marelle se trouvait maintenant tout près de lui. Il n'osait point se retourner pour s'en aller.

Tout à coup, il se crut devenu fou ; elle avait dit, à haute voix : « Bonjour, Bel-Ami. Vous ne me reconnaissez donc plus ? »

Il pivota sur ses talons avec rapidité. Elle se tenait debout devant lui, souriante, l'œil plein de gaîté et d'affection. Et elle lui tendit la main.

Il la prit en tremblant, craignant encore quelque ruse et quelque perfidie. Elle ajouta, avec sérénité : « Que devenez-vous ? On ne vous voit plus. »

Il bégayait, sans parvenir à reprendre son sang-froid : « Mais j'ai eu beaucoup à faire, madame, beaucoup à faire. M. Walter m'a confié un nouveau service qui me donne énormément d'occupation. »

---

1. Échos : rubrique du journal relatant les potins mondains et politiques.

Elle répondit, en le regardant toujours en face, sans qu'il pût découvrir dans son œil autre chose que de la bienveillance : « Je le sais. Mais ce n'est pas une raison pour oublier vos amis. »

Ils furent séparés par une grosse dame qui entrait, une grosse dame décolletée, aux bras rouges, aux joues rouges, vêtue et coiffée avec prétention, et marchant si lourdement qu'on sentait, à la voir aller, le poids et l'épaisseur de ses cuisses.

Comme on paraissait la traiter avec beaucoup d'égards, Duroy demanda à Mme Forestier :

« Quelle est cette personne ?

– La vicomtesse de Percemur, celle qui signe : Patte blanche. »

Il fut stupéfait et saisi par une envie de rire : « Patte blanche ! Patte blanche ! Moi qui voyais, en pensée, une jeune femme comme vous ! C'est ça, Patte blanche ? Ah ! elle est bien bonne ! bien bonne ! »

Un domestique apparut dans la porte et annonça :

« Madame est servie. »

Le dîner fut banal et gai, un de ces dîners où l'on parle de tout sans rien dire. Duroy se trouvait entre la fille aînée du patron, la laide, Mlle Rose, et Mme de Marelle. Ce dernier voisinage le gênait un peu, bien qu'elle eût l'air fort à l'aise et causât avec son esprit ordinaire. Il se troubla d'abord, contraint, hésitant, comme un musicien qui a perdu le ton. Peu à peu, cependant, l'assurance lui revenait, et leurs yeux, se rencontrant sans cesse, s'interrogeaient, mêlaient leurs regards, d'une façon intime, presque sensuelle, comme autrefois.

Tout à coup, il crut sentir, sous la table, quelque chose effleurer son pied. Il avança doucement la jambe et rencontra celle de sa voisine qui ne recula point à ce contact. Ils ne parlaient pas, en ce moment, tournés tous deux vers leurs autres voisins.

Duroy, le cœur battant, poussa un peu plus son genou. Une pression légère lui répondit. Alors il comprit que leurs amours recommençaient.

Que dirent-ils ensuite ? Pas grand-chose ; mais leurs lèvres frémissaient chaque fois qu'ils se regardaient.

Le jeune homme, cependant, voulant être aimable pour la fille de son patron, lui adressait une phrase de temps en temps. Elle y
635 répondait, comme l'aurait fait sa mère, n'hésitant jamais sur ce qu'elle devait dire.

À la droite de M. Walter, la vicomtesse de Percemur prenait des allures de princesse ; et Duroy, s'égayant à la regarder, demanda tout bas à Mme de Marelle :

640 « Est-ce que vous connaissez l'autre, celle qui signe : Domino rose ?

— Oui, parfaitement : la baronne de Livar ?

— Est-elle du même cru ?

— Non, mais aussi drôle. Une grande sèche, soixante ans,
645 frisons faux, dents à l'anglaise, esprit de la Restauration [1], toilettes même époque.

— Où ont-ils déniché ces phénomènes de lettres ?

— Les épaves de la noblesse sont toujours recueillies par les bourgeois parvenus [2].

650 — Pas d'autre raison ?

— Aucune autre. »

Puis une discussion politique commença entre le patron, les deux députés, Norbert de Varenne et Jacques Rival ; et elle dura jusqu'au dessert.

655 Quand on fut retourné dans le salon, Duroy s'approcha de nouveau de Mme de Marelle, et, la regardant au fond des yeux : « Voulez-vous que je vous reconduise, ce soir ?

— Non.

---

1. Frisons : petites mèches de cheveux bouclés (familier) ; **dents à l'anglaise** : dents longues et proéminentes ; **Restauration** : période de restauration de la monarchie (1814-1830), après la Révolution et l'Empire napoléonien. La baronne de Livar est donc une nostalgique de la monarchie.
2. Parvenus : nouveaux riches (péjoratif).

– Pourquoi ?

660 – Parce que M. Laroche-Mathieu, qui est mon voisin, me laisse à ma porte chaque fois que je dîne ici.

– Quand vous verrai-je ?

– Venez déjeuner avec moi, demain. »

Et ils se séparèrent sans rien dire de plus.

665 Duroy ne resta pas tard, trouvant monotone la soirée. Comme il descendait l'escalier, il rattrapa Norbert de Varenne qui venait aussi de partir. Le vieux poète lui prit le bras. N'ayant plus à redouter de rivalité dans le journal, leur collaboration étant essentiellement différente, il témoignait maintenant au jeune homme 670 une bienveillance d'aïeul.

« Eh bien, vous allez me reconduire un bout de chemin ? » dit-il.

Duroy répondit : « Avec joie, cher maître. »

Et ils se mirent en route, en descendant le boulevard Malesherbes[1], 675 à petits pas.

Paris était presque désert cette nuit-là, une nuit froide, une de ces nuits qu'on dirait plus vastes que les autres, où les étoiles sont plus hautes, où l'air semble apporter dans ses souffles glacés quelque chose venu de plus loin que les astres.

680 Les deux hommes ne parlèrent point dans les premiers moments. Puis Duroy, pour dire quelque chose, prononça :

« Ce M. Laroche-Mathieu a l'air fort intelligent et fort instruit. »

Le vieux poète murmura : « Vous trouvez ? »

Le jeune homme, surpris, hésitait : « Mais oui ; il passe d'ail685 leurs pour un des hommes les plus capables de la Chambre[2].

– C'est possible. Dans le royaume des aveugles les borgnes sont rois. Tous ces gens-là, voyez-vous, sont des médiocres, parce qu'ils ont l'esprit entre deux murs, – l'argent et la politique. – Ce sont

---

1. Boulevard Malesherbes : boulevard reliant les 17e et 8e arrondissement de Paris, où est située la résidence des Walter.

2. La Chambre : aujourd'hui l'Assemblée nationale.

des cuistres[1], mon cher, avec qui il est impossible de parler de rien ; de rien de ce que nous aimons. Leur intelligence est à fond de vase, ou plutôt à fond de dépotoir, comme la Seine à Asnières.

Ah ! c'est qu'il est difficile de trouver un homme qui ait de l'espace dans la pensée, qui vous donne la sensation de ces grandes haleines du large qu'on respire sur les côtes de la mer. J'en ai connu quelques-uns, ils sont morts. »

Norbert de Varenne parlait d'une voix claire, mais retenue, qui aurait sonné dans le silence de la nuit s'il l'avait laissé s'échapper. Il semblait surexcité et triste, d'une de ces tristesses qui tombent parfois sur les âmes et les rendent vibrantes comme la terre sous la gelée.

Il reprit : « Qu'importe, d'ailleurs, un peu plus ou un peu moins de génie, puisque tout doit finir ! »

Et il se tut. Duroy, qui se sentait le cœur gai, ce soir-là, dit, en souriant : « Vous avez du noir, aujourd'hui, cher maître. »

Le poète répondit : « J'en ai toujours, mon enfant, et vous en aurez autant que moi dans quelques années. La vie est une côte. Tant qu'on monte, on regarde le sommet, et on se sent heureux ; mais, lorsqu'on arrive en haut, on aperçoit tout d'un coup la descente, et la fin, qui est la mort. Ça va lentement quand on monte, mais ça va vite quand on descend. À votre âge, on est joyeux. On espère tant de choses, qui n'arrivent jamais, d'ailleurs. Au mien, on n'attend plus rien... que la mort. »

Duroy se mit à rire : « Bigre, vous me donnez froid dans le dos. »

Norbert de Varenne reprit : « Non, vous ne me comprenez pas aujourd'hui, mais vous vous rappellerez plus tard ce que je vous dis en ce moment.

Il arrive un jour, voyez-vous, et il arrive de bonne heure pour beaucoup, où c'est fini de rire, comme on dit, parce que derrière tout ce qu'on regarde c'est la mort qu'on aperçoit.

---

1. Cuistres : hommes vaniteux et ridicules (péjoratif).

720   Oh ! vous ne comprenez même pas ce mot-là, vous, la mort. À votre âge, ça ne signifie rien. Au mien, il est terrible.

    Oui, on le comprend tout d'un coup, on ne sait pas pourquoi ni à propos de quoi, et alors tout change d'aspect, dans la vie. Moi, depuis quinze ans, je la sens qui me travaille comme si je portais 725 en moi une bête rongeuse. Je l'ai sentie peu à peu, mois par mois, heure par heure, me dégrader ainsi qu'une maison qui s'écroule. Elle m'a défiguré si complètement que je ne me reconnais pas. Je n'ai plus rien de moi, de moi l'homme radieux, frais et fort, que j'étais à trente ans. Je l'ai vue teindre en blanc mes cheveux noirs, 730 et avec quelle lenteur savante et méchante ! Elle m'a pris ma peau ferme, mes muscles, mes dents, tout mon corps de jadis, ne me laissant qu'une âme désespérée qu'elle enlèvera bientôt aussi.

    Oui, elle m'a émietté, la gueuse[1], elle a accompli doucement et terriblement la longue destruction de mon être, seconde par 735 seconde. Et maintenant je me sens mourir en tout ce que je fais. Chaque pas m'approche d'elle, chaque mouvement, chaque souffle hâte son odieuse besogne[2]. Respirer, dormir, boire, manger, travailler, rêver, tout ce que nous faisons, c'est mourir. Vivre enfin, c'est mourir !

740   Oh ! vous saurez cela ! Si vous réfléchissiez seulement un quart d'heure, vous la verriez.

    Qu'attendez-vous ? De l'amour ? Encore quelques baisers, et vous serez impuissant.

    Et puis, après ? De l'argent ? Pour quoi faire ? Pour payer des 745 femmes ? Joli bonheur ! Pour manger beaucoup, devenir obèse et crier des nuits entières sous les morsures de la goutte[3] ?

    Et puis encore ? De la gloire ? À quoi cela sert-il quand on ne peut plus la cueillir sous forme d'amour ?

    Et puis, après ? Toujours la mort pour finir.

---

1. Gueuse : misérable.
2. Besogne : travail.
3. Goutte : maladie touchant les articulations.

750 Moi, maintenant, je la vois de si près que j'ai souvent envie d'étendre les bras pour la repousser. Elle couvre la terre et emplit l'espace. Je la découvre partout. Les petites bêtes écrasées sur les routes, les feuilles qui tombent, le poil blanc aperçu dans la barbe d'un ami, me ravagent le cœur et me crient : "La voilà !"

755 Elle me gâte tout ce que je fais, tout ce que je vois, ce que je mange et ce que je bois, tout ce que j'aime, les clairs de lune, les levers de soleil, la grande mer, les belles rivières, et l'air des soirs d'été, si doux à respirer ! »

Il allait doucement, un peu essoufflé, rêvant tout haut, oubliant
760 presque qu'on l'écoutait.

Il reprit : « Et jamais un être ne revient, jamais… On garde les moules des statues, les empreintes qui refont toujours des objets pareils ; mais mon corps, mon visage, mes pensées, mes désirs ne reparaîtront jamais. Et pourtant il naîtra des millions, des
765 milliards d'êtres qui auront dans quelques centimètres carrés un nez, des yeux, un front, des joues et une bouche comme moi, et aussi une âme comme moi, sans que jamais je revienne, moi, sans que jamais même quelque chose de moi reconnaissable reparaisse dans ces créatures innombrables et différentes, indéfiniment diffé-
770 rentes, bien que pareilles à peu près.

À quoi se rattacher ? Vers qui jeter des cris de détresse ? À quoi pouvons-nous croire ?

Toutes les religions sont stupides, avec leur morale puérile et leurs promesses égoïstes, monstrueusement bêtes.

775 La mort seule est certaine. »

Il s'arrêta, prit Duroy par les deux extrémités du col de son pardessus, et, d'une voix lente :

« Pensez à tout cela, jeune homme, pensez-y pendant des jours, des mois et des années, et vous verrez l'existence d'une autre
780 façon. Essayez donc de vous dégager de tout ce qui vous enferme, faites cet effort surhumain de sortir vivant de votre corps, de vos intérêts, de vos pensées et de l'humanité tout entière, pour

regarder ailleurs, et vous comprendrez combien ont peu d'importance les querelles des romantiques et des naturalistes, et la
785   discussion du budget[1]. »

Il se remit à marcher d'un pas plus rapide.

« Mais aussi vous sentirez l'effroyable détresse des désespérés.
Vous vous débattrez, éperdu, noyé, dans les incertitudes. Vous
crierez "à l'aide" de tous les côtés, et personne ne vous répondra.
790   Vous tendrez les bras, vous appellerez pour être secouru, aimé,
consolé, sauvé! Et personne ne viendra.

Pourquoi souffrons-nous ainsi? C'est que nous étions nés sans
doute pour vivre davantage selon la matière[2] et moins selon l'esprit ;
mais, à force de penser, une disproportion s'est faite entre l'état de
795   notre intelligence agrandie et les conditions immuables de notre vie.

Regardez les gens médiocres ; à moins de grands désastres
tombant sur eux, ils se trouvent satisfaits, sans souffrir du malheur
commun. Les bêtes non plus ne le sentent pas. »

Il s'arrêta encore, réfléchit quelques secondes, puis d'un air las[3]
800   et résigné :

« Moi, je suis un être perdu. Je n'ai ni père, ni mère, ni frère,
ni sœur, ni femme, ni enfants, ni Dieu. »

Il ajouta, après un silence :

« Je n'ai que la rime. »

805   Puis, levant la tête vers le firmament, où luisait la face pâle de
la pleine lune, il déclama :

> « *Et je cherche le mot de cet obscur problème.*
> *Dans le ciel noir et vide où flotte un astre blême.* »

---

1. Querelles des romantiques et des naturalistes : querelles littéraires. Le romantisme est un mouvement littéraire dominant la première moitié du XIXe siècle et le
naturalisme un mouvement littéraire né à la fin du siècle sous l'influence d'Émile
Zola. Alors que le romantisme, centré sur le moi, exalte les sentiments personnels
et la recherche d'un idéal, le naturalisme entend décrire la réalité sociale de l'époque
sans rien en dissimuler, même les aspects les plus sordides ; **budget** : budget de l'État.
2. La matière : le corps, la réalité matérielle (par opposition à l'esprit).
3. Las : fatigué.

Ils arrivaient au pont de la Concorde, ils le traversèrent en
810 silence, puis ils longèrent le Palais-Bourbon. Norbert de Varenne
se remit à parler : « Mariez-vous, mon ami, vous ne savez pas ce que
c'est que de vivre seul, à mon âge. La solitude, aujourd'hui, m'emplit d'une angoisse horrible : la solitude dans le logis[1], auprès du
feu, le soir. Il me semble alors que je suis seul sur la terre, affreu-
815 sement seul, mais entouré de dangers vagues, de choses inconnues
et terribles ; et la cloison qui me sépare de mon voisin que je ne
connais pas, m'éloigne de lui autant que des étoiles aperçues par
ma fenêtre. Une sorte de fièvre m'envahit, une fièvre de douleur et
de crainte, et le silence des murs m'épouvante. Il est si profond et
820 si triste, le silence de la chambre où l'on vit seul. Ce n'est pas
seulement un silence autour du corps, mais un silence autour de
l'âme, et, quand un meuble craque, on tressaille jusqu'au cœur, car
aucun bruit n'est attendu dans ce morne logis. »

Il se tut encore une fois, puis ajouta : « Quand on est vieux, ce
825 serait bon, tout de même, des enfants ! »

Ils étaient arrivés vers le milieu de la rue de Bourgogne. Le
poète s'arrêta devant une haute maison, sonna, serra la main de
Duroy, et lui dit : « Oubliez tout ce rabâchage de vieux, jeune
homme, et vivez selon votre âge ; adieu ! »

830 Et il disparut dans le corridor[2] noir.

Duroy se remit en route, le cœur serré. Il lui semblait qu'on
venait de lui montrer quelque trou plein d'ossements, un trou
inévitable où il lui faudrait tomber un jour. Il murmura : « Bigre,
ça ne doit pas être gai, chez lui. Je ne voudrais pas un fauteuil de
835 balcon[3] pour assister au défilé de ses idées, nom d'un chien ! »

Mais, s'étant arrêté pour laisser passer une femme parfumée qui
descendait de voiture et rentrait chez elle, il aspira d'un grand
souffle avide la senteur de verveine et d'iris envolée dans l'air. Ses

---

1. Le logis : la maison.

2. Corridor : couloir.

3. Balcon : galerie au-dessus de l'orchestre, dans un théâtre.

840 poumons et son cœur palpitèrent brusquement d'espérance et de joie ; et le souvenir de Mme de Marelle qu'il reverrait le lendemain l'envahit des pieds à la tête.

Tout lui souriait, la vie l'accueillait avec tendresse. Comme c'était bon, la réalisation des espérances !

845 Il s'endormit dans l'ivresse et se leva de bonne heure pour faire un tour à pied, dans l'avenue du Bois-de-Boulogne, avant d'aller à son rendez-vous.

Le vent ayant changé, le temps s'était adouci pendant la nuit, et il faisait une tiédeur et un soleil d'avril. Tous les habitués du Bois étaient sortis ce matin-là, cédant à l'appel du ciel clair et doux.

850 Duroy marchait lentement, buvant l'air léger, savoureux comme une friandise de printemps. Il passa l'Arc de triomphe de l'Étoile et s'engagea dans la grande avenue, du côté opposé aux cavaliers. Il les regardait, trottant ou galopant, hommes et femmes, les riches du monde, et c'est à peine s'il les enviait maintenant. Il les connaissait

855 presque tous de nom, savait le chiffre de leur fortune et l'histoire secrète de leur vie, ses fonctions ayant fait de lui une sorte d'almanach[1] des célébrités et des scandales parisiens.

Les amazones[2] passaient, minces et moulées dans le drap sombre de leur taille, avec ce quelque chose de hautain et d'inabordable

860 qu'ont beaucoup de femmes à cheval ; et Duroy s'amusait à réciter à mi-voix, comme on récite des litanies dans une église, les noms, titres et qualités des amants qu'elles avaient eus ou qu'on leur prêtait ; et, quelquefois même au lieu de dire :

Baron de Tanquelet,

865 *Prince de la Tour-Enguerrand ;*

il murmurait : Côté Lesbos[3]

---

1. Almanach : répertoire, agenda.
2. Amazones : femmes montant à cheval, portant une jupe longue et ample du même nom. Le terme désigne aussi des femmes libérées et à l'allure virile.
3. Côté Lesbos : du côté de l'homosexualité féminine. L'île de Lesbos, dans la mer Égée, est la patrie de la poétesse grecque Sappho (VIe siècle av. J.-C.), auteur de poèmes d'amour adressés à des femmes.

pages 157-162
lignes 676-830

La leçon de vie de Norbert de Varenne

« Paris était presque désert [...] noir. »

Quelle vision de la vie Norbert de Varenne transmet-il à Duroy ?

• Le vieux poète fait une **peinture pessimiste** de la vie dont le seul aboutissement est la **mort**. Il en parle par expérience, mettant en avant son âge par opposition à la jeunesse de Duroy. Il recourt à des verbes de sensation (« je la sens », « je la vois »), évoque la lente détérioration (« dégradation », « défiguré », « destruction », « gâte ») qu'il a subie. Il se pose comme un vieux maître adressant une **leçon de vie** à un jeune disciple inexpérimenté.

• La mort, personnifiée sous les traits d'une « bête rongeuse », d'une « gueuse », provoque la déchéance physique et la perte d'identité (« je n'ai plus rien de moi »). L'homme est ramené à son **existence matérielle** périssable, son corps étant voué à la destruction, puis au néant.

• Ce long discours est également ponctué de **sentences** énoncées comme des lois universelles (« tout doit finir », « vivre enfin, c'est mourir », « la mort seule est certaine »). Norbert de Varenne raisonne par **induction**, ce qui lui permet d'étendre son expérience personnelle à la condition humaine.

• Son **argumentaire**, logique et implacable, est soutenu par une **théorie matérialiste** selon laquelle l'homme est né « pour vivre davantage selon la matière et moins selon l'esprit ». La pensée cause l'insatisfaction.

En quoi la tonalité de ce discours tranche-t-elle avec le reste du roman ?

• Ce discours détonne par sa forme et sa longueur. Quasi-monologue, il marque une **pause introspective** dans un récit où priment le jeu social et la volonté d'agir. Le personnage exprime ses sentiments intérieurs et sa vision existentielle, ce qui confère au discours une profondeur réflexive.

• Le décor nocturne, solitaire et silencieux, crée une atmosphère de confidence, mais rend aussi la **scène inquiétante**. La dimension **prophétique** du discours (usage du futur) et l'expression d'une « angoisse horrible », « de dangers vagues, de choses inconnues et terribles » créent une atmosphère **fantastique** que renforce la personnification de la mort[1].

• Au registre fantastique s'ajoute le registre **tragique** : le personnage se dit traqué par une force **supérieure**, **fatale**, à laquelle il ne peut échapper.

---

1. Norbert de Varenne sort d'ailleurs de scène en disparaissant « dans le corridor noir », comme s'il était un messager de la mort.

• La présence de ces deux registres dans un texte réaliste permet d'**extérioriser** et de rendre palpable l'expérience psychologique de l'angoisse de la mort. Elle crée aussi un effet de contraste avec l'atmosphère générale du récit où les personnages se préoccupent uniquement du bien-être matériel et des apparences. Les **valeurs socioéconomiques** de l'époque sont remises en cause : que sont l'argent, le plaisir et la gloire face à la mort ?

Quel nouvel éclairage ce discours offre-t-il sur l'ascension de Duroy ?

• Ce discours sonne comme un **avertissement** auquel Duroy repensera plus tard (lors du duel et lors de la mort de Forestier), mais sans réelle conséquence. Pris dans le jeu social, il préfère ignorer la leçon du maître qui montre que tout – argent, plaisirs, gloire – est voué à disparaître.

• Son ambition apparaît alors dérisoire et absurde. La société n'est fondée que sur l'**illusion et** les vanités. Ce discours rappelle au lecteur le **tragique de l'existence** et invite à lire *Bel-Ami* comme une **satire sociale** très pessimiste.

DÉFINITION CLÉ

Le tragique et le fantastique

• Le **registre tragique** est présent lorsqu'un personnage affronte une **force supérieure** contre laquelle il ne peut rien. Voué à l'échec, à la douleur ou à la mort, le personnage inspire au lecteur **crainte et pitié**, le rappelant à sa propre angoisse, à ses propres questions existentielles.

• Le **registre fantastique** est présent lorsqu'un **élément inexplicable et inquiétant** survient **dans** un **cadre spatiotemporel réaliste**. Le personnage, confronté à une présence mystérieuse qui le trouble et l'effraie, partage son angoisse avec le lecteur, rappelant celui-ci à ses propres peurs.

Louise Michot, du Vaudeville,
Rose Marquetin, de l'Opéra.

Ce jeu l'amusait beaucoup, comme s'il eût constaté, sous les
870 sévères apparences, l'éternelle et profonde infamie[1] de l'homme,
et que cela l'eût réjoui, excité, consolé.

Puis il prononça tout haut : « Tas d'hypocrites ! » et chercha de
l'œil les cavaliers sur qui couraient les plus grosses histoires.

Il en vit beaucoup soupçonnés de tricher au jeu, pour qui les
875 cercles[2], en tout cas, étaient la grande ressource, la seule ressource,
ressource suspecte à coup sûr.

D'autres, fort célèbres, vivaient uniquement des rentes[3] de leurs
femmes, c'était connu, d'autres des rentes de leurs maîtresses, on
l'affirmait. Beaucoup avaient payé leurs dettes (acte honorable),
880 sans qu'on eût jamais deviné d'où leur était venu l'argent nécessaire (mystère bien louche). Il vit des hommes de finance dont
l'immense fortune avait un vol pour origine, et qu'on recevait
partout, dans les plus nobles maisons, puis des hommes si respectés
que les petits bourgeois se découvraient sur leur passage, mais dont
885 les tripotages[4] effrontés, dans les grandes entreprises nationales,
n'étaient un mystère pour aucun de ceux qui savaient les dessous
du monde.

Tous avaient l'air hautain, la lèvre fière, l'œil insolent, ceux à
favoris[5] et ceux à moustaches.

890 Duroy riait toujours, répétant : « C'est du propre, tas de crapules,
tas d'escarpes[6] ! »

Mais une voiture passa, découverte, basse et charmante, traînée
au grand trot par deux minces chevaux blancs dont la crinière et

---

1. **Infamie** : bassesse.
2. **Cercles** : clubs de jeu.
3. **Rentes** : revenus personnels (en dehors du salaire).
4. **Tripotages** : arrangements, manigances.
5. **Favoris** : touffes de barbe que les hommes laissent pousser sur les joues.
6. **Escarpes** : bandits.

la queue voltigeaient, et conduite par une petite jeune femme
blonde, une courtisane[1] connue qui avait deux grooms[2] assis
derrière elle. Duroy s'arrêta, avec une envie de saluer et d'ap-
plaudir cette parvenue de l'amour qui étalait avec audace dans
cette promenade et à cette heure des hypocrites aristocrates, le
luxe crâne gagné sur ses draps. Il sentait peut-être vaguement
qu'il y avait quelque chose de commun entre eux, un lien de
nature, qu'ils étaient de même race, de même âme, et que son
succès aurait des procédés audacieux de même ordre.

Il revint plus doucement, le cœur chaud de satisfaction, et il
arriva, un peu avant l'heure, à la porte de son ancienne maîtresse.

Elle le reçut, les lèvres tendues, comme si aucune rupture n'avait
eu lieu, et elle oublia même, pendant quelques instants, la sage
prudence qu'elle opposait, chez elle, à leurs caresses. Puis elle lui
dit, en baisant les bouts frisés de ses moustaches : « Tu ne sais pas
l'ennui qui m'arrive, mon chéri ? J'espérais une bonne lune de miel,
et voilà mon mari qui me tombe sur le dos pour six semaines ; il a
pris un congé. Mais je ne veux pas rester six semaines sans te voir,
surtout après notre petite brouille, et voilà comment j'ai arrangé les
choses. Tu viendras me demander à dîner lundi, je lui ai déjà parlé
de toi. Je te présenterai. »

Duroy hésitait, un peu perplexe, ne s'étant jamais trouvé
encore en face d'un homme dont il possédait la femme. Il craignait que quelque chose le trahît, un peu de gêne, un regard,
n'importe quoi. Il balbutiait : « Non, j'aime mieux ne pas faire la
connaissance de ton mari. » Elle insista, fort étonnée, debout
devant lui et ouvrant des yeux naïfs : « Mais pourquoi ? quelle
drôle de chose ? Ça arrive tous les jours, ça ! Je ne t'aurais pas cru
si nigaud, par exemple. »

Il fut blessé : « Eh bien, soit, je viendrai dîner lundi. »

---

1. Courtisane : femme vivant de ses charmes, femme entretenue.
2. Grooms : laquais, valets.

Elle ajouta : « Pour que ce soit bien naturel, j'aurai les Forestier.
925 Ça ne m'amuse pourtant pas, de recevoir du monde chez moi. »

Jusqu'au lundi, Duroy ne pensa plus guère à cette entrevue ;
mais, voilà qu'en montant l'escalier de Mme de Marelle, il se
sentit étrangement troublé, non pas qu'il lui répugnât de prendre
la main de ce mari, de boire son vin et de manger son pain, mais
930 il avait peur de quelque chose, sans savoir de quoi.

On le fit entrer dans le salon, et il attendit, comme toujours.
Puis la porte de la chambre s'ouvrit ; et il aperçut un grand
homme à barbe blanche, décoré, grave et correct, qui vint à lui
avec une politesse minutieuse : « Ma femme m'a souvent parlé de
935 vous, monsieur, et je suis charmé de faire votre connaissance. »

Duroy s'avança en tâchant de donner à sa physionomie
un air de cordialité expressive, et il serra avec une énergie exagérée
la main tendue de son hôte. Puis, s'étant assis, il ne trouva rien à
lui dire.

940 M. de Marelle remit un morceau de bois au feu, et demanda :
« Voici longtemps que vous vous occupez de journalisme ? »

Duroy répondit : « Depuis quelques mois seulement.

— Ah ! vous avez marché vite.

— Oui, assez vite » ; et il se mit à parler au hasard, sans trop songer
945 à ce qu'il disait, débitant toutes les banalités en usage entre gens
qui ne se connaissent point. Il se rassurait maintenant et commençait à trouver la situation fort amusante. Il regardait la figure
sérieuse et respectable de M. de Marelle, avec une envie de rire sur
les lèvres, en pensant : « Toi, je te fais cocu, mon vieux, je te fais
950 cocu. » Et une satisfaction intime, vicieuse, le pénétrait, une joie de
voleur qui a réussi et qu'on ne soupçonne pas, une joie fourbe, délicieuse. Il avait envie, tout à coup, d'être l'ami de cet homme, de
gagner sa confiance, de lui faire raconter les choses secrètes de sa vie.

Mme de Marelle entra brusquement, et les ayant couverts d'un
955 coup d'œil souriant et impénétrable, elle alla vers Duroy qui n'osa
point, devant le mari, lui baiser la main, ainsi qu'il le faisait toujours.

Elle était tranquille et gaie comme une personne habituée à tout, qui trouvait cette rencontre naturelle et simple, en sa rouerie native [1] et franche. Laurine apparut, et vint, plus sagement que de coutume, tendre son front à Georges, la présence de son père l'intimidant. Sa mère lui dit : « Eh bien, tu ne l'appelles plus Bel-Ami, aujourd'hui. » Et l'enfant rougit ; comme si on venait de commettre une grosse indiscrétion, de révéler une chose qu'on ne devait pas dire, de dévoiler un secret intime et un peu coupable de son cœur.

Quand les Forestier arrivèrent, on fut effrayé de l'état de Charles. Il avait maigri et pâli affreusement en une semaine et il toussait sans cesse. Il annonça d'ailleurs qu'ils partaient pour Cannes le jeudi suivant, sur l'ordre formel du médecin.

Ils se retirèrent de bonne heure, et Duroy dit en hochant la tête :

« Je crois qu'il file un bien mauvais coton. Il ne fera pas de vieux os. » Mme de Marelle affirma avec sérénité : « Oh ! il est perdu ! En voilà un qui avait eu de la chance de trouver une femme comme la sienne. »

Duroy demanda : « Elle l'aide beaucoup ?

— C'est-à-dire qu'elle fait tout. Elle est au courant de tout, elle connaît tout le monde sans avoir l'air de voir personne ; elle obtient ce qu'elle veut, comme elle veut, et quand elle veut. Oh ! elle est fine, adroite et intrigante [2] comme aucune, celle-là. En voilà un trésor, pour un homme qui veut parvenir. »

Georges reprit : « Elle se remariera bien vite, sans doute ? »

Mme de Marelle répondit : « Oui. Je ne serais même pas étonnée qu'elle eût en vue quelqu'un... un député... à moins que... qu'il ne veuille pas..., car... car..., il y aurait peut-être de gros obstacles... moraux... Enfin, voilà. Je ne sais rien. »

---

1. Rouerie native : capacité de dissimulation innée.

2. Intrigante : femme recourant à l'*intrigue* (à des manigances) pour parvenir à ses fins.

M. de Marelle grommela avec une lente impatience : « Tu laisses toujours soupçonner un tas de choses que je n'aime pas. Ne nous mêlons jamais des affaires des autres. Notre conscience nous suffit à gouverner. Ce devrait être une règle pour tout le monde. »

Duroy se retira, le cœur troublé et l'esprit plein de vagues combinaisons.

Il alla le lendemain faire une visite aux Forestier et il les trouva terminant leurs bagages. Charles, étendu sur un canapé, exagérait la fatigue de sa respiration et répétait : « Il y a un mois que je devrais être parti », puis il fit à Duroy une série de recommandations pour le journal, bien que tout fût réglé et convenu avec M. Walter.

Quand Georges s'en alla, il serra énergiquement les mains de son camarade : « Eh bien, mon vieux, à bientôt ! » Mais, comme Mme Forestier le reconduisait jusqu'à la porte, il lui dit vivement : « Vous n'avez pas oublié notre pacte ? Nous sommes des amis et des alliés, n'est-ce pas ? Donc, si vous avez besoin de moi, en quoi que ce soit, n'hésitez point. Une dépêche ou une lettre et j'obéirai. »

Elle murmura : « Merci, je n'oublierai pas. » Et son œil aussi lui dit : « Merci », d'une façon plus profonde et plus douce.

Comme Duroy descendait l'escalier, il rencontra, montant à pas lents, M. de Vaudrec, qu'une fois déjà il avait vu chez elle. Le comte semblait triste – de ce départ, peut-être ?

Voulant se montrer homme du monde, le journaliste le salua avec empressement.

L'autre rendit avec courtoisie, mais d'une manière un peu fière.

Le ménage Forestier partit le jeudi soir.

7

La disparition de Charles donna à Duroy une importance plus grande dans la rédaction de *La Vie française.* Il signa quelques articles de fond, tout en signant aussi ses échos[1], car le patron voulait que chacun gardât la responsabilité de sa copie. Il eut quelques polémiques[2] dont il se tira avec esprit; et ses relations constantes avec les hommes d'État le préparaient peu à peu à devenir à son tour un rédacteur politique adroit et perspicace.

Il ne voyait qu'une tache dans tout son horizon. Elle venait d'un petit journal frondeur[3] qui l'attaquait constamment, ou plutôt qui attaquait en lui le chef des échos de *La Vie française,* le chef des échos à surprises de M. Walter, disait le rédacteur anonyme de cette feuille, appelée *La Plume.* C'étaient, chaque jour, des perfidies, des traits mordants, des insinuations de toute nature.

Jacques Rival dit un jour à Duroy : « Vous êtes patient. »

L'autre balbutia : « Que voulez-vous, il n'y a pas d'attaque directe. »

Or, un après-midi, comme il entrait dans la salle de rédaction, Boisrenard lui tendit le numéro de *La Plume :*

« Tenez, il y a encore une note désagréable pour vous.

— Ah! à propos de quoi ?

— À propos de rien, de l'arrestation d'une dame Aubert par un agent des mœurs[4]. »

---

1. Échos : articles relatant les potins mondains et politiques.
2. Polémiques : querelles.
3. Frondeur : critique et moqueur.
4. Agent des mœurs : policier de la brigade des mœurs.

Georges prit le journal qu'on lui tendait, et lut, sous ce titre : *Duroy s'amuse :*

« L'illustre reporter de *La Vie française* nous apprend aujourd'hui
que la dame Aubert, dont nous avons annoncé l'arrestation par un agent de l'odieuse brigade des mœurs, n'existe que dans notre imagination. Or, la personne en question demeure 18, rue de l'Écureuil, à Montmartre. Nous comprenons trop, d'ailleurs, quel intérêt ou quels intérêts peuvent avoir les agents de la banque Walter à
soutenir ceux du préfet de police qui tolère leur commerce. Quant au reporter dont il s'agit, il ferait mieux de nous donner quelqu'une de ces bonnes nouvelles à sensation dont il a le secret : nouvelles de morts démenties le lendemain, nouvelles de batailles qui n'ont pas eu lieu, annonce de paroles graves prononcées par des souverains qui
n'ont rien dit, toutes les informations enfin qui constituent les "Profits Walter", ou même quelqu'une des petites indiscrétions sur des soirées de femmes *à succès*, ou sur l'excellence de certains produits qui sont d'une grande *ressource à quelques-uns de nos confrères.* »

Le jeune homme demeurait interdit, plus qu'irrité, compre-
nant seulement qu'il y avait là-dedans quelque chose de fort désagréable pour lui.

Boisrenard reprit : « Qui vous a donné cet écho ? »

Duroy cherchait, ne se rappelant plus. Puis, tout à coup, le souvenir lui revint :

« Ah ! oui, c'est Saint-Potin. » Puis il relut l'alinéa de *La Plume,* et il rougit brusquement, révolté par l'accusation de vénalité.

Il s'écria : « Comment, on prétend que je suis payé pour... »

Boisrenard l'interrompit : « Dame, oui. C'est embêtant pour vous. Le patron est fort sur l'œil[1] à ce sujet. Ça pourrait arriver si
souvent dans les échos... »

Saint-Potin, justement, entrait. Duroy courut à lui :

« Vous avez lu la note de *La Plume* ?

---

1. **Fort sur l'œil** : pointilleux.

– Oui, et je viens de chez la dame Aubert. Elle existe parfaitement, mais elle n'a pas été arrêtée. Ce bruit n'a aucun fondement. »

Alors Duroy s'élança chez le patron qu'il trouva un peu froid, avec un œil soupçonneux. Après avoir écouté le cas, M. Walter répondit : « Allez vous-même chez cette dame et démentez de façon qu'on n'écrive plus de pareilles choses sur vous. Je parle de ce qui suit. C'est fort ennuyeux pour le journal, pour moi et pour vous. Pas plus que la femme de César, un journaliste ne doit être soupçonné[1]. »

Duroy monta en fiacre[2] avec Saint-Potin pour guide, et il cria au cocher : « 18, rue de l'Écureuil, à Montmartre. »

C'était dans une immense maison dont il fallut escalader les six étages. Une vieille femme en caraco[3] de laine vint leur ouvrir : « Qu'est-ce que vous me r'voulez ? » dit-elle en apercevant Saint-Potin.

Il répondit : « Je vous amène monsieur, qui est inspecteur de police et qui voudrait bien savoir votre affaire. »

Alors elle les fit entrer, en racontant : « Il en est encore r'venu deux d'puis vous pour un journal, je n'sais point l'quel. » Puis, se tournant vers Duroy : « Donc, c'est monsieur qui désire savoir ?

– Oui. Est-ce que vous avez été arrêtée par un agent des mœurs ? »

Elle leva les bras : « Jamais d'la vie, mon bon monsieur, jamais d'la vie. Voilà la chose. J'ai un boucher qui sert bien, mais qui pèse mal. Je m'en ai aperçu souvent sans rien dire, mais l'autre jour, comme je lui demandais deux livres de côtelettes, vu que j'aurais ma fille et mon gendre, je m'aperçois qu'il me pèse des os de déchet, des os de côtelettes, c'est vrai, mais pas des miennes.

---

1. La femme de César ne doit pas être soupçonnée : expression signifiant que les institutions ou les personnages publics ne doivent jamais être soupçonnés d'avoir fauté.

2. Fiacre : voiture à cheval louée à la course (comme les taxis aujourd'hui).

3. Caraco : corsage ample porté par les femmes du peuple.

J'aurais pu en faire du ragoût, c'est encore vrai, mais quand je demande des côtelettes, c'est pas pour avoir le déchet des autres. Je refuse donc, alors y me traite de vieux rat, je lui réplique vieux fripon ; bref, de fil en aiguille, nous nous sommes tant chamaillés, qu'il y avait plus de cent personnes devant la boutique et qui riaient, qui riaient ! Tant qu'enfin un agent fut attiré et nous invita à nous expliquer chez le commissaire. Nous y fûmes, et on nous renvoya dos à dos. Moi, depuis, je m'sers ailleurs, et je n'passe même pu devant la porte, pour éviter des esclandres[1]. »

Elle se tut. Duroy demanda : « C'est tout ?

— C'est toute la vérité, mon cher monsieur », et, lui ayant offert un verre de cassis qu'il refusa de boire, la vieille insista pour qu'on parlât dans le rapport des fausses pesées du boucher.

De retour au journal, Duroy rédigea sa réponse : « Un écrivaillon anonyme de *La Plume*, s'en étant arraché une, me cherche noise au sujet d'une vieille femme qu'il prétend avoir été arrêtée par un agent des mœurs, ce que je nie. J'ai vu moi-même la dame Aubert, âgée de soixante ans au moins, et elle m'a raconté par le menu sa querelle avec un boucher, au sujet d'une pesée de côtelettes, ce qui nécessita une explication devant le commissaire de police.

Voilà toute la vérité.

Quant aux autres insinuations du rédacteur de *La Plume*, je les méprise. On ne répond pas, d'ailleurs, à de pareilles choses, quand elles sont écrites sous le masque.

Georges Duroy. »

M. Walter et Jacques Rival, qui venait d'arriver, trouvèrent cette note suffisante, et il fut décidé qu'elle passerait le jour même, à la suite des échos[2].

Duroy rentra tôt chez lui, un peu agité, un peu inquiet. Qu'allait répondre l'autre ? Qui était-il ? Pourquoi cette attaque

---

1. Esclandres : scandales.
2. Échos : rubrique du journal relatant les potins mondains et politiques.

brutale ? Avec les mœurs brusques des journalistes[1], cette bêtise pouvait aller loin, très loin. Il dormit mal.

Quand il relut sa note dans le journal, le lendemain, il la trouva plus agressive imprimée que manuscrite. Il aurait pu, lui semblait-il, atténuer certains termes.

Il fut fiévreux tout le jour et il dormit mal encore la nuit suivante. Il se leva dès l'aurore pour chercher le numéro de *La Plume* qui devait répondre à sa réplique.

Le temps s'était remis au froid ; il gelait dur. Les ruisseaux, saisis comme ils coulaient encore, déroulaient le long des trottoirs deux rubans de glace.

Les journaux n'étaient point arrivés chez les marchands, et Duroy se rappela le jour de son premier article : « *Les Souvenirs d'un chasseur d'Afrique* ». Ses mains et ses pieds s'engourdissaient, devenaient douloureux, au bout des doigts surtout ; et il se mit à courir en rond autour du kiosque vitré, où la vendeuse, accroupie sur sa chaufferette, ne laissait voir, par la petite fenêtre, qu'un nez et des joues rouges dans un capuchon de laine.

Enfin le distributeur de feuilles[2] publiques passa le paquet attendu par l'ouverture du carreau, et la bonne femme tendit à Duroy *La Plume* grande ouverte.

Il chercha son nom d'un coup d'œil et ne vit rien d'abord. Il respirait déjà quand il aperçut la chose enfermée entre deux tirets.

« Le sieur Duroy, de *La Vie française*, nous donne un démenti ; et, en nous démentant, il ment. Il avoue cependant qu'il existe une femme Aubert, et qu'un agent l'a conduite à la police. Il ne reste donc qu'à ajouter deux mots : "des mœurs" après le mot "agent" et c'est dit.

Mais la conscience de certains journalistes est au niveau de leur talent.

Et je signe : Louis Langremont. »

---

1. **Mœurs** […] **des journalistes** : habitudes, comportement des journalistes.
2. **Feuilles** : journaux.

Alors le cœur de Georges se mit à battre violemment, et il rentra chez lui pour s'habiller, sans trop savoir ce qu'il faisait. Donc, on l'avait insulté, et d'une telle façon, qu'aucune hésitation n'était possible. Pourquoi ? Pour rien. À propos d'une vieille femme qui

145 s'était querellée avec son boucher.

Il s'habilla bien vite et se rendit chez M. Walter, quoiqu'il fût à peine huit heures du matin.

M. Walter, déjà levé, lisait *La Plume*. « Eh bien, dit-il avec un visage grave, en apercevant Duroy, vous ne pouvez pas

150 reculer[1] ? »

Le jeune homme ne répondit rien. Le directeur reprit : « Allez tout de suite trouver Rival qui se chargera de vos intérêts. »

Duroy balbutia quelques mots vagues et sortit pour se rendre chez le chroniqueur[2], qui dormait encore. Il sauta du lit, au coup

155 de sonnette, puis ayant lu l'écho :

« Bigre, il faut y aller. Qui voyez-vous comme autre témoin ?

— Mais, je ne sais pas, moi.

— Boisrenard ? Qu'en pensez-vous ?

— Oui, Boisrenard.

160 — Êtes-vous fort aux armes[3] ?

— Pas du tout.

— Ah ! Diable ! Et au pistolet ?

— Je tire un peu.

— Bon. Vous allez vous exercer pendant que je m'occuperai de

165 tout. Attendez-moi une minute. »

Il passa dans son cabinet de toilette et reparut bientôt, lavé, rasé, correct.

« Venez avec moi », dit-il.

---

1. À l'époque, les insultes publiques étaient réglées par un duel, quoique cela fût réprimé par la police. Chaque duelliste devait être accompagné de deux témoins.
2. Chroniqueur : journaliste.
3. Aux armes : à l'escrime.

Il habitait au rez-de-chaussée d'un petit hôtel, et il fit descendre
170 Duroy dans la cave, une cave énorme, convertie en salle d'armes et
en tir, toutes les ouvertures sur la rue étant bouchées.

Après avoir allumé une ligne de becs de gaz[1] conduisant jusqu'au
fond d'un second caveau, où se dressait un homme de fer peint en
rouge et en bleu, il posa sur une table deux paires de pistolets d'un
175 système nouveau se chargeant par la culasse[2], et il commença les
commandements d'une voix brève comme si on eût été sur le terrain.

« Prêt ?

Feu ! – un, deux, trois. »

Duroy, anéanti, obéissait, levait les bras, visait, tirait, et comme
180 il atteignait souvent le mannequin en plein ventre, car il s'était
beaucoup servi dans sa première jeunesse d'un vieux pistolet d'arçon
de son père pour tuer des oiseaux dans la cour, Jacques Rival satisfait
déclarait : « Bien – très bien – très bien – vous irez – vous irez. »

Puis il le quitta. « Tirez comme ça jusqu'à midi. Voilà des
185 munitions, n'ayez pas peur de les brûler. Je viendrai vous prendre
pour déjeuner et vous donner des nouvelles. » Et il sortit.

Resté seul, Duroy tira encore quelques coups, puis il s'assit et
se mit à réfléchir.

Comme c'était bête, tout de même, ces choses-là ! Qu'est-ce
190 que ça prouvait ? Un filou[3] était-il moins un filou après s'être
battu ? Que gagnait un honnête homme insulté à risquer sa vie
contre une crapule ? Et son esprit, vagabondant dans le noir, se
rappela les choses dites par Norbert de Varenne sur la pauvreté
d'esprit des hommes, la médiocrité de leurs idées et de leurs
195 préoccupations, la niaiserie de leur morale !

Et il déclara tout haut : « Comme il a raison, sacristi ! »

Puis il sentit qu'il avait soif, et ayant entendu un bruit de
gouttes d'eau derrière lui, il aperçut un appareil à douches et il

---

1. Becs de gaz : lampes fonctionnant au gaz.
2. Culasse : arrière du canon.
3. Filou : homme malhonnête.

alla boire au bout de la lance[1]. Puis il se remit à songer. Il faisait
200 triste dans cette cave, triste comme dans un tombeau. Le roulement lointain et sourd des voitures semblait un tremblement
d'orage éloigné. Quelle heure pouvait-il être ? Les heures
passaient là-dedans comme elles doivent passer au fond des
prisons, sans que rien les indique et que rien les marque, sauf
205 les retours du geôlier portant les plats. Il attendit, longtemps,
longtemps.

Puis tout d'un coup il entendit des pas, des voix, et Jacques
Rival reparut, accompagné de Boisrenard. Il cria dès qu'il aperçut
Duroy : « C'est arrangé ! »

210 L'autre crut l'affaire terminée par quelque lettre d'excuses ; son
cœur bondit, et il balbutia : « Ah !... merci. » Le chroniqueur
reprit : « Ce Langremont est très carré, il a accepté toutes nos conditions. Vingt-cinq pas, une balle au commandement en levant le
pistolet. On a le bras beaucoup plus sûr ainsi qu'en l'abaissant.
215 Tenez, Boisrenard, voyez ce que je vous disais. »

Et prenant des armes, il se mit à tirer en démontrant comment
on conservait bien mieux la ligne en levant le bras.

Puis il dit : « Maintenant, allons déjeuner, il est midi passé. »

Et ils se rendirent dans un restaurant voisin. Duroy ne parlait
220 plus guère. Il mangea pour n'avoir pas l'air d'avoir peur, puis dans
le jour il accompagna Boisrenard au journal et il fit sa besogne
d'une façon distraite et machinale. On le trouva crâne[2].

Jacques Rival vint lui serrer la main vers le milieu de l'après-
midi ; et il fut convenu que ses témoins le prendraient chez lui en
225 landau[3], le lendemain à sept heures du matin, pour se rendre au
bois du Vésinet[4] où la rencontre aurait lieu.

---

1. Lance : tuyau de la douche.
2. Crâne : brave, courageux.
3. Landau : voiture à cheval décapotable à deux banquettes.
4. Le Vésinet : ville à l'Ouest de Paris.

Tout cela s'était fait si inopinément[1], sans qu'il y prît part, sans qu'il dît un mot, sans qu'il donnât son avis, sans qu'il acceptât ou refusât, et avec tant de rapidité, qu'il demeurait étourdi, effaré, sans trop comprendre ce qui se passait.

Il se retrouva chez lui vers neuf heures du soir après avoir dîné avec Boisrenard, qui ne l'avait point quitté de tout le jour par dévouement.

Dès qu'il fut seul, il marcha pendant quelques minutes, à grands pas vifs, à travers sa chambre. Il était trop troublé pour réfléchir à rien. Une seule idée emplissait son esprit : « Un duel demain », sans que cette idée éveillât en lui autre chose qu'une émotion confuse et puissante. Il avait été soldat, il avait tiré sur des Arabes, sans grand danger pour lui, d'ailleurs, un peu comme on tire sur un sanglier, à la chasse.

En somme, il avait fait ce qu'il devait faire. Il s'était montré ce qu'il devait être. On en parlerait, on l'approuverait, on le féliciterait. Puis il prononça à haute voix, comme on parle dans les grandes secousses de pensée : « Quelle brute que cet homme ! »

Il s'assit et se mit à réfléchir. Il avait jeté sur sa petite table une carte de son adversaire remise par Rival, afin de garder son adresse. Il la relut, comme il l'avait déjà lue vingt fois dans la journée. *Louis Langremont, 176, rue Montmartre.* Rien de plus.

Il examinait ces lettres assemblées qui lui paraissaient mystérieuses, pleines de sens inquiétants. « Louis Langremont », qui était cet homme ? De quel âge ? De quelle taille ? De quelle figure ? N'était-ce pas révoltant qu'un étranger, un inconnu, vînt ainsi troubler votre vie, tout d'un coup, sans raison, par pur caprice, à propos d'une vieille femme qui s'était querellée avec son boucher.

Il répéta encore une fois, à haute voix : « Quelle brute ! »

Et il demeura immobile, songeant, le regard toujours planté sur la carte. Une colère s'éveillait en lui contre ce morceau de

---

1. Inopinément : brusquement.

papier, une colère haineuse où se mêlait un étrange sentiment de malaise. C'était stupide cette histoire-là! Il prit une paire de

260 ciseaux à ongles qui traînaient et il les piqua au milieu du nom imprimé comme s'il eût poignardé quelqu'un.

Donc il allait se battre, et se battre au pistolet? Pourquoi n'avait-il pas choisi l'épée? Il en aurait été quitte pour une piqûre au bras ou à la main, tandis qu'avec le pistolet on ne savait jamais

265 les suites possibles.

Il dit : « Allons, il faut être crâne. »

Le son de sa voix le fit tressaillir, et il regarda autour de lui. Il commençait à se sentir fort nerveux. Il but un verre d'eau, puis se coucha.

270 Dès qu'il fut au lit, il souffla sa lumière et ferma les yeux.

Il avait très chaud dans ses draps, bien qu'il fît très froid dans sa chambre, mais il ne pouvait parvenir à s'assoupir. Il se tournait et se retournait, demeurait cinq minutes sur le dos, puis se plaçait sur le côté gauche, puis se roulait sur le côté droit.

275 Il avait encore soif. Il se releva pour boire, puis une inquiétude le saisit : « Est-ce que j'aurais peur? »

Pourquoi son cœur se mettait-il à battre follement à chaque bruit connu de sa chambre? Quand son coucou allait sonner, le petit grincement du ressort lui faisait faire un sursaut; et il lui

280 fallait ouvrir la bouche pour respirer pendant quelques secondes, tant il demeurait oppressé.

Il se mit à raisonner en philosophe sur la possibilité de cette chose : « Aurais-je peur? »

Non certes il n'aurait pas peur puisqu'il était résolu à aller

285 jusqu'au bout, puisqu'il avait cette volonté bien arrêtée de se battre, de ne pas trembler. Mais il se sentait si profondément ému qu'il se demanda : « Peut-on avoir peur malgré soi? » Et ce doute l'envahit, cette inquiétude, cette épouvante! Si une force plus puissante que sa volonté, dominatrice, irrésistible le domptait,

290 qu'arriverait-il? Oui, que pouvait-il arriver!

Certes il irait sur le terrain puisqu'il voulait y aller. Mais s'il tremblait ? Mais s'il perdait connaissance ? Et il songea à sa situation, à sa réputation, à son avenir.

Et un singulier besoin le prit tout à coup de se relever pour se
295 regarder dans sa glace. Il ralluma sa bougie. Quand il aperçut son visage reflété dans le verre poli, il se reconnut à peine, et il lui sembla qu'il ne s'était jamais vu. Ses yeux lui parurent énormes ; et il était pâle, certes, il était pâle, très pâle.

Tout d'un coup, cette pensée entra en lui à la façon d'une balle :
300 « Demain, à cette heure-ci, je serai peut-être mort. » Et son cœur se remit à battre furieusement.

Il se retourna vers sa couche et il se vit distinctement étendu sur le dos dans ces mêmes draps qu'il venait de quitter. Il avait ce visage creux qu'ont les morts et cette blancheur des mains qui ne
305 remueront plus.

Alors il eut peur de son lit, et afin de ne plus le voir il ouvrit la fenêtre pour regarder dehors.

Un froid glacial lui mordit la chair de la tête aux pieds, et il se recula, haletant.

310 La pensée lui vint de faire du feu. Il l'attisa lentement, sans se retourner. Ses mains tremblaient un peu d'un frémissement nerveux quand elles touchaient les objets. Sa tête s'égarait ; ses pensées tournoyantes, hachées, devenaient fuyantes, douloureuses ; une ivresse envahissait son esprit comme s'il eût bu.

315 Et sans cesse il se demandait : « Que vais-je faire ? que vais-je devenir ? »

Il se remit à marcher, répétant, d'une façon continue, machinale : « Il faut que je sois énergique, très énergique. »

Puis il se dit : « Je vais écrire à mes parents, en cas d'accident. »
320 Il s'assit de nouveau, prit un cahier de papier à lettres, traça : « Mon cher papa, ma chère maman… »

Puis il jugea ces termes trop familiers dans une circonstance aussi tragique. Il déchira la première feuille et recommença :

« Mon cher père, ma chère mère ; je vais me battre au point du
325   jour, et comme il peut arriver que… »

Il n'osa pas écrire le reste et se releva d'une secousse.

Cette pensée l'écrasait maintenant : il allait se battre en duel.
Il ne pouvait plus éviter cela. Que se passait-il donc en lui ?
Il voulait se battre ; il avait cette intention et cette résolution ferme-
330   ment arrêtées ; et il lui semblait, malgré tout l'effort de sa volonté,
qu'il ne pourrait même pas conserver la force nécessaire pour aller
jusqu'au lieu de la rencontre.

De temps en temps ses dents s'entrechoquaient dans sa bouche
avec un petit bruit sec ; et il se demandait : « Mon adversaire s'est-
335   il déjà battu ? a-t-il fréquenté les tirs[1] ? est-il connu ? est-il
classé ? » Il n'avait jamais entendu prononcer ce nom. Et cependant si cet homme n'était pas un tireur au pistolet remarquable,
il n'aurait point accepté ainsi, sans hésitation, sans discussion,
cette arme dangereuse.

340   Alors Duroy se figurait leur rencontre, son attitude à lui et la
tenue de son ennemi. Il se fatiguait la pensée à imaginer les
moindres détails du combat et tout à coup il voyait en face de lui
ce petit trou noir et profond du canon dont allait sortir une balle.

Et il fut pris brusquement d'une crise de désespoir épouvantable.
345   Tout son corps vibrait, parcouru de tressaillements saccadés.
Il serrait les dents pour ne pas crier, avec un besoin fou de se rouler
par terre, de déchirer quelque chose, de mordre. Mais il aperçut un
verre sur sa cheminée et il se rappela qu'il possédait dans son
armoire un litre d'eau-de-vie presque plein ; car il avait conservé
350   l'habitude militaire de *tuer le ver*[2] chaque matin.

Il saisit la bouteille et but, à même le goulot, à longues
gorgées, avec avidité. Et il la reposa seulement lorsque le souffle
lui manqua. Elle était vidée d'un tiers.

---

1. Tirs : lieux où l'on s'exerce à tirer.
2. *Tuer le ver* : boire un verre d'eau-de-vie à jeun. L'expression vient de la
croyance selon laquelle l'alcool débarrasserait des vers.

Une chaleur pareille à une flamme lui brûla bientôt l'estomac, se répandit dans ses membres, raffermit son âme en l'étourdissant.

Il se dit : « Je tiens le moyen. » Et comme il se sentait maintenant la peau brûlante il rouvrit la fenêtre.

Le jour naissait, calme et glacial. Là-haut, les étoiles semblaient mourir au fond du firmament éclairci, et dans la tranchée profonde du chemin de fer les signaux verts, rouges et blancs pâlissaient.

Les premières locomotives sortaient du garage et s'en venaient en sifflant chercher les premiers trains. D'autres, dans le lointain, jetaient des appels aigus et répétés, leurs cris de réveil, comme font les coqs dans les champs.

Duroy pensait : « Je ne verrai peut-être plus tout ça. » Mais comme il sentit qu'il allait de nouveau s'attendrir sur lui-même, il réagit violemment : « Allons, il ne faut songer à rien jusqu'au moment de la rencontre, c'est le seul moyen d'être crâne[1]. »

Et il se mit à sa toilette. Il eut encore, en se rasant, une seconde de défaillance en songeant que c'était peut-être la dernière fois qu'il regardait son visage.

Mais il but une nouvelle gorgée d'eau-de-vie, et acheva de s'habiller.

L'heure qui suivit fut difficile à passer. Il marchait de long en large en s'efforçant en effet d'immobiliser son âme. Lorsqu'il entendit frapper à sa porte, il faillit s'abattre sur le dos, tant la commotion[2] fut violente. C'étaient ses témoins. Déjà !

Ils étaient enveloppés de fourrures. Rival déclara, après avoir serré la main de son client[3] :

« Il fait un froid de Sibérie. » Puis il demanda : « Ça va bien ?

— Oui, très bien.

— On est calme ?

— Très calme.

— Allons, ça ira. Avez-vous bu et mangé quelque chose ?

---

1. Crâne : brave, courageux.
2. Commotion : choc.
3. Son client : son protégé.

– Oui, je n'ai besoin de rien. »

385 Boisrenard, pour la circonstance, portait une décoration étrangère, verte et jaune, que Duroy ne lui avait jamais vue.

Ils descendirent. Un monsieur les attendait dans le landau[1]. Rival nomma : « Le docteur Le Brument. » Duroy lui serra la main en balbutiant : « Je vous remercie », puis il voulut prendre place

390 sur la banquette du devant et il s'assit sur quelque chose de dur qui le fit relever comme si un ressort l'eût redressé. C'était la boîte aux pistolets.

Rival répétait : « Non ! Au fond le combattant et le médecin, au fond ! » Duroy finit par comprendre et il s'affaissa à côté du docteur.

395 Les deux témoins montèrent à leur tour et le cocher partit. Il savait où on devait aller.

Mais la boîte aux pistolets gênait tout le monde, surtout Duroy, qui eût préféré ne pas la voir. On essaya de la placer derrière les dos, elle cassait les reins ; puis on la mit debout entre

400 Rival et Boisrenard ; elle tombait tout le temps. On finit par la glisser sous les pieds.

La conversation languissait, bien que le médecin racontât des anecdotes. Rival seul lui répondait. Duroy eût voulu prouver de la présence d'esprit, mais il avait peur de perdre le fil de ses idées,

405 de montrer le trouble de son âme ; et il était hanté par la crainte torturante de se mettre à trembler.

La voiture fut bientôt en pleine campagne. Il était neuf heures environ. C'était une de ces rudes matinées d'hiver où toute la nature est luisante, cassante et dure comme du cristal. Les arbres,

410 vêtus de givre, semblent avoir sué de la glace ; la terre sonne sous les pas ; l'air sec porte au loin les moindres bruits ; le ciel bleu paraît brillant à la façon des miroirs, et le soleil passe dans l'espace, éclatant et froid lui-même, jetant sur la création gelée des rayons qui n'échauffent rien.

----

1. Landau : voiture à cheval décapotable à deux banquettes.

415   Rival disait à Duroy : « J'ai pris les pistolets chez Gastine Renette[1]. Il les a chargés lui-même. La boîte est cachetée. On les tirera au sort, d'ailleurs, avec ceux de notre adversaire. »

Duroy répondit machinalement : « Je vous remercie. »

Alors Rival lui fit des recommandations minutieuses, car il
420 tenait à ce que son client ne commît aucune erreur. Il insistait sur chaque point plusieurs fois : « Quand on demandera : "Êtes-vous prêts, messieurs !" vous répondrez d'une voix forte : "Oui !"

Quand on commandera "Feu !" vous élèverez vivement le bras, et vous tirerez avant qu'on ait prononcé trois. »

425   Et Duroy se répétait mentalement : « Quand on commandera feu, j'élèverai le bras, – quand on commandera feu, j'élèverai le bras, quand on commandera feu, j'élèverai le bras. »

Il apprenait cela comme les enfants apprennent leurs leçons en le murmurant à satiété pour se le bien graver dans la tête. « Quand
430 on commandera feu, j'élèverai le bras. »

Le landau entra sous un bois, tourna à droite dans une avenue, puis encore à droite. Rival, brusquement, ouvrit la portière pour crier au cocher : « Là, par ce petit chemin. » Et la voiture s'engagea dans une route à ornières entre deux taillis[2] où tremblotaient des
435 feuilles mortes bordées d'un liseré de glace.

Duroy marmottait[3] toujours : « Quand on commandera feu, j'élèverai le bras. » Et il pensa qu'un accident de voiture arrangerait tout. Oh ! si on pouvait verser, quelle chance ! s'il pouvait se casser une jambe !…

440   Mais il aperçut au bout d'une clairière une autre voiture arrêtée et quatre messieurs qui piétinaient pour s'échauffer les pieds ; et il fut obligé d'ouvrir la bouche, tant sa respiration devenait pénible.

---

1. Gastine Renette : célèbre armurier parisien.
2. Ornières : sillons plus ou moins profonds creusés par les roues des voitures ; **taillis** : buissons.
3. Marmottait : marmonnait.

Les témoins descendirent d'abord, puis le médecin et le
445 combattant. Rival avait pris la boîte aux pistolets et il s'en alla
avec Boisrenard, vers deux des étrangers qui venaient à eux.
Duroy les vit se saluer avec cérémonie, puis marcher ensemble
dans la clairière en regardant tantôt par terre et tantôt dans les
arbres, comme s'ils avaient cherché quelque chose qui aurait pu
450 tomber ou s'envoler. Puis ils comptèrent des pas et enfoncèrent
avec grand-peine deux cannes dans le sol gelé. Ils se réunirent
ensuite en groupe et ils firent les mouvements du jeu de pile ou
face, comme des enfants qui s'amusent.

Le docteur Le Brument demandait à Duroy :
455 « Vous vous sentez bien ? Vous n'avez besoin de rien ?

– Non, de rien, merci. »

Il lui semblait qu'il était fou, qu'il dormait, qu'il rêvait, que
quelque chose de surnaturel était survenu qui l'enveloppait.

Avait-il peur ? Peut-être ? Mais il ne savait pas. Tout était changé
460 autour de lui.

Jacques Rival revint et lui annonça tout bas avec satisfaction :
« Tout est prêt. La chance nous a favorisés pour les pistolets. »

Voilà une chose qui était indifférente à Duroy.

On lui ôta son pardessus. Il se laissa faire. On tâta les poches de
465 sa redingote pour s'assurer qu'il ne portait point de papiers ni de
portefeuille protecteur.

Il répétait en lui-même, comme une prière : « Quand on
commandera feu, j'élèverai le bras. »

Puis on l'amena jusqu'à une des cannes piquées en terre et on
470 lui remit son pistolet. Alors il aperçut un homme debout, en face
de lui, tout près, un petit homme ventru, chauve, qui portait des
lunettes. C'était son adversaire.

Il le vit très bien, mais il ne pensait à rien qu'à ceci : « Quand
on commandera feu, j'élèverai le bras et je tirerai. » Une voix
475 résonna dans le grand silence de l'espace, une voix qui semblait
venir de très loin ; et elle demanda :

« Êtes-vous prêts, messieurs ? »

Georges cria : « Oui ! »

Alors la même voix ordonna : « Feu… »

480 Il n'écouta rien de plus, il ne s'aperçut de rien, il ne se rendit compte de rien, il sentit seulement qu'il levait le bras en appuyant de toute sa force sur la gâchette.

Et il n'entendit rien.

Mais il vit aussitôt un peu de fumée au bout du canon de son 485 pistolet ; et comme l'homme en face de lui demeurait toujours debout, dans la même posture également, il aperçut aussi un autre petit nuage blanc qui s'envolait au-dessus de la tête de son adversaire.

Ils avaient tiré tous les deux. C'était fini.

Ses témoins et le médecin le touchaient, le palpaient, débou- 490 tonnaient ses vêtements en demandant avec anxiété : « Vous n'êtes pas blessé ? » Il répondit au hasard : « Non, je ne crois pas. »

Langremont, d'ailleurs, demeurait aussi intact que son ennemi, et Jacques Rival murmura d'un ton mécontent : « Avec ce sacré pistolet, c'est toujours comme ça, on se rate ou on se tue. Quel sale 495 instrument ! »

Duroy ne bougeait point, paralysé de surprise et de joie : « C'était fini ! » Il fallut lui enlever son arme qu'il tenait toujours serrée dans sa main. Il lui semblait maintenant qu'il se serait battu contre l'univers entier. C'était fini. Quel bonheur ! Il se 500 sentait brave tout à coup à provoquer n'importe qui.

Tous les témoins causèrent quelques minutes, prenant rendez-vous dans le jour pour la rédaction du procès-verbal, puis on remonta dans la voiture ; et le cocher qui riait sur son siège repartit en faisant claquer son fouet.

505 Ils déjeunèrent tous les quatre sur le boulevard, en causant de l'événement. Duroy disait ses impressions :

« Ça ne m'a rien fait, absolument rien. Vous avez dû le voir du reste ? »

Rival répondit : « Oui, vous vous êtes bien tenu. »

Le duel

« La conversation [...] bien tenu. »

1

En quoi le paysage traduit-il la menace qui pèse sur le personnage ?

• Le paysage hivernal reflète le caractère funeste de la situation et les sentiments intérieurs de Duroy (le ciel est comparé à un miroir). Les champs lexicaux de la brillance et de la froideur **connotent la mort et l'effroi**. La luminosité du ciel renforce la dureté du paysage. La gravité du moment est soulignée par l'usage du présent de narration.

• Le paysage reflète à la fois le **destin implacable** qui attend Duroy (fonction symbolique) et l'**état de terreur** du personnage (fonction psychologique).

2

Quelles sont les réactions de Duroy ?

• Duroy est entièrement déconnecté du réel et **subit l'action**. Le seul personnage agissant est Rival.

• Duroy n'exprime **ni pensée ni émotion**. Il ânonne l'injonction de Rival (« Quand on commandera feu, j'élèverai le bras »), qu'il a enregistrée comme un **automate**.

3

Quelle est la portée critique de cette scène ?

• L'angoisse de la mort tétanise le personnage qui frôle la folie. Il fait figure d'**antihéros**, à l'opposé de l'ambitieux qu'il est censé incarner. La manière mécanique dont il se comporte est presque risible.

• Cette scène du duel n'échappe pas à l'ironie du narrateur qui **critique** une coutume sociale, où il n'est plus question de noblesse et d'honneur, mais d'une dispute futile et absurde entre deux journalistes.

DÉFINITION CLÉ

Le duel au XIXᵉ siècle

• Sous l'Ancien Régime, le duel était affaire de noblesse : on se battait à l'épée pour l'honneur, mais aussi par indépendance aristocratique face au pouvoir royal.

• Au XIXᵉ siècle, le duel gagne la classe bourgeoise. Ce sont surtout les hommes publics (politiques, écrivains, journalistes[1]...) qui se battent pour sauver leur réputation ou leur légitimité, souvent pour des motifs sans intérêt.

• Avec le duel aux pistolets, l'affrontement devient arbitraire, car c'est le hasard qui joue en faveur de l'un des duellistes. Le duel n'incarne plus les anciennes valeurs de justice, d'honneur et de mérite, il devient un jeu dérisoire contre la mort, comme le montre bien Maupassant.

---

1. Gautier, Dumas, Hugo, Gambetta, Gaston Defferre, Clemenceau, et bien d'autres l'ont pratiqué au moins une fois.

510 Quand le procès-verbal fut rédigé on le présenta à Duroy qui devait l'insérer dans les échos[1]. Il s'étonna de voir qu'il avait échangé deux balles avec M. Louis Langremont, et, un peu inquiet, il interrogea Rival : « Mais nous n'avons tiré qu'une balle. »

L'autre sourit : « Oui, une balle… une balle chacun… ça fait
515 deux balles. »

Et Duroy, trouvant l'explication satisfaisante, n'insista pas. Le père Walter l'embrassa : « Bravo, bravo, vous avez défendu le drapeau de *La Vie française,* bravo ! »

Georges se montra, le soir, dans les principaux grands journaux
520 et dans les principaux grands cafés du boulevard. Il rencontra deux fois son adversaire qui se montrait également.

Ils ne se saluèrent pas. Si l'un des deux avait été blessé, ils se seraient serré les mains. Chacun jurait d'ailleurs avec conviction avoir entendu siffler la balle de l'autre.

525 Le lendemain, vers onze heures du matin, Duroy reçut un petit bleu : « Mon Dieu, que j'ai eu peur ! Viens donc tantôt rue de Constantinople, que je t'embrasse, mon amour. Comme tu es brave – je t'adore. – CLO. »

Il alla au rendez-vous et elle s'élança dans ses bras, le couvrant
530 de baisers :

« Oh ! mon chéri, si tu savais mon émotion quand j'ai lu les journaux ce matin. Oh ! raconte-moi. Dis-moi tout. Je veux savoir. »

Il dut raconter les détails avec minutie. Elle demandait : « Comme
535 tu as dû avoir une mauvaise nuit avant le duel !

– Mais non. J'ai bien dormi.

– Moi je n'aurais pas fermé l'œil. Et sur le terrain, dis-moi comment ça s'est passé. »

Il fit un récit dramatique : « Lorsque nous fûmes en face l'un de
540 l'autre, à vingt pas, quatre fois seulement la longueur de cette

---

1. **Échos** : rubrique du journal relatant les potins mondains et politiques.

chambre, Jacques, après avoir demandé si nous étions prêts, commanda : Feu. J'ai élevé mon bras immédiatement, bien en ligne, mais j'ai eu le tort de vouloir viser la tête. J'avais une arme fort dure et je suis accoutumé à des pistolets bien doux, de sorte

545 que la résistance de la gâchette a relevé le coup. N'importe, ça n'a pas dû passer loin. Lui aussi il tire bien, le gredin. Sa balle m'a effleuré la tempe. J'en ai senti le vent. »

Elle était assise sur ses genoux et le tenait dans ses bras comme pour prendre part à son danger. Elle balbutiait :

550 « Oh ! mon pauvre chéri, mon pauvre chéri… »

Puis quand il eut fini de conter elle lui dit : « Tu ne sais pas, je ne peux plus me passer de toi ! Il faut que je te voie, et, avec mon mari à Paris, ça n'est pas commode. Souvent j'aurais une heure le matin, avant que tu sois levé, et je pourrais aller t'embrasser, mais

555 je ne veux pas rentrer dans ton affreuse maison. Comment faire ? »

Il eut brusquement une inspiration et demanda :

« Combien payes-tu ici ?

— Cent francs par mois.

— Eh bien, je prends l'appartement à mon compte et je vais

560 l'habiter tout à fait. Le mien n'est plus suffisant dans ma nouvelle position. »

Elle réfléchit quelques instants, puis répondit :

« Non. Je ne veux pas. »

Il s'étonna : « Pourquoi ça ?

565 — Parce que…

— Ce n'est pas une raison. Ce logement me convient très bien. J'y suis. J'y reste. »

Il se mit à rire : « D'ailleurs il est à mon nom. »

Mais elle refusait toujours : « Non, non, je ne veux pas… »

570 — Pourquoi ça, enfin ? »

Alors elle chuchota tout bas, tendrement : « Parce que tu y amènerais des femmes, et je ne veux pas. »

Il s'indigna : « Jamais de la vie, par exemple. Je te le promets.

– Non, tu en amènerais tout de même.

575 – Je te le jure.

– Bien vrai ?

– Bien vrai. Parole d'honneur. C'est notre maison, ça, rien qu'à nous. »

Elle l'étreignit dans un élan d'amour : « Alors je veux bien, 580 mon chéri. Mais tu sais, si tu me trompes une fois, rien qu'une fois, ce sera fini entre nous, fini pour toujours. »

Il jura encore avec des protestations, et il fut convenu qu'il s'installerait le jour même, afin qu'elle pût le voir quand elle passerait devant la porte.

585 Puis elle lui dit : « En tout cas, viens dîner dimanche. Mon mari te trouve charmant. »

Il fut flatté : « Ah ! vraiment ?.... »

– Oui, tu as fait sa conquête. Et puis écoute, tu m'as dit que tu avais été élevé dans un château à la campagne, n'est-ce pas ?

590 – Oui, pourquoi ?

– Alors tu dois connaître un peu la culture ?

– Oui.

– Eh bien, parle-lui de jardinage et de récoltes, il aime beaucoup ça.

– Bon. Je n'oublierai pas. »

595 Elle le quitta, après l'avoir indéfiniment embrassé, ce duel ayant exaspéré sa tendresse.

Et Duroy pensait, en se rendant au journal : « Quel drôle d'être ça fait ! Quelle tête d'oiseau ! Sait-on ce qu'elle veut, et ce qu'elle aime ? Et quel drôle de ménage ! Quel fantaisiste a bien pu préparer 600 l'accouplement de ce vieux et de cette écervelée ? Quel raisonnement a décidé cet inspecteur à épouser cette étudiante[1] ? Mystère ! Qui sait ? L'amour, peut-être ? »

Puis il conclut : « Enfin, c'est une bien gentille maîtresse ; je serais rudement bête de la lâcher. »

---

1. **Étudiante** : jeune femme aimant fréquenter les étudiants du Quartier latin.

8

Son duel avait fait passer Duroy au nombre des chroniqueurs[1]
de tête de *La Vie française*; mais, comme il éprouvait une peine
infinie à découvrir des idées, il prit la spécialité des déclamations
sur la décadence des mœurs, sur l'abaissement des caractères,
5   l'affaissement du patriotisme et l'anémie[2] de l'honneur français.
(Il avait trouvé le mot « anémie » dont il était fier.)

Et quand Mme de Marelle, pleine de cet esprit gouailleur,
sceptique et gobeur[3] qu'on appelle l'esprit de Paris, se moquait
de ses tirades qu'elle crevait d'une épigramme[4], il répondait en
10   souriant : « Bah ! ça me fait une bonne réputation pour plus tard. »

Il habitait maintenant rue de Constantinople[5], où il avait transporté sa malle, sa brosse, son rasoir et son savon, ce qui constituait
son déménagement. Deux ou trois fois par semaine, la jeune femme
arrivait avant qu'il fût levé, se déshabillait en une minute et se
15   glissait dans le lit, toute frissonnante du froid du dehors.

Duroy, par contre, dînait tous les jeudis dans le ménage et
faisait la cour[6] au mari en lui parlant agriculture ; et comme il
aimait lui-même les choses de la terre, ils s'intéressaient parfois

---

1. Chroniqueurs : journalistes.
2. Déclamations : discours emphatiques ; **décadence des mœurs** : corruption
morale de la société ; **anémie** : affaiblissement.
3. Gouailleur : moqueur ; **sceptique** : qui met tout en doute ; **gobeur** : qui gobe
tout, naïf.
4. Tirades : phrases emphatiques et pompeuses ; **épigramme** : mot d'esprit
blessant et moqueur.
5. Rue de Constantinople : rue du 8e arrondissement de Paris.
6. Dans le ménage : chez le couple ; **faisait la cour** : cherchait les bonnes grâces.

tellement tous deux à leur causerie qu'ils oubliaient tout à fait
20 leur femme sommeillant sur le canapé.

Laurine aussi s'endormait, tantôt sur les genoux de son père,
tantôt sur les genoux de Bel-Ami.

Et quand le journaliste était parti, M. de Marelle ne manquait
point de déclarer, avec ce ton doctrinaire[1] dont il disait les moindres
25 choses : « Ce garçon est vraiment fort agréable. Il a l'esprit très
cultivé. »

Février touchait à sa fin. On commençait à sentir la violette
dans les rues en passant le matin auprès des voitures traînées par
les marchandes de fleurs.

30 Duroy vivait sans un nuage dans son ciel.

Or, une nuit, comme il rentrait, il trouva une lettre glissée sous
sa porte. Il regarda le timbre, et il vit « Cannes ». L'ayant ouverte,
il lut :

« Cannes, villa Jolie.

35 Cher monsieur et ami, vous m'avez dit, n'est-ce pas, que je
pouvais compter sur vous en tout ? Eh bien, j'ai à vous demander
un cruel service, c'est de venir m'assister, de ne pas me laisser seule
aux derniers moments de Charles qui va mourir. Il ne passera peut-
être pas la semaine, bien qu'il se lève encore, mais le médecin m'a
40 prévenue.

Je n'ai plus la force ni le courage de voir cette agonie[2] jour et
nuit. Et je songe avec terreur aux derniers moments qui
approchent. Je ne puis demander une pareille chose qu'à vous, car
mon mari n'a plus de famille. Vous étiez son camarade ; il vous a
45 ouvert la porte du journal. Venez, je vous en supplie. Je n'ai
personne à appeler.

Croyez-moi votre camarade toute dévouée.

Madeleine Forestier. »

---

1. **Doctrinaire** : autoritaire et borné.
2. **Agonie** : derniers instants avant la mort.

Un singulier sentiment entra comme un souffle d'air au cœur
50   de Georges, un sentiment de délivrance, d'espace qui s'ouvrait
devant lui, et il murmura : « Certes, j'irai. Ce pauvre Charles ! Ce
que c'est que de nous, tout de même ! »

Le patron, à qui il communiqua la lettre de la jeune femme,
donna en grognant son autorisation. Il répétait : « Mais revenez
55   vite, vous nous êtes indispensable. »

Georges Duroy partit pour Cannes le lendemain par le rapide[1]
de sept heures, après avoir prévenu le ménage de Marelle par un
télégramme.

Il arriva, le jour suivant, vers quatre heures du soir.

60   Un commissionnaire[2] le guida vers la villa Jolie, bâtie à
mi-côte, dans cette forêt de sapins peuplée de maisons blanches,
qui va du Cannet au golfe Juan[3].

La maison était petite, basse, de style italien, au bord de la
route qui monte en zigzag à travers les arbres montrant à chaque
65   détour d'admirables points de vue.

Le domestique ouvrit la porte et s'écria :

« Oh ! monsieur, madame vous attend avec bien de l'impatience. »

Duroy demanda : « Comment va votre maître ? »

70   – Oh ! pas bien, monsieur. Il n'en a pas pour longtemps. »

Le salon où le jeune homme entra était tendu de perse[4] rose à dessins
bleus. La fenêtre, large et haute, donnait sur la ville et sur la mer.

Duroy murmurait : « Bigre, c'est chic ici comme maison de
campagne. Où diable prennent-ils tout cet argent-là ? »

75   Un bruit de robe le fit se retourner.

---

1. Rapide : train plus rapide que l'express, ne s'arrêtant que dans les grandes
gares.

2. Commissionnaire : personne que l'on charge d'une *commission*, d'une tâche
moyennant finance.

3. Le Cannet : ville voisine de Cannes ; **golfe Juan** : golfe situé à moins de dix
kilomètre à l'est du Cannet.

4. Perse : tissu d'ameublement à décor floral.

Mme Forestier lui tendait les deux mains : « Comme vous êtes gentil, comme c'est gentil d'être venu ! » Et brusquement elle l'embrassa. Puis ils se regardèrent.

Elle était un peu pâlie, un peu maigrie, mais toujours fraîche, et
80 peut-être plus jolie encore avec son air plus délicat. Elle murmura :
« Il est terrible, voyez-vous, il se sait perdu et il me tyrannise atrocement. Je lui ai annoncé votre arrivée. Mais où est votre malle ? »

Duroy répondit : « Je l'ai laissée au chemin de fer, ne sachant pas dans quel hôtel vous me conseilleriez de descendre pour être
85 près de vous. »

Elle hésita, puis reprit : « Vous descendrez ici, dans la villa. Votre chambre est prête, du reste. Il peut mourir d'un moment à l'autre, et si cela arrivait la nuit, je serais seule. J'enverrai chercher votre bagage. »

90 Il s'inclina : « Comme vous voudrez. »

— Maintenant, montons » dit-elle.

Il la suivit. Elle ouvrit une porte au premier étage, et Duroy aperçut auprès d'une fenêtre, assis dans un fauteuil et enroulé dans des couvertures, livide[1] sous la clarté rouge du soleil couchant,
95 une espèce de cadavre qui le regardait. Il le reconnaissait à peine ; il devina plutôt que c'était son ami.

On sentait dans cette chambre la fièvre, la tisane, l'éther, le goudron, cette odeur innommable et lourde des appartements où respire un poitrinaire[2].

100 Forestier souleva sa main d'un geste pénible et lent :

« Te voilà, dit-il, tu viens me voir mourir. Je te remercie. »

Duroy affecta de rire : « Te voir mourir ! ce ne serait pas un spectacle amusant, et je ne choisirais point cette occasion-là pour visiter Cannes. Je viens te dire bonjour et me reposer un peu. »

---

1. Livide : très pâle.
2. Éther : liquide utilisé en médecine comme antiseptique et anesthésique ; **goudron** : goudron végétal utilisé pour soigner les maladies respiratoires ; **poitrinaire** : malade atteint de la tuberculose.

105   L'autre murmura : « Assieds-toi », et il baissa la tête comme enfoncé en des méditations désespérées.

Il respirait d'une façon rapide, essoufflée, et parfois poussait une sorte de gémissement, comme s'il eût voulu rappeler aux autres combien il était malade.

110   Voyant qu'il ne parlerait point, sa femme vint s'appuyer à la fenêtre et elle dit en montrant l'horizon d'un coup de tête : « Regardez cela ! Est-ce beau ? »

En face d'eux, la côte semée de villas descendait jusqu'à la ville qui était couchée le long du rivage en demi-cercle, avec sa tête à
115 droite vers la jetée que dominait la vieille cité surmontée d'un vieux beffroi[1], et ses pieds à gauche à la pointe de la Croisette, en face des îles de Lérins[2]. Elles avaient l'air, ces îles, de deux taches vertes, dans l'eau toute bleue. On eût dit qu'elles flottaient comme deux feuilles immenses, tant elles semblaient plates de là-haut.

120   Et tout au loin, fermant l'horizon de l'autre côté du golfe, au-dessus de la jetée et du beffroi, une longue suite de montagnes bleuâtres dessinait sur un ciel éclatant une ligne bizarre et charmante de sommets tantôt arrondis, tantôt crochus, tantôt pointus, et qui finissait par un grand mont en pyramide plongeant son pied
125 dans la pleine mer.

Mme Forestier l'indiqua : « C'est l'Esterel[3]. »

L'espace derrière les cimes sombres était rouge, d'un rouge sanglant et doré que l'œil ne pouvait soutenir.

Duroy subissait malgré lui la majesté de cette fin du jour.

130   Il murmura, ne trouvant point d'autre terme assez imagé pour exprimer son admiration :

« Oh ! oui, c'est épatant, ça ! »

Forestier releva la tête vers sa femme et demanda :

---

1. Jetée : digue ; **vieille cité** : vieille ville ; **beffroi** : tour munie d'une cloche.
2. Croisette : boulevard de Cannes qui longe la mer ; **îles de Lérins** : l'île Sainte-Marguerite et l'île Saint-Honorat, situées à la pointe de la Croisette.
3. L'Esterel : massif montagneux de Provence, peu élevé, qui borde la Méditerranée.

« Donne-moi un peu d'air. »

135 Elle répondit : « Prends garde, il est tard, le soleil se couche, tu vas encore attraper froid, et tu sais que ça ne te vaut rien dans ton état de santé. »

Il fit de la main droite un geste fébrile et faible qui aurait voulu être un coup de poing et il murmura avec une grimace de colère,

140 une grimace de mourant qui montrait la minceur des lèvres, la maigreur des joues et la saillie[1] de tous les os : « Je te dis que j'étouffe. Qu'est-ce que ça te fait que je meure un jour plus tôt ou un jour plus tard, puisque je suis foutu… »

Elle ouvrit toute grande la fenêtre.

145 Le souffle qui entra les surprit tous les trois comme une caresse. C'était une brise molle, tiède, paisible, une brise de printemps nourrie déjà par les parfums des arbustes et des fleurs capiteuses qui poussent sur cette côte. On y distinguait un goût puissant de résine et l'âcre[2] saveur des eucalyptus.

150 Forestier la buvait d'une haleine courte et fiévreuse. Il crispa les ongles de ses mains sur les bras de son fauteuil, et dit d'une voix basse, sifflante, rageuse : « Ferme la fenêtre. Cela me fait mal. J'aimerais mieux crever dans une cave. »

Et sa femme ferma la fenêtre lentement, puis elle regarda au

155 loin, le front contre la vitre.

Duroy, mal à l'aise, aurait voulu causer avec le malade, le rassurer.

Mais il n'imaginait rien de propre à le réconforter.

Il balbutia : « Alors ça ne va pas mieux depuis que tu es ici ? »

160 L'autre haussa les épaules avec une impatience accablée :

« Tu le vois bien. » Et il baissa de nouveau la tête.

Duroy reprit : « Sacristi, il fait rudement bon ici, comparativement à Paris. Là-bas on est encore en plein hiver. Il neige, il grêle,

---

1. Saillie : pointe.
2. Brise : vent léger ; **capiteuses** : au parfum enivrant ; **âcre** : amère, irritante.

il pleut, et il fait sombre à allumer les lampes dès trois heures de
165 l'après-midi. »

Forestier demanda : « Rien de nouveau au journal ?

— Rien de nouveau. On a pris pour te remplacer le petit Lacrin
qui sort du *Voltaire*[1] ; mais il n'est pas mûr. Il est temps que tu
reviennes. »

170 Le malade balbutia : « Moi ? J'irai faire de la chronique à six
pieds sous terre maintenant. »

L'idée fixe revenait comme un coup de cloche à propos de tout,
reparaissait sans cesse dans chaque pensée, dans chaque phrase. Il y
eut un long silence, un silence douloureux et profond. L'ardeur du
175 couchant se calmait lentement ; et les montagnes devenaient noires
sur le ciel rouge qui s'assombrissait. Une ombre colorée, un commencement de nuit qui gardait des lueurs de brasier mourant entrait dans
la chambre, semblait teindre les meubles, les murs, les tentures,
les coins avec des tons mêlés d'encre et de pourpre[2]. La glace de la
180 cheminée, reflétant l'horizon, avait l'air d'une plaque de sang.

Mme Forestier ne remuait point, toujours debout, le dos à
l'appartement, le visage contre le carreau.

Et Forestier se mit à parler d'une voix saccadée, essoufflée,
déchirante à entendre : « Combien est-ce que j'en verrai encore, de
185 couchers de soleil ?... huit... dix... quinze ou vingt... peut-être
trente... pas plus... Vous avez du temps, vous autres... moi, c'est
fini... Et ça continuera après moi, comme si j'étais là... »

Il demeura muet quelques minutes, puis reprit : « Tout ce que
je vois me rappelle que je ne le verrai plus dans quelques jours...
190 C'est horrible... je ne verrai plus rien... rien de ce qui existe...
les plus petits objets qu'on manie... les verres... les assiettes...
les lits où l'on se repose si bien... les voitures... C'est bon de se
promener en voiture, le soir... Comme j'aimais tout ça ! »

---

1. *Le Voltaire* : nom d'un journal républicain de l'époque.
2. Pourpre : de couleur rouge.

Il faisait avec les doigts de chaque main un mouvement
195 nerveux et léger, comme s'il eût joué du piano sur les deux bras
de son siège. Et chacun de ses silences était plus pénible que ses
paroles, tant on sentait qu'il devait penser à d'épouvantables
choses.

Et Duroy tout à coup se rappela ce que lui disait Norbert de
200 Varenne, quelques semaines auparavant : « Moi, maintenant, je
vois la mort de si près que j'ai souvent envie d'étendre le bras pour
la repousser… Je la découvre partout. Les petites bêtes écrasées
sur les routes, les feuilles qui tombent, le poil blanc aperçu dans
la barbe d'un ami, me ravagent le cœur et me crient : la voilà ! »

205 Il n'avait point compris, ce jour-là ; maintenant il comprenait
en regardant Forestier. Et une angoisse inconnue, atroce, entrait
en lui, comme s'il eût senti tout près, sur ce fauteuil où haletait
cet homme, la hideuse mort à portée de sa main. Il avait envie de
se lever, de s'en aller, de se sauver, de retourner à Paris tout de
210 suite ! Oh ! s'il avait su, il ne serait pas venu.

La nuit maintenant s'était répandue dans la chambre, comme
un deuil hâtif qui serait tombé sur ce moribond[1]. Seule la fenêtre
restait visible encore, dessinant dans son carré plus clair la
silhouette immobile de la jeune femme.

215 Et Forestier demanda avec irritation : « Eh bien, on n'apporte
pas la lampe aujourd'hui ? Voilà ce qu'on appelle soigner un
malade. »

L'ombre du corps qui se découpait sur les carreaux disparut, et
on entendit tinter un timbre[2] électrique dans la maison sonore.

220 Un domestique entra bientôt qui posa une lampe sur la
cheminée. Mme Forestier dit à son mari : « Veux-tu te coucher, ou
descendras-tu pour dîner ? »

Il murmura : « Je descendrai. »

---

1. Moribond : mourant.
2. Timbre : sonnette.

Et l'attente du repas les fit demeurer encore près d'une heure
225 immobiles, tous les trois, prononçant seulement parfois un mot,
un mot quelconque inutile, banal, comme s'il y eût eu du danger,
un danger mystérieux, à laisser durer trop longtemps ce silence,
à laisser se figer l'air muet de cette chambre, de cette chambre où
rôdait la mort.

230 Enfin le dîner fut annoncé. Il sembla long à Duroy, interminable. Ils ne parlaient pas, ils mangeaient sans bruit, puis émiet-
taient du pain du bout des doigts. Et le domestique faisait le
service, marchait, allait et venait sans qu'on entendît ses pieds, car
le bruit des semelles irritant Charles, l'homme était chaussé de
235 savates[1]. Seul le tic-tac dur d'une horloge de bois troublait le
calme des murs de son mouvement mécanique et régulier.

Dès qu'on eut fini de manger, Duroy, sous prétexte de fatigue,
se retira dans sa chambre, et, accoudé à sa fenêtre, il regardait la
pleine lune au milieu du ciel, comme un globe de lampe énorme,
240 jeter sur les murs blancs des villas sa clarté sèche et voilée, et
semer sur la mer une sorte d'écaille de lumière mouvante et douce.
Et il cherchait une raison pour s'en aller bien vite, inventant
des ruses, des télégrammes qu'il allait recevoir, un rappel de
M. Walter.

245 Mais ses résolutions de fuite lui parurent plus difficiles à
réaliser, en s'éveillant le lendemain. Mme Forestier ne se laisserait
point prendre à ses adresses[2], et il perdrait par sa couardise[2] tout
le bénéfice de son dévouement. Il se dit : « Bah ! c'est embêtant ;
et bien, tant pis, il y a des passes désagréables dans la vie ; et puis,
250 ça ne sera peut-être pas long. »

Il faisait un temps bleu, de ce bleu du Midi qui vous emplit le
cœur de joie ; et Duroy descendit jusqu'à la mer, trouvant qu'il
serait assez tôt de voir Forestier dans la journée.

---

1. Savates : pantoufles.
2. Adresses : ruses ; couardise : lâcheté.

Quand il rentra pour déjeuner, le domestique lui dit : « Monsieur
255 a déjà demandé monsieur deux ou trois fois. Si monsieur veut
monter chez Monsieur. »

Il monta. Forestier semblait dormir dans un fauteuil. Sa femme
lisait, allongée sur le canapé.

Le malade releva la tête. Duroy demanda : « Eh bien, comment
260 vas-tu ? Tu m'as l'air gaillard[1], ce matin. »

L'autre murmura : « Oui, ça va mieux, j'ai repris des forces.
Déjeune bien vite avec Madeleine, parce que nous allons faire un
tour en voiture. »

La jeune femme, dès qu'elle fut seule avec Duroy, lui dit :
265 « Voilà ! aujourd'hui il se croit sauvé. Il fait des projets depuis le
matin. Nous allons tout à l'heure au golfe Juan[2] acheter des faïences
pour notre appartement de Paris. Il veut sortir à toute force, mais
j'ai horriblement peur d'un accident. Il ne pourra pas supporter les
secousses de la route. »

270 Quand le landau[3] fut arrivé, Forestier descendit l'escalier pas à
pas, soutenu par son domestique. Mais dès qu'il aperçut la voiture,
il voulut qu'on la découvrît[4].

Sa femme résistait : « Tu vas prendre froid. C'est de la folie. »

Il s'obstina : « Non, je vais beaucoup mieux. Je le sens
275 bien. »

On passa d'abord dans ces chemins ombreux qui vont toujours
entre deux jardins et qui font de Cannes une sorte de parc anglais,
puis on gagna la route d'Antibes[5], le long de la mer.

Forestier expliquait le pays. Il avait indiqué d'abord la villa du
280 comte de Paris. Il en nommait d'autres. Il était gai, d'une gaieté

---

1. Gaillard : en forme.
2. Golfe Juan : golfe situé à moins de dix kilomètre à l'est du Cannet.
3. Landau : voiture à cheval décapotable à deux banquettes.
4. Découvrît : relevât la capote.
5. Antibes : ville côtière située à l'est de Cannes et du Cannet.

voulue, factice et débile[1] de condamné. Il levait le doigt, n'ayant point la force de tendre le bras.

« Tiens, voici l'île Sainte-Marguerite et le château dont Bazaine s'est évadé. Nous en a-t-on donné à garder[2] avec cette affaire-là ! »

285 Puis il eut des souvenirs de régiment ; il nomma des officiers qui leur rappelaient des histoires. Mais tout à coup, la route ayant tourné, on découvrit le golfe Juan tout entier avec son village blanc dans le fond et la pointe d'Antibes à l'autre bout.

Et Forestier, saisi soudain d'une joie enfantine, balbutia : « Ah !
290 l'escadre[3], tu vas voir l'escadre ! »

Au milieu de la vaste baie, on apercevait, en effet, une demi-douzaine de gros navires qui ressemblaient à des rochers couverts de ramures[4]. Ils étaient bizarres, difformes, énormes, avec des excroissances, des tours, des éperons s'enfonçant dans l'eau comme
295 pour aller prendre racine sous la mer.

On ne comprenait pas que cela pût se déplacer, remuer, tant ils semblaient lourds et attachés au fond. Une batterie flottante, ronde, haute, en forme d'observatoire, ressemblait à ces phares qu'on bâtit sur des écueils[5].

300 Et un grand trois-mâts passait auprès d'eux pour gagner le large, toutes ses voiles déployées blanches et joyeuses. Il était gracieux et joli auprès des monstres de guerre, des monstres de fer, des vilains monstres accroupis sur l'eau.

Forestier s'efforçait de les reconnaître. Il nommait : « Le
305 Colbert », « Le Suffren », « L'amiral-Duperré », « Le Redoutable »,

---

1. Débile : sans vigueur.

2. Île Sainte-Marguerite : une des deux îles de Lérins ; **Bazaine** : commandant en chef de l'armée française en Lorraine pendant la guerre franco-prussienne de 1870, incarcéré en 1873 pour trahison dans la forteresse de l'île Sainte-Marguerite, d'où il s'évadera un an plus tard ; **donné à garder** : raconté des sornettes.

3. Escadre : flotte de navires de guerre.

4. Ramures : branchages.

5. Batterie flottante : navire sans mâture servant à la défense des côtes ; **écueils** : rochers à fleur d'eau contre lesquels les navires peuvent se fracasser.

« La Dévastation », puis il reprenait : « Non, je me trompe, c'est celui-là "La Dévastation[1]". »

Ils arrivèrent devant une sorte de grand pavillon, où on lisait : « Faïences d'art du golfe Juan », et la voiture ayant tourné autour d'un gazon, s'arrêta devant la porte.

Forestier voulut acheter deux vases pour les poser sur sa bibliothèque. Comme il ne pouvait guère descendre de voiture, on lui apportait les modèles l'un après l'autre. Il fut longtemps à choisir, consultant sa femme et Duroy : « Tu sais, c'est pour le meuble au fond de mon cabinet. De mon fauteuil, j'ai cela sous les yeux tout le temps. Je tiens à une forme ancienne, à une forme grecque. » Il examinait les échantillons, s'en faisait apporter d'autres, reprenait les premiers. Enfin, il se décida ; et ayant payé, il exigea que l'expédition fût faite tout de suite. « Je retourne à Paris dans quelques jours », disait-il.

Ils revinrent, mais, le long du golfe, un courant d'air froid les frappa soudain, glissé dans le pli d'un vallon, et le malade se mit à tousser.

Ce ne fut rien d'abord, une petite crise ; mais elle grandit, devint une quinte ininterrompue, puis une sorte de hoquet, un râle[2].

Forestier suffoquait, et chaque fois qu'il voulait respirer la toux lui déchirait la gorge, sortie du fond de sa poitrine. Rien ne le calmait, rien ne l'apaisait. Il fallut le porter du landau[3] dans sa chambre, et Duroy, qui lui tenait les jambes, sentait les secousses de ses pieds, à chaque convulsion de ses poumons.

La chaleur du lit n'arrêta point l'accès[4], qui dura jusqu'à minuit ; puis les narcotiques, enfin, engourdirent les spasmes[5] mortels de la

---

1. Le narrateur mêle noms réels et noms imaginaires.
2. **Râle** : son rauque, dû à une gêne respiratoire.
3. **Landau** : voiture à cheval décapotable, à deux banquettes.
4. **L'accès** : la crise.
5. **Narcotiques** : somnifères ; **spasmes** : convulsions dues à la toux.

toux. Et le malade demeura jusqu'au jour, assis dans son lit, les yeux
335 ouverts.

Les premières paroles qu'il prononça furent pour demander le
barbier, car il tenait à être rasé chaque matin. Il se leva pour cette
opération de toilette ; mais il fallut le recoucher aussitôt, et il se
mit à respirer d'une façon si courte, si dure, si pénible, que
340 Mme Forestier, épouvantée, fit réveiller Duroy, qui venait de se
coucher, pour le prier d'aller chercher le médecin.

Il ramena presque immédiatement le docteur Gavaut qui pres-
crivit un breuvage et donna quelques conseils ; mais comme le
journaliste le reconduisait pour lui demander son avis : « C'est
345 l'agonie[1], dit-il. Il sera mort demain matin. Prévenez cette pauvre
jeune femme et envoyez chercher un prêtre. Moi, je n'ai plus rien
à faire. Je me tiens cependant entièrement à votre disposition. »

Duroy fit appeler Mme Forestier. « Il va mourir. Le docteur
conseille d'envoyer chercher un prêtre. Que voulez-vous faire ? »
350 Elle hésita longtemps, puis, d'une voix lente, ayant tout
calculé : « Oui, ça vaut mieux… sous bien des rapports… Je vais
le préparer, lui dire que le curé désire le voir… Je ne sais quoi,
enfin. Vous seriez bien gentil, vous, d'aller m'en chercher un, un
curé, et de le choisir. Prenez-en un qui ne nous fasse pas trop de
355 simagrées[2]. Tâchez qu'il se contente de la confession, et nous
tienne quittes du reste. »

Le jeune homme ramena un vieil ecclésiastique complaisant
qui se prêtait à la situation. Dès qu'il fut entré chez l'agonisant,
Mme Forestier sortit, et s'assit, avec Duroy, dans la pièce voisine.
360 « Ça l'a bouleversé, dit-elle. Quand j'ai parlé d'un prêtre, sa
figure a pris une expression épouvantable comme… comme s'il
avait senti… senti… un souffle… vous savez… Il a compris que
c'était fini, enfin, et qu'il fallait compter les heures… »

---

1. Agonie : derniers instants avant la mort.
2. Simagrées : chichis, singeries. Mme Forestier souhaite que le prêtre n'en fasse
pas trop.

Elle était fort pâle. Elle reprit : « Je n'oublierai jamais l'expres-
365 sion de son visage. Certes, il a vu la mort à ce moment-là. Il l'a
vue… »

Ils entendaient le prêtre, qui parlait un peu haut, étant un peu
sourd, et qui disait :

« Mais non, mais non, vous n'êtes pas si bas que ça. Vous êtes
370 malade, mais nullement en danger. Et la preuve c'est que je viens
en ami, en voisin. »

Ils ne distinguèrent pas ce que répondit Forestier. Le vieillard
reprit : « Non, je ne vous ferai pas communier[1]. Nous causerons
de ça quand vous irez bien. Si vous voulez profiter de ma visite
375 pour vous confesser par exemple, je ne demande pas mieux. Je suis
un pasteur, moi, je saisis toutes les occasions pour ramener mes
brebis. »

Un long silence suivit. Forestier devait parler de sa voix haletante et sans timbre[2].

380 Puis tout d'un coup le prêtre prononça, d'un ton différent, d'un
ton d'officiant à l'autel[3] :

« La miséricorde de Dieu est infinie, récitez le *Confiteor*[4], mon
enfant. Vous l'avez peut-être oublié, je vais vous aider. Répétez avec
moi : *Confiteor Deo omnipotenti… Beatæ Mariæ semper virgini*[5]…

385 Il s'arrêtait de temps en temps pour permettre au moribond[6]
de le rattraper. Puis il dit :

« Maintenant confessez-vous… »

La jeune femme et Duroy ne remuaient plus, saisis par un trouble
singulier, émus d'une attente anxieuse.

---

1. **Je ne vous ferai pas communier** : je ne vous donnerai pas la *communion*, sacre-
ment par lequel le chrétien reçoit l'hostie (qui symbolise le corps du Christ).
2. **Sans timbre** : sourde.
3. **Autel** : dans la religion catholique, table où est célébrée la messe.
4. *Confiteor* : prière récitée au début de la confession, par laquelle le chrétien se
reconnaît pécheur.
5. Je confesse à Dieu tout-puissant… À la bienheureuse Marie toujours vierge…
6. **Moribond** : mourant.

390   Le malade avait murmuré quelque chose. Le prêtre répéta : « Vous avez eu des complaisances[1] coupables... de quelle nature, mon enfant ? »

La jeune femme se leva et dit simplement : « Descendons un peu au jardin. Il ne faut pas écouter ses secrets. »

395   Et ils allèrent s'asseoir sur un banc, devant la porte, au-dessous d'un rosier fleuri, et derrière une corbeille d'œillets qui répandait dans l'air pur son parfum puissant et doux.

Duroy, après quelques minutes de silence, demanda : « Est-ce que vous tarderez beaucoup à rentrer à Paris ? »

400   Elle répondit : « Oh ! non. Dès que tout sera fini, je reviendrai.

— Dans une dizaine de jours ?

— Oui, au plus. »

Il reprit : « Il n'a donc aucun parent ?

— Aucun, sauf des cousins. Son père et sa mère sont morts comme 405 il était tout jeune. »

Ils regardaient tous deux un papillon cueillant sa vie sur les œillets, allant de l'un à l'autre avec une rapide palpitation des ailes qui continuaient à battre lentement quand il s'était posé sur la fleur. Et ils restèrent longtemps silencieux.

410   Le domestique vint les prévenir que « Monsieur le Curé avait fini ». Et ils remontèrent ensemble.

Forestier semblait avoir encore maigri depuis la veille.

Le prêtre lui tenait la main. « Au revoir, mon enfant, je reviendrai demain matin. »

415   Et il s'en alla.

Dès qu'il fut sorti, le moribond, qui haletait, essaya de soulever ses deux mains vers sa femme et il bégaya : « Sauve-moi... sauve-moi... ma chérie... je ne veux pas mourir... je ne veux pas mourir... Oh ! sauvez-moi... Dites ce qu'il faut faire, allez chercher le médecin... 420 Je prendrai ce qu'on voudra... Je ne veux pas... Je ne veux pas... »

---

1. Complaisances : plaisirs.

Il pleurait. De grosses larmes coulaient de ses yeux sur ses joues décharnées ; et les coins maigres de sa bouche se plissaient comme ceux des petits enfants qui ont du chagrin.

Alors ses mains retombées sur le lit commencèrent un mouvement continu, lent et régulier, comme pour recueillir quelque chose sur les draps.

Sa femme qui se mettait à pleurer aussi balbutiait : « Mais non, ce n'est rien. C'est une crise, demain tu iras mieux, tu t'es fatigué hier avec cette promenade. »

L'haleine[1] de Forestier était plus rapide que celle d'un chien qui vient de courir, si pressée qu'on ne la pouvait point compter, et si faible qu'on l'entendait à peine.

Il répétait toujours : « Je ne veux pas mourir !… Oh ! mon Dieu… mon Dieu… mon Dieu… qu'est-ce qui va m'arriver ? Je ne verrai plus rien… plus rien… jamais… Oh ! mon Dieu ! »

Il regardait devant lui quelque chose d'invisible pour les autres et de hideux, dont ses yeux fixes reflétaient l'épouvante. Ses deux mains continuaient ensemble leur geste horrible et fatigant.

Soudain il tressaillit d'un frisson brusque qu'on vit courir d'un bout à l'autre de son corps et il balbutia :

« Le cimetière… moi… mon Dieu !… »

Et il ne parla plus. Il restait immobile, hagard[2] et haletant.

Le temps passait ; midi sonna à l'horloge d'un couvent voisin. Duroy sortit de la chambre pour aller manger un peu. Il revint une heure plus tard. Mme Forestier refusa de rien prendre. Le malade n'avait point bougé. Il traînait toujours ses doigts maigres sur le drap comme pour le ramener vers sa face.

La jeune femme était assise dans un fauteuil, au pied du lit. Duroy en prit un autre à côté d'elle ; et ils attendirent en silence.

---

1. Haleine : souffle.
2. Hagard : affolé.

Une garde était venue, envoyée par le médecin ; elle sommeillait près de la fenêtre.

Duroy lui-même commençait à s'assoupir quand il eut la sensation que quelque chose survenait. Il ouvrit les yeux juste à
455 temps pour voir Forestier fermer les siens comme deux lumières qui s'éteignent. Un petit hoquet agita la gorge du mourant, et deux filets de sang apparurent aux coins de sa bouche, puis coulèrent sur sa chemise. Ses mains cessèrent leur hideuse promenade. Il avait fini de respirer.

460 Sa femme comprit, et poussant une sorte de cri, elle s'abattit sur les genoux en sanglotant dans le drap. Georges, surpris et effaré, fit machinalement le signe de la croix. La garde, s'étant réveillée, s'approcha du lit : « Ça y est », dit-elle. Et Duroy qui reprenait son sang-froid murmura, avec un soupir de délivrance :
465 « Ça a été moins long que je n'aurais cru. »

Lorsque fut dissipé le premier étonnement, après les premières larmes versées, on s'occupa de tous les soins et de toutes les démarches que réclame un mort. Duroy courut jusqu'à la nuit.

Il avait grand-faim en rentrant. Mme Forestier mangea
470 quelque peu ; puis ils s'installèrent tous deux dans la chambre funèbre pour veiller le corps.

Deux bougies brûlaient sur la table de nuit à côté d'une assiette où trempait une branche de mimosa dans un peu d'eau, car on n'avait point trouvé le rameau de buis[1] nécessaire.

475 Ils étaient seuls, le jeune homme et la jeune femme, auprès de lui, qui n'était plus. Ils demeuraient sans parler, pensant, et le regardant.

Mais Georges, que l'ombre inquiétait auprès de ce cadavre, le contemplait obstinément. Son œil et son esprit attirés, fascinés,
480 par ce visage décharné que la lumière vacillante faisait paraître

---

1. Rameau de buis : chez les chrétiens, petite branche de buis bénite le dimanche des Rameaux (fête célébrée une semaine avant celle de Pâques) et conservée dans les maisons.

encore plus creux, restaient fixés sur lui. C'était là son ami, Charles Forestier, qui lui parlait hier encore ! Quelle chose étrange et épouvantable que cette fin complète d'un être ! Oh ! il se les rappelait maintenant les paroles de Norbert de Varenne hanté par
485 la peur de la mort. « Jamais un être ne revient. » Il en naîtrait des millions et des milliards, à peu près pareils, avec des yeux, un nez, une bouche, un crâne, et dedans une pensée, sans que jamais celui-là reparût qui était couché dans ce lit.

Pendant quelques années il avait vécu, mangé, ri, aimé, espéré,
490 comme tout le monde. Et c'était fini, pour lui, fini pour toujours. Une vie ! quelques jours, et puis plus rien ! On naît, on grandit, on est heureux, on attend, puis on meurt. Adieu ! homme ou femme, tu ne reviendras point sur la terre ! Et pourtant chacun porte en soi le désir fiévreux et irréalisable de l'éternité, chacun
495 est une sorte d'univers dans l'univers, et chacun s'anéantit bientôt complètement dans le fumier des germes nouveaux. Les plantes, les bêtes, les hommes, les étoiles, les mondes, tout s'anime, puis meurt pour se transformer. Et jamais un être ne revient, insecte, homme ou planète !

500 Une terreur confuse, immense, écrasante, pesait sur l'âme de Duroy, la terreur de ce néant illimité, inévitable, détruisant indéfiniment toutes les existences si rapides et si misérables. Il courbait déjà le front sous sa menace. Il pensait aux mouches qui vivent quelques heures, aux bêtes qui vivent quelques jours, aux hommes
505 qui vivent quelques ans, aux terres qui vivent quelques siècles. Quelle différence donc entre les uns et les autres ? Quelques aurores de plus, voilà tout.

Il détourna les yeux pour ne plus regarder le cadavre. Mme Forestier, la tête baissée, semblait songer aussi à des choses
510 douloureuses. Ses cheveux blonds étaient si jolis sur sa figure triste, qu'une sensation douce comme le toucher d'une espérance passa dans le cœur du jeune homme. Pourquoi se désoler quand il avait encore tant d'années devant lui ?

Et il se mit à la contempler. Elle ne le voyait point, perdue dans
515 sa méditation. Il se disait : « Voilà pourtant la seule bonne chose
de la vie : l'amour ! tenir dans ses bras une femme aimée ! Là est la
limite du bonheur humain. »

Quelle chance il avait eue, ce mort, de rencontrer cette compagne
intelligente et charmante. Comment s'étaient-ils connus ? Comment
520 avait-elle consenti, elle, à épouser ce garçon médiocre et pauvre ?
Comment avait-elle fini par en faire quelqu'un ?

Alors il songea à tous les mystères cachés dans les existences.
Il se rappela ce qu'on chuchotait du comte de Vaudrec qui l'avait
dotée[1] et mariée, disait-on.

525 Qu'allait-elle faire maintenant ? Qui épouserait-elle ? Un
député, comme le pensait Mme de Marelle, ou quelque gaillard[2]
d'avenir, un Forestier supérieur ? Avait-elle des projets, des plans,
des idées arrêtées ? Comme il eût désiré savoir cela ! Mais pourquoi ce souci de ce qu'elle ferait ? Il se le demanda, et s'aperçut
530 que son inquiétude venait d'une de ces arrière-pensées confuses,
secrètes, qu'on se cache à soi-même et qu'on ne découvre qu'en
allant fouiller tout au fond de soi.

Oui, pourquoi n'essayerait-il pas lui-même cette conquête ?
Comme il serait fort, avec elle, et redoutable ! Comme il pourrait
535 aller vite et loin, et sûrement.

Et pourquoi ne réussirait-il pas ? Il sentait bien qu'il lui plaisait, qu'elle avait pour lui plus que de la sympathie, une de ces
affections qui naissent entre deux natures semblables et qui
tiennent autant d'une séduction réciproque que d'une sorte de
540 complicité muette. Elle le savait intelligent, résolu, tenace ; elle
pouvait avoir confiance en lui.

Ne l'avait-elle pas fait venir en cette circonstance si grave ? Et
pourquoi l'avait-elle appelé ? Ne devait-il pas voir là une sorte de

---

1. L'avait dotée : lui avait constitué une *dot* (bien que la femme apporte en se
mariant).
2. Gaillard : homme plein d'entrain et de vigueur.

choix, une sorte d'aveu, une sorte de désignation ? Si elle avait
545 pensé à lui, juste à ce moment où elle allait devenir veuve, c'est
que, peut-être, elle avait songé à celui qui deviendrait de nouveau
son compagnon, son allié ?

Et une envie impatiente le saisit de savoir, de l'interroger, de
connaître ses intentions. Il devait repartir le surlendemain, ne
550 pouvant demeurer seul avec cette jeune femme, dans cette
maison. Donc il fallait se hâter, il fallait, avant de retourner à
Paris, surprendre avec adresse, avec délicatesse, ses projets, et ne
pas la laisser revenir, céder aux sollicitations d'un autre peut-être,
et s'engager sans retour.

555 Le silence de la chambre était profond ; on n'entendait que le
balancier de la pendule qui battait sur la cheminée son tic-tac
métallique et régulier.

Il murmura : « Vous devez être bien fatiguée ? »

Elle répondit : « Oui, mais je suis surtout accablée. »

560 Le bruit de leur voix les étonna, sonnant étrangement dans cet
appartement sinistre. Et ils regardèrent soudain le visage du
mort, comme s'ils se fussent attendus à le voir remuer, à l'entendre leur parler, ainsi qu'il faisait, quelques heures plus tôt.

Duroy reprit : « Oh ! c'est un gros coup pour vous, et un chan-
565 gement si complet dans votre vie, un vrai bouleversement du
cœur et de l'existence entière. »

Elle soupira longuement sans répondre.

Il continua : « C'est si triste pour une jeune femme de se
trouver seule comme vous allez l'être. »

570 Puis il se tut. Elle ne dit rien. Il balbutia : « Dans tous les cas,
vous savez le pacte conclu entre nous. Vous pouvez disposer de
moi comme vous voudrez. Je vous appartiens. »

Elle lui tendit la main en jetant sur lui un de ces regards
mélancoliques et doux qui remuent en nous jusqu'aux moelles des
575 os : « Merci, vous êtes bon, excellent. Si j'osais et si je pouvais
quelque chose pour vous, je dirais aussi : comptez sur moi. »

Il avait pris la main offerte et il la gardait, la serrant, avec une envie ardente de la baiser. Il s'y décida enfin, et l'approchant lentement de sa bouche, il tint longtemps la peau fine, un peu
580 chaude, fiévreuse et parfumée contre ses lèvres.

Puis quand il sentit que cette caresse d'ami allait devenir trop prolongée, il sut laisser retomber la petite main. Elle s'en revint mollement sur le genou de la jeune femme qui prononça gravement : « Oui, je vais être bien seule, mais je m'efforcerai d'être
585 courageuse. »

Il ne savait comment lui laisser comprendre qu'il serait heureux, bien heureux, de l'avoir pour femme à son tour. Certes il ne pouvait pas le lui dire, à cette heure, en ce lieu, devant ce corps ; cependant il pouvait, lui semblait-il, trouver une de ces
590 phrases ambiguës, convenables et compliquées, qui ont des sens cachés sous les mots, et qui expriment tout ce qu'on veut par leurs réticences[1] calculées.

Mais le cadavre le gênait, le cadavre rigide, étendu devant eux, et qu'il sentait entre eux. Depuis quelque temps d'ailleurs il
595 croyait saisir dans l'air enfermé de la pièce une odeur suspecte, une haleine pourrie, venue de cette poitrine décomposée, le premier souffle de charogne[2] que les pauvres morts couchés en leur lit jettent aux parents qui les veillent, souffle horrible dont ils emplissent bientôt la boîte creuse de leur cercueil.

600 Duroy demanda : « Ne pourrait-on ouvrir un peu la fenêtre ? Il me semble que l'air est corrompu. »

Elle répondit : « Mais oui. Je venais aussi de m'en apercevoir. »

Il alla vers la fenêtre et l'ouvrit. Toute la fraîcheur parfumée de la nuit entra, troublant la flamme des deux bougies allumées
605 auprès du lit. La lune répandait, comme l'autre soir, sa lumière abondante et calme sur les murs blancs des villas et sur la grande

---

1. **Réticences** : omissions, silences (sur une chose qu'on devrait dire).
2. **Charogne** : chair en décomposition.

nappe luisante de la mer. Duroy, respirant à pleins poumons, se sentit brusquement assailli d'espérances, comme soulevé par l'approche frémissante du bonheur.

610   Il se retourna : « Venez donc prendre un peu le frais, dit-il, il fait un temps admirable. »

Elle s'en vint tranquillement et s'accouda près de lui.

Alors il murmura à voix basse : « Écoutez-moi, et comprenez bien ce que je veux dire. Ne vous indignez pas, surtout, de ce que
615   je vous parle d'une pareille chose en un semblable moment, mais je vous quitterai après-demain, et quand vous reviendrez à Paris il serait peut-être trop tard. Voilà… Je ne suis qu'un pauvre diable, sans fortune et dont la position est à faire, vous le savez. Mais j'ai de la volonté, quelque intelligence à ce que je crois, et je
620   suis en route, en bonne route. Avec un homme arrivé on sait ce qu'on prend ; avec un homme qui commence on ne sait pas où il ira. Tant pis, ou tant mieux. Enfin je vous ai dit un jour, chez vous, que mon rêve le plus cher aurait été d'épouser une femme comme vous. Je vous répète aujourd'hui ce désir. Ne me répondez pas.
625   Laissez-moi continuer. Ce n'est point une demande que je vous adresse. Le lieu et l'instant la rendraient odieuse. Je tiens seulement à ne point vous laisser ignorer que vous pouvez me rendre heureux d'un mot, que vous pouvez faire de moi soit un ami fraternel, soit même un mari, à votre gré, que mon cœur et ma
630   personne sont à vous. Je ne veux pas que vous me répondiez maintenant ; je ne veux plus que nous parlions de cela, ici. Quand nous nous reverrons, à Paris, vous me ferez comprendre ce que vous aurez résolu. Jusque-là plus un mot, n'est-ce pas ? »

Il avait débité cela sans la regarder, comme s'il eût semé ses
635   paroles dans la nuit devant lui. Et elle semblait n'avoir point entendu, tant elle était demeurée immobile, regardant aussi devant elle, d'un œil fixe et vague, le grand paysage pâle éclairé par la lune.

Ils demeurèrent longtemps côte à côte, coude à coude, silencieux et méditant.

640   Puis elle murmura : « Il fait un peu froid » et, s'étant retournée, elle revint vers le lit. Il la suivit.

      Lorsqu'il s'approcha, il reconnut que vraiment Forestier commençait à sentir ; et il éloigna son fauteuil, car il n'aurait pu supporter longtemps cette odeur de pourriture. Il dit : « Il faudra le mettre en 645 bière dès le matin. »

      Elle répondit : « Oui, oui, c'est entendu ; le menuisier viendra vers huit heures. »

      Et Duroy ayant soupiré : « Pauvre garçon ! » elle poussa à son tour un long soupir de résignation navrée.

650   Ils le regardaient moins souvent, accoutumés déjà à l'idée de cette mort, commençant à consentir mentalement à cette disparition qui, tout à l'heure encore, les révoltait et les indignait, eux qui étaient mortels aussi.

      Ils ne parlaient plus, continuant à veiller d'une façon convenable, 655 sans dormir. Mais, vers minuit, Duroy s'assoupit le premier. Quand il se réveilla, il vit que Mme Forestier sommeillait également, et ayant pris une posture plus commode, il ferma de nouveau les yeux en grommelant : « Sacristi ! on est mieux dans ses draps, tout de même. »

660   Un bruit soudain le fit tressauter. La garde entrait. Il faisait grand jour. La jeune femme, sur le fauteuil en face, semblait aussi surprise que lui. Elle était un peu pâle, mais toujours jolie, fraîche, gentille, malgré cette nuit passée sur un siège.

      Alors, ayant regardé le cadavre, Duroy tressaillit et s'écria : « Oh ! 665 sa barbe ! » Elle avait poussé, cette barbe, en quelques heures, sur cette chair qui se décomposait, comme elle poussait en quelques jours sur la face d'un vivant. Et ils demeuraient effarés par cette vie qui continuait sur ce mort, comme devant un prodige affreux, devant une menace surnaturelle de résurrection, devant une de ces choses anor- 670 males, effrayantes qui bouleversent et confondent l'intelligence.

      Ils allèrent ensuite tous les deux se reposer jusqu'à onze heures. Puis ils mirent Charles au cercueil, et ils se sentirent aussitôt allégés, rassérénés[1]. Ils s'assirent en face l'un de l'autre pour déjeuner avec une envie éveillée de parler de choses consolantes, plus gaies, de rentrer dans la vie, puisqu'ils en avaient fini avec la mort.

Par la fenêtre, grande ouverte, la douce chaleur du printemps entrait, apportant le souffle parfumé de la corbeille d'œillets fleurie devant la porte.

Mme Forestier proposa à Duroy de faire un tour dans le jardin, et ils se mirent à marcher doucement autour du petit gazon en respirant avec délices l'air tiède plein de l'odeur des sapins et des eucalyptus.

Et, tout à coup, elle lui parla, sans tourner la tête vers lui, comme il avait fait pendant la nuit, là-haut. Elle prononçait les mots lentement, d'une voix basse et sérieuse :

« Écoutez, mon cher ami, j'ai bien réfléchi… déjà… à ce que vous m'avez proposé, et je ne veux pas vous laisser partir sans vous répondre un mot. Je ne vous dirai, d'ailleurs, ni oui ni non. Nous attendrons, nous verrons, nous nous connaîtrons mieux. Réfléchissez beaucoup de votre côté. N'obéissez pas à un entraînement trop facile. Mais, si je vous parle de cela, avant même que ce pauvre Charles soit descendu dans sa tombe, c'est qu'il importe, après ce que vous m'avez dit, que vous sachiez bien qui je suis, afin de ne pas nourrir plus longtemps la pensée que vous m'avez exprimée, si vous n'êtes pas d'un… d'un… caractère à me comprendre et à me supporter.

Comprenez-moi bien. Le mariage pour moi n'est pas une chaîne, mais une association. J'entends être libre, tout à fait libre de mes actes, de mes démarches, de mes sorties, toujours. Je ne pourrais tolérer ni contrôle, ni jalousie, ni discussion sur ma conduite. Je m'engagerais, bien entendu, à ne jamais compromettre le nom de l'homme que j'aurais épousé, à ne jamais le

---

1. **Rassérénés** : apaisés, rassurés.

rendre odieux ou ridicule. Mais il faudrait aussi que cet homme
s'engageât à voir en moi une égale, une alliée, et non pas une
inférieure ni une épouse obéissante et soumise. Mes idées, je le
sais, ne sont pas celles de tout le monde, mais je n'en changerai
point. Voilà.

J'ajoute aussi : Ne me répondez pas, ce serait inutile et inconvenant. Nous nous reverrons et nous reparlerons peut-être de tout
cela, plus tard. Maintenant, allez faire un tour. Moi, je retourne
près de lui. À ce soir. »

Il lui baisa longuement la main et s'en alla sans prononcer un
mot.

Le soir, ils ne se virent qu'à l'heure du dîner. Puis ils montèrent
à leurs chambres, étant tous deux brisés de fatigue.

Charles Forestier fut enterré le lendemain, sans aucune pompe[1],
dans le cimetière de Cannes. Et Georges Duroy voulut prendre le
rapide[2] de Paris qui passe à une heure et demie.

Mme Forestier l'avait conduit à la gare. Ils se promenaient
tranquillement sur le quai, en attendant l'heure du départ, et
parlaient de choses indifférentes.

Le train arriva, très court, un vrai rapide, n'ayant que cinq wagons.

Le journaliste choisit sa place, puis redescendit pour causer
encore quelques instants avec elle, saisi soudain d'une tristesse,
d'un chagrin, d'un regret violent de la quitter, comme s'il allait
la perdre pour toujours.

Un employé criait : « Marseille, Lyon, Paris, en voiture ! »
Duroy monta, puis s'accouda à la portière pour lui dire encore
quelques mots. La locomotive siffla et le convoi doucement se mit
en marche.

---

1. Sans aucune pompe : sans cérémonie, sans faste.
2. Rapide : train plus rapide que l'express, ne s'arrêtant que dans les grandes
gares.

Le jeune homme, penché hors du wagon, regardait la j~ femme immobile sur le quai et dont le regard le suivait. Et soudain, comme il allait la perdre de vue, il prit avec ses deux 735 mains un baiser sur sa bouche pour le jeter vers elle.

Elle le lui renvoya d'un geste plus discret, hésitant, ébauché seulement.

Deuxième partie

1

Georges Duroy avait retrouvé toutes ses habitudes anciennes.

Installé maintenant dans le petit rez-de-chaussée de la rue de Constantinople, il vivait sagement, en homme qui prépare une existence nouvelle. Ses relations avec Mme de Marelle avaient même pris une allure conjugale, comme s'il se fût exercé d'avance à l'événement prochain ; et sa maîtresse, s'étonnant souvent de la tranquillité réglée de leur union, répétait en riant : « Tu es encore plus popote[1] que mon mari ; ça n'était pas la peine de changer. »

Mme Forestier n'était pas revenue. Elle s'attardait à Cannes. Il reçut une lettre d'elle, annonçant son retour seulement pour le milieu d'avril, sans un mot d'allusion à leurs adieux. Il attendit. Il était bien résolu maintenant à prendre tous les moyens pour l'épouser, si elle semblait hésiter. Mais il avait confiance en sa fortune[2], confiance en cette force de séduction qu'il sentait en lui, force vague et irrésistible que subissaient toutes les femmes.

Un court billet le prévint que l'heure décisive allait sonner.

« Je suis à Paris. Venez me voir.

Madeleine Forestier. »

Rien de plus. Il l'avait reçu par le courrier de neuf heures. Il entrait chez elle à trois heures, le même jour. Elle lui tendit les deux mains, en souriant de son joli sourire aimable ; et ils se regardèrent pendant quelques secondes, au fond des yeux.

---

1. **Popote** : pantouflard (familier).
2. **Fortune** : chance.

Puis elle murmura : « Comme vous avez été bon de venir là-bas
25 dans ces circonstances terribles. »

Il répondit : « J'aurais fait tout ce que vous m'auriez ordonné. »

Et ils s'assirent. Elle s'informa des nouvelles, des Walter, de
tous les confrères et du journal. Elle y pensait souvent, au journal.

« Ça me manque beaucoup, disait-elle, mais beaucoup. J'étais
30 devenue journaliste dans l'âme. Que voulez-vous, j'aime ce métier-
là. »

Puis elle se tut. Il crut comprendre, il crut trouver dans son
sourire, dans le ton de sa voix, dans ses paroles elles-mêmes, une
sorte d'invitation ; et bien qu'il se fût promis de ne pas brusquer
35 les choses, il balbutia :

« Eh bien… pourquoi… pourquoi ne le reprendriez-vous
pas… ce métier… sous… sous le nom de Duroy ? »

Elle redevint brusquement sérieuse, et posant la main sur son
bras elle murmura : « Ne parlons pas encore de ça. »

40 Mais il devina qu'elle acceptait, et tombant à ses genoux il
se mit à lui baiser passionnément les mains en répétant, en
bégayant : « Merci, merci, comme je vous aime ! »

Elle se leva. Il fit comme elle et il s'aperçut qu'elle était fort
pâle. Alors il comprit qu'il lui avait plu, depuis longtemps peut-
45 être ; et comme ils se trouvaient face à face, il l'étreignit, puis il
l'embrassa sur le front, d'un long baiser tendre et sérieux.

Quand elle se fut dégagée, en glissant sur sa poitrine, elle reprit
d'un ton grave :

« Écoutez, mon ami, je ne suis encore décidée à rien. Cependant
50 il se pourrait que ce fût "oui". Mais vous allez me promettre le
secret absolu jusqu'à ce que je vous en délie[1]. »

Il jura et partit, le cœur débordant de joie.

Il mit désormais beaucoup de discrétion dans les visites qu'il
lui fit et il ne sollicita pas de consentement plus précis, car elle

---

1. Jusqu'à ce que je vous en délie : jusqu'à ce que je vous libère de votre promesse.

avait une manière de parler de l'avenir, de dire « plus tard », de faire des projets où leurs deux existences se trouvaient mêlées, qui répondait sans cesse, mieux et plus délicatement, qu'une formelle acceptation.

Duroy travaillait dur, dépensait peu, tâchait d'économiser quelque argent pour n'être point sans le sou au moment de son mariage, et il devenait aussi avare qu'il avait été prodigue[1].

L'été se passa, puis l'automne, sans qu'aucun soupçon vînt à personne, car ils se voyaient peu, et le plus naturellement du monde.

Un soir Madeleine lui dit, en le regardant au fond des yeux : « Vous n'avez pas encore annoncé notre projet à Mme de Marelle ?

— Non, mon amie. Vous ayant promis le secret je n'en ai ouvert la bouche à âme qui vive.

— Eh bien, il serait temps de la prévenir. Moi, je me charge des Walter. Ce sera fait cette semaine, n'est ce pas ? »

Il avait rougi. « Oui, dès demain. »

Elle détourna doucement les yeux, comme pour ne point remarquer son trouble, et reprit : « Si vous le voulez, nous pourrons nous marier au commencement de mai. Ce serait très convenable.

— J'obéis en tout, avec joie.

— Le dix mai, qui est un samedi, me plairait beaucoup, parce que c'est mon jour de naissance.

— Soit, le dix mai.

— Vos parents habitent près de Rouen, n'est-ce-pas ? Vous me l'avez dit du moins.

— Oui, près de Rouen, à Canteleu.

— Qu'est-ce qu'ils font ?

— Ils sont... ils sont petits rentiers.

— Ah ! J'ai un grand désir de les connaître. »

Il hésita, fort perplexe. « Mais... c'est que, ils sont... »

Puis il prit son parti en homme vraiment fort :

---

1. Prodigue : dépensier.

« Ma chère amie, ce sont des paysans, des cabaretiers[1] qui se sont saignés aux quatre membres pour me faire faire des études. Moi, je ne rougis pas d'eux, mais leur… simplicité… leur rusticité[2] pourrait peut-être vous gêner. »

Elle souriait délicieusement, le visage illuminé d'une bonté douce.

« Non. Je les aimerai beaucoup. Nous irons les voir. Je le veux. Je vous reparlerai de ça. Moi aussi je suis fille de petites gens… mais je les ai perdus, moi, mes parents. Je n'ai plus personne au monde… » Elle lui tendit la main et ajouta… « Que vous. »

Et il se sentit attendri, remué, conquis comme il ne l'avait encore été par aucune femme

« J'ai pensé à quelque chose, dit-elle, mais c'est assez difficile à expliquer. »

Il demanda : « Quoi donc ?

– Eh bien voilà, mon cher, je suis comme toutes les femmes, j'ai mes… mes faiblesses, mes petitesses, j'aime ce qui brille, ce qui sonne. J'aurais adoré porter un nom noble[3]. Est-ce que vous ne pourriez pas, à l'occasion de notre mariage, vous… vous anoblir un peu ? »

Elle avait rougi, à son tour, comme si elle lui eût proposé une indélicatesse[4].

Il répondit simplement : « J'y ai bien souvent songé, mais cela ne me paraît pas facile.

– Pourquoi donc ? »

Il se mit à rire : « Parce que j'ai peur de me rendre ridicule. »

Elle haussa les épaules : « Mais pas du tout, pas du tout. Tout le monde le fait et personne n'en rit. Séparez votre nom en deux : "Du Roy." Ça va très bien. »

---

1. **Cabaretiers** : tenanciers d'un café-restaurant.
2. **Leur rusticité** : leurs manières *rustiques*, de gens de la campagne.
3. **Nom noble** : nom à particule, commençant par « de » ou « du ».
4. **Indélicatesse** : impolitesse.

115 Il répondit aussitôt, en homme qui connaît la question :

« Non, ça ne va pas. C'est un procédé trop simple, trop commun, trop connu. Moi j'avais pensé à prendre le nom de mon pays, comme pseudonyme littéraire d'abord, puis de l'ajouter peu à peu au mien, puis même, plus tard, de couper en deux mon nom
120 comme vous me le proposiez. »

Elle demanda : « Votre pays, c'est Canteleu ?

– Oui. »

Mais elle hésitait : « Non. Je n'en aime pas la terminaison. Voyons, est-ce que nous ne pourrions pas modifier un peu ce
125 mot… Canteleu ? »

Elle avait pris une plume sur la table et elle griffonnait des noms en étudiant leur physionomie. Soudain elle s'écria : « Tenez, tenez, voici. »

Et elle lui tendit un papier où il lut : « Madame Duroy de
130 Cantel. »

Il réfléchit quelques secondes, puis il déclara avec gravité :

« Oui, c'est très bon. »

Et elle était enchantée et répétait :

« Duroy de Cantel, Duroy de Cantel, Mme Duroy de Cantel.
135 C'est excellent, excellent ! »

Elle ajouta, d'un air convaincu : « Et vous verrez comme c'est facile à faire accepter par tout le monde. Mais il faut saisir l'occasion. Car il serait trop tard ensuite. Vous allez, dès demain, signer vos chroniques D. de Cantel, et vos échos[1] tout simplement Duroy. Ça
140 se fait tous les jours dans la presse et personne ne s'étonnera de vous voir prendre un nom de guerre. Au moment de notre mariage, nous pourrons encore modifier un peu cela en disant aux amis que vous aviez renoncé à votre *du* par modestie, étant donnée votre position, ou même sans rien dire du tout. Quel est le petit nom de votre père ?

---

1. Chroniques : articles ; **échos** : articles relatant les potins mondains et politiques.

145   — Alexandre. »

Elle murmura deux ou trois fois de suite : « Alexandre, Alexandre »,
en écoutant la sonorité des syllabes, puis elle écrivit sur une feuille
toute blanche : « Monsieur et Madame Alexandre du Roy de Cantel
ont l'honneur de vous faire part du mariage de Monsieur Georges
150   du Roy de Cantel, leur fils, avec Madame Madeleine Forestier. »

Elle regardait son écriture d'un peu loin, ravie de l'effet, et elle
déclara : « Avec un rien de méthode, on arrive à réussir tout ce qu'on
veut. »

Quand il se retrouva dans la rue, bien déterminé à s'appeler
155   désormais du Roy, et même du Roy de Cantel, il lui sembla qu'il
venait de prendre une importance nouvelle. Il marchait plus
crânement[1], le front plus haut, la moustache plus fière, comme
doit marcher un gentilhomme[2]. Il sentait en lui une sorte d'envie
joyeuse de raconter aux passants :

160   « Je m'appelle du Roy de Cantel. »

Mais à peine rentré chez lui, la pensée de Mme de Marelle
l'inquiéta et il lui écrivit aussitôt, afin de lui demander un rendez-
vous pour le lendemain.

« Ça sera dur, pensait-il. Je vais recevoir une bourrasque[3] de
165   premier ordre. »

Puis il en prit son parti avec l'insouciance naturelle qui lui
faisait négliger les choses désagréables de la vie, et il se mit à faire
un article fantaisiste sur les impôts nouveaux à établir afin de
rassurer l'équilibre du budget. Il y fit figurer la particule nobi-
170   liaire[4] pour cent francs par an, et les titres, depuis baron jusqu'à
prince, pour cinq cents jusqu'à cinq mille francs[5].

---

1. Crânement : fièrement.

2. Gentilhomme : noble.

3. Bourrasque : au sens propre, violent coup de vent ; ici, le terme est employé
au sens figuré de « violente colère ».

4. Particule nobiliaire : préposition « de » qui précède un nom noble.

5. Duroy imagine une nouvelle manière d'enrichir les caisses de l'État : mettre
en vente les patronymes à particules et les titres de noblesse.

Et il signa : D. de Cantel.

Il reçut le lendemain un petit bleu[1] de sa maîtresse annonçant qu'elle arriverait à une heure.

175 Il l'attendit avec un peu de fièvre, résolu d'ailleurs à brusquer les choses, à tout dire dès le début, puis, après la première émotion, à argumenter avec sagesse pour lui démontrer qu'il ne pouvait pas rester garçon indéfiniment, et que M. de Marelle s'obstinant à vivre, il avait dû songer à une autre qu'elle pour en faire sa compagne

180 légitime.

Il se sentait ému cependant. Quand il entendit le coup de sonnette, son cœur se mit à battre.

Elle se jeta dans ses bras : « Bonjour, Bel-Ami. » Puis, trouvant froide son étreinte elle le considéra, et demanda :

185 « Qu'est-ce que tu as ?

– Assieds-toi, dit-il. Nous allons causer sérieusement. »

Elle s'assit sans ôter son chapeau, relevant seulement sa voilette jusqu'au-dessus du front, et elle attendit.

Il avait baissé les yeux ; il préparait son début. Il commença

190 d'une voix lente :

« Ma chère amie, tu me vois fort troublé, fort triste et fort embar-rassé de ce que j'ai à t'avouer. Je t'aime beaucoup, je t'aime vraiment du fond du cœur, aussi la crainte de te faire de la peine m'afflige-t-elle plus encore que la nouvelle que je vais t'apprendre. »

195 Elle pâlissait, se sentant trembler, et elle balbutia :

« Qu'est-ce qu'il y a ? Dis vite ! »

Il prononça d'un ton triste, mais résolu, avec cet accablement feint dont on use pour annoncer les malheurs heureux :

« Il y a que je me marie. »

200 Elle poussa un soupir de femme qui va perdre connaissance, un soupir douloureux venu du fond de la poitrine, puis elle se mit à suffoquer, sans pouvoir parler, tant elle haletait.

---

1. **Petit bleu** : télégramme (sur papier bleu).

Voyant qu'elle ne disait rien, il reprit : « Tu ne te figures pas combien j'ai souffert avant d'arriver à cette résolution. Mais je n'ai
205   ni situation ni argent. Je suis seul, perdu dans Paris. Il me fallait auprès de moi, quelqu'un qui fût surtout un conseil, une consolation et un soutien. C'est une associée, une alliée que j'ai cherchée et que j'ai trouvée ! »

Il se tut, espérant qu'elle répondrait, s'attendant à une colère
210   furieuse, à des violences, à des injures.

Elle avait appuyé une main sur son cœur comme pour le contenir et elle respirait toujours par secousses pénibles qui lui soulevaient les seins et lui remuaient la tête.

Il prit la main restée sur le bras du fauteuil ; mais elle la retira
215   brusquement. Puis elle murmura comme tombée dans une sorte d'hébétude[1] : « Oh !... mon Dieu... »

Il s'agenouilla devant elle, sans oser la toucher cependant, et il balbutia, plus ému par ce silence qu'il ne l'eût été par des emportements : « Clo, ma petite Clo, comprends bien ma situation,
220   comprends bien ce que je suis. Oh ! si j'avais pu t'épouser, toi, quel bonheur ! Mais tu es mariée. Que pouvais-je faire ? Réfléchis, voyons, réfléchis ! Il faut que je me pose dans le monde, et je ne le puis pas faire tant que je n'aurai pas d'intérieur. Si tu savais !... Il y a des jours où j'avais envie de tuer ton mari... »

225   Il parlait de sa voix douce, voilée, séduisante, une voix qui entrait comme une musique dans l'oreille.

Il vit deux larmes grossir lentement dans les yeux fixes de sa maîtresse, puis couler sur ses joues, tandis que deux autres se formaient déjà au bord des paupières.

230   Il murmura : « Oh ! ne pleure pas, Clo, ne pleure pas, je t'en supplie. Tu me fends le cœur. »

Alors elle fit un effort, un grand effort pour être digne et fière ; et elle demanda avec ce ton chevrotant des femmes qui vont sangloter :

---

1. **Hébétude** : stupeur, abrutissement.

« Qui est-ce ? »

235 Il hésita une seconde, puis, comprenant qu'il le fallait :

« Madeleine Forestier. »

Mme de Marelle tressaillit de tout son corps, puis elle demeura muette, songeant avec une telle attention qu'elle paraissait avoir oublié qu'il était à ses pieds.

240 Et deux gouttes transparentes se formaient sans cesse dans ses yeux, tombaient, se reformaient encore.

Elle se leva. Duroy devina qu'elle allait partir sans lui dire un mot, sans reproches et sans pardon ; et il en fut blessé, humilié au fond de l'âme. Voulant la retenir il saisit à pleins bras sa robe,
245 enlaçant à travers l'étoffe ses jambes rondes qu'il sentit se roidir[1] pour résister.

Il suppliait : « Je t'en conjure, ne t'en va pas comme ça. »

Alors elle le regarda, de haut en bas, elle le regarda avec cet œil mouillé, désespéré, si charmant et si triste qui montre toute la
250 douleur d'un cœur de femme, et elle balbutia : « Je n'ai… je n'ai rien à dire… je n'ai… rien à faire… Tu… tu as raison… tu… tu… as bien choisi ce qu'il te fallait… »

Et s'étant dégagée d'un mouvement en arrière, elle s'en alla, sans qu'il tentât de la retenir plus longtemps.

255 Demeuré seul, il se releva, étourdi comme s'il avait reçu un horion[2] sur la tête ; puis prenant son parti, il murmura : « Ma foi, tant pis ou tant mieux. Ça y est… sans scène. J'aime autant ça. » Et, soulagé d'un poids énorme, se sentant tout à coup libre, délivré, à l'aise pour sa vie nouvelle, il se mit à boxer contre le mur
260 en lançant de grands coups de poing, dans une sorte d'ivresse de succès et de force, comme s'il se fût battu contre la Destinée.

Quand Mme Forestier lui demanda : « Vous avez prévenu Mme de Marelle ? »

---

1. **Étoffe** : tissu ; **se roidir** : se raidir.
2. **Horion** : coup violent.

Il répondit avec tranquillité : « Mais oui… »

Elle le fouillait de son œil clair.

« Et ça ne l'a pas émue ?

– Mais non, pas du tout. Elle a trouvé ça très bien au contraire. »

La nouvelle fut bientôt connue. Les uns s'étonnèrent, d'autres prétendirent l'avoir prévu, d'autres encore sourirent en laissant entendre que ça ne les surprenait point.

Le jeune homme qui signait maintenant D. de Cantel ses chroniques, Duroy ses échos, et du Roy les articles politiques qu'il commençait à donner de temps en temps, passait la moitié des jours chez sa fiancée qui le traitait avec une familiarité fraternelle où entrait cependant une tendresse vraie, mais cachée, une sorte de désir dissimulé comme une faiblesse. Elle avait décidé que le mariage se ferait en grand secret, en présence des seuls témoins, et qu'on partirait le soir même pour Rouen. On irait le lendemain embrasser les vieux parents du journaliste, et on demeurerait quelques jours auprès d'eux.

Duroy s'était efforcé de la faire renoncer à ce projet, mais n'ayant pu y parvenir, il s'était soumis à la fin.

Donc, le 10 mai étant venu, les nouveaux époux, ayant jugé inutiles les cérémonies religieuses, puisqu'ils n'avaient invité personne, rentrèrent pour fermer leurs malles après un court passage à la mairie, et ils prirent à la gare Saint-Lazare le train de six heures du soir qui les emporta vers la Normandie.

Ils n'avaient guère échangé vingt paroles jusqu'au moment où ils se trouvèrent seuls dans le wagon. Dès qu'ils se sentirent en route, ils se regardèrent et se mirent à rire, pour cacher une certaine gêne, qu'ils ne voulaient point laisser voir.

Le train traversait doucement la longue gare des Batignolles, puis il franchit la plaine galeuse[1] qui va des fortifications à la Seine.

---

1. Galeuse : semblant atteinte de la *gale*, maladie cutanée provoquant des pustules à la surface de la peau.

Duroy et sa femme, de temps en temps, prononçaient quelques
295 mots inutiles, puis se tournaient de nouveau vers la portière.

Quand ils passèrent le pont d'Asnières une gaieté les saisit à la
vue de la rivière couverte de bateaux, de pêcheurs et de canotiers[1].
Le soleil, un puissant soleil de mai, répandait sa lumière oblique
sur les embarcations et sur le fleuve calme qui semblait immobile,
300 sans courant et sans remous, figé sous la chaleur et la clarté du jour
finissant. Une barque à voile, au milieu de la rivière, ayant tendu
sur ses deux bords deux grands triangles de toile blanche pour
cueillir les moindres souffles de brise[2], avait l'air d'un énorme
oiseau prêt à s'envoler.

305 Duroy murmura : « J'adore les environs de Paris, j'ai des souvenirs de fritures qui sont les meilleurs de mon existence. »

Elle répondit : « Et les canots ! Comme c'est gentil de glisser
sur l'eau au coucher du soleil ! »

Puis il se turent comme s'ils n'avaient point osé continuer ces
310 épanchements[3] sur leur vie passée, et ils demeurèrent muets,
savourant peut-être déjà la poésie des regrets.

Duroy, assis en face de sa femme, prit sa main et la baisa lentement.

« Quand nous serons revenus, dit-il, nous irons quelquefois
315 dîner à Chatou[4]. »

Elle murmura : « Nous aurons tant de choses à faire ! » sur un
ton qui semblait signifier : « Il faudra sacrifier l'agréable à l'utile. »

Il tenait toujours sa main, se demandant avec inquiétude par
quelle transition il arriverait aux caresses. Il n'eût point été troublé
320 de même devant l'ignorance d'une jeune fille ; mais l'intelligence

---

1. **La rivière** : la Seine ; **canotiers** : personnes qui se promènent en *canot*.
2. **Brise** : vent léger.
3. **Épanchements** : confidences.
4. **Chatou** : petite ville située à une dizaine de kilomètres à l'ouest de Paris, au
bord de la Seine, où les Parisiens viennent faire du canotage et dont ils apprécient
les guinguettes.

alerte et rusée qu'il sentait en Madeleine rendait embarrassée son attitude. Il avait peur de lui sembler niais, trop timide ou trop brutal, trop lent ou trop prompt.

Il serrait cette main par petites pressions, sans qu'elle répondît
à son appel. Il dit :

« Ça me semble très drôle que vous soyez ma femme. »

Elle parut surprise : « Pourquoi ça ?

– Je ne sais pas. Ça me semble drôle. J'ai envie de vous embrasser, et je m'étonne d'en avoir le droit. »

Elle lui tendit tranquillement sa joue, qu'il baisa comme il eût baisé celle d'une sœur.

Il reprit : « La première fois que je vous ai vue (vous savez bien, à ce dîner où m'avait invité Forestier), j'ai pensé : "Sacristi, si je pouvais découvrir une femme comme ça." Eh bien ! c'est fait.
Je l'ai. »

Elle murmura : « C'est gentil. » Et elle le regardait tout droit, finement, de son œil toujours souriant.

Il songeait : « Je suis trop froid. Je suis stupide. Je devrais aller plus vite que ça. » Et il demanda : « Comment aviez-vous donc fait
la connaissance de Forestier ? »

Elle répondit, avec une malice provocante :

« Est-ce que nous allons à Rouen pour parler de lui ? »

Il rougit : « Je suis bête. Vous m'intimidez beaucoup. »

Elle fut ravie : « Moi ! Pas possible ? D'où vient ça ? » Il s'était
assis à côté d'elle, tout près. Elle cria : « Oh ! un cerf ! »

Le train traversait la forêt de Saint-Germain ; et elle avait vu un chevreuil[1] effrayé franchir d'un bond une allée.

Duroy s'étant penché pendant qu'elle regardait par la portière ouverte posa un long baiser, un baiser d'amant dans les cheveux
de son cou.

1.Forêt de Saint-Germain : forêt de Saint-Germain-en-Laye, ville située à une vingtaine de kilomètres à l'ouest de Paris ; **chevreuil** : animal plus petit que le cerf.

Elle demeura quelques moments immobile ; puis, relevant la tête : « Vous me chatouillez, finissez. »

Mais il ne s'en allait point, promenant doucement, en une caresse énervante et prolongée, sa moustache frisée sur la chair blanche.

355 Elle se secoua : « Finissez donc. »

Il avait saisi la tête de sa main droite glissée derrière elle, et il la tournait vers lui. Puis il se jeta sur sa bouche comme un épervier[1] sur une proie.

Elle se débattait, le repoussait, tâchait de se dégager. Elle y
360 parvint enfin, et répéta :

« Mais finissez donc. »

Il ne l'écoutait plus, l'étreignant, la baisant d'une lèvre avide et frémissante, essayant de la renverser sur les coussins du wagon.

Elle se dégagea d'un grand effort, et, se levant avec vivacité :
365 « Oh ! voyons, Georges, finissez. Nous ne sommes pourtant plus des enfants, nous pouvons bien attendre Rouen. »

Il demeurait assis, très rouge, et glacé par ces mots raisonnables ; puis, ayant repris quelque sang-froid : « Soit j'attendrai, dit-il avec gaieté, mais je ne suis plus fichu de prononcer vingt
370 paroles jusqu'à l'arrivée. Et songez que nous traversons Poissy[2].

– C'est moi qui parlerai », dit-elle.

Elle se rassit doucement auprès de lui.

Et elle parla, avec précision, de ce qu'ils feraient à leur retour. Ils devaient conserver l'appartement qu'elle habitait avec son
375 premier mari, et Duroy héritait aussi des fonctions et du traitement de Forestier à *La Vie française.*

Avant leur union, du reste, elle avait réglé, avec une sûreté d'homme d'affaires, tous les détails financiers du ménage.

Ils s'étaient associés sous le régime de la séparation de biens, et
380 tous les cas étaient prévus qui pouvaient survenir : mort, divorce,

---

1. Épervier : oiseau rapace au vol très rapide.
2. Poissy : ville située à une trentaine de kilomètres à l'ouest de Paris. Le voyage jusqu'à Rouen est encore long.

naissance d'un ou de plusieurs enfants. Le jeune homme apportait quatre mille francs, disait-il, mais, sur cette somme, il en avait emprunté quinze cents. Le reste provenait d'économies faites dans l'année, en prévision de l'événement. La jeune femme apportait quarante mille francs que lui avait laissés Forestier, disait-elle.

385

Elle revint à lui, citant son exemple : « C'était un garçon très économe, très rangé, très travailleur. Il aurait fait fortune en peu de temps. »

Duroy n'écoutait plus, tout occupé d'autres pensées.

390

Elle s'arrêtait parfois pour suivre une idée intime, puis reprenait :

« D'ici à trois ou quatre ans, vous pouvez fort bien gagner de trente à quarante mille francs par an. C'est ce qu'aurait eu Charles, s'il avait vécu. »

395

Georges, qui commençait à trouver longue la leçon, répondit : « Il me semblait que nous n'allions pas à Rouen pour parler de lui. »

Elle lui donna une petite tape sur la joue : « C'est vrai, j'ai tort. » Elle riait.

Il affectait[1] de tenir ses mains sur ses genoux, comme les petits

400

garçons bien sages.

« Vous avez l'air niais, comme ça », dit-elle.

Il répliqua : « C'est mon rôle, auquel vous m'avez d'ailleurs rappelé tout à l'heure, et je n'en sortirai plus. »

Elle demanda : « Pourquoi ?

405

— Parce que c'est vous qui prenez la direction de la maison, et même celle de ma personne. Cela vous regarde, en effet, comme veuve ! »

Elle fut étonnée : « Que voulez-vous dire au juste ?

— Que vous avez une expérience qui doit dissiper mon ignorance,

410

et une pratique du mariage qui doit dégourdir mon innocence de célibataire, voilà, na ! »

---

1. **Affectait** : faisait exprès pour attirer l'attention.

Elle s'écria : « C'est trop fort ! »

Il répondit : « C'est comme ça. Je ne connais pas les femmes, moi,
– na, – et vous connaissez les hommes, vous, puisque vous êtes veuve,
415   – na, – c'est vous qui allez faire mon éducation… ce soir – na – et
vous pouvez même commencer tout de suite, si vous voulez, – na. »

Elle s'écria, très égayée :

« Oh ! par exemple, si vous comptez sur moi pour ça !… »

Il prononça, avec une voix de collégien qui bredouille sa leçon :
420   « Mais oui, – na, – j'y compte. Je compte même que vous me
donnerez une instruction solide… en vingt leçons… dix pour les
éléments… la lecture et la grammaire… dix pour les perfectionnements et la rhétorique[1]… Je ne sais rien, moi, – na. »

Elle s'écria, s'amusant beaucoup : « T'es bête. »

425   Il reprit : « Puisque tu commences par me tutoyer, j'imiterai
aussitôt cet exemple, et je te dirai, mon amour, que je t'adore de
plus en plus, de seconde en seconde, et que je trouve Rouen bien
loin ! »

Il parlait maintenant avec des intonations d'acteur, avec un jeu
430   plaisant de figure qui divertissaient la jeune femme habituée aux
manières et aux joyeusetés de la grande bohème[2] des hommes de
lettres.

Elle le regardait de côté, le trouvant vraiment charmant,
éprouvant l'envie qu'on a de croquer un fruit sur l'arbre, et l'hési-
435   tation du raisonnement qui conseille d'attendre le dîner pour le
manger à son heure.

Alors elle dit, devenant un peu rouge aux pensées qui l'assaillaient :

« Mon petit élève, croyez mon expérience, ma grande expérience.
Les baisers en wagon ne valent rien. Ils tournent sur l'estomac. »

---

1. **Éléments** : notions de base ; **perfectionnements** : classe de perfectionnement
où l'élève, possédant les notions de base, se perfectionne ; **rhétorique** : classe
dans laquelle on apprend la rhétorique, c'est-à-dire l'art de bien parler.
2. **Bohème** : façon de vivre des intellectuels et des artistes à l'écart des conventions sociales.

440 Puis elle rougit davantage encore, en murmurant : « Il ne faut jamais couper son blé en herbe[1]. »

Il ricanait, excité par les sous-entendus qu'il sentait glisser dans cette jolie bouche ; et il fit le signe de la croix avec un marmottement[2] des lèvres, comme s'il eût murmuré une prière, 445 puis il déclara : « Je viens de me mettre sous la protection de saint Antoine, patron des Tentations. Maintenant, je suis de bronze[3]. »

La nuit venait doucement, enveloppant d'ombre transparente, comme d'un crêpe[4] léger, la grande campagne qui s'étendait à droite. Le train longeait la Seine ; et les jeunes gens se mirent à 450 regarder dans le fleuve, déroulé comme un large ruban de métal poli à côté de la voie, des reflets rouges, des taches tombées du ciel que le soleil en s'en allant avait frotté de pourpre[5] et de feu. Ces lueurs s'éteignaient peu à peu, devenaient foncées, s'assombrissant tristement. Et la campagne se noyait dans le noir, avec ce 455 frisson sinistre, ce frisson de mort que chaque crépuscule fait passer sur la terre.

Cette mélancolie du soir entrant par la portière ouverte, pénétrait les âmes, si gaies tout à l'heure, des deux époux devenus silencieux.

460 Ils s'étaient rapprochés l'un de l'autre pour regarder cette agonie du jour[6], de ce beau jour clair de mai.

À Mantes, on avait allumé le petit quinquet à l'huile qui répandait sur le drap gris des capitons[7] sa clarté jaune et tremblotante.

---

1. Couper son blé en herbe : locution signifiant « agir sans réfléchir, par inexpérience ».

2. Marmottement : marmonnement.

3. Saint Antoine : saint des premiers siècles du christianisme, qui a subi et résisté aux tentations du diable (sous la forme de bêtes sauvages) ; **de bronze** : impassible, imperturbable.

4. Crêpe : fin tissu ondulé.

5. Pourpre : couleur rouge.

6. Agonie du jour : derniers instants du jour.

7. Mantes : Mantes-la-Jolie, petite ville sur la Seine, entre Paris et Rouen ; **quinquet** : lampe ; **capitons** : partie matelassée du siège.

Duroy enlaça la taille de sa femme et la serra contre lui. Son
465 désir aigu de tout à l'heure devenait de la tendresse, une tendresse
alanguie[1], une envie molle de menues caresses consolantes, de ces
caresses dont on berce les enfants.

Il murmura, tout bas : « Je t'aimerai bien, ma petite Made. »

La douceur de cette voix émut la jeune femme, lui fit passer sur
470 la chair un frémissement rapide, et elle offrit sa bouche, en se
penchant sur lui, car il avait posé sa joue sur le tiède appui des
seins.

Ce fut un très long baiser, muet et profond, puis un sursaut,
une brusque et folle étreinte, une courte lutte essoufflée, un accou-
475 plement violent et maladroit. Puis ils restèrent aux bras l'un de
l'autre, un peu déçus tous deux, las[2] et tendres encore, jusqu'à ce
que le sifflet du train annonçât une gare prochaine.

Elle déclara, en tapotant du bout des doigts les cheveux ébouriffés de ses tempes :
480 « C'est très bête. Nous sommes des gamins. »

Mais il lui baisait les mains, allant de l'une à l'autre avec
une rapidité fiévreuse, et il répondit : « Je t'adore, ma petite
Made. »

Jusqu'à Rouen ils demeurèrent presque immobiles, la joue
485 contre la joue, les yeux dans la nuit de la portière où l'on voyait
passer parfois les lumières des maisons ; et ils rêvassaient, contents
de se sentir si proches et dans l'attente grandissante d'une étreinte
plus intime et plus libre.

Ils descendirent dans un hôtel dont les fenêtres donnaient
490 sur le quai, et ils se mirent au lit après avoir un peu soupé, très
peu.

La femme de chambre les réveilla, le lendemain, lorsque huit heures
venaient de sonner.

---

1. **Alanguie** : languissante, affaiblie.
2. **Las** : fatigués.

Quand ils eurent bu la tasse de thé posée sur la table de nuit, Duroy regarda sa femme, puis brusquement, avec l'élan joyeux d'un homme heureux qui vient de trouver un trésor, il la saisit dans ses bras, en balbutiant : « Ma petite Made, je sens que je t'aime beaucoup… beaucoup… beaucoup… »

Elle souriait de son sourire confiant et satisfait et elle murmura, en lui rendant ses baisers : « Et moi aussi… peut-être. »

Mais il demeurait inquiet de cette visite à ses parents. Il avait déjà souvent prévenu sa femme ; il l'avait préparée, sermonnée. Il crut bon de recommencer.

« Tu sais, ce sont des paysans, des paysans de campagne, et non pas d'opéra-comique. »

Elle riait : « Mais je le sais, tu me l'as assez dit. Voyons, lève-toi et laisse-moi me lever aussi. »

Il sauta du lit, et mettant ses chaussettes :

« Nous serons très mal à la maison, très mal. Il n'y a qu'un vieux lit à paillasse dans ma chambre. On ne connaît pas les sommiers à Canteleu. »

Elle semblait enchantée : « Tant mieux. Ce sera charmant de mal dormir… auprès de… auprès de toi… et d'être réveillée par le chant des coqs. »

Elle avait passé son peignoir, un grand peignoir de flanelle[1] blanche, que Duroy reconnut aussitôt. Cette vue lui fut désagréable. Pourquoi ? Sa femme possédait, il le savait bien, une douzaine entière de ces vêtements de matinée. Elle ne pouvait pourtant point détruire son trousseau pour en acheter un neuf ? N'importe, il eût voulu que son linge de chambre, son linge de nuit, son linge d'amour ne fût plus le même qu'avec l'autre. Il lui semblait que l'étoffe[2] moelleuse et tiède devait avoir gardé quelque chose du contact de Forestier.

---

1. **Flanelle** : tissu de laine doux et léger.
2. **Étoffe** : tissu.

Et il alla vers la fenêtre en allumant une cigarette.

525 La vue du port, du large fleuve plein de navires aux mâts légers, de vapeurs trapus[1], que des machines tournantes vidaient à grand bruit sur les quais, le remua, bien qu'il connût cela depuis longtemps. Et il s'écria :

« Bigre, que c'est beau ! »

530 Madeleine accourut et posant ses deux mains sur une épaule de son mari, penchée vers lui dans un geste abandonné, elle demeura ravie, émue. Elle répétait :

« Oh ! que c'est joli ! que c'est joli ! Je ne savais pas qu'il y eût tant de bateaux que ça ! »

535 Ils partirent une heure plus tard, car ils devaient déjeuner chez les vieux, prévenus depuis quelques jours. Un fiacre[2] découvert et rouillé les emporta avec un bruit de chaudronnerie[3] secouée. Ils suivirent un long boulevard assez laid, puis traversèrent des prairies où coulait une rivière, puis ils commencèrent à gravir la côte.

540 Madeleine, fatiguée, s'était assoupie sous la caresse pénétrante du soleil qui la chauffait délicieusement au fond de la vieille voiture, comme si elle eût été couchée dans un bain tiède de lumière et d'air champêtre.

Son mari la réveilla : « Regarde », dit-il.

545 Ils venaient de s'arrêter aux deux tiers de la montée, à un endroit renommé pour la vue, où l'on conduit tous les voyageurs.

On dominait l'immense vallée, longue et large que le fleuve clair parcourait d'un bout à l'autre, avec de grandes ondulations. On le voyait venir, de là-bas, taché par des îles nombreuses et 550 décrivant une courbe avant de traverser Rouen. Puis la ville apparaissait sur la rive droite, un peu noyée dans la brume matinale, avec des éclats de soleil sur ses toits, et ses mille clochers légers, pointus ou trapus, frêles et travaillés comme des bijoux géants,

---

1. Fleuve : la Seine ; **vapeurs** : bateaux à vapeur ; **trapus** : compacts, massifs.

2. Fiacre : voiture à cheval louée à la course (comme les taxis aujourd'hui).

3. Chaudronnerie : ferraille.

ses tours carrées ou rondes coiffées de couronnes héraldiques, ses
555 beffrois, ses clochetons, tout le peuple gothique[1] des sommets
d'églises que dominait la flèche aiguë de la cathédrale, surpre-
nante aiguille de bronze, laide, étrange et démesurée, la plus
haute qui soit au monde.

Mais en face, de l'autre côté du fleuve, s'élevaient rondes et
560 renflées à leur faîte[2], les minces cheminées d'usines du vaste
faubourg de Saint-Sever.

Plus nombreuses que leurs frères les clochers, elles dressaient
jusque dans la campagne lointaine leurs longues colonnes de
briques et soufflaient dans le ciel bleu leur haleine noire de charbon.

565 Et la plus élevée de toutes, aussi haute que la pyramide de
Chéops, le second des sommets dus au travail humain, presque
l'égale de sa fière commère la flèche de la cathédrale, la grande
pompe à feu de la Foudre[3] semblait la reine du peuple travailleur
et fumant des usines, comme sa voisine était la reine de la foule
570 pointue des monuments sacrés.

Là-bas, derrière la ville ouvrière, s'étendait une forêt de sapins ;
et la Seine, ayant passé entre les deux cités, continuait sa route,
longeait une grande côte onduleuse boisée en haut et montrant
par places[4] ses os de pierre blanche, puis elle disparaissait à l'ho-
575 rizon après avoir encore décrit une longue courbe arrondie. On
voyait des navires montant et descendant le fleuve, traînés par des
barques à vapeur grosses comme des mouches, et qui crachaient
une fumée épaisse. Des îles, étalées sur l'eau, s'alignaient toujours

---

1. Héraldiques : représentent des blasons ou des armoiries (emblèmes ou sym-
boles propres à une famille, à une ville ou à un pays) ; beffrois : tours munies
d'une cloche ; clochetons : petits clochers ; gothique : appartenant au style
gothique, qui se développe dans l'Europe chrétienne de 1150 au XVIe siècle et
se caractérise par une architecture élancée et très ornée.

2. Renflées : rebondies ; faîte : sommet.

3. Pompe à feu : machine fonctionnant à la vapeur, servant à pomper l'eau et à
la distribuer dans les différents quartiers d'une ville ; la Foudre : nom d'une
usine de filature.

4. Par places : par endroits.

l'une au bout de l'autre, ou bien laissant entre elles de grands
580   intervalles, comme les grains inégaux d'un chapelet verdoyant.

Le cocher du fiacre attendait que les voyageurs eussent fini de
s'extasier. Il connaissait par expérience la durée de l'admiration de
toutes les races[1] de promeneurs.

Mais quand il se remit en marche, Duroy aperçut soudain, à
585   quelques centaines de mètres, deux vieilles gens qui s'en venaient,
et il sauta de la voiture, en criant : « Les voilà. Je les reconnais. »

C'étaient deux paysans, l'homme et la femme, qui marchaient
d'un pas irrégulier, en se balançant et se heurtant parfois de
l'épaule. L'homme était petit, trapu[2], rouge et un peu ventru,
590   vigoureux malgré son âge ; la femme, grande, sèche, voûtée, triste,
la vraie femme de peine des champs qui a travaillé dès l'enfance
et qui n'a jamais ri, tandis que le mari blaguait en buvant avec les
pratiques[3].

Madeleine aussi était descendue de voiture et elle regardait
595   venir ces deux pauvres êtres avec un serrement de cœur, une tristesse qu'elle n'avait point prévue. Ils ne reconnaissaient point leur
fils, ce beau monsieur, et ils n'auraient jamais deviné leur bru[4]
dans cette belle dame en robe claire.

Ils allaient, sans parler, et vite, au-devant de l'enfant attendu,
600   sans regarder ces personnes de la ville que suivait une voiture.

Ils passaient. Georges, qui riait, cria : « Bonjou, pé[5] Duroy. »

Ils s'arrêtèrent net, tous les deux, stupéfaits d'abord, puis abrutis
de surprise. La vieille se remit la première et balbutia, sans faire un
pas : « C'est-ti té, not'fieu[6] ? »

---

1. **Races** : sortes.
2. **Trapu** : court et large, donnant une impression de force.
3. **Pratiques** : clients.
4. **Bru** : belle-fille.
5. **Pé** : père. Dans tout le passage, Maupassant retranscrit les tournures du patois normand parlé par les parents de Duroy.
6. **C'est-ti té, not'fieu** : c'est-ti toi, notre fils.

605   Le jeune homme répondit : « Mais oui, c'est moi, la mé[1] Duroy ! »
et marchant à elle il l'embrassa sur les deux joues, d'un gros baiser
de fils. Puis il frotta ses tempes contre les tempes du père, qui avait
ôté sa casquette, une casquette à la mode de Rouen, en soie noire,
très haute, pareille à celle des marchands de bœufs.

610   Puis Georges annonça : « Voilà ma femme. » Et les deux campagnards regardèrent Madeleine. Ils la regardaient comme on regarde
un phénomène, avec une crainte inquiète, jointe à une sorte d'approbation satisfaite chez le père, à une inimitié[2] jalouse chez la
mère.

615   L'homme, qui était d'un naturel joyeux, tout imbibé par une
gaieté de cidre doux et d'alcool, s'enhardit et demanda, avec une
malice au coin de l'œil :

    « J'pouvons-t-il l'embrasser tout d'même ? »

    Le fils répondit : « Parbleu. » Et Madeleine, mal à l'aise, tendit
620 ses deux joues aux bécots[3] sonores du paysan qui s'essuya ensuite
les lèvres d'un revers de main.

    La vieille, à son tour, baisa sa belle-fille avec une réserve hostile.
Non, ce n'était point la bru de ses rêves, la grosse et fraîche
fermière, rouge comme une pomme et ronde comme une jument
625 poulinière[4]. Elle avait l'air d'une traînée, cette dame-là, avec ses
falbalas et son musc[5]. Car tous les parfums, pour la vieille, étaient
du musc.

    Et on se remit en marche à la suite du fiacre qui portait la malle
des nouveaux époux.

630   Le vieux prit son fils par le bras, et le retenant en arrière, il
demanda avec intérêt :

    « Eh ben, ça va-t-il, les affaires ?

---

1. Mé : mère.
2. Inimitié : hostilité.
3. Bécots : baisers (familier).
4. Jument poulinière : jument destinée à la reproduction.
5. Falbalas : fanfreluches, ornements excessifs ; **musc** : parfum très odorant.

— Mais oui, très bien.

— Allons, suffit, tant mieux! Dis-mé, ta femme, est-i aisée[1]? »

635 Georges répondit: « Quarante mille francs. »

Le père poussa un léger sifflement d'admiration et ne put que murmurer: « Bougre! » tant il fut ému par la somme. Puis il ajouta avec une conviction sérieuse: « Nom d'un nom, c'est une belle femme. » Car il la trouvait de son goût, lui. Et il avait passé

640 pour connaisseur, dans le temps.

Madeleine et la mère marchaient côte à côte, sans dire un mot. Les deux hommes les rejoignirent.

On arrivait au village, un petit village en bordure sur la route, formé de dix maisons de chaque côté, maisons de bourg et masures

645 de fermes, les unes en briques, les autres en argile, celles-ci coiffées de chaume et celles-là d'ardoises. Le café du père Duroy: *À la belle vue*, une bicoque[2] composée d'un rez-de-chaussée et d'un grenier, se trouvait à l'entrée du pays, à gauche. Une branche de pin, accrochée sur la porte, indiquait, à la mode ancienne, que les gens

650 altérés[3] pouvaient entrer.

Le couvert était mis dans la salle du cabaret[4], sur deux tables rapprochées et cachées par deux serviettes. Une voisine, venue pour aider au service, salua d'une grande révérence en voyant apparaître une aussi belle dame, puis reconnaissant Georges, elle

655 s'écria: « Seigneur Jésus, c'est-i té, petiot? »

Il répondit gaiement. « Oui, c'est moi! la mé[5] Brulin! »

Et il l'embrassa aussitôt comme il avait embrassé père et mère.

Puis il se tourna vers sa femme: « Viens dans notre chambre,

660 dit-il, tu te débarrasseras de ton chapeau. »

---

1. **Dis-mé, ta femme, est-i aisée?** Dis-moi, ta femme, est-elle aisée?

2. **Masures**: bâtiments agricoles; **chaume**: paille; **bicoque**: baraque (familier).

3. **Altérés**: assoiffés.

4. **Cabaret**: café-restaurant.

5. **Té**: toi; **mé**: mère.

Il la fit entrer par la porte de droite dans une pièce froide, carrelée, toute blanche, avec ses murs peints à la chaux[1] et son lit aux rideaux de coton. Un crucifix au-dessus d'un bénitier[2], et deux images coloriées représentant Paul et Virginie[3] sous un palmier bleu et Napoléon Ier sur un cheval jaune, ornaient seuls cet appartement propre et désolant.

Dès qu'ils furent seuls, il embrassa Madeleine : « Bonjour, Made. Je suis content de revoir les vieux. Quand on est à Paris, on n'y pense pas, et puis quand on se retrouve, ça fait plaisir tout de même. »

Mais le père criait en tapant du poing dans la cloison : « Allons, allons, la soupe est cuite. »

Et il fallut se mettre à table.

Ce fut un long déjeuner de paysans avec une suite de plats mal assortis, une andouille après un gigot, une omelette après l'andouille. Le père Duroy, mis en joie par le cidre et quelques verres de vin, lâchait le robinet de ses plaisanteries de choix, celles qu'il réservait pour les grandes fêtes, histoires grivoises[4] et malpropres arrivées à ses amis, affirmait-il. Georges, qui les connaissait toutes, riait cependant, grisé[5] par l'air natal, ressaisi par l'amour inné du pays, des lieux familiers dans l'enfance, par toutes les sensations, tous les souvenirs retrouvés, toutes les choses d'autrefois revues, des riens, une marque de couteau dans une porte, une chaise boiteuse rappelant un petit fait, des odeurs de sol, le grand souffle de résine et d'arbres venu de la forêt voisine, les senteurs du logis, du ruisseau, du fumier.

---

1. Chaux : enduit pour blanchir les murs.

2. Crucifix : croix sur laquelle est représenté Jésus crucifié ; **bénitier** : petit bassin ou vase contenant de l'eau bénite.

3. Paul et Virginie : héros éponymes du roman de Bernardin de Saint-Pierre (1737-1814). Ils incarnent l'amour naïf et tragique de deux jeunes gens élevés loin de la civilisation, dans la nature exotique de l'île Maurice.

4. Grivoises : osées, coquines.

5. Grisé : étourdi.

La mère Duroy ne parlait point, toujours triste et sévère, épiant de l'œil sa bru avec une haine éveillée dans le cœur, une haine de vieille travailleuse, de vieille rustique[1] aux doigts usés, aux membres déformés par les dures besognes[2], contre cette femme de ville qui lui inspirait une répulsion de maudite, de réprouvée, d'être impur fait pour la fainéantise et le péché. Elle se levait à tout moment pour aller chercher les plats, pour verser dans les verres la boisson jaune et aigre[3] de la carafe ou le cidre roux mousseux et sucré des bouteilles dont le bouchon sautait comme celui de la limonade gazeuse.

Madeleine ne mangeait guère, ne parlait guère, demeurait triste avec son sourire ordinaire figé sur les lèvres, mais un sourire morne, résigné. Elle était déçue, navrée. Pourquoi ? Elle avait voulu venir. Elle n'ignorait point qu'elle allait chez des paysans, chez de petits paysans. Comment les avait-elle donc rêvés, elle, qui ne rêvait pas d'ordinaire ?

Le savait-elle ? Est-ce que les femmes n'espèrent point toujours autre chose que ce qui est ! Les avait-elle vus de loin plus poétiques ? Non, mais plus littéraires peut-être, plus nobles, plus affectueux, plus décoratifs. Pourtant elle ne les désirait point distingués comme ceux des romans. D'où venait donc qu'ils la choquaient par mille choses menues, invisibles, par mille grossièretés insaisissables, par leur nature même de rustres[4], par ce qu'ils disaient, par leurs gestes et leur gaieté ?

Elle se rappelait sa mère à elle, dont elle ne parlait jamais à personne, une institutrice séduite, élevée à Saint-Denis et morte de misère et de chagrin quand Madeleine avait douze ans. Un inconnu avait fait élever la petite fille. Son père, sans doute ? Qui était-il ? Elle ne le sut point au juste, bien qu'elle eût de vagues soupçons.

---

1. Rustique : paysanne.
2. Besognes : travaux.
3. Aigre : amère.
4. Rustres : gens grossiers.

Le déjeuner ne finissait pas. Des consommateurs entraient maintenant, serraient les mains du père Duroy, s'exclamaient en voyant le fils, et, regardant de côté la jeune femme, clignaient de l'œil avec malice ; ce qui signifiait : « Sacré mâtin ! elle n'est pas
720 piquée des vers [1], l'épouse à Georges Duroy. »

D'autres, moins intimes, s'asseyaient devant les tables de bois, et criaient : « Un litre ! – Une chope ! – Deux fines ! – Un raspail [2] ! » Et ils se mettaient à jouer aux dominos en tapant à grand bruit les petits carrés d'os blancs et noirs.

725 La mère Duroy ne cessait plus d'aller et de venir, servant les pratiques [3] avec son air lamentable, recevant l'argent, essuyant les tables du coin de son tablier bleu.

La fumée des pipes de terre et des cigares d'un sou emplissait la salle. Madeleine se mit à tousser et demanda : « Si nous sortions ? je
730 n'en puis plus. »

On n'avait point encore fini. Le vieux Duroy fut mécontent. Alors elle se leva et alla s'asseoir sur une chaise, devant la porte, sur la route, en attendant que son beau-père et son mari eussent achevé leur café et leurs petits verres.

735 Georges la rejoignit bientôt. « Veux-tu dégringoler jusqu'à la Seine ? » dit-il.

Elle accepta avec joie : « Oh ! oui. Allons. »

Ils descendirent la montagne, louèrent un bateau à Croisset [4], et ils passèrent le reste de l'après-midi le long d'une île, sous les saules,
740 somnolents tous deux, dans la chaleur douce du printemps, et bercés par les petites vagues du fleuve.

Puis ils remontèrent à la nuit tombante.

---

1. Mâtin : interjection exprimant l'admiration ; **elle n'est pas piquée des vers** : expression familière et litote signifiant qu'elle est très belle.
2. Deux fines : deux eaux-de-vie ; **raspail** : liqueur à base de plantes, inventée par François-Vincent Raspail (1794-1878).
3. Pratiques : clients.
4. Croisset : hameau proche de Canteleu, situé en bord de Seine. Flaubert, ami de Maupassant, y vécut durant quarante ans.

Le repas du soir, à la lueur d'une chandelle, fut plus pénible encore pour Madeleine que celui du matin. Le père Duroy, qui avait une demi-saoulerie, ne parlait plus. La mère gardait sa mine revêche[1].

La pauvre lumière jetait sur les murs gris les ombres des têtes avec des nez énormes et des gestes démesurés. On voyait parfois une main géante lever une fourchette pareille à une fourche vers une bouche qui s'ouvrait comme une gueule de monstre, quand quelqu'un, se tournant un peu, présentait son profil à la flamme jaune et tremblotante.

Dès que le dîner fut achevé, Madeleine entraîna son mari dehors pour ne point demeurer dans cette salle sombre où flottait toujours une odeur âcre[2] de vieilles pipes et de boissons répandues.

Quand ils furent sortis :

« Tu t'ennuies déjà », dit-il.

Elle voulut protester. Il l'arrêta : « Non. Je l'ai bien vu. Si tu le désires, nous repartirons demain. »

Elle murmura : « Oui, je veux bien. »

Ils allaient devant eux doucement. C'était une nuit tiède dont l'ombre caressante et profonde semblait pleine de bruits légers, de frôlements, de souffles. Ils étaient entrés dans une allée étroite, sous des arbres très hauts, entre deux taillis d'un noir impénétrable.

Elle demanda : « Où sommes-nous ? »

Il répondit : « Dans la forêt.

— Elle est grande ?

— Très grande, une des plus grandes de la France[3]. »

Une senteur de terre, d'arbres, de mousse, ce parfum frais et vieux des bois touffus, fait de la sève des bourgeons et de l'herbe morte et moisie des fourrés, semblait dormir dans cette allée. En

---

1. Revêche : rébarbative, rude.
2. Âcre : piquante.
3. Il s'agit de la forêt de Roumare dont la superficie est de 4 000 hectares.

levant la tête, Madeleine apercevait des étoiles entre les sommets des arbres, et bien qu'aucune brise[1] ne remuât les branches, elle
775 sentait autour d'elle la vague palpitation de cet océan de feuilles.

Un frisson singulier lui passa dans l'âme et lui courut sur la peau ; une angoisse confuse lui serra le cœur. Pourquoi ? Elle ne comprenait pas. Mais il lui semblait qu'elle était perdue, noyée. Entourée de périls, abandonnée de tous, seule, seule au monde,
780 sous cette voûte vivante qui frémissait là-haut.

Elle murmura : « J'ai un peu peur. Je voudrais retourner.

— Eh bien, revenons.

— Et… nous repartirons pour Paris demain ?

— Oui, demain.

785 — Demain matin.

— Demain matin, si tu veux. »

Ils rentrèrent. Les vieux étaient couchés. Elle dormit mal, réveillée sans cesse par tous les bruits nouveaux pour elle de la campagne, les cris des chouettes, le grognement d'un porc enfermé dans une hutte
790 contre le mur, et le chant d'un coq qui claironna dès minuit.

Elle fut levée et prête à partir aux premières lueurs de l'aurore.

Quand Georges annonça aux parents qu'il allait s'en retourner, ils demeurèrent saisis tous les deux, puis ils comprirent d'où venait cette volonté.

795 Le père demanda simplement : « J'te r'verrons-ti bientôt ?

— Mais oui. Dans le courant de l'été.

— Allons, tant mieux. »

La vieille grogna : « J'te souhaite de n'point r'gretter c'que t'as fait. »

Il leur laissa deux cents francs en cadeau, pour calmer leur
800 mécontentement ; et le fiacre[2], qu'un gamin était allé chercher, ayant paru vers dix heures, les nouveaux époux embrassèrent les vieux paysans et repartirent.

---

1. Brise : vent léger.
2. Fiacre : voiture à cheval louée à la course (comme les taxis aujourd'hui).

Comme ils descendaient la côte, Duroy se mit à rire :

« Voilà, dit-il, je t'avais prévenue. Je n'aurais pas dû te faire
805 connaître Monsieur et Madame du Roy de Cantel, père et mère. »

Elle se mit à rire aussi, et répliqua : « Je suis enchantée maintenant. Ce sont de braves gens que je commence à aimer beaucoup. Je leur enverrai des gâteries de Paris. »

Puis elle murmura : « Du Roy de Cantel… Tu verras que personne
810 ne s'étonnera de nos lettres de faire-part. Nous raconterons que nous
avons passé huit jours dans la propriété de tes parents. »

Et, se rapprochant de lui, elle effleura d'un baiser le bout de sa
moustache : « Bonjour, Géo ! »

Il répondit : « Bonjour, Made » en passant une main derrière sa
815 taille.

On apercevait au loin, dans le fond de la vallée, le grand fleuve
déroulé comme un ruban d'argent sous le soleil du matin, et toutes
les cheminées des usines qui soufflaient dans le ciel leurs nuages de
charbon, et tous les clochers pointus dressés sur la vieille cité.

2

Les Du Roy[1] étaient rentrés à Paris depuis deux jours et le journaliste avait repris son ancienne besogne, en attendant qu'il quittât le service des échos[2] pour s'emparer définitivement des fonctions de Forestier et se consacrer tout à fait à la politique.

5 Il remontait chez lui, ce soir-là, au logis[3] de son prédécesseur, le cœur joyeux, pour dîner, avec le désir éveillé d'embrasser tout à l'heure sa femme dont il subissait vivement le charme physique et l'insensible domination. En passant devant une fleuriste, au bas de la rue Notre-Dame-de-Lorette, il eut l'idée d'acheter un 10 bouquet pour Madeleine et il prit une grosse botte de roses à peine ouvertes, un paquet de boutons parfumés.

À chaque étage de son nouvel escalier il se regardait complaisamment dans cette glace dont la vue lui rappelait sans cesse sa première entrée dans la maison.

15 Il sonna, ayant oublié sa clef, et le même domestique, qu'il avait gardé aussi sur le conseil de sa femme, vint ouvrir.

Georges demanda : « Madame est rentrée ?

– Oui monsieur. »

Mais en traversant la salle à manger il demeura fort surpris 20 d'apercevoir trois couverts ; et, la portière[4] du salon étant soulevée,

---

1. Pour la première fois, c'est le narrateur, et non plus les personnages, qui orthographie ainsi le patronyme des époux.

2. Le service des échos : la fonction de chef des échos, rubrique du journal qui rapporte les potins mondains et politiques.

3. Logis : logement.

4. Portière : tenture recouvrant une porte.

il vit Madeleine qui disposait dans un vase de la cheminée une botte de roses toute pareille à la sienne. Il fut contrarié, mécontent, comme si on lui eût volé son idée, son attention et tout le plaisir qu'il en attendait.

25 Il demanda en entrant : « Tu as donc invité quelqu'un ? »

Elle répondit sans se retourner, en continuant à arranger ses fleurs : « Oui et non. C'est mon vieil ami le comte de Vaudrec qui a l'habitude de dîner ici tous les lundis, et qui vient comme autrefois. »

30 Georges murmura : « Ah ! très bien. »

Il restait debout derrière elle, son bouquet à la main, avec une envie de le cacher, de le jeter. Il dit cependant : « Tiens, je t'ai apporté des roses ! »

Elle se retourna brusquement, toute souriante, criant :

35 « Ah ! que tu es gentil d'avoir pensé à ça. »

Et elle lui tendit ses bras et ses lèvres avec un élan de plaisir si vrai qu'il se sentit consolé.

Elle prit les fleurs, les respira, et, avec une vivacité d'enfant ravie, les plaça dans le vase resté vide en face du premier. Puis elle

40 murmura en regardant l'effet :

« Que je suis contente ! Voilà ma cheminée garnie maintenant. »

Elle ajouta presque aussitôt, d'un air convaincu :

« Tu sais, il est charmant, Vaudrec, tu seras tout de suite intime avec lui. »

45 Un coup de timbre[1] annonça le comte. Il entra, tranquille, très à l'aise, comme chez lui. Après avoir baisé galamment les doigts de la jeune femme, il se tourna vers le mari et lui tendit la main avec cordialité en demandant : « Ça va bien, mon cher Du Roy ? »

Il n'avait plus son air roide, son air gourmé de jadis, mais un

50 air affable[2], révélant bien que la situation n'était plus la même.

---

1. Timbre : sonnette.
2. Roide : raide ; **gourmé** : guindé, prétentieux ; **affable** : aimable.

Le journaliste, surpris, tâcha de se montrer gentil pour répondre à ces avances. On eût cru, après cinq minutes, qu'ils se connaissaient et s'adoraient depuis dix ans.

Alors Madeleine, dont le visage était radieux, leur dit :

55 « Je vous laisse ensemble. J'ai besoin de jeter un coup d'œil à ma cuisine. » Et elle se sauva, suivie par le regard des deux hommes.

Quand elle revint, elle les trouva causant théâtre, à propos d'une pièce nouvelle, et si complètement du même avis qu'une sorte d'amitié rapide s'éveillait dans leurs yeux à la découverte de

60 cette absolue parité[1] d'idées.

Le dîner fut charmant, tout intime et cordial ; et le comte demeura fort tard dans la soirée, tant il se sentait bien dans cette maison, dans ce joli nouveau ménage.

Dès qu'il fut parti, Madeleine dit à son mari :

65 « N'est-ce pas qu'il est parfait ? Il gagne du tout au tout à être connu. En voilà un bon ami, sûr, dévoué, fidèle. Ah ! sans lui… »

Elle n'acheva point sa pensée, et Georges répondit : « Oui, je le trouve fort agréable. Je crois que nous nous entendrons très bien. »

Mais elle reprit aussitôt : « Tu ne sais pas, nous avons à travailler,

70 ce soir, avant de nous coucher. Je n'ai pas eu le temps de te parler de ça avant dîner, parce que Vaudrec est arrivé tout de suite. On m'a apporté des nouvelles graves, tantôt, des nouvelles du Maroc. C'est Laroche-Mathieu, le député, le futur ministre, qui me les a données. Il faut que nous fassions un grand article, un article à sensation. J'ai

75 des faits et des chiffres. Nous allons nous mettre à la besogne immédiatement. Tiens, prends la lampe. »

Il la prit et ils passèrent dans le cabinet de travail.

Les mêmes livres s'alignaient dans la bibliothèque qui portait maintenant sur son faîte[2] les trois vases achetés au golfe Juan, par

80 Forestier, la veille de son dernier jour. Sous la table, la chancelière[3]

---

1. **Parité** : similitude, ressemblance.
2. **Faîte** : sommet.
3. **Chancelière** : boîte fourrée servant à tenir les pieds au chaud.

du mort attendait les pieds de Du Roy qui s'empara, après s'être assis, du porte-plume d'ivoire, un peu mâché au bout, par la dent de l'autre.

Madeleine s'appuya à la cheminée, et ayant allumé une ciga-
85 rette, elle raconta ses nouvelles, puis exposa ses idées, et le plan de l'article qu'elle rêvait.

Il l'écoutait avec attention, tout en griffonnant des notes ; et quand elle eut fini il souleva des objections, reprit la question, l'agrandit, développa à son tour non plus un plan d'article, mais
90 un plan de campagne[1] contre le ministère actuel. Cette attaque serait le début. Sa femme avait cessé de fumer, tant son intérêt s'éveillait, tant elle voyait large et loin en suivant la pensée de Georges.

Elle murmurait de temps en temps : « Oui... oui... C'est très
95 bon... C'est excellent... C'est très fort... »

Et quand il eut achevé, à son tour, de parler :

« Maintenant écrivons », dit-elle.

Mais il avait toujours le début difficile et il cherchait ses mots avec peine. Alors elle vint doucement se pencher sur son épaule
100 et elle se mit à lui souffler ses phrases tout bas, dans l'oreille.

De temps en temps elle hésitait et demandait :

« Est-ce bien ça que tu veux dire ? »

Il répondait : « Oui, parfaitement. »

Elle avait des traits piquants, des traits venimeux de femme
105 pour blesser le chef du conseil ; et elle mêlait des railleries sur son visage à celles sur sa politique, d'une façon drôle qui faisait rire et saisissait en même temps par la justesse de l'observation.

Du Roy, parfois, ajoutait quelques lignes qui rendaient plus profonde et plus puissante la portée d'une attaque. Il savait en outre
110 l'art des sous-entendus perfides, qu'il avait appris en aiguisant[2] des

---

1. Campagne : opération de propagande politique.
2. Perfides : fourbes et méchants ; en aiguisant : en rédigeant.

échos[1] ; et quand un fait donné pour certain par Madeleine lui paraissait douteux ou compromettant, il excellait à le faire deviner et à l'imposer à l'esprit avec plus de force que s'il l'eût affirmé.

Quand leur article fut terminé, Georges le relut tout haut, en le déclamant. Ils le jugèrent admirable d'un commun accord et ils se souriaient, enchantés et surpris, comme s'ils venaient de se révéler l'un à l'autre. Ils se regardaient au fond des yeux, émus d'admiration et d'attendrissement ; et ils s'embrassèrent avec élan, avec une ardeur d'amour communiquée de leurs esprits à leurs corps.

Du Roy reprit la lampe : « Et, maintenant, dodo », dit-il avec un regard allumé.

Elle répondit : « Passez, mon maître puisque vous éclairez la route. »

Il passa, et elle le suivit dans leur chambre en lui chatouillant le cou du bout du doigt, entre le col et les cheveux, pour le faire aller plus vite, car il redoutait cette caresse.

L'article parut sous la signature de Georges du Roy de Cantel, et fit grand bruit. On s'en émut à la Chambre[2]. Le père Walter en félicita l'auteur et le chargea de la rédaction politique de *La Vie française*. Les échos revinrent à Boisrenard.

Alors commença, dans le journal, une campagne[3] habile et violente contre le ministère qui dirigeait les affaires. L'attaque, toujours adroite et nourrie de faits, tantôt ironique, tantôt sérieuse, parfois plaisante, parfois virulente, frappait avec une sûreté et une continuité dont tout le monde s'étonnait. Les autres feuilles[4] citaient sans cesse *La Vie française*, y coupaient des passages entiers ; et les hommes du pouvoir s'informèrent si on ne pouvait pas bâillonner avec une préfecture cet ennemi[5] inconnu et acharné.

---

1. Échos : articles relatant les potins mondains et politiques.

2. La Chambre : aujourd'hui l'Assemblée nationale.

3. Campagne : opération de propagande politique.

4. Feuilles : journaux.

5. Bâillonner avec une préfecture cet ennemi : faire taire cet ennemi en lui donnant une charge de préfet.

Du Roy devenait célèbre dans les groupes politiques. Il sentait grandir son influence à la pression des poignées de main, et à
140 l'allure des coups de chapeau[1]. Sa femme d'ailleurs l'emplissait de stupeur[2] et d'admiration par l'ingéniosité de son esprit, l'habileté de ses informations et le nombre de ses connaissances.

À tout moment, il trouvait dans son salon, en rentrant chez lui, un sénateur, un député, un magistrat, un général, qui traitaient
145 Madeleine en vieille amie, avec une familiarité sérieuse. Où avait-elle connu tous ces gens ? Dans le monde, disait-elle. Mais comment avait-elle su capter leur confiance et leur affection ? Il ne le comprenait pas.

« Ça ferait une rude diplomate », pensait-il.
150 Elle rentrait souvent en retard aux heures des repas, essoufflée, rouge, frémissante, et, avant même d'avoir ôté son voile, elle disait : « J'en ai du nanan[3], aujourd'hui. Figure-toi que le ministre de la justice vient de nommer deux magistrats qui ont fait partie des commissions mixtes[4]. Nous allons lui flanquer un abatage[5]
155 dont il se souviendra. »

Et on flanquait un abatage au ministre, et on lui en reflanquait un autre le lendemain et un troisième le jour suivant. Le député Laroche-Mathieu qui dînait rue Fontaine tous les mardis, après le comte de Vaudrec qui commençait la semaine, serrait vigoureuse-
160 ment les mains de la femme et du mari avec des démonstrations de joie excessives. Il ne cessait de répéter : « Cristi, quelle campagne. Si nous ne réussissons pas après ça ? »

---

1. **Coups de chapeau** : saluts effectués en ôtant son chapeau.
2. **Stupeur** : stupéfaction.
3. **Du nanan** : de bonnes choses.
4. **Commissions mixtes** : commissions instituées sous le Second Empire (1852-1870), chargées de rechercher et d'arrêter les personnes coupables de délit d'opinion. En 1883, une loi stipula que les magistrats qui avaient fait partie de ces commissions devaient être destitués de leur fonction.
5. **Abatage** (ou abattage) : attaque violente.

Il espérait bien réussir en effet à décrocher le portefeuille[1] des affaires étrangères qu'il visait depuis longtemps.

165 C'était un de ces hommes politiques à plusieurs faces, sans convictions, sans grands moyens, sans audace et sans connaissances sérieuses, avocat de province, joli homme de chef-lieu[2], gardant un équilibre de finaud entre tous les partis extrêmes, sorte de jésuite républicain et de champignon libéral[3] de nature douteuse, comme il en pousse
170 par centaines sur le fumier populaire du suffrage universel.

Son machiavélisme de village le faisait passer pour fort parmi ses collègues, parmi tous les déclassés et les avortés[4] dont on fait des députés. Il était assez soigné, assez correct, assez familier, assez aimable pour réussir. Il avait des succès dans le monde, dans la
175 société mêlée, trouble et peu fine des hauts fonctionnaires du moment.

On disait partout de lui: «Laroche sera ministre», et il pensait aussi plus fermement que tous les autres que Laroche serait ministre.

Il était un des principaux actionnaires du journal du père Walter,
180 son collègue et son associé en beaucoup d'affaires de finances.

Du Roy le soutenait avec confiance et avec des espérances confuses pour plus tard. Il ne faisait que continuer d'ailleurs l'œuvre commencée par Forestier, à qui Laroche-Mathieu avait promis la croix[5], quand serait venu le jour du triomphe. La déco-
185 ration irait sur la poitrine du nouveau mari de Madeleine, voilà tout. Rien n'était changé, en somme.

On sentait si bien que rien n'était changé que les confrères de Du Roy lui montaient une scie[6] dont il commençait à se fâcher.

---

1. Portefeuille: ministère.

2. Joli homme: homme aimable; **chef-lieu**: ville secondaire.

3. Jésuite: hypocrite (sens figuré); **libéral**: favorable à la liberté civile et politique.

4. Machiavélisme: doctrine de *Machiavel* (XVe-XVIe siècle), selon laquelle tous les moyens sont bons, même les pires, pour gouverner; **de village**: campagnard, paysan (péjoratif); **avortés**: ratés.

5. La croix: la Légion d'honneur.

6. Lui montaient une scie: lui faisaient sans cesse la même blague désagréable.

On ne l'appelait plus que Forestier.

190 Aussitôt qu'il arrivait au journal, quelqu'un criait : « Dis donc, Forestier. »

Il feignait de ne pas entendre et cherchait les lettres dans son casier. La voix reprenait, avec plus de force : « Hé ! Forestier. » Quelques rires étouffés couraient.

195 Comme Du Roy gagnait le bureau du directeur, celui qui l'avait appelé l'arrêtait : « Oh ! pardon ; c'est à toi que je veux parler. C'est stupide, je te confonds toujours avec ce pauvre Charles. Cela tient à ce que tes articles ressemblent bigrement aux siens. Tout le monde s'y trompe. »

200 Du Roy ne répondait rien, mais il rageait ; et une colère sourde naissait en lui contre le mort.

Le père Walter lui-même avait déclaré, alors qu'on s'étonnait de similitudes flagrantes de tournure et d'inspiration entre les chroniques du nouveau rédacteur politique et celles de l'ancien : « Oui, c'est du 205 Forestier, mais du Forestier plus nourri, plus nerveux, plus viril. »

Une autre fois, Du Roy en ouvrant par hasard l'armoire aux bilboquets avait trouvé ceux de son prédécesseur avec un crêpe[1] autour du manche, et le sien, celui dont il se servait quand il s'exerçait sous la direction de Saint-Potin, était orné d'une faveur[2] 210 rose, tous avaient été rangés sur la même planche, par rang de taille ; et une pancarte, pareille à celle des musées, portait l'écrit : « Ancienne collection Forestier et Cie, Forestier-Du Roy, successeur, breveté S.G.D.G.[3] Articles inusables pouvant servir en toutes circonstances, même en voyage. »

215 Il referma l'armoire avec calme, en prononçant, assez haut pour être entendu :

─────────────

1. Bilboquets : jouets en bois composés d'un petit bâton pointu relié à une boule percée d'un trou. Le jeu consiste à enfiler la boule sur l'extrémité pointue du bâton ; **crêpe** : voile noir symbolisant le deuil.

2. Faveur : petit ruban.

3. S.G.D.G. : abréviation de « sans garantie du gouvernement », mention dégageant l'État de toute responsabilité en cas de dysfonctionnement de l'objet.

« Il y a des imbéciles et des envieux partout. »

Mais il était blessé dans son orgueil, blessé dans sa vanité, cette vanité et cet orgueil ombrageux d'écrivain, qui produisent cette susceptibilité nerveuse toujours en éveil, égale chez le reporter et chez le poète génial.

Ce mot : « *Forestier* » déchirait son oreille ; il avait peur de l'entendre, et se sentait rougir en l'entendant.

Il était pour lui, ce nom, une raillerie[1] mordante, plus qu'une raillerie, presque une insulte. Il lui criait : « C'est ta femme qui fait ta besogne comme elle faisait celle de l'autre. Tu ne serais rien sans elle. »

Il admettait parfaitement que Forestier n'eût rien été sans Madeleine ; mais quant à lui, allons donc !

Puis, rentré chez lui, l'obsession continuait. C'était la maison tout entière maintenant qui lui rappelait le mort, tout le mobilier, tous les bibelots[2], tout ce qu'il touchait. Il ne pensait guère à cela dans les premiers temps ; mais la scie[3] montée par ses confrères avait fait en son esprit une sorte de plaie, qu'un tas de riens inaperçus jusqu'ici envenimaient à présent.

Il ne pouvait plus prendre un objet sans qu'il crût voir aussitôt la main de Charles posée dessus. Il ne regardait et ne maniait que des choses lui ayant servi autrefois, des choses qu'il avait achetées, aimées et possédées. Et Georges commençait à s'irriter même à la pensée des relations anciennes de son ami et de sa femme.

Il s'étonnait parfois de cette révolte de son cœur, qu'il ne comprenait point, et se demandait : « Comment diable se fait-il ? Je ne suis pas jaloux des amis de Madeleine. Je ne m'inquiète jamais de ce qu'elle fait. Elle rentre et sort à son gré, et le souvenir de cette brute de Charles me met en rage ! »

---

1. **Raillerie** : moquerie.
2. **Bibelots** : petits objets décoratifs.
3. **Scie** : blague désagréable.

Il ajoutait, mentalement : « Au fond, ce n'était qu'un crétin ; c'est sans doute ça qui me blesse. Je me fâche que Madeleine ait pu épouser un pareil sot. »

250 Et sans cesse il répétait : « Comment se fait-il que cette femme-là ait gobé[1] un seul instant un semblable animal ? »

Et sa rancune s'augmentait chaque jour par mille détails insignifiants qui le piquaient comme des coups d'aiguille, par le rappel incessant de l'autre, venu d'un mot de Madeleine, d'un

255 mot du domestique ou d'un mot de la femme de chambre.

Un soir Du Roy qui aimait les plats sucrés demanda : « Pourquoi n'avons-nous pas d'entremets ? Tu n'en fais jamais servir. »

La jeune femme répondit gaiement : « C'est vrai, je n'y pense pas. Cela tient à ce que Charles les avait en horreur… »

260 Il lui coupa la parole dans un mouvement d'impatience dont il ne fut pas maître.

« Ah ! Tu sais, Charles commence à m'embêter. C'est toujours Charles par-ci, Charles par-là, Charles aimait ci, Charles aimait ça. Puisque Charles est crevé qu'on le laisse tranquille. »

265 Madeleine regardait son mari avec stupeur, sans rien comprendre à cette colère subite. Puis, comme elle était fine, elle devina un peu ce qui se passait en lui, ce travail lent de jalousie posthume[2] grandissant à chaque seconde par tout ce qui rappelait l'autre.

Elle jugea cela puéril, peut-être, mais elle fut flattée, et ne

270 répondit rien.

Il s'en voulut, lui, de cette irritation qu'il n'avait pu cacher. Or, comme ils faisaient, ce soir-là, après dîner, un article pour le lendemain, il s'embarrassa dans la chancelière[3]. Ne parvenant point à la retourner, il la rejeta d'un coup de pied, et demanda en

275 riant :

« Charles avait donc toujours froid aux pattes ? »

---

1. Ait gobé : ait apprécié.
2. Posthume : survenue après la mort.
3. Chancelière : boîte fourrée servant à tenir les pieds au chaud.

Elle répondit, riant aussi : « Oh ! il vivait dans la terreur des rhumes ; il n'avait pas la poitrine solide. »

Du Roy reprit, avec férocité : « Il l'a bien prouvé, d'ailleurs. »
280 Puis il ajouta, avec galanterie : « Heureusement pour moi. » Et il baisa la main de sa femme.

Mais en se couchant, toujours hanté par la même pensée, il demanda encore : « Est-ce que Charles portait des bonnets de coton pour éviter les courants d'air dans les oreilles ? »

285 Elle se prêta à la plaisanterie et répondit : « Non, un madras[1] noué sur le front. »

Georges haussa les épaules et prononça avec un mépris d'homme supérieur :

« Quel serin[2] ! »

290 Dès lors, Charles devint pour lui un sujet d'entretien continuel. Il parlait de lui à tout propos, ne l'appelant plus que : « ce pauvre Charles », d'un air de pitié infinie.

Et quand il revenait du journal, où il s'était entendu deux ou trois fois interpeller sous le nom de Forestier, il se vengeait en poursuivant
295 le mort de railleries[3] haineuses au fond de son tombeau. Il rappelait ses défauts, ses ridicules, ses petitesses, les énumérait avec complaisance, les développant et les grossissant comme s'il eût voulu combattre, dans le cœur de sa femme, l'influence d'un rival redouté.

Il répétait : « Dis donc, Made, te rappelles-tu le jour où ce
300 cornichon de Forestier a prétendu nous prouver que les gros hommes étaient plus vigoureux que les maigres ? »

Puis il voulut savoir sur le défunt un tas de détails intimes et secrets que la jeune femme, mal à l'aise, refusait de dire. Mais il insistait, s'obstinait.

305 « Allons, voyons, raconte-moi ça. Il devait être bien drôle dans ce moment-là ? »

---

1. **Madras** : foulard en coton aux couleurs vives.
2. **Serin** : nigaud.
3. **Railleries** : moqueries.

Elle murmurait du bout des lèvres :

« Voyons, laisse-le tranquille, à la fin. »

Il reprenait : « Non, dis-moi ! c'est vrai qu'il devait être
310 godiche au lit, cet animal ! »

Et il finissait toujours par conclure : « Quelle brute c'était ! »

Un soir, vers la fin de juin, comme il fumait une cigarette à sa
fenêtre, la grande chaleur de la soirée lui donna l'envie de faire une
promenade.

315 Il demanda : « Ma petite Made, veux-tu venir jusqu'au Bois[1] ? »

– Mais oui, certainement. »

Ils prirent un fiacre[2] découvert, gagnèrent les Champs-Élysées,
puis l'avenue du Bois-de-Boulogne. C'était une nuit sans vent,
une de ces nuits d'étuve où l'air de Paris surchauffé entre dans la
320 poitrine comme une vapeur de four. Une armée de fiacres menait
sous les arbres tout un peuple d'amoureux. Ils allaient, ces fiacres,
l'un derrière l'autre, sans cesse.

Georges et Madeleine s'amusaient à regarder tous ces couples
enlacés, passant dans ces voitures, la femme en robe claire et
325 l'homme sombre. C'était un immense fleuve d'amants qui coulait
vers le Bois sous le ciel étoilé et brûlant. On n'entendait aucun
bruit que le sourd roulement des roues sur la terre. Ils passaient,
passaient, les deux êtres de chaque fiacre, allongés sur les coussins,
muets, serrés l'un contre l'autre, perdus dans l'hallucination du
330 désir, frémissant dans l'attente de l'étreinte prochaine. L'ombre
chaude semblait pleine de baisers. Une sensation de tendresse
flottante, d'amour bestial épandu[3], alourdissait l'air, le rendait
plus étouffant. Tous ces gens accouplés, grisés[4] de la même
pensée, de la même ardeur, faisaient courir une fièvre autour
335 d'eux. Toutes ces voitures chargées d'amour, sur qui semblaient

---

1. Bois : bois de Boulogne, à l'ouest de Paris.

2. Fiacre : voiture à cheval louée à la course (comme les taxis aujourd'hui).

3. Épandu : disséminé, diffus.

4. Grisés : enivrés.

voltiger des caresses, jetaient sur leur passage une sorte de souffle sensuel subtil et troublant.

Georges et Madeleine se sentirent eux-mêmes gagnés par la contagion de la tendresse. Ils se prirent doucement la main, sans dire un mot, un peu oppressés par la pesanteur de l'atmosphère et par l'émotion qui les envahissait.

Comme ils arrivaient au tournant qui suit les fortifications, ils s'embrassèrent, et elle balbutia un peu confuse : « Nous sommes aussi gamins qu'en allant à Rouen. »

Le grand courant des voitures s'était séparé à l'entrée des taillis[1]. Dans le chemin des Lacs que suivaient les jeunes gens, les fiacres s'espaçaient un peu, mais la nuit épaisse des arbres, l'air vivifié par les feuilles et par l'humidité des ruisselets qu'on entendait couler sous les branches, une sorte de fraîcheur du large espace nocturne tout paré[2] d'astres, donnaient aux baisers des couples roulants un charme plus pénétrant et une ombre plus mystérieuse.

Georges murmura : « Oh ! ma petite Made », en la serrant contre lui.

Elle lui dit : « Te rappelles-tu la forêt de chez toi, comme c'était sinistre. Il me semblait qu'elle était pleine de bêtes affreuses et qu'elle n'avait pas de bout. Tandis qu'ici, c'est charmant. On sent des caresses dans le vent, et je sais bien que Sèvres[3] est de l'autre côté du bois. »

Il répondit : « Oh ! dans la forêt de chez moi, il n'y avait pas autre chose que des cerfs, des renards, des chevreuils et des sangliers, et par-ci, par-là, une maison de forestier. »

Ce mot, ce nom du mort sorti de sa bouche, le surprit comme si quelqu'un le lui eût crié du fond d'un fourré, et il se tut brusquement, ressaisi par ce malaise étrange et persistant, par cette

---

1. Taillis : buissons.
2. Paré : orné.
3. Sèvres : ville située de l'autre côté du bois de Boulogne.

irritation jalouse, rongeuse, invincible qui lui gâtait la vie depuis quelque temps.

Au bout d'une minute, il demanda : « Es-tu venue quelquefois ici comme ça, le soir, avec Charles ? »

370 Elle répondit : « Mais oui, souvent. »

Et, tout à coup, il eut envie de retourner chez eux, une envie nerveuse qui lui serrait le cœur. Mais l'image de Forestier était rentrée en son esprit, le possédait, l'étreignait. Il ne pouvait plus penser qu'à lui, parler que de lui.

375 Il demanda, avec un accent méchant :

« Dis donc, Made ?

– Quoi, mon ami ?

– L'as-tu fait cocu, ce pauvre, Charles ? »

Elle murmura dédaigneuse : « Que tu deviens bête avec ta
380 rengaine. »

Mais il ne lâchait pas son idée.

« Voyons, ma petite Made, sois bien franche, avoue-le ? Tu l'as fait cocu, dis ? Avoue que tu l'as fait cocu ? »

Elle se taisait, choquée comme toutes les femmes le sont par ce
385 mot.

Il reprit, obstiné : « Sacristi, si quelqu'un en avait la tête, c'est bien lui par exemple. Oh ! oui, oh ! oui. C'est ça qui m'amuserait de savoir que Forestier était cocu. Hein ! Quelle bonne binette de jobard[1] ? »

390 Il sentit qu'elle souriait à quelque souvenir peut-être, et il insista : « Voyons, dis-le. Qu'est-ce que ça fait ? Ce serait bien drôle, au contraire, de m'avouer que tu l'as trompé, de m'avouer ça à moi. »

Il frémissait, en effet, de l'espoir et de l'envie que Charles, l'odieux Charles, le mort détesté, le mort exécré, eût porté ce
395 ridicule honteux. Et pourtant… pourtant une autre émotion, plus confuse, aiguillonnait son désir de savoir.

---

1. Binette : tête, bouille (familier) ; jobard : niais, simplet, crédule.

Il répétait : « Made, ma petite Made, je t'en prie, dis-le. En voilà un qui ne l'aurait pas volé. Tu aurais eu joliment tort de ne pas lui faire porter ça. Voyons, Made, avoue. »

400 Elle trouvait plaisante, maintenant, sans doute, cette insistance, car elle riait, par petits rires brefs, saccadés.

Il avait mis ses lèvres tout près de l'oreille de sa femme : « Voyons... voyons... avoue-le... ? »

Elle s'éloigna d'un mouvement sec, et déclara brusquement :
405 « Mais tu es stupide. Est-ce qu'on répond à des questions pareilles ? »

Elle avait dit cela d'un ton si singulier qu'un frisson de froid courut dans les veines de son mari et il demeura interdit, effaré, un peu essoufflé comme s'il avait reçu une commotion[1] morale.

Le fiacre maintenant longeait le lac, où le ciel semblait avoir
410 égrené ses étoiles. Deux cygnes vagues nageaient très lentement, à peine visibles dans l'ombre.

Georges cria au cocher : « Retournons. » Et la voiture s'en revint, croisant les autres, qui allaient au pas et dont les grosses lanternes brillaient comme des yeux dans la nuit du Bois.

415 Comme elle avait dit cela d'une étrange façon ! Du Roy se demandait : « Est-ce un aveu ? » Et cette presque certitude qu'elle avait trompé son premier mari, l'affolait de colère, à présent. Il avait envie de la battre, de l'étrangler, de lui arracher les cheveux !

Oh ! si elle lui eût répondu : « Mais, mon chéri, si j'avais dû le
420 tromper, c'est avec toi que je l'aurais fait. » Comme il l'aurait embrassée, étreinte, adorée !

Il demeurait immobile, les bras croisés, les yeux au ciel, l'esprit trop agité pour réfléchir encore. Il sentait seulement en lui fermenter cette rancune et grossir cette colère qui couvent au cœur de tous les
425 mâles devant les caprices du désir féminin. Il sentait pour la première fois cette angoisse confuse de l'époux qui soupçonne ! Il était jaloux enfin, jaloux pour le mort, jaloux pour le compte de Forestier ! jaloux

---

1. Commotion : choc.

d'une étrange et poignante façon, où entrait subitement de la haine contre Madeleine. Puisqu'elle avait trompé l'autre, comment pour-
430 rait-il avoir confiance en elle, lui?

Puis, peu à peu, une espèce de calme se fit en son esprit, et se roidissant[1] contre sa souffrance, il pensa : « Toutes les femmes sont des filles[2], il faut s'en servir et ne leur rien donner de soi. »

L'amertume de son cœur lui montait aux lèvres en paroles de
435 mépris et de dégoût. Il ne les laissa point s'épandre[3] cependant. Il se répétait : « Le monde est aux forts. Il faut être fort. Il faut être au-dessus de tout. »

La voiture allait plus vite. Elle repassa les fortifications. Du Roy regardait devant lui une clarté rougeâtre dans le ciel, pareille
440 à une lueur de forge démesurée ; et il entendait une rumeur confuse, immense, continue, faite de bruits innombrables et diffé-rents, une rumeur sourde, proche, lointaine, une vague et énorme palpitation de vie, le souffle de Paris respirant, dans cette nuit d'été, comme un colosse épuisé de fatigue.

445 Georges songeait : « Je serais bien bête de me faire de la bile. Chacun pour soi. La victoire est aux audacieux. Tout n'est que de l'égoïsme. L'égoïsme pour l'ambition et la fortune vaut mieux que l'égoïsme pour la femme et pour l'amour. »

L'Arc de triomphe de l'Étoile apparaissait debout à l'entrée de
450 la ville sur ses deux jambes monstrueuses, sorte de géant informe qui semblait prêt à se mettre en marche pour descendre la large avenue ouverte devant lui.

Georges et Madeleine se retrouvaient là dans le défilé des voitures ramenant au logis[4], au lit désiré, l'éternel couple, silen-
455 cieux et enlacé. Il semblait que l'humanité tout entière glissait à côté d'eux, grise de joie, de plaisir, de bonheur.

---

1. Roidissant : raidissant.
2. Filles : prostituées.
3. S'épandre : se répandre.
4. Au logis : chez soi.

La jeune femme, qui avait bien pressenti quelque chose de ce qui se passait en son mari, demanda de sa voix douce :

« À quoi songes-tu, mon ami ? Depuis une demi-heure tu n'as point prononcé une parole. »

Il répondit en ricanant : « Je songe à tous ces imbéciles qui s'embrassent ; et je me dis que, vraiment, on a autre chose à faire dans l'existence. »

Elle murmura : « Oui… mais c'est bon quelquefois.

– C'est bon… c'est bon… quand on n'a rien de mieux ! »

La pensée de Georges allait toujours, dévêtant la vie de sa robe de poésie, dans une sorte de rage méchante : « Je serais bien bête de me gêner, de me priver de quoi que ce soit, de me troubler, de me tracasser, de me ronger l'âme comme je le fais depuis quelque temps. » L'image de Forestier lui traversa l'esprit sans y faire naître aucune irritation. Il lui sembla qu'ils venaient de se réconcilier, qu'ils redevenaient amis. Il avait envie de lui crier : « Bonsoir, vieux. »

Madeleine, que ce silence gênait, demanda : « Si nous allions prendre une glace chez Tortoni[1] avant de rentrer. »

Il la regarda de coin. Son fin profil blond lui apparut sous l'éclat vif d'une guirlande de gaz[2] qui annonçait un café chantant.

Il pensa : « Elle est jolie. Eh ! tant mieux. À bon chat bon rat, ma camarade. Mais si on me reprend à me tourmenter pour toi, il fera chaud au pôle Nord. »

Puis il répondit : « Mais certainement ma chérie. »

Et, pour qu'elle ne devinât rien, il l'embrassa.

Il sembla à la jeune femme que les lèvres de son mari étaient glacées.

Il souriait cependant de son sourire ordinaire en lui donnant la main pour descendre devant les marches du café.

---

1. Tortoni : café très fréquenté du boulevard des Italiens, réputé pour ses glaces à l'italienne.

2. Guirlande de gaz : guirlande lumineuse fonctionnant au gaz.

L'expression de la jalousie
« Comme elle avait dit [...] café. »

POUR VOUS GUIDER

Comment le sentiment de jalousie s'exprime-t-il chez Duroy ?

• D'abord jaloux de l'ex-mari, Duroy devient jaloux « pour le compte de Forestier ». Il **intériorise la jalousie du mari**, sentiment universel propre à « tous les mâles ».

• Ce **sentiment instinctif** agit de façon **incontrôlable** : Duroy le sent « fermenter » en lui sans pouvoir le comprendre. C'est ce qui le conduit à « haïr » la femme aimée, haine qu'il transfère sur toutes les femmes (« toutes les femmes sont des filles »).

Quelles sont les conséquences de cette jalousie ?

• Duroy refoule sa jalousie en élaborant une **doctrine misogyne** au service de son ambition. Il accumule les maximes qui le confortent dans son désir de parvenir et place son égoïsme au service de la fortune.

• Il se libère intérieurement de toute réticence morale. Les **femmes** ne seront plus objets du désir amoureux, mais utilisées uniquement comme **moyen de réussite sociale**.

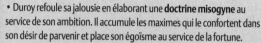

Quels sont les signes de fracture dans le couple ?

• Le mensonge de Madeleine est à l'origine de ce désamour. Elle n'a pas prononcé la réponse attendue, si bien que l'idée d'un **amour romantique** devient un **leurre** pour Duroy.

• C'est désormais l'**hypocrisie** qui guidera sa conduite. Madeleine pressent intuitivement la métamorphose de son époux, mais elle ne peut identifier sa duplicité, seulement lisible pour le lecteur à travers le décalage entre pensées et paroles.

• Cet épisode annonce le complot de Duroy contre sa femme, qui précipitera son ascension sociale.

L'analyse psychologique dans le roman réaliste

DÉFINITION CLÉ

• Maupassant **réconcilie le roman d'analyse psychologique et le roman réaliste objectif**.

• *Bel-Ami*, roman réaliste, laisse une large place à l'analyse psychologique grâce à l'usage de la **focalisation interne** qui permet de suivre les sentiments de Duroy. Mais l'analyse reste **contenue**, cachée derrière la description des faits et les actes des personnages.

• Maupassant analyse les **émotions instinctives** qui se répercutent sur la pensée et les actes, processus qui s'assimile au **déterminisme psychologique**. Il n'y a pourtant pas de vérité universelle, chacun portant en soi sa propre vision du monde, sa propre vérité.

3

En entrant au journal, le lendemain, Du Roy alla trouver
Boisrenard.

« Mon cher ami dit-il, j'ai un service à te demander. On trouve drôle
depuis quelque temps de m'appeler Forestier. Moi, je commence à
5   trouver ça bête. Veux-tu avoir la complaisance de prévenir doucement
les camarades que je giflerai le premier qui se permettra de nouveau
cette plaisanterie. Ce sera à eux de réfléchir si cette blague-là vaut un
coup d'épée. Je m'adresse à toi parce que tu es un homme calme qui
peut empêcher des extrémités fâcheuses, et aussi parce que tu m'as
10   servi de témoin dans mon affaire. »

Boisrenard se chargea de la commission.

Du Roy sortit pour faire des courses, puis revint une heure plus
tard. Personne ne l'appela Forestier.

Comme il rentrait chez lui, il entendit des voix de femmes dans
15   le salon. Il demanda : « Qui est là ? »

Le domestique répondit : « Mme Walter et Mme de Marelle. »

Un petit battement lui secoua le cœur, puis il se dit : « Tiens,
voyons », et il ouvrit la porte.

Clotilde était au coin de la cheminée, dans un rayon de jour venu
20   de la fenêtre. Il sembla à Georges qu'elle pâlissait un peu en l'apercevant. Ayant d'abord salué Mme Walter et ses deux filles, assises
comme deux sentinelles aux côtés de leur mère, il se tourna vers son
ancienne maîtresse. Elle lui tendait la main ; il la prit et la serra avec
intention, comme pour dire : « Je vous aime toujours. » Elle
25   répondit à cette pression.

Il demanda : « Vous vous êtes bien portée pendant le siècle écoulé depuis notre dernière rencontre ? »

Elle répondit avec aisance : « Mais oui, et vous, Bel-Ami ? »

Puis, se tournant vers Madeleine, elle ajouta : « Tu permets que je l'appelle toujours Bel-Ami ?

— Certainement, ma chère, je permets tout ce que tu voudras. »

Une nuance d'ironie semblait cachée dans cette parole.

Mme Walter parlait d'une fête qu'allait donner Jacques Rival dans son logis de garçon, un grand assaut d'armes[1] où assisteraient des femmes du monde ; elle disait : « Ce sera très intéressant. Mais je suis désolée, nous n'avons personne pour nous y conduire, mon mari devant s'absenter à ce moment-là. »

Du Roy s'offrit aussitôt. Elle accepta. « Nous vous en serons très reconnaissantes, mes filles et moi. »

Il regardait la plus jeune des demoiselles Walter, et pensait : « Elle n'est pas mal du tout, cette petite Suzanne, mais pas du tout. » Elle avait l'air d'une frêle poupée blonde, trop petite, mais fine, avec la taille mince, des hanches et de la poitrine, une figure de miniature, des yeux d'émail d'un bleu gris dessinés au pinceau, qui semblaient nuancés par un peintre minutieux et fantaisiste, de la chair trop blanche, trop lisse, polie, unie, sans grain, sans teinte, et des cheveux ébouriffés, frisés, une broussaille savante, légère, un nuage charmant, tout pareil en effet à la chevelure des jolies poupées de luxe qu'on voit passer dans les bras de gamines beaucoup moins hautes que leur joujou.

La sœur aînée, Rose, était laide, plate, insignifiante, une de ces filles qu'on ne voit pas, à qui on ne parle pas, et dont on ne dit rien.

La mère se leva, et se tournant vers Georges : « Ainsi, je compte sur vous jeudi prochain, à deux heures. »

Il répondit : « Comptez sur moi, madame. »

Dès qu'elle fut partie, Mme de Marelle se leva à son tour.

« Au revoir, Bel-Ami. »

---

1. Assaut d'armes : tournoi d'escrime.

Ce fut elle alors qui lui serra la main, très fort, très longtemps ; et il se sentit remué par cet aveu silencieux, repris d'un brusque béguin pour cette petite bourgeoise bohème[1] et bon enfant, qui
60 l'aimait vraiment, peut-être.

« J'irai la voir demain », pensa-t-il.

Dès qu'il fut seul en face de sa femme, Madeleine se mit à rire, d'un rire franc et gai, et le regardant bien en face :

« Tu sais que tu as inspiré une passion à Mme Walter. »
65 Il répondit incrédule : « Allons donc ?

— Mais oui, je te l'affirme, elle m'a parlé de toi avec un enthousiasme fou. C'est si singulier de sa part ! Elle voudrait trouver deux maris comme toi pour ses filles !... Heureusement qu'avec elle ces choses-là sont sans importance. »
70 Il ne comprenait pas ce qu'elle voulait dire : « Comment, sans importance ? »

Elle répondit, avec une conviction de femme sûre de son jugement : « Oh ! Mme Walter est une de celles dont on n'a jamais rien murmuré, mais tu sais, là, jamais, jamais. Elle est inattaquable
75 sous tous les rapports. Son mari, tu le connais comme moi. Mais elle, c'est autre chose. Elle a d'ailleurs assez souffert d'avoir épousé un juif[2], mais elle lui est restée fidèle. C'est une honnête femme. »

Du Roy fut surpris : « Je la croyais juive aussi.

— Elle ? pas du tout. Elle est dame patronnesse de toutes les
80 bonnes œuvres de la Madeleine[3]. Elle est même mariée religieusement. Je ne sais plus s'il y a eu un simulacre de baptême du patron, ou bien si l'Église a fermé les yeux. »

Georges murmura : « Ah !... alors... elle... me gobe[4] ?...

---

1. **Béguin** : passion passagère ; **petite bourgeoise** : femme des classes moyennes ; **bohème** : qui vit sans se soucier des conventions sociales.

2. Vu l'antisémitisme qui avait cours à l'époque, les mariages mixtes étaient mal vus.

3. **Dame patronnesse** : marraine qui préside à des œuvres de bienfaisance ; **de la Madeleine** : de l'église de la Madeleine.

4. **Elle me gobe** : elle m'apprécie.

– Positivement, et complètement. Si tu n'étais pas engagé, je
85 te conseillerais de demander la main de Suzanne, n'est-ce pas,
plutôt que celle de Rose ? »

Il répondit, en frisant sa moustache : « Eh ! la mère n'est pas
encore piquée des vers[1]. »

Mais Madeleine s'impatienta :

90 « Tu sais, mon petit, la mère, je te la souhaite. Mais je n'ai pas
peur. Ce n'est point à son âge qu'on commet sa première faute.
Il faut s'y prendre plus tôt. »

Georges songeait : « Si c'était vrai pourtant, que j'eusse pu
épouser Suzanne ?... »

95 Puis il haussa les épaules : « Bah... c'est fou !... Est-ce que le
père m'aurait jamais accepté. »

Il se promit toutefois d'observer désormais avec plus de soin les
manières de Mme Walter à son égard, sans se demander d'ailleurs
s'il en pourrait jamais tirer quelque avantage.

100 Tout le soir, il fut hanté par des souvenirs de son amour avec
Clotilde, des souvenirs tendres et sensuels en même temps. Il se
rappelait ses drôleries, ses gentillesses, leurs escapades. Il se répétait à lui-même : « Elle est vraiment bien gentille. Oui, j'irai la
voir demain. »

105 Dès qu'il eut déjeuné, le lendemain, il se rendit en effet rue de
Verneuil. La même bonne lui ouvrit la porte, et, familière à la
façon des domestiques de petits bourgeois, elle demanda : « Ça va
bien, monsieur ? »

Il répondit : « Mais oui, mon enfant. »

110 Et il entra dans le salon, où une main maladroite faisait des
gammes sur le piano. C'était Laurine. Il crut qu'elle allait lui
sauter au cou. Elle se leva gravement, salua avec cérémonie, ainsi
qu'aurait fait une grande personne et se retira d'une façon digne.

---

1. Elle n'est pas encore piquée des vers : expression familière et litote signifiant qu'elle est encore jeune et belle (on dirait aujourd'hui : « Elle est bien
conservée »).

Elle avait une telle allure de femme outragée[1] qu'il demeura
surpris. Sa mère entra. Il lui prit et lui baisa les mains.

« Combien j'ai pensé à vous ! dit-il

— Et moi », dit-elle.

Ils s'assirent. Ils se souriaient, les yeux dans les yeux, avec une
envie de s'embrasser sur les lèvres.

« Ma chère petite Clo, je vous aime.

— Et moi aussi.

— Alors… alors… tu ne m'en as pas trop voulu ?

— Oui et non… Ça m'a fait de la peine, et puis j'ai compris ta
raison, et je me suis dit : "Bah ! il me reviendra un jour ou l'autre."

— Je n'osais pas revenir ; je me demandais comment je serais
reçu. Je n'osais pas, mais j'en avais rudement envie. À propos,
dis-moi donc ce qu'a Laurine. Elle m'a à peine dit bonjour et elle
est partie d'un air furieux.

— Je ne sais pas. Mais on ne peut plus lui parler de toi depuis
ton mariage. Je crois vraiment qu'elle est jalouse.

— Allons donc.

— Mais oui, mon cher. Elle ne t'appelle plus Bel-Ami, elle te
nomme M. Forestier. »

Du Roy rougit, puis, s'approchant de la jeune femme :

« Donne ta bouche. »

Elle la donna.

« Où pourrons-nous nous revoir ? dit-il.

— Mais… rue de Constantinople.

— Ah !… L'appartement n'est donc pas loué ?

— Non… je l'ai gardé !

— Tu l'as gardé ?

— Oui, j'ai pensé que tu y reviendrais. »

Une bouffée de joie orgueilleuse lui gonfla la poitrine. Elle
l'aimait donc, celle-là, d'un amour vrai, constant, profond.

---

1. Outragée : offensée.

145 Il murmura : « Je t'adore. » Puis il demanda : « Ton mari va bien ?

— Oui, très bien. Il vient de passer un mois ici ; il est parti d'avant-hier. »

Du Roy ne put s'empêcher de rire :

« Comme ça tombe ! »

150 Elle répondit naïvement : « Oh oui, ça tombe bien. Mais il n'est pas gênant quand il est ici, tout de même. Tu le sais ?

— Ça, c'est vrai. C'est d'ailleurs un charmant homme.

— Et toi, dit-elle, comment prends-tu ta nouvelle vie ?

— Ni bien ni mal. Ma femme est une camarade, une associée.

155 — Rien de plus ?

— Rien de plus… Quant au cœur…

— Je comprends bien. Elle est gentille, pourtant.

— Oui, mais elle ne me trouble pas. »

Il se rapprocha de Clotilde, et murmura : « Quand nous rever-
160 rons-nous ?

— Mais… demain… si tu veux ?

— Oui. Demain, deux heures ?

— Deux heures. »

Il se leva pour partir, puis il balbutia, un peu gêné : « Tu sais,
165 j'entends reprendre, seul, l'appartement de la rue de Constantinople. Je le veux. Il ne manquerait plus qu'il fût payé par toi. »

Ce fut elle qui baisa ses mains avec un mouvement d'adoration, en murmurant : « Tu feras comme tu voudras. Il me suffit de l'avoir gardé pour nous y revoir. »

170 Et Du Roy s'en alla, l'âme pleine de satisfaction.

Comme il passait devant la vitrine d'un photographe, le portrait d'une grande femme aux larges yeux lui rappela Mme Walter : « C'est égal, se dit-il, elle ne doit pas être mal encore. Comment se fait-il que je ne l'aie jamais remarquée. J'ai envie de voir quelle tête
175 elle me fera jeudi. »

Il se frottait les mains, tout en marchant avec une joie intime, la joie du succès sous toutes ses formes, la joie égoïste de l'homme adroit qui réussit, la joie subtile, faite de vanité flattée et de sensualité contente, que donne la tendresse des femmes.

180   Le jeudi venu, il dit à Madeleine : « Tu ne viens pas à cet assaut[1] chez Rival ?

— Oh ! non. Cela ne m'amuse guère, moi ; j'irai à la Chambre des députés. »

Et il alla chercher Mme Walter, en landau[2] découvert, car il 185 faisait un admirable temps.

Il eut une surprise en la voyant, tant il la trouva belle et jeune. Elle était en toilette claire dont le corsage un peu fendu laissait deviner, sous une dentelle blonde, le soulèvement gras des seins. Jamais elle ne lui avait paru si fraîche. Il la jugea vraiment dési- 190 rable. Elle avait son air calme et comme il faut, une certaine allure de maman tranquille qui la faisait passer presque inaperçue aux yeux galants des hommes. Elle ne parlait guère d'ailleurs que pour dire des choses connues, convenues et modérées, ses idées étant sages, méthodiques, bien ordonnées, à l'abri de tous les excès.

195   Sa fille Suzanne, tout en rose, semblait un Watteau[3] frais verni ; et sa sœur aînée paraissait être l'institutrice chargée de tenir compagnie à ce joli bibelot[4] de fillette.

Devant la porte de Rival, une file de voitures était rangée. Du Roy offrit son bras à Mme Walter, et ils entrèrent. L'assaut était 200 donné au profit des orphelins du sixième arrondissement de Paris, sous le patronage de toutes les femmes des sénateurs et députés qui avaient des relations avec *La Vie française*.

Mme Walter avait promis de venir avec ses filles, en refusant le titre de dame patronnesse[5], parce qu'elle n'aidait de son nom que les

---

1. Assaut : tournoi d'escrime.

2. Landau : voiture à cheval décapotable à deux banquettes.

3. Un Watteau (par métonymie) : un tableau de Watteau, peintre français (1684-1721) aimé des artistes romantiques pour ses personnages simples, rêveurs et mélancoliques.

4. Bibelot : petit objet décoratif.

5. Dame patronnesse : marraine présidant aux œuvres de bienfaisances.

205 œuvres entreprises par le clergé, non pas qu'elle fût très dévote, mais son mariage avec un israélite la forçait, croyait-elle, à une certaine tenue[1] religieuse ; et la fête organisée par le journaliste prenait une sorte de signification républicaine qui pouvait sembler anticléricale[2].

On avait lu dans les journaux de toutes les nuances, depuis
210 trois semaines :

« Notre éminent confrère Jacques Rival vient d'avoir l'idée aussi ingénieuse que généreuse d'organiser, au profit des orphelins du sixième arrondissement de Paris, un grand assaut dans sa jolie salle d'armes[3] attenant à son appartement de garçon.

215 Les invitations sont faites par Mmes Laloigne, Remontel, Rissolin, femmes des sénateurs de ce nom, et par Mmes Laroche-Mathieu, Percerol, Firmin, femmes des députés bien connus. Une simple quête aura lieu pendant l'entracte de l'assaut, et le montant sera versé immédiatement entre les mains du maire du sixième
220 arrondissement ou de son représentant. »

C'était une réclame[4] monstre que le journaliste adroit avait imaginée à son profit.

Jacques Rival recevait les arrivants à l'entrée de son logis où un buffet avait été installé, les frais devant être prélevés sur la recette.

225 Puis il indiquait, d'un geste aimable, le petit escalier par où on descendait dans la cave, où il avait installé la salle d'armes et le tir ; et il disait : « Au-dessous, mesdames, au-dessous. L'assaut a lieu en des appartements souterrains. »

Il se précipita au-devant de la femme de son directeur ; puis,
230 serrant la main de Du Roy : « Bonjour, Bel-Ami. »

L'autre fut surpris : « Qui vous a dit que… »

Rival lui coupa la parole : « Mme Walter, ici présente, qui trouve ce surnom très gentil. »

---

1. Tenue : maintien, fermeté.
2. Anticléricale : opposée à l'ingérence du religieux dans la vie publique.
3. Salle d'armes : salle d'entraînement à l'escrime.
4. Réclame : publicité.

Mme Walter rougit : « Oui, j'avoue que si je vous connaissais
235 davantage, je ferais comme la petite Laurine, je vous appellerais
aussi Bel-Ami. Ça vous va très bien. »

Du Roy riait : « Mais, je vous en prie, madame, faites-le. »

Elle avait baissé les yeux. « Non, nous ne sommes pas assez
liés. »

240 Il murmura : « Voulez-vous me laisser espérer que nous le
deviendrons davantage ?

– Eh bien, nous verrons alors », dit-elle.

Il s'effaça à l'entrée de la descente étroite qu'éclairait un bec de
gaz[1] ; et la brusque transition de la lumière du jour à cette clarté
245 jaune avait quelque chose de lugubre. Une odeur de souterrain
montait par cette échelle tournante, une senteur d'humidité
chauffée, de murs moisis essuyés pour la circonstance, et aussi des
souffles de benjoin qui rappelaient les offices sacrés, et des émanations féminines de Lubin[2], de verveine, d'iris, de violette.

250 On entendait dans ce trou un grand bruit de voix, un frémissement de foule agitée.

Toute la cave était illuminée avec des guirlandes de gaz et des
lanternes vénitiennes cachées en des feuillages qui voilaient les
murs de pierre salpêtrés[3]. On ne voyait rien que des branchages.
255 Le plafond était garni de fougères, le sol couvert de feuilles et de
fleurs.

On trouvait cela charmant, d'une imagination délicieuse. Dans
le petit caveau du fond s'élevait une estrade pour les tireurs, entre
deux rangs de chaises pour les juges.

260 Et dans toute la cave, les banquettes, alignées par dix, autant à
droite qu'à gauche pouvaient porter près de deux cents personnes.
On en avait invité quatre cents.

---

1. Bec de gaz : lampe fonctionnant au gaz.
2. Benjoin : substance aromatique à l'odeur de vanille ; **offices** : messes ; **Lubin** : nom d'une marque de parfum.
3. Salpêtrés : couverts de *salpêtre*, dépôt blanc dû à l'humidité.

Devant l'estrade, des jeunes gens en costume d'assaut[1], minces, avec des membres longs, la taille cambrée, la moustache en croc, posaient déjà devant les spectateurs. On se les nommait, on désignait les maîtres et les amateurs, toutes les notabilités de l'escrime. Autour d'eux causaient des messieurs en redingote, jeunes et vieux qui avaient un air de famille avec les tireurs en tenue de combat. Ils cherchaient aussi à être vus, reconnus et nommés, c'étaient des princes de l'épée en civils, les experts en coups de bouton[2].

Presque toutes les banquettes étaient couvertes de femmes, qui faisaient un grand froissement d'étoffes remuées et un grand murmure de voix. Elles s'éventaient comme au théâtre, car il faisait déjà une chaleur d'étuve dans cette grotte feuillue. Un farceur criait de temps en temps : « Orgeat[3] ! Limonade ! Bière ! »

Mme Walter et ses filles gagnèrent leurs places réservées au premier rang. Du Roy les ayant installées allait partir, il murmura :

« Je suis obligé de vous quitter, les hommes ne peuvent accaparer les banquettes. »

Mais Mme Walter répondit en hésitant :

« J'ai bien envie de vous garder tout de même. Vous me nommerez les tireurs. Tenez, si vous restiez debout au coin de ce banc, vous ne gêneriez personne. »

Elle le regardait de ses grands yeux doux. Elle insista : « Voyons ; restez avec nous… monsieur… monsieur Bel-Ami. Nous avons besoin de vous. »

Il répondit : « J'obéirai… avec plaisir, madame. »

On entendait répéter de tous les côtés : « C'est très drôle, cette cave, c'est très gentil. »

Georges la connaissait bien, cette salle voûtée ! Il se rappelait le matin qu'il y avait passé, la veille de son duel, tout seul, en face

---

1. Costume d'assaut : tenue d'escrimeur.
2. Bouton : petite boule fixée au bout d'un fleuret pour le rendre inoffensif.
3. Orgeat : sirop d'orgeat, préparé avec du lait d'amande et de l'eau de fleur d'oranger.

d'un petit carton blanc[1] qui le regardait du fond du second caveau comme un œil énorme et redoutable.

295   La voix de Jacques Rival résonna, venue de l'escalier : « On va commencer, mesdames. »

Et six messieurs, très serrés en leurs vêtements, pour faire saillir davantage le thorax, montèrent sur l'estrade et s'assirent sur les chaises destinées au jury.

300   Leurs noms coururent : le général de Raynaldi, président, un petit homme à grandes moustaches ; le peintre Joséphin Roudet, un grand homme chauve à longue barbe ; Matthéo de Ujar, Simon Ramoncel, Pierre de Carvin, trois jeunes hommes élégants, et Gaspard Merleron, un maître.

305   Deux pancartes furent accrochées aux deux côtés du caveau. Celle de droite portait : M. Crèvecœur, et celle de gauche : M. Plumeau.

C'étaient deux maîtres, deux bons maîtres de second ordre. Ils apparurent, secs tous deux, avec un air militaire, des gestes un peu
310   raides. Ayant fait le salut d'armes avec des mouvements d'automates, ils commencèrent à s'attaquer, pareils, dans leur costume de toile et de peau blanches, à deux pierrots-soldats qui se seraient battus pour rire.

De temps en temps, on entendait ce mot « Touché ! » Et les six
315   messieurs du jury inclinaient la tête en avant d'un air connaisseur. Le public ne voyait rien que deux marionnettes vivantes qui s'agitaient en tendant le bras ; il ne comprenait rien, mais il était content. Ces deux bonshommes lui semblaient cependant peu gracieux et vaguement ridicules. On songeait aux lutteurs de bois
320   qu'on vend, au jour de l'an, sur les boulevards.

Les deux premiers tireurs furent remplacés par MM. Planton et Carapin, un maître civil et un maître militaire. M. Planton était tout petit et M. Carapin très gros. On eût dit que le premier

---

1. Petit carton blanc : carton servant de cible de tir.

coup de fleuret[1] dégonflerait ce ballon comme un éléphant de
baudruche[2]. On riait. M. Planton sautait comme un singe.
M. Carapin ne remuait que son bras, le reste du corps se trouvant
immobilisé par l'embonpoint, et il se fendait[3] toutes les cinq
minutes avec une telle pesanteur et un tel effort en avant qu'il
semblait prendre la résolution la plus énergique de sa vie. Il avait
ensuite beaucoup de mal à se relever.

Les connaisseurs déclarèrent son jeu très ferme et très serré. Et
le public, confiant, l'apprécia.

Puis vinrent MM. Porion et Lapalme, un maître et un amateur
qui se livrèrent à une gymnastique effrénée, courant l'un sur l'autre
avec furie, forçant les juges à fuir en emportant leurs chaises, traversant et retraversant l'estrade d'un bout à l'autre, l'un avançant et
l'autre reculant par bonds vigoureux et comiques. Ils avaient de
petits sauts en arrière qui faisaient rire les dames, et de grands élans
en avant qui émotionnaient un peu cependant. Cet assaut[4] au pas
gymnastique fut caractérisé par un titi[5] inconnu qui cria : « Vous
éreintez pas, c'est à l'heure ! » L'assistance, froissée par ce manque de
goût, fit : « Chut ! » Le jugement des experts circula. Les tireurs
avaient montré beaucoup de vigueur et manqué parfois d'à-propos[6].

La première partie fut clôturée par une fort belle passe d'armes[7]
entre Jacques Rival et le fameux professeur belge Lebègue. Rival
fut fort goûté des femmes. Il était vraiment beau garçon, bien fait,
souple, agile, et plus gracieux que tous ceux qui l'avaient précédé.
Il apportait dans sa façon de se tenir en garde et de se fendre une
certaine élégance mondaine qui plaisait et faisait contraste avec la

---

1. Fleuret : type d'épée.

2. Baudruche : fine pellicule de caoutchouc dont on fait des ballons très légers.

3. Se fendait (mouvement d'escrime) : avançait la jambe droite pour attaquer.

4. Assaut : combat d'escrime.

5. Titi : gamin.

6. À-propos : réactivité.

7. Passe d'armes : enchaînement d'attaques et de ripostes.

350 manière énergique, mais commune de son adversaire. « On sent l'homme bien élevé », disait-on.

Il eut la belle[1]. On l'applaudit.

Mais depuis quelques minutes, un bruit singulier, à l'étage au-dessus, inquiétait les spectateurs. C'était un grand piétinement 355 accompagné de rires bruyants. Les deux cents invités qui n'avaient pu descendre dans la cave s'amusaient, sans doute, à leur façon. Dans le petit escalier tournant une cinquantaine d'hommes étaient tassés. La chaleur devenait terrible en bas. On criait : « De l'air ! – À boire ! » Le même farceur glapissait sur un ton aigu qui dominait 360 le murmure des conversations : « Orgeat ! limonade ! bière ! »

Rival apparut très rouge, ayant gardé son costume d'assaut. « Je vais faire apporter des rafraîchissements », dit-il. Et il courut vers l'escalier. Mais toute communication était coupée avec le rez-de-chaussée. Il eût été aussi facile de percer le plafond que de 365 traverser la muraille humaine entassée sur les marches.

Rival criait : « Faites passer des glaces pour les dames ! »

Cinquante voix répétaient : « Des glaces ! » Un plateau apparut enfin. Mais il ne portait que des verres vides, les rafraîchissements ayant été cueillis en route.

370 Une forte voix hurla : « On étouffe là-dedans, finissons vite et allons-nous-en. »

Une autre voix lança : « La quête ! » Et tout le public, haletant, mais gai tout de même, répéta : « La quête… la quête… la quête… »

375 Alors six dames se mirent à circuler entre les banquettes et on entendit un petit bruit d'argent tombant dans les bourses.

Du Roy nommait les hommes célèbres à Mme Walter. C'étaient des mondains[2], des journalistes, ceux des grands journaux, des vieux journaux, qui regardaient de haut *La Vie française,* avec une

---

1. **Il eut la belle** : il eut l'avantage.
2. **Mondains** : hommes fréquentant les réunions de la haute société (soirées, bals, spectacles, etc.).

380 certaine réserve née de leur expérience. Ils en avaient tant vu mourir de ces feuilles[1] politico-financières, filles d'une combinaison louche, et écrasées par la chute d'un ministère[2]. On apercevait aussi là des peintres et des sculpteurs, qui sont en général hommes de sport, un poète académicien qu'on montrait, deux musiciens et beaucoup de
385 nobles étrangers dont Du Roy faisait suivre le nom de la syllabe Rast (ce qui signifiait Rastaquouère), pour imiter, disait-il, les Anglais qui mettent Esq. sur leurs cartes[3].

Quelqu'un lui cria : « Bonjour, cher ami. » C'était le comte de Vaudrec. S'étant excusé auprès des dames, Du Roy alla lui serrer
390 la main.

Il déclara, en revenant : « Il est charmant, Vaudrec. Comme on sent la race, chez lui. »

Mme Walter ne répondit rien. Elle était un peu fatiguée, et sa poitrine se soulevait avec effort à chaque souffle de ses poumons,
395 ce qui attirait l'œil de Du Roy. Et de temps en temps, il rencontrait le regard de « la Patronne », un regard trouble, hésitant, qui se posait sur lui et fuyait tout de suite. Et il se disait : « Tiens… tiens… tiens… Est-ce que je l'aurais levée[4] aussi celle-là ? »

Les quêteuses passèrent. Les bourses étaient pleines d'argent et
400 d'or. Et une nouvelle pancarte fut accrochée sur l'estrade annonçant : « Grrrrande surprise. » Les membres du jury remontèrent à leurs places. On attendit.

Deux femmes parurent, un fleuret à la main, en costume de salle[5], vêtues d'un maillot sombre, d'un très court jupon tombant
405 à la moitié des cuisses, et d'un plastron si gonflé sur la poitrine

---

1. **Feuilles** : journaux.
2. La vie ou la mort des journaux liés à la sphère politique dépendaient du maintien ou de la chute des politiciens qui les soutenaient.
3. **Rastaquouère** : étranger à la fortune suspecte (péjoratif) ; **Esq.** : abréviation d'« esquire » (mot anglais), titre honorifique dont usent les Britanniques d'un rang social élevé en le plaçant devant leur patronyme ; **cartes** : cartes de visite.
4. **Levée** : séduite (familier).
5. **Fleuret** : type d'épée ; **en costume de salle** : en tenue d'escrime.

qu'il les forçait à porter haut la tête. Elles étaient jolies et jeunes. Elles souriaient en saluant l'assistance. On les acclama longtemps.

Et elles se mirent en garde[1] au milieu d'une rumeur galante et de plaisanteries chuchotées.

410   Un sourire aimable s'était fixé sur les lèvres des juges, qui approuvaient les coups par un petit bravo.

Le public appréciait beaucoup cet assaut et le témoignait aux deux combattantes qui allumaient des désirs chez les hommes et réveillaient chez les femmes le goût naturel du public parisien

415   pour les gentillesses un peu polissonnes[2], pour les élégances du genre canaille, pour le faux-joli et le faux-gracieux, les chanteuses de café-concert et les couplets d'opérette.

Chaque fois qu'une des tireuses se fendait[3], un frisson de joie courait dans le public. Celle qui tournait le dos à la salle, un dos

420   bien replet[4], faisait s'ouvrir les bouches et s'arrondir les yeux ; et ce n'était pas le jeu de son poignet qu'on regardait le plus.

On les applaudit avec frénésie.

Un assaut de sabre[5] suivit, mais personne ne le regarda, car toute l'attention fut captivée par ce qui se passait au-dessus. Pendant

425   quelques minutes on avait écouté un grand bruit de meubles remués, traînés sur le parquet comme si on déménageait l'appartement. Puis, tout à coup, le son d'un piano traversa le plafond ; et on entendit distinctement un bruit rythmé de pieds sautant en cadence. Les gens d'en haut s'offraient un bal, pour se dédommager de ne rien voir.

430   Un grand rire s'éleva d'abord dans le public de la salle d'armes[6], puis le désir de danser s'éveillant chez les femmes, elles cessèrent de

---

1. **En garde** : en position de défense.
2. **Polissonnes** : coquines, libertines.
3. **Tireuses** : escrimeuses ; **se fendait** (mouvement d'escrime) : avançait la jambe droite pour attaquer.
4. **Replet** : charnu, potelé.
5. **Sabre** : type d'épée.
6. **Salle d'armes** : salle d'entraînement à l'escrime.

s'occuper de ce qui se passait sur l'estrade et se mirent à parler tout haut.

On trouvait drôle cette idée de bal organisé par les retardataires. Ils ne devaient pas s'embêter, ceux-là. On aurait bien voulu être au-dessus.

Mais deux nouveaux combattants s'étaient salués, et ils tombèrent en garde avec tant d'autorité que tous les regards suivaient leurs mouvements.

Ils se fendaient et se relevaient avec une grâce élastique, avec une vigueur mesurée, avec une telle sûreté de force, une telle sobriété de gestes, une telle correction d'allure, une telle mesure dans le jeu que la foule ignorante fut surprise et charmée.

Leur promptitude[1] calme, leur sage souplesse, leurs mouvements rapides, si calculés qu'ils semblaient lents, attiraient et captivaient l'œil par la seule puissance de la perfection. Le public sentit qu'il voyait là une chose belle et rare, que deux grands artistes dans leur métier lui montraient ce qu'on pouvait voir de mieux, tout ce qu'il était possible à deux maîtres de déployer d'habileté, de ruse, de science raisonnée et d'adresse physique.

Personne ne parlait plus, tant on les regardait. Puis, quand ils se furent serré la main, après le dernier coup de bouton[2], des cris éclatèrent, des hurras. On trépignait, on hurlait. Tout le monde connaissait leurs noms : c'étaient Sergent et Ravignac.

Les esprits exaltés devenaient querelleurs[3]. Les hommes regardaient leurs voisins avec des envies de dispute. On se serait provoqué pour un sourire. Ceux qui n'avaient jamais tenu un fleuret[4] en leur main esquissaient avec leurs cannes des attaques et des parades.

---

1. Promptitude : vivacité.
2. Coup de bouton : coup de fleuret ; le bouton est une petite boule fixée au bout d'un fleuret pour le rendre inoffensif.
3. Querelleurs : bagarreurs.
4. Fleuret : type d'épée.

460 Mais peu à peu la foule remontait par le petit escalier. On allait boire, enfin. Ce fut une indignation quand on constata que les gens du bal avaient dévalisé le buffet, puis s'en étaient allés en déclarant qu'il était malhonnête de déranger deux cents personnes pour ne leur rien montrer.

465 Il ne restait pas un gâteau, pas une goutte de champagne, de sirop ou de bière, pas un bonbon, pas un fruit, rien, rien de rien. Ils avaient saccagé, ravagé, nettoyé tout.

On se faisait raconter les détails par les servants qui prenaient des visages tristes en cachant leur envie de rire. «Les dames
470 étaient plus enragées que les hommes, affirmaient-ils, et avaient mangé et bu à s'en rendre malades.» On aurait cru entendre le récit des survivants après le pillage et le sac d'une ville pendant l'Invasion[1].

Il fallut donc s'en aller. Des messieurs regrettaient les vingt
475 francs donnés à la quête; ils s'indignaient que ceux d'en haut eussent ripaillé sans rien payer.

Les dames patronnesses[2] avaient recueilli plus de trois mille francs. Il resta, tous frais payés, deux cent vingt francs pour les orphelins du sixième arrondissement.

480 Du Roy, escortant la famille Walter, attendait son landau[3].

En reconduisant la Patronne[4], comme il se trouvait assis en face d'elle, il rencontra encore une fois son œil caressant et fuyant, qui semblait troublé. Il pensait: «Bigre, je crois qu'elle mord»; et il souriait en reconnaissant qu'il avait vraiment de la chance
485 auprès des femmes, car Mme de Marelle, depuis le recommencement de leur tendresse, paraissait l'aimer avec frénésie.

Il rentra chez lui d'un pied joyeux.

---

1. Sac: saccage; **l'Invasion**: invasion du nord-est de la France par les Prussiens en 1870-1871.
2. Dames patronnesses: femmes présidant l'œuvre de bienfaisance.
3. Landau: voiture à cheval décapotable, à deux banquettes.
4. La Patronne: Mme Walter.

Madeleine l'attendait dans le salon.

« J'ai des nouvelles, dit-elle. L'affaire du Maroc se complique.
490 La France pourrait bien y envoyer une expédition[1] d'ici quelques mois. Dans tous les cas on va se servir de ça pour renverser le ministère, et Laroche profitera de l'occasion pour attraper les affaires étrangères. »

Du Roy, pour taquiner sa femme, feignit de n'en rien croire.
495 On ne serait pas assez fou pour recommencer la bêtise de Tunis[2].

Mais elle haussait les épaules avec impatience : « Je te dis que si ! Je te dis que si ! Tu ne comprends donc pas que c'est une grosse question d'argent pour eux. Aujourd'hui, mon cher, dans les combinaisons politiques il ne faut pas dire : "Cherchez la femme,"
500 mais : "Cherchez l'affaire." »

Il murmura : « Bah ! » avec un air de mépris, pour l'exciter.

Elle s'irritait :

« Tiens, tu es aussi naïf que Forestier. »

Elle voulait le blesser et s'attendait à une colère. Mais il sourit,
505 et répondit : « Que ce cocu de Forestier ? »

Elle demeura saisie, et murmura :

« Oh ! Georges ! »

Il avait l'air insolent et railleur, et il reprit : « Eh bien, quoi ? Me l'as-tu pas avoué, l'autre soir, que Forestier était cocu ? »
510 Et il ajouta : « Pauvre diable ! » sur un ton de pitié profonde.

Madeleine lui tourna le dos, dédaignant de répondre ; puis après une minute de silence, elle reprit : « Nous aurons du monde mardi : Mme Laroche-Mathieu viendra dîner avec la vicomtesse de Percemur. Veux-tu inviter Rival et Norbert de Varenne ? J'irai
515 demain chez Mme Rissolin. »

Depuis quelque temps, elle se faisait des relations, usant de l'influence politique de son mari, pour attirer chez elle, de gré ou

---

1. **Expédition** : expédition militaire.
2. **La bêtise de Tunis** : l'expédition militaire punitive qui s'est transformée en conquête coloniale.

de force, les femmes des sénateurs et des députés qui avaient besoin de l'appui de *La Vie française.*

520 Du Roy répondit : « Très bien. Je me charge de Rival et de Norbert. »

Il était content, et il se frottait les mains, car il avait trouvé une bonne scie[1] pour embêter sa femme et satisfaire l'obscure rancune, la confuse et mordante jalousie née en lui depuis leur promenade au Bois. Il ne parlerait plus de Forestier sans le qualifier de cocu.

525 Il sentait bien que cela finirait par rendre Madeleine enragée. Et dix fois pendant la soirée il trouva moyen de prononcer avec une bonhomie ironique, le nom de ce « cocu de Forestier ».

Il n'en voulait plus au mort ; il le vengeait.

Sa femme feignait de ne pas entendre et demeurait, en face de
530 lui, souriante et indifférente.

Le lendemain, comme elle devait aller adresser son invitation à Mme Walter, il voulut la devancer, pour trouver seule la Patronne et voir si vraiment elle en tenait pour lui[2]. Cela l'amusait et le flattait. Et puis... pourquoi pas... si c'était possible.

535 Il se présenta boulevard Malesherbes dès deux heures. On le fit entrer dans le salon. Il attendit.

Mme Walter parut la main tendue avec un empressement heureux.

« Quel bon vent vous amène ?

540 — Aucun bon vent, mais un désir de vous voir. Une force m'a poussé chez vous, je ne sais pourquoi, je n'ai rien à vous dire. Je suis venu ; me voilà ! me pardonnez-vous cette visite matinale et la franchise de l'explication ? »

Il disait cela d'un ton galant et badin[3], avec un sourire sur les
545 lèvres et un accent sérieux dans la voix.

Elle restait étonnée, un peu rouge, balbutiant :

« Mais... vraiment... je ne comprends pas... vous me surprenez... »

---

1. Scie : blague désagréable que l'on répète sans cesse.
2. En tenait pour lui : était amoureuse de lui, en pinçait pour lui.
3. Badin : gai et léger.

Il ajouta : « C'est une déclaration sur un air gai, pour ne pas vous effrayer. »

550 Ils s'étaient assis l'un près de l'autre. Elle prit la chose de façon plaisante.

« Alors c'est une déclaration… sérieuse ?

— Mais oui ! Voici longtemps que je voulais vous la faire, très longtemps, même. Et puis je n'osais pas. On vous dit si sévère, si 555 rigide… »

Elle avait retrouvé son assurance. Elle répondit :

« Pourquoi avez-vous choisi aujourd'hui ?

— Je ne sais pas. » Puis il baissa la voix : « Ou plutôt, c'est parce que je ne pense qu'à vous, depuis hier. »

560 Elle balbutia, pâlie tout à coup : « Voyons, assez d'enfantillages, et parlons d'autre chose. »

Mais il était tombé à ses genoux si brusquement qu'elle eut peur. Elle voulut se lever ; il la tenait assise de force de ses deux bras enlacés à la taille, et il répétait d'une voix passionnée : « Oui, 565 c'est vrai que je vous aime, follement, depuis longtemps. Ne me répondez pas. Que voulez-vous, je suis fou ! Je vous aime… Oh ! si vous saviez, comme je vous aime ! »

Elle suffoquait, haletait, essayait de parler et ne pouvait prononcer un mot. Elle le repoussait de ses deux mains, l'ayant 570 saisi aux cheveux pour empêcher l'approche de cette bouche qu'elle sentait venir vers la sienne. Et elle tournait la tête de droite à gauche et de gauche à droite, d'un mouvement rapide, en fermant les yeux pour ne plus le voir.

Il la touchait à travers sa robe, la maniait[1], la palpait ; et elle 575 défaillait sous cette caresse brutale et forte. Il se releva brusquement et voulut l'étreindre, mais, libre une seconde, elle s'était échappée en se rejetant en arrière, et elle fuyait maintenant de fauteuil en fauteuil.

---

1. **La maniait** : la tâtait.

Il jugea ridicule cette poursuite, et il se laissa tomber sur une
580   chaise, la figure dans ses mains, en feignant des sanglots convulsifs[1].

Puis il se redressa, cria : « Adieu, adieu ! » et il s'enfuit.

Il reprit tranquillement sa canne dans le vestibule et gagna la
rue en se disant : « Cristi, je crois que ça y est. » Et il passa au
télégraphe pour envoyer un petit bleu[2] à Clotilde, lui donnant
585   rendez-vous le lendemain.

En rentrant chez lui, à l'heure ordinaire, il dit à sa femme : « Eh
bien, as-tu tout ton monde pour ton dîner ? »

Elle répondit : « Oui ; il n'y a que Mme Walter qui n'est pas
sûre d'être libre. Elle hésite ; elle m'a parlé de je ne sais quoi,
590   d'engagement, de conscience. Enfin elle m'a eu l'air très drôle.
N'importe, j'espère qu'elle viendra tout de même. »

Il haussa les épaules : « Eh, parbleu oui, elle viendra. »

Il n'en était pas certain, cependant, et il demeura inquiet
jusqu'au jour du dîner.

595   Le matin même, Madeleine reçut un petit mot de la Patronne :
« Je me suis rendue libre à grand-peine et je serai des vôtres. Mais
mon mari ne pourra pas m'accompagner. »

Du Roy pensa : « J'ai rudement bien fait de n'y pas retourner.
La voilà calmée. Attention. »

600   Il attendit cependant son entrée avec un peu d'inquiétude. Elle
parut, très calme, un peu froide, un peu hautaine. Il se fit très
humble, très discret et soumis.

Mmes Laroche-Mathieu et Rissolin accompagnaient leurs maris.
La vicomtesse de Percemur parla du grand monde. Mme de Marelle
605   était ravissante dans une toilette d'une fantaisie singulière, jaune et
noire, un costume espagnol qui moulait bien sa jolie taille, sa
poitrine et ses bras potelés, et rendait énergique sa petite tête
d'oiseau.

----

1. Convulsifs : saccadés.
2. Petit bleu : télégramme (sur papier bleu).

Du Roy avait pris à sa droite Mme Walter, et il ne lui parla,
610 durant le dîner, que de choses sérieuses, avec un respect exagéré.
De temps en temps il regardait Clotilde. « Elle est vraiment plus
jolie, et plus fraîche », pensait-il. Puis ses yeux revenaient vers sa
femme qu'il ne trouvait pas mal non plus, bien qu'il eût gardé
contre elle une colère rentrée, tenace et méchante.

615 Mais la Patronne l'excitait par la difficulté de la conquête, et
par cette nouveauté toujours désirée des hommes.

Elle voulut rentrer de bonne heure. « Je vous accompagnerai »,
dit-il.

Elle refusa. Il insistait : « Pourquoi ne voulez-vous pas ? Vous
620 allez me blesser vivement. Ne me laissez pas croire que vous ne
m'avez point pardonné. Vous voyez comme je suis calme. »

Elle répondit : « Vous ne pouvez pas abandonner ainsi vos invités. »

Il sourit : « Bah ! je serai vingt minutes absent. On ne s'en aper-
cevra même pas. Si vous me refusez, vous me froisserez jusqu'au
625 cœur. »

Elle murmura : « Eh bien, j'accepte. »

Mais dès qu'ils furent dans la voiture, il lui saisit la main, et la
baisant avec passion : « Je vous aime, je vous aime. Laissez-moi
vous le dire. Je ne vous toucherai pas. Je veux seulement vous
630 répéter que je vous aime. »

Elle balbutiait : « Oh… après ce que vous m'avez promis…
C'est mal… c'est mal. »

Il parut faire un grand effort, puis il reprit d'une voix contenue :
« Tenez, vous voyez comme je me maîtrise. Et pourtant… Mais
635 laissez-moi vous dire seulement ceci : Je vous aime… et vous le
répéter tous les jours… oui, laissez-moi aller chez vous m'agenouiller cinq minutes à vos pieds pour prononcer ces trois mots,
en regardant votre visage adoré. »

Elle lui avait abandonné sa main, et elle répondit en haletant :
640 « Non, je ne peux pas, je ne veux pas. Songez à ce qu'on dirait, à
mes domestiques, à mes filles. Non, non, c'est impossible… »

Il reprit : « Je ne peux plus vivre sans vous voir. Que ce soit chez vous ou ailleurs, il faut que je vous voie, ne fût-ce qu'une minute tous les jours, que je touche votre main, que je respire l'air soulevé par votre robe, que je contemple la ligne de votre corps, et vos beaux grands yeux qui m'affolent. »

Elle écoutait, frémissante, cette banale musique d'amour et elle bégayait : « Non… non… c'est impossible. Taisez-vous ! »

Il lui parlait tout bas, dans l'oreille, comprenant qu'il fallait la prendre peu à peu, celle-là, cette femme simple, qu'il fallait la décider à lui donner des rendez-vous, où elle voudrait d'abord, où il voudrait ensuite : « Écoutez… Il le faut… je vous verrai… je vous attendrai devant votre porte… comme un pauvre… Si vous ne descendez pas, je monterai chez vous, mais je vous verrai… je vous verrai… demain… »

Elle répétait : « Non, non, ne venez pas. Je ne vous recevrai point. Songez à mes filles.

— Alors dites-moi où je vous rencontrerai… dans la rue… n'importe où… à l'heure que vous voudrez… pourvu que je vous voie… Je vous saluerai… Je vous dirai : "Je vous aime", et je m'en irai. »

Elle hésitait, éperdue[1]. Et comme le coupé passait la porte de son hôtel, elle murmura très vite : « Eh bien, j'entrerai à La Trinité[2], demain, à trois heures et demie. »

Puis, étant descendue, elle cria à son cocher :

« Reconduisez M. Du Roy chez lui. »

Comme il rentrait, sa femme lui demanda : « Où étais-tu donc passé ? »

Il répondit, à voix basse : « J'ai été jusqu'au télégraphe pour une dépêche pressée. »

Mme de Marelle s'approchait : « Vous me reconduisez, Bel-Ami, vous savez que je ne viens dîner si loin qu'à cette condition ? »

---

1. Éperdue : profondément troublée, affolée.
2. Coupé : voiture à cheval fermée, à quatre roues et deux places ; **la Trinité** : église de la Sainte-Trinité, près de la gare Saint-Lazare, à Paris.

Puis se tournant vers Madeleine : « Tu n'es pas jalouse ? »

Mme Du Roy répondit lentement : « Non, pas trop. »

Les convives s'en allaient. Mme Laroche-Mathieu avait l'air
675   d'une petite bonne de province. C'était la fille d'un notaire, épousée
par Laroche qui n'était alors que médiocre avocat. Mme Rissolin,
vieille et prétentieuse, donnait l'idée d'une ancienne sage-femme
dont l'éducation se serait faite dans les cabinets de lecture[1]. La
vicomtesse de Percemur les regardait de haut. Sa « patte blanche »
680   touchait avec répugnance ces mains communes.

Clotilde, enveloppée de dentelles, dit à Madeleine en franchis-
sant la porte de l'escalier : « C'était parfait, ton dîner. Tu auras
dans quelque temps le premier salon politique de Paris. »

Dès qu'elle fut seule avec Georges, elle le serra dans ses bras :
685   « Oh ! mon chéri Bel-Ami, je t'aime tous les jours davantage. »

Le fiacre[2] qui les portait roulait comme un navire.

« Ça ne vaut point notre chambre », dit-elle.

Il répondit : « Oh ! non. » Mais il pensait à Mme Walter.

---

1. Cabinets de lecture : lieux où l'on peut consulter et emprunter des ouvrages
et des journaux, ce qui permet aux gens du peuple de s'instruire par eux-mêmes
à faible coût.

2. Fiacre : voiture à cheval louée à la course (comme les taxis aujourd'hui).

4

La place de La Trinité était presque déserte, sous un éclatant soleil de juillet. Une chaleur pesante écrasait Paris, comme si l'air de là-haut, alourdi, brûlé, était retombé sur la ville, de l'air épais et cuisant qui faisait mal dans la poitrine.

5 Les chutes d'eau, devant l'église, tombaient mollement. Elles semblaient fatiguées de couler, lasses et molles aussi, et le liquide du bassin où flottaient des feuilles et des bouts de papier avait l'air un peu verdâtre, épais et glauque.

Un chien, ayant sauté par-dessus le rebord de pierre, se baignait dans
10 cette onde[1] douteuse. Quelques personnes assises sur les bancs du petit jardin rond qui contourne le portail, regardaient cette bête avec envie.

Du Roy tira sa montre. Il n'était encore que trois heures. Il avait trente minutes d'avance.

Il riait en pensant à ce rendez-vous. « Les églises lui sont bonnes
15 à tous les usages, se disait-il. Elles la consolent d'avoir épousé un juif, lui donnent une attitude de protestation[2] dans le monde politique, une allure comme il faut dans le monde distingué, et un abri pour ses rencontres galantes. Ce que c'est que l'habitude de se servir de la religion comme on se sert d'un en-tout-cas[3]. S'il fait beau, c'est
20 une canne, s'il fait du soleil, c'est une ombrelle, s'il pleut, c'est un parapluie, et, si on ne sort pas, on le laisse dans l'antichambre[4]. Et

---

1. Onde : eau (littéraire).

2. Protestation : assurance, fidélité.

3. En-tout-cas : parapluie servant à se protéger de la pluie ou du soleil.

4. Antichambre : entrée.

elles sont des centaines comme ça, qui se fichent du bon Dieu comme d'une guigne, mais qui ne veulent pas qu'on en dise du mal et qui le prennent à l'occasion pour entremetteur[1]. Si on leur propo-
25 sait d'entrer dans un hôtel meublé, elles trouveraient cela une infamie, et il leur semble tout simple de filer l'amour au pied des autels[2]. »

Il marchait lentement le long du bassin ; puis il regarda l'heure de nouveau à l'horloge du clocher, qui avançait de deux minutes
30 sur sa montre. Elle indiquait trois heures cinq.

Il jugea qu'il serait encore mieux dedans ; et il entra.

Une fraîcheur de cave le saisit ; il l'aspira avec bonheur, puis il fit le tour de la nef[3] pour bien connaître l'endroit.

Une autre marche régulière, interrompue parfois, puis recom-
35 mençant, répondait, au fond du vaste monument, au bruit de ses pieds qui montait sonore sous la haute voûte. La curiosité lui vint de connaître ce promeneur. Il le chercha. C'était un gros monsieur chauve, qui allait le nez en l'air, le chapeau derrière le dos.

De place en place[4], une vieille femme agenouillée priait, la
40 figure dans ses mains.

Une sensation de solitude, de désert, de repos, saisissait l'esprit. La lumière, nuancée par les vitraux, était douce aux yeux.

Du Roy trouva qu'il faisait « rudement bon » là-dedans.

Il revint près de la porte et regarda de nouveau sa montre.
45 Il n'était encore que trois heures quinze. Il s'assit à l'entrée de l'allée principale, en regrettant qu'on ne pût pas fumer une ciga-rette. On entendait toujours, au bout de l'église, près du chœur[5], la promenade lente du gros monsieur.

---

1. Comme d'une guigne : comme d'une chose sans importance ; **entremetteur** : personne servant d'intermédiaire dans les rencontres galantes.

2. Autels : dans la religion catholique, tables où l'on célèbre la messe.

3. Nef : partie avant de l'église, comprise entre le chœur et le portail, où l'on circule librement et où les fidèles s'installent pour prier.

4. De place en place : par endroits.

5. Chœur : partie arrière de l'église, où se tiennent le clergé et les chanteurs.

Quelqu'un entra. Georges se retourna brusquement. C'était
50 une femme du peuple, en jupe de laine, pauvre femme, qui tomba
à genoux près de la première chaise, et resta immobile, les doigts
croisés, le regard au ciel, l'âme envolée dans la prière.

Du Roy la regardait avec intérêt, se demandant, quel chagrin,
quelle douleur, quel désespoir pouvaient broyer ce cœur infime.
55 Elle crevait de misère ; c'était visible. Elle avait peut-être encore
un mari qui la tuait de coups, ou bien un enfant mourant.

Il murmurait, mentalement : « Les pauvres êtres. Y en a-t-il
qui souffrent pourtant. » Et une colère lui vint contre l'impi-
toyable nature. Puis il réfléchit que ces gueux croyaient au moins
60 qu'on s'occupait d'eux là-haut et que leur état civil se trouvait
inscrit sur les registres du ciel avec la balance de la dette et de
l'avoir. « Là-haut. – Où donc ? »

Et Du Roy, que le silence de l'église poussait aux vastes rêves,
jugeant d'une pensée la création, prononça, du bout des lèvres :
65 « Comme c'est bête tout ça. »

Un bruit de robe le fit tressaillir. C'était elle.

Il se leva, s'avança vivement. Elle ne lui tendit pas la main, et
murmura, à voix basse : « Je n'ai que peu d'instants. Il faut que je
rentre, mettez-vous à genoux, près de moi, pour qu'on ne nous
70 remarque pas. »

Et elle s'avança dans la grande nef, cherchant un endroit convenable
et sûr, en femme qui connaît bien la maison. Sa figure était cachée par
un voile épais, et elle marchait à pas sourds qu'on entendait à peine.

Quand elle fut arrivée près du chœur, elle se retourna et marmotta,
75 de ce ton toujours mystérieux qu'on garde dans les églises : « Les bas-
côtés[1] vaudront mieux. On est trop en vue par ici. »

Elle salua le Tabernacle du maître-autel[2] d'une grande incli-
naison de tête, renforcée d'une légère révérence, et elle tourna à

---

1. Bas-côtés : nefs latérales de l'église, situées de part et d'autre de la nef centrale.
2. Tabernacle : petite armoire contenant les hosties sacrées ; maître-autel : autel
principal (table où l'on célèbre la messe).

droite, revint un peu vers l'entrée, puis, prenant une résolution,
80 elle s'empara d'un prie-Dieu[1] et s'agenouilla.

George prit possession du prie-Dieu voisin, et, dès qu'ils furent
immobiles, dans l'attitude de l'oraison[2] : « Merci, merci, dit-il.
Je vous adore. Je voudrais vous le dire toujours, vous raconter
comment j'ai commencé à vous aimer, comment j'ai été séduit la
85 première fois que je vous ai vue… Me permettrez-vous, un jour,
de vider mon cœur, de vous exprimer tout cela ? »

Elle l'écoutait dans une attitude de méditation profonde, comme
si elle n'eût rien entendu. Elle répondit entre ses doigts : « Je suis folle
de vous laisser me parler ainsi, folle d'être venue, folle de faire ce que
90 je fais, de vous laisser croire que cette… cette… cette aventure peut
avoir une suite. Oubliez cela, il le faut, et ne m'en reparlez jamais. »

Elle attendit. Il cherchait une réponse, des mots décisifs,
passionnés, mais ne pouvant joindre le geste aux paroles, son action
se trouvait paralysée.

95 Il reprit : « Je n'attends rien… – je n'espère rien. Je vous aime.
Quoi que vous fassiez, je vous le répéterai si souvent, avec tant de
force et d'ardeur, que vous finirez bien par le comprendre. Je veux
faire pénétrer en vous ma tendresse, vous la verser dans l'âme, mot
par mot, heure par heure, jour par jour, de sorte qu'enfin elle vous
100 imprègne comme une liqueur tombée goutte à goutte, qu'elle vous
adoucisse, vous amollisse et vous force, plus tard, à me répondre :
"Moi aussi, je vous aime." »

Il sentait trembler son épaule contre lui et sa gorge palpiter ;
et elle balbutia, très vite : « Moi aussi, je vous aime. »

105 Il eut un sursaut, comme si un grand coup lui fût tombé sur la
tête et il soupira : « Oh ! mon Dieu !… »

Elle reprit, d'une voix haletante : « Est-ce que je devrais vous dire
cela ? Je me sens coupable et méprisable… moi… qui ai deux filles…

---

1. **Prie-Dieu** : meuble sur lequel on s'agenouille pour prier.
2. **Oraison** : prière.

mais je ne peux pas… je ne peux pas… Je n'aurais pas cru… je
110 n'aurais jamais pensé… c'est plus fort… plus fort que moi. Écoutez…
écoutez… je n'ai jamais aimé… que vous… je vous le jure. Et je vous
aime, depuis un an, en secret, dans le secret de mon cœur. Oh! j'ai
souffert, allez, et lutté, je ne peux plus, je vous aime… »

Elle pleurait dans ses doigts croisés sur son visage, et tout son
115 corps frémissait, secoué par la violence de son émotion.

Georges murmura: « Donnez-moi votre main, que je la touche,
que je la presse… »

Elle ôta lentement sa main de sa figure. Il vit sa joue toute
mouillée, et une goutte d'eau prête à tomber encore au bord des
120 cils.

Il avait pris cette main, il la serrait: « Oh! comme je voudrais
boire vos larmes. »

Elle dit d'une voix basse et brisée, qui ressemblait à un gémissement: « N'abusez pas de moi… je me suis perdue! »

125 Il eut envie de sourire. Comment aurait-il abusé d'elle en ce
lieu? Il posa sur son cœur la main qu'il tenait, en demandant:
« Le sentez-vous battre? » Car il était à bout de phrases passionnées.

Mais, depuis quelques instants, le pas régulier du promeneur
130 se rapprochait. Il avait fait le tour des autels[1], et il redescendait,
pour la seconde fois au moins, par la petite nef de droite. Quand
Mme Walter l'entendit tout près du pilier qui la cachait, elle
arracha ses doigts de l'étreinte de Georges, et, de nouveau, se
couvrit la figure.

135 Et ils restèrent tous deux immobiles, agenouillés comme s'ils
eussent adressé ensemble au ciel des supplications ardentes. Le
gros monsieur passa près d'eux, leur jeta un regard indifférent, et
s'éloigna vers le bas de l'église en tenant toujours son chapeau
dans son dos.

---

1. **Autels**: tables où l'on célèbre la messe.

140 Mais Du Roy, qui songeait à obtenir un rendez-vous ailleurs qu'à La Trinité, murmura : « Où vous verrai-je demain ? »

Elle ne répondit pas. Elle semblait inanimée, changée en statue de la Prière.

Il reprit : « Demain, voulez-vous que je vous retrouve au parc
145 Monceau ? »

Elle tourna vers lui sa face redécouverte, une face livide[1], crispée par une souffrance affreuse, et, d'une voix saccadée : « Laissez-moi… laissez-moi, maintenant… allez-vous-en… allez-vous-en… seulement cinq minutes… je souffre trop, près de vous… je veux prier…
150 je ne peux pas… allez-vous-en… laissez-moi prier… seule… cinq minutes… je ne peux pas… laissez-moi implorer Dieu… qu'il me pardonne… qu'il me sauve… laissez-moi… cinq minutes… »

Elle avait un visage tellement bouleversé, une figure si douloureuse, qu'il se leva sans dire un mot, puis, après un peu d'hésita-
155 tion, il demanda : « Je reviendrai tout à l'heure ? »

Elle fit un signe de tête, qui voulait dire : « Oui, tout à l'heure. » Et il remonta vers le chœur[2].

Alors, elle tenta de prier. Elle fit un effort d'invocation surhumain pour appeler Dieu ; et, le corps vibrant, l'âme éperdue, elle
160 cria : « Pitié ! » vers le ciel.

Elle fermait ses yeux avec rage pour ne plus voir celui qui venait de s'en aller ! Elle le chassait de sa pensée, elle se débattait contre lui ; mais au lieu de l'apparition céleste attendue dans la détresse de son cœur, elle apercevait toujours la moustache frisée
165 du jeune homme.

Depuis un an, elle luttait ainsi tous les jours, tous les soirs, contre cette obsession grandissante, contre cette image qui hantait ses rêves, qui hantait sa chair et troublait ses nuits. Elle se sentait prise comme une bête dans un filet, liée, jetée entre les bras de ce mâle

---

1. Livide : très pâle.
2. Chœur : partie arrière de l'église, où se tiennent le clergé et les chanteurs.

170 qui l'avait vaincue, conquise, rien que par le poil de sa lèvre et par la couleur de ses yeux.

Et maintenant, dans cette église, tout près de Dieu, elle se sentait plus faible, plus abandonnée, plus perdue encore que chez elle. Elle ne pouvait plus prier, elle ne pouvait penser qu'à lui. Elle

175 souffrait déjà qu'il se fût éloigné. Elle luttait cependant en désespérée, elle se défendait, appelait du secours de toute la force de son âme. Elle eût voulu mourir plutôt que de tomber ainsi, elle qui n'avait point failli. Elle murmurait des paroles éperdues de supplication ; mais elle écoutait le pas de Georges s'affaiblir dans

180 le lointain des voûtes.

Elle comprit que c'était fini, que la lutte était inutile ! Elle ne voulait pas céder pourtant ; et elle fut saisie par une de ces crises d'énervement qui jettent les femmes, palpitantes, hurlantes et tordues sur le sol. Elle tremblait de tous ses membres, sentant

185 bien qu'elle allait tomber, se rouler entre les chaises en poussant des cris aigus.

Quelqu'un s'approchait d'une marche rapide. Elle tourna la tête. C'était un prêtre. Alors elle se leva, courut à lui, en tenant ses mains jointes, et elle balbutia : « Oh ! sauvez-moi ! sauvez-

190 moi ! »

Il s'arrêta surpris : « Qu'est-ce que vous désirez, madame ?

– Je veux que vous me sauviez. Ayez pitié de moi. Si vous ne venez pas à mon aide, je suis perdue. »

Il reprit : « Que puis-je faire pour vous ? »

195 C'était un jeune homme, grand, un peu gras, aux joues pleines et tombantes, teintées de noir par la barbe rasée avec soin, un beau vicaire[1] de ville, de quartier opulent, habitué aux riches pénitentes.

« Recevez ma confession, dit-elle, et conseillez-moi, soutenez-

200 moi, dites-moi ce qu'il faut faire ! »

---

1. **Vicaire** : prêtre.

Il répondit : « Je confesse tous les samedis, de trois heures à six heures. »

Ayant saisi son bras, elle le serrait en répétant : « Non ! non ! non ! tout de suite ! tout de suite ! Il le faut ! Il est là ! dans cette
205   église ! Il m'attend. »

Le prêtre demanda : « Qui est-ce qui vous attend ?

— Un homme… qui va me perdre… qui va me prendre, si vous ne me sauvez pas… Je ne peux plus le fuir… Je suis trop faible… trop faible… si faible… si faible ! »

210   Elle s'abattit à ses genoux, et sanglotant : « Oh ! ayez pitié de moi, mon père ! Sauvez-moi, au nom de Dieu, sauvez-moi ! »

Elle le tenait par sa robe noire pour qu'il ne pût s'échapper ; et lui, inquiet, regardait de tous les côtés, si quelque œil malveillant ou dévot[1] ne voyait point cette femme tombée à ses pieds.

215   Comprenant, enfin, qu'il ne lui échapperait pas : « Relevez-vous, dit-il, j'ai justement sur moi la clef du confessionnal[2]. » Et fouillant dans sa poche, il en tira un anneau garni de clefs, puis il en choisit une, et il se dirigea, d'un pas rapide, vers les petites cabanes de bois, sorte de boîtes aux ordures de l'âme, où les
220   croyants vident leurs péchés.

Il entra par la porte du milieu qu'il referma sur lui, et Mme Walter, s'étant jetée dans l'étroite case d'à côté, balbutia avec ferveur, avec un élan passionné d'espérance : « Bénissez-moi, mon père, parce que j'ai péché… »

225   Du Roy, ayant fait le tour du chœur, descendit la nef de gauche. Il arrivait au milieu quand il rencontra le gros monsieur chauve, allant toujours de son pas tranquille, et il se demanda : « Qu'est-ce que ce particulier-là peut bien faire ici ? »

Le promeneur aussi avait ralenti sa marche et regardait Georges
230   avec un désir visible de lui parler. Quand il fut tout près, il salua,

---

1. Dévot : qui manifeste un zèle excessif pour la religion.
2. Confessionnal : meuble en forme d'isoloir où le prêtre entend la *confession* du pénitent.

et très poliment : « Je vous demande pardon, monsieur, de vous déranger, mais pourriez-vous me dire à quelle époque a été construit ce monument ? »

Du Roy répondit : « Ma foi, je n'en sais trop rien, je pense qu'il y a vingt ans, ou vingt-cinq ans. C'est, d'ailleurs, la première fois que j'y entre.

— Moi aussi. Je ne l'avais jamais vu. »

Alors, le journaliste, qu'un intérêt gagnait, reprit : « Il me semble que vous le visitez avec grand soin. Vous l'étudiez dans ses détails. »

L'autre, avec résignation : « Je ne le visite pas, monsieur, j'attends ma femme qui m'a donné rendez-vous ici, et qui est fort en retard. »

Puis il se tut, et après quelques secondes : « Il fait rudement chaud, dehors. »

Du Roy le considérait, lui trouvant une bonne tête, et, tout à coup, il s'imagina qu'il ressemblait à Forestier.

« Vous êtes de la province ? dit-il.

— Oui. Je suis de Rennes. Et vous, monsieur, c'est par curiosité que vous êtes entré dans cette église ?

— Non. J'attends une femme, moi. » Et l'ayant salué, le journaliste s'éloigna, le sourire aux lèvres.

En approchant de la grande porte, il revit la pauvresse, toujours à genoux et priant toujours. Il pensa : « Cristi ! elle a l'invocation tenace. » Il n'était plus ému, il ne la plaignait plus.

Il passa, et, doucement, se mit à remonter la nef de droite pour retrouver Mme Walter.

Il guettait de loin la place où il l'avait laissée, s'étonnant de ne pas l'apercevoir. Il crut s'être trompé de pilier, alla jusqu'au dernier, et revint ensuite. Elle était donc partie ! Il demeurait surpris et furieux. Puis il s'imagina qu'elle le cherchait, et il refit le tour de l'église. Ne l'ayant point trouvée, il retourna s'asseoir sur la chaise qu'elle avait occupée, espérant qu'elle l'y rejoindrait. Et il attendit.

Bientôt un léger murmure de voix éveilla son attention.
265   Il n'avait vu personne dans ce coin de l'église. D'où venait donc
ce chuchotement ? Il se leva pour chercher, et il aperçut, dans la
chapelle voisine, les portes du confessionnal. Un bout de robe
sortait de l'une et traînait sur le pavé. Il s'approcha pour examiner
la femme. Il la reconnut. Elle se confessait !...

270   Il sentit un désir violent de la prendre par les épaules et de
l'arracher de cette boîte. Puis il pensa : « Bah ! C'est le tour du
curé, ce sera le mien demain. » Et il s'assit tranquillement en face
des guichets de la pénitence [1], attendant son heure, et ricanant, à
présent, de l'aventure.

275   Il attendit longtemps. Enfin, Mme Walter se releva, se retourna,
le vit et vint à lui. Elle avait un visage froid et sévère : « Monsieur,
dit-elle, je vous prie de ne pas m'accompagner, de ne pas me suivre,
et de ne plus venir, seul, chez moi. Vous ne seriez point reçu.
Adieu ! »

280   Et elle s'en alla, d'une démarche digne.

Il la laissa s'éloigner, car il avait pour principe de ne jamais forcer
les événements. Puis comme le prêtre, un peu troublé, sortait à son
tour de son réduit, il marcha droit à lui, et le regardant au fond des
yeux, il lui grogna dans le nez : « Si vous ne portiez point une jupe,
285   vous, quelle paire de soufflets [2] sur votre vilain museau. »

Puis il pivota sur ses talons et sortit de l'église en sifflotant.

Debout sous le portail, le gros monsieur, le chapeau sur la tête
et les mains derrière le dos, las d'attendre, parcourait du regard la
vaste place et toutes les rues qui s'y rejoignent.

290   Quand Du Roy passa près de lui, ils se saluèrent.

Le journaliste se trouvant libre, descendit à *La Vie française*.
Dès l'entrée, il vit, à la mine affairée des garçons, qu'il se passait

---

1. Guichets de la pénitence : périphrase désignant les confessionnaux (où les
pécheurs se repentent de leurs fautes).
2. Soufflets : gifles. À l'époque, recevoir un soufflet constituait un affront dont
on obtenait réparation dans un duel.

des choses anormales, et il entra brusquement dans le cabinet du directeur.

295 Le père Walter, debout, nerveux, dictait un article par phrases hachées, donnait, entre deux alinéas[1], des missions à ses reporters qui l'entouraient, faisait des recommandations à Boisrenard, et décachetait[2] des lettres.

Quand Du Roy entra, le patron poussa un cri de joie :

300 « Ah ! quelle chance, voilà Bel-Ami ! »

Il s'arrêta net, un peu confus, et s'excusa : « Je vous demande pardon de vous avoir appelé ainsi, je suis très troublé par les circonstances. Et puis, j'entends ma femme et mes filles vous nommer "Bel-Ami" du matin au soir, et je finis par en prendre moi-même

305 l'habitude, vous ne m'en voulez pas ? »

Georges riait : « Pas du tout. Ce surnom n'a rien qui me déplaise. »

Le père Walter reprit : « Très bien, alors je vous baptise Bel-Ami, comme tout le monde. Eh bien ! voilà, nous avons de gros événements. Le ministère tombé sur un vote de trois cent dix

310 voix contre cent deux. Nos vacances sont encore remises, remises aux calendes grecques[3], et nous voici au vingt-huit juillet. L'Espagne se fâche pour le Maroc, c'est ce qui a jeté bas Durand de l'Aine et ses acolytes[4]. Nous sommes dans le pétrin jusqu'au cou. Marrot est chargé de former un nouveau cabinet[5]. Il prend

315 le général Boutin d'Acre à la guerre et notre ami Laroche-Mathieu aux Affaires étrangères. Il garde lui-même le portefeuille de l'Intérieur, avec la présidence du Conseil[6]. Nous allons devenir

---

1. Alinéas : paragraphes.

2. Décachetait : ouvrait.

3. Aux calendes grecques : chez les Romains, les calendes étaient le premier jour du mois ; remettre, renvoyer aux calendes grecques signifie « remettre à un temps qui ne viendra pas », les Grecs n'ayant pas de calendes.

4. Acolytes : compagnons, complices (péjoratif).

5. Cabinet : gouvernement.

6. Conseil : Conseil des ministres.

une feuille officieuse[1]. Je fais l'article de tête, une simple déclaration de principes[2], en traçant leur voie aux ministres. »

320 Le bonhomme sourit et reprit : « La voie qu'ils comptent suivre, bien entendu. Mais il me faudrait quelque chose d'intéressant sur la question du Maroc, une actualité, une chronique à effet, à sensation, je ne sais quoi ? Trouvez-moi ça, vous. »

Du Roy réfléchit une seconde, puis répondit : « J'ai votre affaire.
325 Je vous donne une étude sur la situation politique de toute notre colonie africaine, avec la Tunisie à gauche, l'Algérie au milieu, et le Maroc à droite, l'histoire des races qui peuplent ce grand territoire, et le récit d'une excursion sur la frontière marocaine jusqu'à la grande oasis de Figuig[3] où aucun Européen n'a pénétré et qui est la
330 cause du conflit actuel. Ça vous va-t-il ? »

Le père Walter s'écria : « Admirable ! Et quel titre ?
— *De Tunis à Tanger*[4] !
— Superbe. »

Et Du Roy s'en alla fouiller dans la collection de *La Vie française*
335 pour retrouver son premier article : « Les Mémoires d'un chasseur d'Afrique », qui, débaptisé, retapé et modifié, ferait admirablement l'affaire, d'un bout à l'autre, puisqu'il y était question de politique coloniale, de la population algérienne et d'une excursion dans la province d'Oran[5].

340 En trois quarts d'heure, la chose fut refaite, rafistolée, mise au point, avec une saveur d'actualité, et des louanges pour le nouveau cabinet.

Le directeur, ayant lu l'article, déclara : « C'est parfait... parfait... parfait... Vous êtes un homme précieux. Tous mes compliments. »

---

1. Feuille officieuse : journal relayant les idées du gouvernement mais sans s'afficher comme tel.

2. Déclaration de principes : écrit par lequel est rappelé le positionnement politique du journal.

3. Figuig : ville située à l'extrême est du Maroc, à côté de la frontière algérienne.

4. Tunis et Tanger : respectivement capitale de la Tunisie et ville du nord du Maroc.

5. Oran : ville côtière d'Algérie (à l'ouest d'Alger).

345 Et Du Roy rentra dîner, enchanté de sa journée, malgré l'échec de La Trinité[1], car il sentait bien la partie gagnée.

Sa femme, fiévreuse, l'attendait. Elle s'écria en le voyant :

« Tu sais que Laroche est ministre des Affaires étrangères.

— Oui, je viens même de faire un article sur l'Algérie à ce sujet.

350 — Quoi donc ?

— Tu le connais, le premier que nous ayons écrit ensemble : "Les Mémoires d'un chasseur d'Afrique", revu et corrigé pour la circonstance. »

Elle sourit. « Ah ! oui, mais ça va très bien. »

355 Puis après avoir songé quelques instants : « J'y pense, cette suite que tu devais faire alors, et que tu as… laissée en route. Nous pouvons nous y mettre à présent. Ça nous donnera une jolie série bien en situation. »

Il répondit en s'asseyant devant son potage : « Parfaitement. Rien

360 ne s'y oppose plus, maintenant que ce cocu de Forestier est trépassé. »

Elle répliqua vivement d'un ton sec, blessé : « Cette plaisanterie est plus que déplacée, et je te prie d'y mettre un terme. Voilà trop longtemps qu'elle dure. »

Il allait riposter avec ironie ; on lui apporta une dépêche[2] conte-

365 nant cette seule phrase, sans signature : « J'avais perdu la tête. Pardonnez-moi et venez demain, quatre heures, au parc Monceau. »

Il comprit et, le cœur tout à coup plein de joie, il dit à sa femme, en glissant le papier bleu dans sa poche : « Je ne le ferai plus, ma chérie. C'est bête. Je le reconnais. »

370 Et il commença à dîner.

Tout en mangeant il se répétait ces quelques mots : « J'avais perdu la tête, pardonnez-moi, et venez demain, quatre heures, au parc Monceau. » Donc elle cédait. Cela voulait dire : « Je me rends, je suis à vous, où vous voudrez, quand vous voudrez. »

---

1. La Trinité : l'église de la Sainte-Trinité, où Bel-Ami avait rendez-vous avec Mme Walter.

2. Dépêche : message.

375   Il se mit à rire. Madeleine demanda :

« Qu'est-ce que tu as ?

— Pas grand-chose. Je pense à un curé que j'ai rencontré tantôt, et qui avait une bonne binette[1]. »

Du Roy arriva juste à l'heure au rendez-vous du lendemain. Sur
380 tous les bancs du parc étaient assis des bourgeois accablés par la chaleur, et des bonnes nonchalantes qui semblaient rêver pendant que les enfants se roulaient dans le sable des chemins.

Il trouva Mme Walter dans la petite ruine antique où coule une source. Elle faisait le tour du cirque étroit de colonnettes[2], d'un
385 air inquiet et malheureux.

Aussitôt qu'il l'eut saluée : « Comme il y a du monde dans ce jardin ! » dit-elle.

Il saisit l'occasion : « Oui, c'est vrai ; voulez-vous venir autre part ?

— Mais où ?

390   — N'importe où, dans une voiture, par exemple. Vous baisserez le store de votre côté, et vous serez bien à l'abri.

— Oui, j'aime mieux ça ; ici je meurs de peur.

— Eh bien, vous allez me retrouver dans cinq minutes à la porte qui donne sur le boulevard extérieur. J'y arriverai avec un fiacre[3]. »

395   Et il partit en courant.

Dès qu'elle l'eut rejoint et qu'elle eut bien voilé la vitre de son côté, elle demanda : « Où avez-vous dit au cocher de nous conduire ? »

Georges répondit : « Ne vous occupez de rien, il est au courant. »

Il avait donné à l'homme l'adresse de son appartement de la rue
400 de Constantinople.

Elle reprit : « Vous ne vous figurez pas comme je souffre à cause de vous, comme je suis tourmentée et torturée. Hier, j'ai été dure, dans l'église, mais je voulais vous fuir à tout prix. J'ai tellement peur de me trouver seule avec vous. M'avez-vous pardonné ? »

---

1. Binette : tête, bouille (familier).

2. Cirque : enceinte ; **colonnettes** : petite colonnes.

3. Fiacre : voiture à cheval louée à la course (comme les taxis aujourd'hui).

405   Il lui serrait les mains : « Oui, oui. Qu'est-ce que je ne vous pardonnerais pas, vous aimant comme je vous aime ? »

Elle le regardait d'un air suppliant : « Écoutez, il faut me promettre de me respecter… de ne pas… de ne pas… autrement je ne pourrais plus vous revoir. »

410   Il ne répondit point d'abord ; il avait sous la moustache ce sourire fin qui troublait les femmes. Il finit par murmurer : « Je suis votre esclave. »

Alors elle se mit à lui raconter comment elle s'était aperçue qu'elle l'aimait en apprenant qu'il allait épouser Madeleine
415   Forestier. Elle donnait des détails, de petits détails de dates et de choses intimes.

Soudain elle se tut. La voiture venait de s'arrêter. Du Roy ouvrit la portière.

« Où sommes-nous ? » dit-elle.

420   Il répondit : « Descendez et entrez dans cette maison. Nous y serons plus tranquilles.

— Mais où sommes-nous ?

— Chez moi. C'est mon appartement de garçon que j'ai repris… pour quelques jours… pour avoir un coin où nous puissions nous
425   voir. »

Elle s'était cramponnée au capiton[1] du fiacre, épouvantée à l'idée de ce tête-à-tête, et elle balbutiait :

« Non, non, je ne veux pas ! Je ne veux pas ! »

Il prononça d'une voix énergique : « Je vous jure de vous
430   respecter. Venez. Vous voyez bien qu'on nous regarde, qu'on va se rassembler autour de nous. Dépêchez-vous… dépêchez-vous… descendez. »

Et il répéta : « Je vous jure de vous respecter. »

Un marchand de vin sur sa porte les regardait d'un air curieux.
435   Elle fut saisie de terreur et s'élança dans la maison.

---

1. Capiton : partie matelassée du siège.

Elle allait monter l'escalier. Il la retint par le bras : « C'est ici, au rez-de-chaussée. »

Et il la poussa dans son logis.

Dès qu'il eut refermé la porte, il la saisit comme une proie. Elle se débattait, luttait, bégayait : « Oh ! mon Dieu !… oh ! mon Dieu !… »

Il lui baisait le cou, les yeux, les lèvres avec emportement, sans qu'elle pût éviter ses caresses furieuses ; et tout en le repoussant, tout en fuyant sa bouche, elle lui rendait, malgré elle, ses baisers.

Tout d'un coup elle cessa de se débattre, et vaincue, résignée, se laissa dévêtir par lui. Il enlevait une à une, adroitement et vite toutes les parties de son costume, avec des doigts légers de femme de chambre.

Elle lui avait arraché des mains son corsage pour se cacher la figure dedans, et elle demeurait debout, toute blanche, au milieu de ses robes abattues à ses pieds.

Il lui laissa ses bottines et l'emporta dans ses bras vers le lit. Alors, elle lui murmura à l'oreille, d'une voix brisée : « Je vous jure… je vous jure… que je n'ai jamais eu d'amant. » Comme une jeune fille aurait dit : « Je vous jure que je suis vierge. »

Et il pensait : « Voilà ce qui m'est bien égal, par exemple. »

5

L'automne était venu. Les Du Roy avaient passé à Paris tout l'été, menant une campagne[1] énergique dans *La Vie française* en faveur du nouveau cabinet[2] pendant les courtes vacances des députés.

Quoiqu'on fût seulement dans les premiers jours d'octobre, les Chambres[3] allaient reprendre leurs séances, car les affaires du Maroc devenaient menaçantes.

Personne, au fond, ne croyait à une expédition vers Tanger[4], bien que, le jour de la séparation du Parlement, un député de la droite, le comte de Lambert-Sarrazin, dans un discours plein d'esprit, applaudi même par les centres, eût offert de parier et de donner en gage sa moustache, comme avait fait jadis un célèbre vice-roi des Indes, contre les favoris du chef du Conseil que le nouveau cabinet ne se pourrait tenir[5] d'imiter l'ancien et d'envoyer une armée à Tanger, en pendant à celle de Tunis, par amour de la symétrie, comme on met deux vases sur une cheminée.

Il avait ajouté : « La terre d'Afrique est en effet une cheminée pour la France, messieurs, une cheminée qui brûle notre meilleur

---

1. Campagne : opération de propagande politique.

2. Cabinet : gouvernement.

3. Les Chambres : la Chambre des députés et la Chambre des pairs, équivalant aujourd'hui à l'Assemblée nationale et au Sénat.

4. Tanger : ville du nord du Maroc.

5. Ces favoris (touffes de barbe que les hommes laissent pousser sur les joues) sont ceux de Jules Ferry, Premier ministre en 1880-1881, que Maupassant n'aimait guère ; **chef du Conseil** : président du Conseil des ministres (équivalent du Premier ministre aujourd'hui) ; **tenir** : retenir.

bois, une cheminée à grand tirage qu'on allume avec le papier de
20 la Banque.

Vous vous êtes offert la fantaisie artiste d'orner l'angle de
gauche d'un bibelot[1] tunisien qui vous coûte cher, vous verrez
que M. Marrot va vouloir imiter son prédécesseur et orner l'angle
de droite avec un bibelot marocain. »

25 Ce discours, demeuré célèbre, avait servi de thème à Du Roy
pour dix articles sur la colonie algérienne, pour toute sa série interrompue lors de ses débuts au journal, et il avait soutenu énergiquement l'idée d'une expédition militaire, bien qu'il fût convaincu
qu'elle n'aurait pas lieu. Il avait fait vibrer la corde patriotique et
30 bombardé l'Espagne avec tout l'arsenal d'arguments méprisants
qu'on emploie contre les peuples dont les intérêts sont contraires
aux vôtres.

La Vie française avait gagné une importance considérable à ses
attaches connues avec le Pouvoir. Elle donnait, avant les feuilles
35 les plus sérieuses, les nouvelles politiques, indiquait par des
nuances les intentions des ministres ses amis ; et tous les journaux
de Paris et de la province cherchaient chez elle leurs informations.
On la citait, on la redoutait, on commençait à la respecter. Ce
n'était plus l'organe[2] suspect d'un groupe de tripoteurs[3] poli-
40 tiques, mais l'organe avoué du cabinet. Laroche-Mathieu était
l'âme du journal et Du Roy son porte-voix. Le père Walter,
député muet et directeur cauteleux[4], sachant s'effacer, s'occupait
dans l'ombre, disait-on, d'une grosse affaire de mines de cuivre,
au Maroc.

45 Le salon de Madeleine était devenu un centre influent, où se
réunissaient chaque semaine plusieurs membres du cabinet. Le

---

1. Bibelot : petit objet décoratif.
2. L'organe : le journal.
3. Tripoteurs : magouilleurs (péjoratif).
4. Cauteleux : à la fois prudent et rusé.

président du Conseil[1] avait même dîné deux fois chez elle ; et les femmes des hommes d'État, qui hésitaient autrefois à franchir sa porte se vantaient à présent d'être ses amies, lui faisant plus de
50   visites qu'elles n'en recevaient d'elle.

Le ministre des Affaires étrangères régnait presque en maître dans la maison. Il y venait à toute heure, apportant des dépêches, des renseignements, des informations qu'il dictait soit au mari, soit à la femme, comme s'ils eussent été ses secrétaires.

55   Quand Du Roy, après le départ du ministre, demeurait seul en face de Madeleine, il s'emportait, avec des menaces dans la voix, et des insinuations perfides dans les paroles, contre les allures de ce médiocre parvenu.

Mais elle haussait les épaules avec mépris, répétant : « Fais-en
60   autant que lui, toi. Deviens ministre ; et tu pourras faire ta tête. Jusque-là, tais-toi. »

Il frisait sa moustache en la regardant de côté. « On ne sait pas de quoi je suis capable, disait-il, on l'apprendra peut-être, un jour. »

65   Elle répondait avec philosophie : « Qui vivra, verra. »

Le matin de la rentrée des Chambres, la jeune femme, encore au lit, faisait mille recommandations à son mari qui s'habillait afin d'aller déjeuner chez M. Laroche-Mathieu et de recevoir ses instructions avant la séance, pour l'article politique du lendemain
70   dans *La Vie française*, cet article devant être une sorte de déclaration officieuse des projets réels du cabinet.

Madeleine disait : « Surtout n'oublie pas de lui demander si le général Belloncle est envoyé à Oran[2], comme il en était question. Cela aurait une grande signification. »

75   Georges, nerveux, répondit : « Mais je sais aussi bien que toi ce que j'ai à faire. Fiche-moi la paix avec tes rabâchages. »

---

1. Président du Conseil : président du Conseil des ministres (équivalent du Premier ministre aujourd'hui).
2. Oran : ville côtière d'Algérie (à l'ouest d'Alger).

Elle reprit tranquillement : « Mon cher, tu oublies toujours la moitié des commissions dont je te charge pour le ministre. »

Il grogna : « Il m'embête, ton ministre, à la fin ! C'est un serin[1]. »

80 Elle dit avec calme : « Ce n'est pas plus mon ministre que le tien. Il t'est plus utile qu'à moi. »

Il s'était tourné un peu vers elle en ricanant : « Pardon, il ne me fait pas la cour, à moi. »

Elle déclara, lentement : « À moi non plus, d'ailleurs ; mais il 85 fait notre fortune. »

Il se tut, puis, après quelques instants : « Si j'avais à choisir parmi tes adorateurs, j'aimerais encore mieux cette vieille ganache[2] de Vaudrec. Qu'est-ce qu'il devient celui-là, je ne l'ai pas vu depuis huit jours ? »

90 Elle répliqua, sans s'émouvoir : « Il est souffrant, il m'a écrit qu'il gardait même le lit avec une attaque de goutte[3]. Tu devrais passer prendre de ses nouvelles. Tu sais qu'il t'aime beaucoup, et cela lui ferait plaisir. »

Georges répondit : « Oui, certainement, j'irai tantôt. »

95 Il avait achevé sa toilette, et, son chapeau sur la tête, il cherchait s'il n'avait rien négligé. N'ayant rien trouvé, il s'approcha du lit, embrassa sa femme sur le front : « À tantôt, ma chérie, je ne serai pas rentré avant sept heures au plus tôt. »

Et il sortit.

100 M. Laroche-Mathieu l'attendait, car il déjeunait à dix heures ce jour-là, le Conseil[4] devant se réunir à midi, avant la réouverture du Parlement.

Dès qu'ils furent à table, seuls avec le secrétaire particulier du ministre, Mme Laroche-Mathieu n'ayant pas voulu changer 105 l'heure de son repas, Du Roy parla de son article, il en indiqua la

---

1. Serin : bêta, sot.
2. Ganache : incapable, stupide.
3. Goutte : maladie touchant les articulations.
4. Conseil : Conseil des ministres.

ligne, consultant ses notes griffonnées sur des cartes de visite ; puis quand il eut fini : « Voyez-vous quelque chose à modifier, mon cher ministre ?

110 — Fort peu, mon cher ami. Vous êtes peut-être un peu trop affirmatif dans l'affaire du Maroc. Parlez de l'expédition comme si elle devait avoir lieu, mais en laissant bien entendre qu'elle n'aura pas lieu et que vous n'y croyez pas le moins du monde. Faites que le public lise bien entre les lignes que nous n'irons pas nous fourrer dans cette aventure.

115 — Parfaitement. J'ai compris, et je me ferai bien comprendre. Ma femme m'a chargé de vous demander à ce sujet si le général Belloncle serait envoyé à Oran. Après ce que vous venez de dire, je conclus que non. »

L'homme d'État répondit : « Non. »

120 Puis on causa de la session qui s'ouvrait. Laroche-Mathieu se mit à pérorer[1], préparant l'effet des phrases qu'il allait répandre sur ses collègues quelques heures plus tard. Il agitait sa main droite, levant en l'air tantôt sa fourchette, tantôt son couteau, tantôt une bouchée de pain, et sans regarder personne, s'adressant 125 à l'Assemblée invisible, il expectorait son éloquence liquoreuse[2] de beau garçon bien coiffé. Une très petite moustache roulée redressait sur sa lèvre deux pointes pareilles à des queues de scorpion, et ses cheveux huilés de brillantine, séparés au milieu du front, arrondissaient sur ses tempes deux bandeaux de bellâtre[3] 130 provincial. Il était un peu trop gras, un peu bouffi, bien que jeune ; le ventre tendait son gilet.

Le secrétaire particulier mangeait et buvait tranquillement, accoutumé sans doute à ces douches de faconde[4] ; mais Du Roy,

---

1. Pérorer : parler avec emphase et prétention (péjoratif).
2. Expectorait : crachait ; **liquoreuse** (de *liqueur*) : d'une douceur hypo-crite.
3. Bellâtre : bel homme prétentieux et niais (péjoratif).
4. Faconde : grande facilité à parler.

que la jalousie du succès obtenu mordait au cœur, songeait : « Va
donc, ganache ! Quels crétins que ces hommes politiques ! »

Et, comparant sa valeur à lui, à l'importance bavarde de ce
ministre, il se disait : « Cristi, si j'avais seulement cent mille
francs nets pour me présenter à la députation de mon beau pays
de Rouen, pour rouler dans la pâte de leur grosse malice mes
braves Normands finauds et lourdauds, quel homme d'État je
ferais, à côté de ces polissons[1] imprévoyants. »

Jusqu'au café, M. Laroche-Mathieu parla, puis, ayant vu qu'il
était tard, il sonna pour qu'on fît avancer son coupé[2], et, tendant
la main au journaliste :

« C'est bien compris, mon cher ami ?

– Parfaitement, mon cher ministre, comptez sur moi. »

Et Du Roy s'en alla tout doucement vers le journal, pour
commencer son article, car il n'avait rien à faire jusqu'à quatre
heures. À quatre heures il devait retrouver, rue de Constantinople,
Mme de Marelle qu'il y voyait régulièrement deux fois par
semaine, le lundi et le vendredi.

Mais en entrant à la rédaction, on lui remit une dépêche[3]
fermée ; elle était de Mme Walter et disait :

« Il faut absolument que je te parle aujourd'hui. C'est très grave,
très grave. Attends-moi à deux heures rue de Constantinople.
Je peux te rendre un grand service.

Ton amie jusqu'à la mort,

Virginie. »

Il jura : « Nom de Dieu ! quel crampon ! » Et, saisi par un accès
de mauvaise humeur, il ressortit aussitôt, trop irrité pour travailler.

Depuis six semaines il essayait de rompre avec elle sans parvenir
à lasser[4] son attachement acharné.

---

1. Polissons : fripons.
2. Coupé : voiture à cheval fermée, à quatre roues et deux places.
3. Dépêche : message.
4. Lasser : fatiguer.

Elle avait eu, après sa chute, un accès de remords épouvantable, et, dans trois rendez-vous successifs, avait accablé son amant de
165 reproches et de malédictions. Ennuyé de ces scènes, et déjà rassasié de cette femme mûre et dramatique[1], il s'était simplement éloigné, espérant que l'aventure serait finie de cette façon. Mais alors elle s'était accrochée à lui éperdument, se jetant dans cet amour comme on se jette dans une rivière avec une pierre au cou.
170 Il s'était laissé reprendre, par faiblesse, par complaisance, par égards[2] ; et elle l'avait emprisonné dans une passion effrénée et fatigante, elle l'avait persécuté de sa tendresse.

Elle voulait le voir tous les jours, l'appelait à tout moment par des télégrammes, pour des rencontres rapides au coin des rues,
175 dans un magasin, dans un jardin public.

Elle lui répétait alors, en quelques phrases, toujours les mêmes, qu'elle l'adorait et l'idolâtrait, puis elle le quittait en lui jurant « qu'elle était bien heureuse de l'avoir vu ».

Elle se montrait tout autre qu'il ne l'avait rêvée, essayant de le
180 séduire avec des grâces puériles, des enfantillages d'amour ridicules à son âge. Étant demeurée jusque-là strictement honnête, vierge de cœur, fermée à tout sentiment, ignorante de toute sensualité, ça avait été tout d'un coup chez cette femme sage dont la quarantaine tranquille semblait un automne pâle après un été
185 froid, ça avait été une sorte de printemps fané, plein de petites fleurs mal sorties et de bourgeons avortés, une étrange éclosion d'amour de fillette, d'amour tardif, ardent et naïf, fait d'élans imprévus, de petits cris de seize ans, de cajoleries embarrassantes, de grâces vieillies sans avoir été jeunes. Elle lui écrivait dix lettres
190 en un jour, des lettres niaisement folles, d'un style bizarre, poétique et risible, orné comme celui des Indiens, plein de noms de bêtes et d'oiseaux.

---

1. Dramatique : faisant des drames.
2. Par égards : par respect, par considération.

Dès qu'ils étaient seuls elle l'embrassait avec des gentillesses lourdes de grosse gamine, des moues de lèvres un peu grotesques, des saute-
195 ries[1] qui secouaient sa poitrine trop pesante sous l'étoffe[2] du corsage.

Il était surtout écœuré de l'entendre dire «Mon rat», «Mon chien», «Mon chat», «Mon bijou», «Mon oiseau bleu», «Mon trésor», et de la voir s'offrir à lui chaque fois avec une petite comédie de pudeur enfantine, de petits mouvements de crainte qu'elle jugeait
200 gentils, et de petits jeux de pensionnaire[3] dépravée.

Elle demandait : «À qui cette bouche-là?» Et quand il ne répondait pas tout de suite : «C'est à moi»; elle insistait jusqu'à le faire pâlir d'énervement.

Elle aurait dû sentir, lui semblait-il, qu'il faut en amour, un tact,
205 une adresse, une prudence et une justesse extrêmes, que s'étant donnée à lui, elle, mûre, mère de famille, femme du monde, elle devait se livrer gravement, avec une sorte d'emportement contenu, sévère, avec des larmes peut-être, mais avec les larmes de Didon, non plus avec celles de Juliette[4].

210 Elle lui répétait sans cesse : «Comme je t'aime, mon petit! M'aimes-tu autant, dis, mon bébé?»

Il ne pouvait plus l'entendre prononcer «mon petit» ni «mon bébé» sans avoir envie de l'appeler «ma vieille».

Elle lui disait : «Quelle folie j'ai faite de te céder. Mais je ne le
215 regrette pas. C'est si bon d'aimer!»

Tout cela semblait à Georges irritant dans cette bouche. Elle murmurait : «C'est si bon d'aimer» comme l'aurait fait une ingénue[5], au théâtre.

---

1. **Moues** : grimaces que l'on fait en avançant la bouche, lèvres jointes; **sauteries** : sautillements.

2. **Étoffe** : tissu.

3. **Pensionnaire** : collégienne.

4. Dans l'*Énéide*, de Virgile, **Didon**, reine de Carthage, est une femme d'âge mûr qui tombe amoureuse du jeune Énée; **Juliette**, dans *Roméo et Juliette*, de Shakespeare (1564-1616), est une adolescente amoureuse de Roméo.

5. **Ingénue** : personnage de jeune fille naïve.

Et puis elle l'exaspérait par la maladresse de sa caresse. Devenue
220 soudain sensuelle sous le baiser de ce beau garçon qui avait si fort
allumé son sang, elle apportait dans son étreinte une ardeur inha-
bile et une application sérieuse qui donnaient à rire à Du Roy et
le faisaient songer aux vieillards qui essayent d'apprendre à lire.

Et quand elle aurait dû le meurtrir dans ses bras, en le regar-
225 dant ardemment de cet œil profond et terrible qu'ont certaines
femmes défraîchies, superbes en leur dernier amour, quand elle
aurait dû le mordre de sa bouche muette et frissonnante en l'écra-
sant sous sa chair épaisse et chaude, fatiguée mais insatiable[1], elle
se trémoussait comme une gamine et zézayait pour être gracieuse :
230 « T'aime tant, mon petit. T'aime tant. Fais un beau m'amour à ta
petite femme ! »

Il avait alors une envie folle de jurer, de prendre son chapeau et
de partir en tapant la porte.

Ils s'étaient vus souvent, dans les premiers temps, rue de
235 Constantinople, mais Du Roy, qui redoutait une rencontre avec
Mme de Marelle, trouvait mille prétextes maintenant pour se
refuser à ces rendez-vous.

Il avait dû alors venir presque tous les jours chez elle, tantôt
déjeuner, tantôt dîner. Elle lui serrait la main sous la table, lui
240 tendait sa bouche derrière les portes. Mais lui s'amusait surtout à
jouer avec Suzanne qui l'égayait par ses drôleries. Dans son corps
de poupée s'agitait un esprit agile et malin, imprévu et sournois,
qui faisait toujours la parade comme une marionnette de foire.
Elle se moquait de tout et de tout le monde, avec un à-propos
245 mordant. Georges excitait sa verve[2], la poussait à l'ironie, et ils
s'entendaient à merveille.

Elle l'appelait à tout instant : « Écoutez, Bel-Ami. Venez ici,
Bel-Ami. »

---

1. **Insatiable** : inassouvie.
2. **À-propos** : répartie ; **verve** : vivacité d'esprit.

Il quittait aussitôt la maman pour courir à la fillette qui lui murmu-
250   rait quelque méchanceté dans l'oreille, et ils riaient de tout leur cœur.

Cependant, dégoûté de l'amour de la mère, il en arrivait à une
insurmontable répugnance ; il ne pouvait plus la voir, ni l'entendre, ni penser à elle sans colère. Il cessa donc d'aller chez elle,
de répondre à ses lettres et de céder à ses appels.

255   Elle comprit enfin qu'il ne l'aimait plus, et souffrit horriblement. Mais elle s'acharna, elle l'épia, le suivit, l'attendit dans un
fiacre[1] aux stores baissés, à la porte du journal, à la porte de sa
maison, dans les rues où elle espérait qu'il passerait.

Il avait envie de la maltraiter, de l'injurier, de la frapper, de lui
260   dire nettement : « Zut, j'en ai assez, vous m'embêtez. » Mais il
gardait toujours quelques ménagements, à cause de *La Vie française* ;
et il tâchait, à force de froideur, de duretés enveloppées d'égards[2] et
même de paroles rudes par moments, de lui faire comprendre qu'il
fallait bien que cela finît.

265   Elle s'entêtait surtout à chercher des ruses pour l'attirer rue de
Constantinople, et il tremblait sans cesse que les deux femmes ne
se trouvassent, un jour, nez à nez à la porte.

Son affection pour Mme de Marelle, au contraire, avait grandi
pendant l'été. Il l'appelait son « gamin », et décidément elle lui
270   plaisait. Leurs deux natures avaient des crochets[3] pareils ; ils
étaient bien, l'un et l'autre, de la race aventureuse des vagabonds
de la vie, de ces vagabonds mondains qui ressemblent fort, sans
s'en douter, aux bohèmes[4] des grandes routes.

Ils avaient eu un été d'amour charmant, un été d'étudiants qui
275   font la noce[5], s'échappant pour aller déjeuner ou dîner à Argenteuil,

---

1. Fiacre : voiture à cheval louée à la course (comme les taxis aujourd'hui).

2. Égards : respect, considération.

3. Crochets : affinités, atomes crochus.

4. Mondains : qui fréquentent les réunions de la haute société (soirées, bals, spectacles, etc.) ; **bohèmes** : nomades.

5. Noce : fête.

à Bougival, à Maisons, à Poissy[1], passant des heures dans un bateau à cueillir des fleurs le long des berges. Elle adorait les fritures de Seine, les gibelottes et les matelotes, les tonnelles des cabarets et les cris des canotiers[2]. Il aimait partir avec elle, par un jour clair, sur l'impériale[3] d'un train de banlieue et traverser en disant des bêtises gaies, la vilaine campagne de Paris où bourgeonnent d'affreux chalets bourgeois.

280

Et quand il lui fallait rentrer pour dîner chez Mme Walter, il haïssait la vieille maîtresse acharnée, en souvenir de la jeune qu'il venait de quitter, et qui avait défloré[4] ses désirs et moissonné son ardeur dans les herbes du bord de l'eau.

285

Il se croyait enfin à peu près délivré de la Patronne, à qui il avait exprimé d'une façon claire, presque brutale, sa résolution de rompre, quand il reçut au journal le télégramme l'appelant, à deux heures, rue de Constantinople.

290

Il le relisait en marchant :

« Il faut absolument que je te parle aujourd'hui. C'est très grave, très grave. Attends-moi à deux heures rue de Constantinople. Je peux te rendre un grand service.

295

Ton amie jusqu'à la mort,

Virginie. »

Il pensait : « Qu'est-ce qu'elle me veut encore, cette vieille chouette ? Je parie qu'elle n'a rien à me dire. Elle va me répéter qu'elle m'adore. Pourtant il faut voir. Elle parle d'une chose très grave et d'un grand service, c'est peut-être vrai. Et Clotilde qui

300

---

1. Argenteuil, Bougival, Maisons, Poissy : villes sur la Seine, à la périphérie de Paris.

2. Fritures : plats de poissons frits ; **gibelottes** : fricassées de lapin au vin blanc ; **matelotes** : plats de poissons coupés en morceaux et cuisinés avec des oignons et du vin rouge ; **tonnelles** : treillages en forme de voûte, sur lesquels on fait pousser des plantes grimpantes pour créer de l'ombre ; **cabarets** : cafés-restaurants ; **canotiers** : personnes qui se promènent en *canot*.

3. Impériale : partie supérieure du train pouvant accueillir des passagers.

4. Avait défloré ses désirs : qui avait consumé ses désirs.

vient à quatre heures. Il faut que j'expédie la première à trois heures au plus tard. Sacristi ! pourvu qu'elles ne se rencontrent pas. Quelles rosses[1] que les femmes ! »

Et il songea qu'en effet la sienne était la seule qui ne le tourmentait jamais. Elle vivait de son côté, et elle avait l'air de l'aimer beaucoup, aux heures destinées à l'amour, car elle n'admettait pas qu'on dérangeât l'ordre immuable des occupations ordinaires de la vie.

Il allait, à pas lents, vers son logis de rendez-vous, s'excitant mentalement contre la Patronne :

« Ah ! je vais la recevoir d'une jolie façon si elle n'a rien à me dire. Le français de Cambronne sera académique[2] auprès du mien. Je lui déclare que je ne fiche plus les pieds chez elle, d'abord. »

Et il entra pour entendre Mme Walter.

Elle arriva presque aussitôt ; et dès qu'elle l'eut aperçu :

« Ah ! tu as reçu ma dépêche[3] ! Quelle chance ! »

Il avait pris un visage méchant :

« Parbleu, je l'ai trouvée au journal, au moment où je partais pour la Chambre[4] : Qu'est-ce que tu me veux encore ? »

Elle avait relevé sa voilette pour l'embrasser, et elle s'approchait avec un air craintif et soumis de chienne souvent battue.

« Comme tu es cruel pour moi... Comme tu me parles durement... Qu'est-ce que je t'ai fait ? Tu ne te figures pas comme je souffre par toi ! »

Il grogna : « Tu ne vas pas recommencer ? »

Elle était debout tout près de lui, attendant un sourire, un geste pour se jeter dans ses bras.

---

1. **Rosses** : teignes.
2. **Cambronne** : durant la bataille de Waterloo (1815), Pierre Cambronne, général d'Empire, aurait répondu « Merde ! » aux Britanniques lui demandant de se rendre : cette injure est devenue « le mot de Cambronne » ; **académique** : respectable.
3. **Dépêche** : message.
4. **Chambre** : aujourd'hui l'Assemblée nationale.

Elle murmura : « Il ne fallait pas me prendre pour me traiter ainsi, il fallait me laisser sage et heureuse, comme j'étais. Te rappelles-tu ce que tu me disais dans l'église, et comme tu m'as fait entrer de force dans cette maison. Et voilà maintenant comment tu me parles ! comment tu me reçois ! Mon Dieu ! mon Dieu ! que tu me fais mal ! »

Il frappa du pied, et, violemment :

« Ah ! mais, zut ! En voilà assez. Je ne peux pas te voir une minute sans entendre cette chanson-là. On dirait vraiment que je t'ai prise à douze ans et que tu étais ignorante comme un ange. Non, ma chère, rétablissons les faits, il n'y a pas eu détournement de mineure. Tu t'es donnée à moi, en plein âge de raison. Je t'en remercie, je t'en suis infiniment reconnaissant, mais je ne suis pas tenu d'être attaché à ta jupe jusqu'à la mort. Tu as un mari et j'ai une femme. Nous ne sommes libres ni l'un ni l'autre. Nous nous sommes offert un caprice, ni vu ni connu, c'est fini. »

Elle dit : « Oh ! que tu es brutal ! que tu es grossier ! que tu es infâme ! Non, je n'étais plus une jeune fille, mais je n'avais jamais aimé, jamais failli… »

Il lui coupa la parole : « Tu me l'as déjà répété vingt fois, je le sais. Mais tu avais eu deux enfants… je ne t'ai donc pas déflorée[1]… »

Elle recula : « Oh ! Georges, c'est indigne !… »

Et portant ses deux mains à sa poitrine, elle commença à suffoquer, avec des sanglots qui lui montaient à la gorge.

Quand il vit les larmes arriver, il prit son chapeau sur le coin de la cheminée : « Ah ! tu vas pleurer ! Alors, bonsoir. C'est pour cette représentation-là que tu m'avais fait venir ? »

Elle fit un pas afin de lui barrer la route, et tirant vivement un mouchoir de sa poche, s'essuya les yeux d'un geste brusque. Sa voix s'affermit sous l'effort de sa volonté, et elle dit, interrompue par un chevrotement[2] de douleur :

---

1. **Déflorée** : dépucelée.
2. **Chevrotement** : tremblement.

« Non… je suis venue pour… pour te donner une nouvelle…
une nouvelle politique… pour te donner le moyen de gagner
360 cinquante mille francs… ou même plus… si tu veux. »

Il demanda, adouci tout à coup : « Comment ça ? Qu'est-ce que
tu veux dire ?

— J'ai surpris par hasard, hier soir, quelques mots de mon mari
et de Laroche. Ils ne se cachaient pas beaucoup devant moi, d'ail-
365 leurs. Mais Walter recommandait au ministre de ne pas te mettre
dans le secret parce que tu dévoilerais tout. »

Du Roy avait reposé son chapeau sur une chaise. Il attendait,
très attentif.

« Alors, qu'est-ce qu'il y a ?

370 — Ils vont s'emparer du Maroc !

— Allons donc. J'ai déjeuné avec Laroche qui m'a presque dicté
les intentions du cabinet[1].

— Non, mon chéri, ils t'ont joué parce qu'ils ont peur qu'on
connaisse leur combinaison.

375 — Assieds-toi », dit Georges.

Et il s'assit lui-même sur un fauteuil. Alors elle attira par terre un
petit tabouret, et s'accroupit dessus, entre les jambes du jeune homme.
Elle reprit, d'une voix câline : « Comme je pense toujours à toi, je
fais attention maintenant à tout ce qu'on chuchote autour de moi. »

380 Et elle se mit, doucement, à lui expliquer comment elle avait
deviné depuis quelque temps qu'on préparait quelque chose à son
insu, qu'on se servait de lui en redoutant son concours[2].

Elle disait : « Tu sais, quand on aime, on devient rusée. »

Enfin, la veille, elle avait compris. C'était une grosse affaire, une
385 très grosse affaire préparée dans l'ombre. Elle souriait maintenant,
heureuse de son adresse ; elle s'exaltait, parlant en femme de financier,
habituée à voir machiner les coups de Bourse, les évolutions des

---

1. Cabinet : gouvernement.
2. Concours : aide.

valeurs, les accès de hausse et de baisse ruinant en deux heures de spéculation des milliers de petits bourgeois, de petits rentiers, qui ont
390 placé leurs économies sur des fonds[1] garantis par des noms d'hommes honorés, respectés, hommes politiques ou hommes de banque.

Elle répétait : « Oh ! c'est très fort ce qu'ils ont fait. Très fort. C'est Walter qui a tout mené d'ailleurs, et il s'y entend. Vraiment, c'est de premier ordre. »

395 Il s'impatientait de ces préparations.

« Voyons, dis vite.

— Eh bien ! voilà. L'expédition de Tanger était décidée entre eux dès le jour où Laroche a pris les Affaires étrangères ; et, peu à peu, ils ont racheté tout l'emprunt du Maroc[2] qui était tombé à soixante-quatre
400 ou cinq francs. Ils l'ont racheté très habilement, par le moyen d'agents suspects, véreux[3], qui n'éveillaient aucune méfiance. Ils ont roulé même les Rothschild, qui s'étonnaient de voir toujours demander du marocain[4]. On leur a répondu en nommant les intermédiaires, tous tarés, tous à la côte[5]. Ça a tranquillisé la grande banque. Et puis main-
405 tenant on va faire l'expédition, et dès que nous serons là-bas, l'État français garantira la dette[6]. Nos amis auront gagné cinquante ou soixante millions. Tu comprends l'affaire ? Tu comprends aussi comme on a peur de tout le monde, peur de la moindre indiscrétion. »

Elle avait appuyé sa tête sur le gilet du jeune homme, et les
410 bras posés sur ses jambes, elle se serrait, se collait contre lui,

---

1. Spéculation : opération financière consistant à acheter des biens, des marchandises, des valeurs, en vue d'obtenir un gain d'argent en les revendant ; **petits bourgeois** : gens des classes moyennes ; **rentiers** : personnes vivant de leurs rentes (revenus personnels en dehors du salaire) ; **fonds** : capitaux.

2. Emprunt du Maroc : emprunt de l'État du Maroc auprès de prêteurs français.

3. Agents : personnes qui servent d'intermédiaires ; **véreux** : malhonnêtes.

4. Rothschild : famille de banquiers connue pour sa fortune colossale ; **du marocain** : des obligations d'emprunt marocain (reconnaissances de dettes émises par le gouvernement marocain et dont la valeur boursière peut évoluer).

5. En nommant les intermédiaires : en donnant l'identité des personnes servant d'intermédiaires ; **tarés** : corrompus ; **à la côte** : sans argent.

6. Garantira la dette : garantira le paiement de la dette.

sentant bien qu'elle l'intéressait à présent, prête à tout faire, à tout commettre, pour une caresse, pour un sourire.

Il demanda : « Tu es bien sûre ? »

Elle répondit avec confiance : « Oh ! je crois bien ! »

415 Il déclara : « C'est très fort, en effet. Quant à ce salop de Laroche, en voilà un que je repincerai[1]. Oh ! le gredin ! qu'il prenne garde à lui !… qu'il prenne garde à lui !… Sa carcasse de ministre me restera entre les doigts ! »

Puis il se remit à réfléchir, et il murmura : « Il faudrait pourtant 420 profiter de ça.

— Tu peux encore acheter de l'emprunt, dit-elle. Il n'est qu'à soixante-douze francs. »

Il reprit : « Oui, mais je n'ai pas d'argent disponible. »

Elle leva les yeux vers lui, des yeux pleins de supplication : « J'y 425 ai pensé, mon chat, et si tu étais bien gentil, bien gentil, si tu m'aimais un peu, tu me laisserais t'en prêter. »

Il répondit brusquement, presque durement : « Quant à ça, non, par exemple. »

Elle murmura, d'une voix implorante : « Écoute, il y a une 430 chose que tu peux faire sans emprunter de l'argent. Je voulais en acheter pour dix mille francs de cet emprunt, moi, pour me créer une petite cassette[2]. Eh bien ! j'en prendrai pour vingt mille ! Tu te mets de moitié. Tu comprends bien que je ne vais pas rembourser ça à Walter. Il n'y a donc rien à payer pour le 435 moment. Si ça réussit, tu gagnes soixante-dix mille francs. Si ça ne réussit pas, tu me devras dix mille francs que tu me payeras à ton gré. »

Il dit encore : « Non, je n'aime guère ces combinaisons-là. »

Alors elle raisonna pour le décider, elle lui prouva qu'il engageait 440 en réalité dix mille francs sur parole, qu'il courait des risques, par

---

1. Salop : on écrit plus couramment « salaud » ; **repincerai** : rattraperai.
2. Cassette : réserve d'argent.

conséquent, qu'elle ne lui avançait rien puisque les déboursés[1] étaient faits par la Banque Walter.

Elle lui démontra, en outre, que c'était lui qui avait mené, dans *La Vie française*, toute la campagne politique qui rendait possible
445 cette affaire, qu'il serait bien naïf en n'en profitant pas.

Il hésitait encore. Elle ajouta : « Mais songe donc qu'en réalité c'est Walter qui te les avance, ces dix mille francs, et que tu lui as rendu des services qui valent plus que ça.

— Eh bien ! soit, dit-il. Je me mets de moitié avec toi. Si nous
450 perdons, je te rembourserai dix mille francs. »

Elle fut si contente qu'elle se releva, saisit à deux mains sa tête et se mit à l'embrasser avidement.

Il ne se défendit point d'abord, puis comme elle s'enhardissait, l'étreignant et le dévorant de caresses, il songea que l'autre allait
455 venir tout à l'heure et que s'il faiblissait il perdrait du temps, et laisserait aux bras de la vieille une ardeur qu'il valait mieux garder pour la jeune.

Alors il la repoussa doucement : « Voyons, sois sage », dit-il.

Elle le regarda avec des yeux désolés : « Oh ! Georges. Je ne peux
460 même plus t'embrasser. »

Il répondit : « Non, pas aujourd'hui. J'ai un peu de migraine, et cela me fait mal. »

Alors elle se rassit, docile, entre ses jambes. Elle demanda : « Veux-tu venir dîner demain à la maison. Quel plaisir tu me ferais ! »
465 Il hésita, puis n'osa point refuser.

« Mais oui, certainement.

— Merci, mon chéri. »

Elle frottait lentement sa joue sur la poitrine du jeune homme, d'un mouvement câlin et régulier, et un de ses longs cheveux noirs
470 se prit dans le gilet. Elle s'en aperçut, et une idée folle lui traversa l'esprit, une de ces idées superstitieuses qui sont souvent toute la

---

1. Les **déboursés** : l'argent avancé.

raison des femmes. Elle se mit à enrouler tout doucement ce cheveu autour du bouton. Puis elle en attacha un autre au bouton suivant, un autre encore à celui du dessus. À chaque bouton elle
475 en nouait un.

Il allait les arracher tout à l'heure, en se levant. Il lui ferait mal, quel bonheur! Et il emporterait quelque chose d'elle, sans le savoir, il emporterait une petite mèche de sa chevelure, dont il n'avait jamais demandé. C'était un lien par lequel elle l'attachait,
480 un lien secret, invisible! un talisman qu'elle laissait sur lui. Sans le vouloir, il penserait à elle, il rêverait d'elle, il l'aimerait un peu plus le lendemain.

Il dit tout à coup: «Il va falloir que je te quitte parce qu'on m'attend à la Chambre[1] pour la fin de la séance. Je ne puis manquer
485 aujourd'hui.»

Elle soupira: «Oh! déjà.» Puis, résignée: «Va, mon chéri, mais tu viendras dîner demain.»

Et, brusquement, elle s'écarta. Ce fut sur sa tête une douleur courte et vive comme si on lui eût piqué la peau avec des aiguilles.
490 Son cœur battait; elle était contente d'avoir souffert un peu par lui.

«Adieu!» dit-elle.

Il la prit dans ses bras avec un sourire compatissant et lui baisa les yeux froidement.

495 Mais elle, affolée par ce contact, murmura encore une fois: «Déjà!» Et son regard suppliant montrait la chambre dont la porte était ouverte.

Il l'éloigna de lui, et d'un ton pressé: «Il faut que je me sauve, je vais arriver en retard.»

500 Alors elle lui tendit ses lèvres qu'il effleura à peine, et lui ayant donné son ombrelle qu'elle oubliait, il reprit: «Allons, allons, dépêchons-nous, il est plus de trois heures.»

---

1. **La Chambre**: aujourd'hui l'Assemblée nationale.

Elle sortit devant lui ; elle répétait : « Demain, sept heures. »

Il répondit : « Demain, sept heures. »

505 Ils se séparèrent. Elle tourna à droite, et lui à gauche.

Du Roy remonta jusqu'au boulevard extérieur. Puis, il redescendit le boulevard Malesherbes[1], qu'il se mit à suivre, à pas lents. En passant devant un pâtissier, il aperçut des marrons glacés dans une coupe de cristal, et il pensa : « Je vais en rapporter une livre 510 pour Clotilde. » Il acheta un sac de ces fruits sucrés qu'elle aimait à la folie.

À quatre heures, il était rentré pour attendre sa jeune maîtresse.

Elle vint un peu en retard parce que son mari était arrivé pour huit jours. Elle demanda : « Peux-tu venir dîner demain. Il serait 515 enchanté de te voir.

– Non, je dîne chez le Patron. Nous avons un tas de combinaisons politiques et financières qui nous occupent. »

Elle avait enlevé son chapeau. Elle ôtait maintenant son corsage qui la serrait trop.

520 Il lui montra le sac sur la cheminée : « Je t'ai apporté des marrons glacés. »

Elle battit des mains : « Quelle chance ! comme tu es mignon. »

Elle le prit, en goûta un, et déclara : « Ils sont délicieux. Je sens que je n'en laisserai pas un seul. »

525 Puis elle ajouta en regardant Georges avec une gaieté sensuelle : « Tu caresses donc tous mes vices[2] ? »

Elle mangeait lentement les marrons, et jetait sans cesse un coup d'œil au fond du sac comme pour voir s'il en restait toujours.

Elle dit : « Tiens, assieds-toi dans le fauteuil, je vais m'accroupir 530 entre tes jambes pour grignoter mes bonbons. Je serai très bien. »

Il sourit, s'assit, et la prit entre ses cuisses ouvertes comme il tenait tout à l'heure Mme Walter.

---

1. Boulevard Malesherbes : boulevard reliant les 17e et 8e arrondissements de Paris, où est située la résidence des Walter.
2. Vices : défauts.

Elle levait la tête vers lui pour lui parler, et disait, la bouche pleine :

535 « Tu ne sais pas, mon chéri, j'ai rêvé de toi, j'ai rêvé que nous faisions un grand voyage, tous les deux, sur un chameau. Il avait deux bosses, nous étions à cheval chacun sur une bosse, et nous traversions le désert. Nous avions emporté des sandwichs dans un papier et du vin dans une bouteille et nous faisions la dînette sur
540 nos bosses. Mais ça m'ennuyait parce que nous ne pouvions pas faire autre chose ; nous étions trop loin l'un de l'autre, et moi je voulais descendre. »

Il répondit :

« Moi aussi je veux descendre. »

545 Il riait, s'amusant de l'histoire, il la poussait à dire des bêtises, à bavarder, à raconter tous ces enfantillages, toutes ces niaiseries tendres que débitent les amoureux. Ces gamineries, qu'il trouvait gentilles dans la bouche de Mme de Marelle, l'auraient exaspéré dans celle de Mme Walter.

550 Clotilde l'appelait aussi : « Mon chéri, mon petit, mon chat. » Ces mots lui semblaient doux et caressants. Dits par l'autre tout à l'heure ils l'irritaient et l'écœuraient. Car les paroles d'amour, qui sont toujours les mêmes, prennent le goût des lèvres dont elles sortent.

555 Mais il pensait, tout en s'égayant de ces folies, aux soixante-dix mille francs qu'il allait gagner, et, brusquement, il arrêta, avec deux petits coups de doigt sur la tête, le verbiage de son amie : « Écoute, ma chatte. Je vais te charger d'une commission pour ton mari. Dis-lui, de ma part, d'acheter, demain, pour dix mille francs
560 d'emprunt du Maroc[1] qui est à soixante-douze ; et je lui promets qu'il aura gagné de soixante à quatre-vingt mille francs avant trois mois. Recommande-lui le silence absolu. Dis-lui, de ma part, que l'expédition de Tanger est décidée et que l'État français va garantir

---

1. **Emprunt du Maroc** : emprunt de l'État du Maroc auprès de prêteurs français.

la dette[1] marocaine. Mais ne te coupe pas[2] avec d'autres. C'est un
secret d'État que je te confie là. »

Elle l'écoutait, sérieuse. Elle murmura : « Je te remercie. Je
préviendrai mon mari dès ce soir. Tu peux compter sur lui ; il ne
parlera pas. C'est un homme très sûr. Il n'y a aucun danger. »

Mais elle avait mangé tous les marrons. Elle écrasa le sac entre
ses mains et le jeta dans la cheminée. Puis elle dit : « Allons nous
coucher. » Et sans se lever elle commença à déboutonner le gilet
de Georges.

Tout à coup elle s'arrêta, et tirant entre deux doigts un long
cheveu pris dans une boutonnière, elle se mit à rire : « Tiens, tu as
emporté un cheveu de Madeleine. En voilà un mari fidèle ! »

Puis, redevenue sérieuse, elle examina longuement sur sa main
l'imperceptible fil qu'elle avait trouvé et elle murmura : « Ce n'est
pas de Madeleine, il est brun. »

Il sourit : « Il vient probablement de la femme de chambre. »

Mais elle inspectait le gilet avec une attention de policier, et elle
cueillit un second cheveu enroulé autour d'un bouton ; puis elle en
aperçut un troisième ; et, pâlie, tremblant un peu, elle s'écria : « Oh ! tu
as couché avec une femme qui t'a mis des cheveux à tous tes boutons. »

Il s'étonnait, il balbutiait : « Mais non. Tu es folle… »

Soudain il se rappela, comprit, se troubla d'abord, puis nia en
ricanant, pas fâché au fond qu'elle le soupçonnât d'avoir des
bonnes fortunes[3].

Elle cherchait toujours et toujours trouvait des cheveux qu'elle
déroulait d'un mouvement rapide et jetait ensuite sur le tapis.

Elle avait deviné, avec son instinct rusé de femme, et elle
balbutiait, furieuse, rageant et prête à pleurer : « Elle t'aime, celle-
là… et elle a voulu te faire emporter quelque chose d'elle… Oh !
que tu es traître… »

---

1. Garantir la dette : garantir le paiement de la dette.
2. Ne te coupe pas : ne te trahis pas.
3. Bonnes fortunes : aventures galantes.

Mais elle poussa un cri, un cri strident de joie nerveuse : « Oh !...
595 oh !... c'est une vieille... voilà un cheveu blanc... Ah ! tu prends
des vieilles femmes maintenant... Est-ce qu'elles te payent... dis...
est-ce qu'elles te payent... Ah ! tu en es aux vieilles femmes... Alors
tu n'as plus besoin de moi... garde l'autre... »

Elle se leva, courut à son corsage jeté sur une chaise et le remit
600 rapidement.

Il voulait la retenir, honteux et balbutiant : « Mais non... Clo...
tu es stupide... je ne sais pas ce que c'est... écoute... reste...
voyons... reste... »

Elle répétait : « Garde ta vieille femme... garde-la... fais-toi
605 faire une bague avec ses cheveux... avec ses cheveux blancs... Tu
en as assez pour ça... »

Avec des gestes brusques et prompts elle s'était habillée,
recoiffée et voilée[1] ; et comme il voulait la saisir elle lui lança, à
toute volée, un soufflet[2] par la figure. Pendant qu'il demeurait
610 étourdi, elle ouvrit la porte et s'enfuit.

Dès qu'il fut seul, une rage furieuse le saisit contre cette vieille
rosse de mère Walter. Ah ! il allait l'envoyer coucher[3], celle-là, et
durement.

Il bassina avec de l'eau sa joue rouge. Puis il sortit à son tour,
615 en méditant sa vengeance. Cette fois il ne pardonnerait point. Ah !
Mais non !

Il descendit jusqu'au boulevard, et, flânant, s'arrêta devant la
boutique d'un bijoutier pour regarder un chronomètre dont il
avait envie depuis longtemps, et qui valait dix-huit cents francs.

620 Il pensa, tout à coup, avec une secousse de joie au cœur : « Si je
gagne mes soixante-dix mille francs je pourrai me le payer. » Et il

---

1. Les femmes fixaient à leur chapeau une *voilette*, petit voile transparent
à mailles couvrant tout ou partie du visage.
2. Soufflet : gifle.
3. Rosse : au figuré, vache, chameau (familier) ; **envoyer coucher** : envoyer
paître.

se mit à rêver à toutes les choses qu'il ferait avec ces soixante-dix mille francs.

D'abord il serait nommé député. Et puis il achèterait son chronomètre, et puis il jouerait à la Bourse, et puis encore… et puis encore…

Il ne voulait pas entrer au journal, préférant causer avec Madeleine avant de revoir Walter et d'écrire son article ; et il se mit en route pour revenir chez lui.

Il atteignait la rue Drouot quand il s'arrêta net ; il avait oublié de prendre des nouvelles du comte de Vaudrec, qui demeurait Chaussée-d'Antin[1]. Il revint donc, flânant toujours, pensant à mille choses, dans une songerie heureuse, à des choses douces, à des choses bonnes, à la fortune prochaine et aussi à cette crapule de Laroche et à cette vieille teigne de Patronne. Il ne s'inquiétait point, d'ailleurs, de la colère de Clotilde, sachant bien qu'elle pardonnait vite.

Quand il demanda au concierge de la maison où demeurait le comte de Vaudrec :

« Comment va M. de Vaudrec ? on m'a appris qu'il était souffrant, ces jours derniers. »

L'homme répondit : « M. le comte est très mal, monsieur. On croit qu'il ne passera pas la nuit, la goutte[2] est remontée au cœur. »

Du Roy demeura tellement effaré qu'il ne savait plus ce qu'il devait faire ! Vaudrec mourant ! Des idées confuses passaient en lui, nombreuses, troublantes, qu'il n'osait point s'avouer à lui-même.

Il balbutia : « Merci… je reviendrai… » sans comprendre ce qu'il disait.

Puis il sauta dans un fiacre et se fit conduire chez lui.

Sa femme était rentrée. Il pénétra dans sa chambre essoufflé et lui annonça tout de suite :

---

1. **Chaussée-d'Antin** : quartier parisien où réside la haute bourgeoisie.
2. **Goutte** : maladie touchant les articulations.

« Tu ne sais pas ? Vaudrec est mourant ! »

Elle était assise et lisait une lettre. Elle leva les yeux, et trois fois de suite répéta : « Hein ? Tu dis ?…. tu dis ?…. tu dis ?….

655 — Je te dis que Vaudrec est mourant d'une attaque de goutte remontée au cœur. » Puis il ajouta : « Qu'est-ce que tu comptes faire ? »

Elle s'était dressée, livide[1], les joues secouées d'un tremblement nerveux, puis elle se mit à pleurer affreusement, en cachant sa figure dans ses mains. Elle demeurait debout, secouée par des 660 sanglots, déchirée par le chagrin.

Mais soudain elle dompta sa douleur, et, s'essuyant les yeux : « J'y… j'y vais… ne t'occupe pas de moi… Je ne sais pas à quelle heure je reviendrai… ne m'attends point… »

Il répondit : « Très bien. Va. »

665 Ils se serrèrent la main, et elle partit si vite qu'elle oublia de prendre ses gants.

Georges, ayant dîné seul, se mit à écrire son article. Il le fit exactement selon les intentions du ministre, laissant entendre aux lecteurs que l'expédition[2] du Maroc n'aurait pas lieu. Puis il le 670 porta au journal, causa quelques instants avec le Patron et repartit en fumant, le cœur léger sans qu'il comprît pourquoi.

Sa femme n'était pas rentrée. Il se coucha et s'endormit.

Madeleine revint vers minuit. Georges, réveillé brusquement, s'était assis dans son lit.

675 Il demanda : « Eh bien ? »

Il ne l'avait jamais vue si pâle et si émue. Elle murmura :

« Il est mort.

— Ah ! Et… il ne t'a rien dit ?

— Rien. Il avait perdu connaissance quand je suis arrivée. »

680 Georges songeait. Des questions lui venaient aux lèvres qu'il n'osait point faire.

---

1. **Livide** : très pâle.
2. **Expédition** : expédition militaire.

« Couche-toi », dit-il.

Elle se déshabilla rapidement, puis se glissa auprès de lui.

Il reprit : « Avait-il des parents à son lit de mort ?

685 — Rien qu'un neveu.

— Ah ! Le voyait-il souvent, ce neveu ?

— Jamais. Ils ne s'étaient point rencontrés depuis dix ans.

— Avait-il d'autres parents ?

— Non... Je ne crois pas.

690 — Alors... c'est ce neveu qui doit hériter ?

— Je ne sais pas.

— Il était très riche, Vaudrec ?

— Oui, très riche.

— Sais-tu ce qu'il avait à peu près ?

695 — Non, pas au juste. Un ou deux millions, peut-être ? »

Il ne dit plus rien. Elle souffla la bougie. Et ils demeurèrent étendus côte à côte dans la nuit, silencieux, éveillés et songeant.

Il n'avait plus envie de dormir. Il trouvait maigres maintenant les soixante-dix mille francs promis par Mme Walter. Soudain il 700 crut que Madeleine pleurait. Il demanda pour s'en assurer :

« Dors-tu ?

— Non. »

Elle avait la voix mouillée et tremblante. Il reprit :

« J'ai oublié de te dire tantôt que ton ministre nous a fichus dedans. 705 — Comment ça ? »

Et il lui conta, tout au long, avec tous les détails, la combinaison préparée entre Laroche et Walter.

Quand il eut fini, elle demanda : « Comment sais-tu ça ? »

Il répondit : « Tu me permettras de ne point te le dire. Tu as tes 710 procédés d'information que je ne pénètre point. J'ai les miens que je désire garder. Je réponds en tout cas de l'exactitude de mes renseignements. »

Alors elle murmura : « Oui, c'est possible... Je me doutais qu'ils faisaient quelque chose sans nous. »

715   Mais Georges, que le sommeil ne gagnait pas, s'était rapproché
de sa femme, et, doucement, il lui baisa l'oreille. Elle le repoussa
avec vivacité : « Je t'en prie, laisse-moi tranquille, n'est-ce pas ?
Je ne suis point d'humeur à batifoler[1]. »

       Il se retourna, résigné, vers le mur, et ayant fermé les yeux, il
720   finit par s'endormir.

---

1. **Batifoler** : m'amuser.

6

L'église était tendue de noir[1], et, sur le portail, un grand écusson coiffé d'une couronne annonçait aux passants qu'on enterrait un gentilhomme.

La cérémonie venait de finir, les assistants s'en allaient lente-
5 ment, défilant devant le cercueil et devant le neveu du comte de Vaudrec, qui serrait les mains et rendait les saluts.

Quand Georges Du Roy et sa femme furent sortis, ils se mirent à marcher côte à côte, pour rentrer chez eux. Ils se taisaient, préoccupés.

10 Enfin, Georges prononça, comme se parlant à lui-même: « Vraiment, c'est bien étonnant ! »

Madeleine demanda : « Quoi donc, mon ami ?

– Que Vaudrec ne nous ait rien laissé ! »

Elle rougit brusquement, comme si un voile rose se fût étendu
15 tout à coup sur sa peau blanche, en montant de la gorge au visage, et elle dit : « Pourquoi nous aurait-il laissé quelque chose ? Il n'y avait aucune raison pour ça. »

Puis, après quelques instants de silence, elle reprit : « Il existe peut-être un testament chez un notaire. Nous ne saurions rien
20 encore. »

Il réfléchit, puis murmura : « Oui, c'est probable, car, enfin, c'était notre meilleur ami, à tous les deux. Il dînait deux fois par semaine à la maison, il venait à tout moment. Il était chez lui, chez nous, tout à fait chez lui. Il t'aimait comme un père, et il n'avait pas

---

1. **Tendue de noir** : décorée de tissu noir.

25 de famille, pas d'enfants, pas de frères ni de sœurs, rien qu'un neveu, un neveu éloigné. Oui, il doit y avoir un testament. Je ne tiendrais pas à grand-chose, un souvenir, pour prouver qu'il a pensé à nous, qu'il nous aimait, qu'il reconnaissait l'affection que nous avions pour lui. Il nous devait bien une marque d'amitié. »

30 Elle dit, d'un air pensif et indifférent :

« C'est possible, en effet, qu'il y ait un testament. »

Comme ils rentraient chez eux, le domestique présenta une lettre à Madeleine. Elle l'ouvrit, puis la tendit à son mari.

« Étude de M[e][1] Lamaneur
35 Notaire,
17, rue des Vosges.

Madame,
J'ai l'honneur de vous prier de vouloir bien passer à mon étude, de deux heures à quatre heures, mardi, mercredi ou jeudi, pour
40 affaire qui vous concerne.
Recevez, etc.

Lamaneur. »

Georges avait rougi, à son tour : « Ça doit être ça. C'est drôle que ce soit toi qu'il appelle, et non moi qui suis légalement le chef de famille. »

45 Elle ne répondit point d'abord, puis après une courte réflexion :
« Veux-tu que nous y allions tout à l'heure ?

– Oui, je veux bien. »

Ils se mirent en route dès qu'ils eurent déjeuné.

Lorsqu'ils entrèrent dans l'étude de Me Lamaneur, le premier
50 clerc[2] se leva avec un empressement marqué et les fit pénétrer chez son patron.

---

1. M[e] : Maître.
2. Clerc : collaborateur du notaire.

Le notaire était un petit homme tout rond, rond de partout. Sa tête avait l'air d'une boule clouée sur une autre boule que portaient deux jambes si petites, si courtes qu'elles ressemblaient aussi presque à des boules.

Il salua, indiqua des sièges, et dit en se tournant vers Madeleine : « Madame, je vous ai appelée afin de vous donner connaissance du testament du comte de Vaudrec qui vous concerne. »

Georges ne put se tenir de murmurer : « Je m'en étais douté. »

Le notaire ajouta : « Je vais vous communiquer cette pièce, très courte d'ailleurs. »

Il atteignit un papier dans un carton devant lui, et lut :

« Je soussigné, Paul-Émile-Cyprien-Gontran, comte de Vaudrec, sain de corps et d'esprit, exprime ici mes dernières volontés.

La mort pouvant nous emporter à tout moment, je veux prendre, en prévision de son atteinte, la précaution d'écrire mon testament qui sera déposé chez Me Lamaneur.

N'ayant pas d'héritiers directs, je lègue toute ma fortune, composée de valeurs de Bourse pour six cent mille francs et de biens-fonds[1] pour cinq cent mille francs environ, à Mme Claire-Madeleine Du Roy, sans aucune charge ou condition. Je la prie d'accepter ce don d'un ami mort, comme preuve d'une affection dévouée, profonde et respectueuse. »

Le notaire ajouta : « C'est tout. Cette pièce est datée du mois d'août dernier et a remplacé un document de même nature, fait il y a deux ans, au nom de Mme Claire-Madeleine Forestier. J'ai ce premier testament qui pourrait prouver, en cas de contestation de la part de la famille, que la volonté de M. le comte de Vaudrec n'a pas varié. »

Madeleine, très pâle, regardait ses pieds. Georges, nerveux, roulait entre ses doigts le bout de sa moustache. Le notaire reprit, après un moment de silence : « Il est bien entendu, monsieur, que madame ne peut accepter ce legs sans votre consentement[2]. »

---

1. Biens-fonds : biens immobiliers et terres.

2. Le consentement du mari est obligatoire à cette époque où la femme est sous la tutelle de son époux.

Du Roy se leva, et d'un ton sec : « Je demande le temps de réfléchir. »

Le notaire, qui souriait, s'inclina, et d'une voix aimable : « Je comprends le scrupule qui vous fait hésiter, monsieur. Je dois ajouter que le neveu de M. de Vaudrec, qui a pris connaissance, ce matin même, des dernières intentions de son oncle, se déclare prêt à les respecter si on lui abandonne une somme de cent mille francs. À mon avis, le testament est inattaquable, mais un procès ferait du bruit qu'il vous conviendra peut-être d'éviter. Le monde a souvent des jugements malveillants. Dans tous les cas, pourrez-vous me faire connaître votre réponse sur tous les points avant samedi ? »

Georges s'inclina : « Oui, monsieur. » Puis il salua avec cérémonie, fit passer sa femme demeurée muette, et il sortit d'un air tellement roide[1] que le notaire ne souriait plus.

Dès qu'ils furent rentrés chez eux, Du Roy ferma brusquement la porte, et, jetant son chapeau sur le lit :

« Tu as été la maîtresse de Vaudrec ? »

Madeleine, qui enlevait son voile, se retourna d'une secousse :
« Moi ? Oh !

— Oui, toi. On ne laisse pas toute sa fortune à une femme, sans que... »

Elle était devenue tremblante et ne parvenait point à ôter les épingles qui retenaient le tissu transparent[2].

Après un moment de réflexion, elle balbutia, d'une voix agitée :
« Voyons... voyons... tu es fou... tu es... tu es... Est-ce que toi-même... tout à l'heure... tu n'espérais pas... qu'il te laisserait quelque chose ? »

Georges restait debout, près d'elle, suivant toutes ses émotions, comme un magistrat qui cherche à surprendre les moindres défaillances d'un prévenu. Il prononça, en insistant sur chaque mot :

---

1. **Roide** : raide.
2. **Tissu transparent** : voile (de deuil).

«Oui… il pouvait me laisser quelque chose, à moi… à moi, ton mari… à moi, son ami… entends-tu… mais pas à toi… à toi, son amie… à toi, ma femme… La distinction est capitale, essentielle, au point de vue des convenances… et de l'opinion publique.»

Madeleine, à son tour, le regardait fixement, dans la transparence des yeux, d'une façon profonde et singulière, comme pour y lire quelque chose, comme pour y découvrir cet inconnu de l'être qu'on ne pénètre jamais et qu'on peut à peine entrevoir en des secondes rapides, en ces moments de non-garde, ou d'abandon, ou d'inattention, qui sont comme des portes laissées entrouvertes sur les mystérieux dedans de l'esprit. Et elle articula lentement:

«Il me semble pourtant que si… qu'on eût trouvé au moins aussi étrange un legs de cette importance, de lui… à toi.»

Il demanda brusquement:

«Pourquoi ça?»

Elle dit: «Parce que…» Elle hésita, puis reprit: «Parce que tu es mon mari… que tu ne le connais en somme que depuis peu… parce que je suis son amie depuis très longtemps… moi… parce que son premier testament, fait du vivant de Forestier, était déjà en ma faveur.»

Georges s'était mis à marcher à grands pas. Il déclara:

«Tu ne peux pas accepter ça.»

Elle répondit, avec indifférence:

«Parfaitement: alors, ce n'est pas la peine d'attendre à samedi; nous pouvons faire prévenir tout de suite M. Lamaneur.»

Il s'arrêta en face d'elle; et ils demeurèrent de nouveau quelques instants les yeux dans les yeux, s'efforçant d'aller jusqu'à l'impénétrable secret de leurs cœurs, de se sonder jusqu'au vif de la pensée. Ils tâchaient de se voir à nu la conscience en une interrogation ardente et muette: lutte intime de deux êtres qui, vivant côte à côte, s'ignorent toujours, se soupçonnent, se flairent, se guettent, mais ne se connaissent pas jusqu'au fond vaseux de l'âme.

145   Et, brusquement, il lui murmura dans le visage, à voix basse :
« Allons, avoue que tu étais la maîtresse de Vaudrec. »

Elle haussa les épaules : « Tu es stupide… Vaudrec avait beaucoup
d'affection pour moi, beaucoup… mais rien de plus… jamais. »

Il frappa du pied : « Tu mens. Ce n'est pas possible. »

150   Elle répondit tranquillement : « C'est comme ça, pourtant. »

Il se remit à marcher, puis, s'arrêtant encore : « Explique-moi,
alors, pourquoi il te laisse toute sa fortune, à toi… »

Elle le fit avec un air nonchalant et désintéressé : « C'est tout
simple. Comme tu le disais tantôt, il n'avait que nous d'amis, ou

155 plutôt que moi ; car il m'a connue enfant. Ma mère était dame de
compagnie chez des parents à lui. Il venait sans cesse ici, et,
comme il n'avait pas d'héritiers naturels, il a pensé à moi. Qu'il
ait eu un peu d'amour pour moi, c'est possible. Mais quelle est la
femme qui n'a jamais été aimée ainsi ? Que cette tendresse cachée,

160 secrète, ait mis mon nom sous sa plume quand il a pensé à prendre
des dispositions dernières, pourquoi pas ? Il m'apportait des
fleurs, chaque lundi. Tu ne t'en étonnais nullement et il ne t'en
donnait point, à toi, n'est-ce pas ? Aujourd'hui, il me donne sa
fortune par la même raison et parce qu'il n'a personne à qui l'of-

165 frir. Il serait, au contraire, extrêmement surprenant qu'il te l'eût
laissée. Pourquoi ? Que lui es-tu ? »

Elle parlait avec tant de naturel et de tranquillité que Georges
hésitait.

Il reprit : « C'est égal, nous ne pouvons accepter cet héritage

170 dans ces conditions. Ce serait d'un effet déplorable. Tout le monde
croirait la chose, tout le monde en jaserait[1] et rirait de moi. Les
confrères sont déjà trop disposés à me jalouser et à m'attaquer. Je
dois avoir plus que personne le souci de mon honneur et le soin
de ma réputation. Il m'est impossible d'admettre et de permettre

175 que ma femme accepte un legs de cette nature d'un homme que

---

1. Jaserait : ferait des commentaires désobligeants, médirait.

la rumeur publique lui a déjà prêté pour amant. Forestier aurait peut-être toléré cela, lui, mais moi, non. »

Elle murmura avec douceur : « Eh bien ! mon ami, n'acceptons pas, ce sera un million de moins dans notre poche, voilà tout. »

180 Il marchait toujours, et il se mit à penser tout haut, parlant pour sa femme sans s'adresser à elle :

« Eh bien oui… un million… tant pis… Il n'a pas compris en testant[1] quelle faute de tact, quel oubli des convenances il commettait. Il n'a pas vu dans quelle position fausse, ridicule, il allait me

185 mettre… Tout est affaire de nuances dans la vie… Il fallait qu'il m'en laissât la moitié, ça arrangeait tout. »

Il s'assit, croisa ses jambes et se mit à rouler le bout de ses moustaches, comme il faisait aux heures d'ennui, d'inquiétude et de réflexion difficile.

190 Madeleine prit une tapisserie à laquelle elle travaillait de temps en temps, et elle dit en choisissant ses laines :

« Moi, je n'ai qu'à me taire. C'est à toi de réfléchir. »

Il fut longtemps sans répondre, puis il prononça, en hésitant : « Le monde ne comprendra jamais et que Vaudrec ait fait de toi son

195 unique héritière et que j'aie admis cela, moi. Recevoir cette fortune de cette façon, ce serait avouer… avouer de ta part une liaison coupable, et de la mienne une complaisance infâme… Comprends-tu comment on interpréterait notre acceptation ? Il faudrait trouver un biais, un moyen adroit de pallier la chose. Il faudrait laisser entendre,

200 par exemple, qu'il a partagé entre nous cette fortune, en donnant la moitié au mari, la moitié à la femme. »

Elle demanda : « Je ne vois pas comment cela pourrait se faire, puisque le testament est formel. »

Il répondit : « Oh ! c'est bien simple. Tu pourrais me laisser la

205 moitié de l'héritage par donation entre vifs[2]. Nous n'avons pas

---

1. En testant : en faisant son testament.
2. Entre vifs : entre vivants.

d'enfants, c'est donc possible. De cette façon, on fermerait la bouche à la malignité[1] publique. »

Elle répliqua, un peu impatiente : « Je ne vois pas non plus comment on fermerait la bouche à la malignité publique, puisque l'acte est là, signé par Vaudrec. »

Il reprit avec colère : « Avons-nous besoin de le montrer et de l'afficher sur les murs ? Tu es stupide à la fin. Nous dirons que le comte de Vaudrec nous a laissé sa fortune par moitié… Voilà… Or tu ne peux accepter ce legs sans mon autorisation. Je te le donne, à la seule condition d'un partage qui m'empêchera de devenir la risée du monde. »

Elle le regarda encore d'un regard perçant.

« Comme tu voudras. Je suis prête. »

Alors il se leva et se remit à marcher. Il paraissait hésiter de nouveau et il évitait maintenant l'œil pénétrant de sa femme. Il disait : « Non… décidément non… peut-être vaut-il mieux y renoncer tout à fait… c'est plus digne… plus correct… plus honorable… Pourtant, de cette façon, on n'aurait rien à supposer, absolument rien. Les gens les plus scrupuleux ne pourraient que s'incliner. »

Il s'arrêta devant Madeleine : « Eh bien, si tu veux, ma chérie, je vais retourner tout seul chez maître Lamaneur pour le consulter et lui expliquer la chose. Je lui dirai mon scrupule, et j'ajouterai que nous nous sommes arrêtés à l'idée d'un partage, par convenance, pour qu'on ne puisse pas jaboter[2]. Du moment que j'accepte la moitié de cet héritage, il est bien évident que personne n'a plus le droit de sourire. C'est dire hautement : "Ma femme accepte parce que j'accepte, moi, son mari, qui suis juge de ce qu'elle peut faire sans se compromettre. Autrement ça aurait fait scandale." »

---

1. **Malignité** : méchanceté.
2. **Jaboter** : médire ; voir « jaser », note 1, p. 339.

pages 338-341
lignes 116-235

Une lutte intime
« Madeleine [...] fait scandale. »

Sur quel différend la rivalité du couple repose-t-elle ?

• Les époux sont en désaccord sur la **légitimité de l'héritage**. Duroy soupçonne une relation adultère entre Vaudrec et Madeleine. Il souligne la différence de statut entre homme et femme à travers un **chiasme** (l. 115-117) et s'appuie sur la **morale sociale** et la sauvegarde de sa **réputation**.

• Madeleine tente de renverser l'argument de Georges en inversant les points du vue et en légitimant l'amitié qui la lie à Vaudrec. Elle fait valoir les **rapports privés**, alors que Georges évoque le **scandale public**.

Comment la composition du texte fait-elle ressortir cette rivalité ?

• Dialogue et récit **mettent en parallèle** les points de vue des époux. Chacun examine l'autre afin de pénétrer ses pensées, puis argumente d'une voix persuasive : verbes de parole, points de suspension et lexique se font écho.

• Puis l'échange s'accélère et les deux points de vue se superposent, créant un **effet de symétrie**. Une « lutte intime » et silencieuse s'installe, dépassant la seule question du legs. Seule l'**agitation de Georges**, pris par l'émotion, s'oppose à la **sérénité de Madeleine**.

Quelle vision du couple le narrateur transmet-il ?

• Les époux forment un **couple moderne** dans le sens où l'homme et la femme sont à **statut égal**. Or, par fierté masculine, Georges dénie à sa femme les mêmes droits que lui.

• Cette scène montre à quel point la **vie maritale** est fondée sur des **malentendus** et des **faux-semblants**. Les champs lexicaux de l'examen et de la dissimulation montrent comment l'échange devient une véritable **inquisition** où règne le soupçon.

La vision de l'être chez Maupassant

• Le narrateur souligne l'**échec de la communication entre les êtres** : l'autre reste un étranger. Une crise, un soupçon suffisent pour que les êtres les plus proches deviennent méconnaissables.

• C'est pourquoi la **thématique du double** traverse l'œuvre de Maupassant. Le **moi visible et social** ne s'accorde pas toujours avec le **moi profond, caché et instinctif**.

Madeleine murmura simplement : « Comme tu voudras. »

Il recommença à parler avec abondance :

« Oui, c'est clair comme le jour avec cet arrangement de la séparation par moitié. Nous héritons d'un ami qui n'a pas voulu établir de différence entre nous, qui n'a pas voulu faire de distinction, qui n'a pas voulu avoir l'air de dire : "Je préfère l'un ou l'autre après ma mort comme je l'ai préféré pendant ma vie." Il aimait mieux la femme, bien entendu, mais en laissant sa fortune à l'un comme à l'autre il a voulu exprimer nettement que sa préférence était toute platonique[1]. Et sois certaine que, s'il y avait songé, c'est ce qu'il aurait fait. Il n'a pas réfléchi, il n'a pas prévu les conséquences. Comme tu le disais fort bien tout à l'heure, c'est à toi qu'il offrait des fleurs chaque semaine, c'est à toi qu'il a voulu laisser son dernier souvenir sans se rendre compte... »

Elle l'arrêta avec une nuance d'irritation : « C'est entendu. J'ai compris. Tu n'as pas besoin de tant d'explications. Va tout de suite chez le notaire. »

Il balbutia, rougissant : « Tu as raison, j'y vais. »

Il prit son chapeau, puis, au moment de sortir :

« Je vais tâcher d'arranger la difficulté du neveu pour cinquante mille francs, n'est-ce pas ? »

Elle répondit avec hauteur : « Non. Donne-lui les cent mille francs qu'il demande. Et prends-les sur ma part, si tu veux. »

Il murmura, honteux soudain : « Ah ! mais non, nous partagerons. En laissant cinquante mille francs chacun il nous reste encore un million net. »

Puis il ajouta : « À tout à l'heure, ma petite Made. »

Et il alla expliquer au notaire la combinaison qu'il prétendit imaginée par sa femme.

Ils signèrent le lendemain une donation entre vifs[2] de cinq cent mille francs que Madeleine Du Roy abandonnait à son mari.

---

1. Platonique : chaste.
2. Entre vifs : entre vivants.

Puis, en sortant de l'étude, comme il faisait beau, Georges proposa de descendre à pied jusqu'aux boulevards. Il se montrait gentil, plein de soins, d'égards, de tendresse. Il riait, heureux de tout, tandis qu'elle demeurait songeuse et un peu sévère.

270 C'était un jour d'automne assez froid. La foule semblait pressée et marchait à pas rapides. Du Roy conduisit sa femme devant la boutique où il avait regardé si souvent le chronomètre désiré.

« Veux-tu que je t'offre un bijou ? » dit-il.

Elle murmura, avec indifférence : « Comme il te plaira. »

275 Ils entrèrent. Il demanda : « Que préfères-tu, un collier, un bracelet, ou des boucles d'oreilles ? »

La vue des bibelots d'or et des pierres fines emportait sa froideur voulue, et elle parcourait d'un œil allumé et curieux les vitrines pleines de joyaux.

280 Et soudain, émue par un désir : « Voilà un bien joli bracelet. »

C'était une chaîne d'une forme bizarre, dont chaque anneau portait une pierre différente.

Georges demanda : « Combien ce bracelet ? »

Le joaillier répondit : « Trois mille francs, monsieur.

285 — Si vous me le laissez à deux mille cinq, c'est une affaire entendue. »

L'homme hésita puis répondit : « Non, monsieur, c'est impossible. »

Du Roy reprit : « Tenez, vous ajouterez ce chronomètre pour
290 quinze cents francs, cela fait quatre mille, que je payerai comptant. Est-ce dit ? Si vous ne voulez pas je vais ailleurs. »

Le bijoutier, perplexe, finit par accepter.

« Eh bien soit, monsieur. »

Et le journaliste, après avoir donné son adresse, ajouta : « Vous
295 ferez graver sur le chronomètre mes initiales G. R. C., en lettres enlacées au-dessous d'une couronne de baron. »

Madeleine, surprise, se mit à sourire. Et quand ils sortirent, elle prit son bras avec une certaine tendresse. Elle le trouvait vraiment

adroit et fort. Maintenant qu'il avait des rentes il lui fallait un
300   titre[1], c'était juste.

Le marchand les saluait : « Vous pouvez compter sur moi, ce
sera prêt pour jeudi, monsieur le baron. »

Ils passèrent devant le Vaudeville[2]. On y jouait une pièce
nouvelle.

305   « Si tu veux, dit-il, nous irons ce soir au théâtre, tâchons d'avoir
une loge[3]. »

Ils trouvèrent une loge et la prirent. Il ajouta : – Si nous dînions
au cabaret[4] ?

– Oh ! oui, je veux bien. »

310   Il était heureux comme un souverain et cherchait ce qu'ils
pourraient bien faire encore.

« Si nous allions chercher Mme de Marelle pour passer la soirée
avec nous ? Son mari est ici, m'a-t-on dit. Je serai enchanté de lui
serrer la main. »

315   Ils y allèrent. Georges, qui redoutait un peu la première rencontre
avec sa maîtresse, n'était point fâché que sa femme fût présente pour
éviter toute explication.

Mais Clotilde parut ne se souvenir de rien et força même son
mari à accepter l'invitation.

320   Le dîner fut gai et la soirée charmante.

Georges et Madeleine rentrèrent tard. Le gaz était éteint. Pour
éclairer les marches, le journaliste enflammait de temps en temps
une allumette-bougie[5].

---

1. Rentes : revenus personnels (en dehors du salaire) ; **titre** : titre de noblesse.
2. Vaudeville : nom d'un théâtre situé à l'angle du boulevard des Capucines et
de la rue de la Chaussée-d'Antin.
3. Loge : dans une salle de théâtre, petit compartiment où peuvent s'installer
plusieurs spectateurs.
4. Cabaret : café-restaurant.
5. Le gaz : les becs de gaz (réverbères) ; **allumette-bougie** : allumette constituée
d'une mèche imprégnée de cire.

En arrivant sur le palier du premier étage, la flamme subite
325 éclatant sous le frottement, fit surgir dans la glace leurs deux
figures illuminées au milieu des ténèbres de l'escalier.

Ils avaient l'air de fantômes apparus et prêts à s'évanouir dans
la nuit.

Du Roy leva la main pour bien éclairer leurs images, et il dit,
330 avec un rire de triomphe :

« Voilà des millionnaires qui passent. »

7

Depuis deux mois la conquête du Maroc était accomplie. La France, maîtresse de Tanger[1], possédait toute la côte africaine de la Méditerranée, jusqu'à la régence de Tripoli[2], et elle avait garanti la dette[3] du nouveau pays annexé.

On disait que deux ministres gagnaient là une vingtaine de millions, et on citait, presque tout haut, Laroche-Mathieu.

Quant à Walter, personne dans Paris n'ignorait qu'il avait fait coup double et encaissé de trente à quarante millions sur l'emprunt, et de huit à dix millions sur des mines de cuivre et de fer, ainsi que sur d'immenses terrains achetés pour rien avant la conquête et revendus le lendemain de l'occupation française à des compagnies de colonisation.

Il était devenu, en quelques jours, un des maîtres du monde, un de ces financiers omnipotents[4], plus forts que des rois, qui font courber les têtes, balbutier les bouches et sortir tout ce qu'il y a de bassesse, de lâcheté et d'envie au fond du cœur humain.

Il n'était plus le juif Walter, patron d'une banque louche, directeur d'un journal suspect, député soupçonné de tripotages véreux[5]. Il était Monsieur Walter, le riche israélite[6].

---

1. Tanger : ville du nord du Maroc.
2. La régence de Tripoli : province ottomane correspondant à l'actuelle Libye.
3. Avait garanti la dette : avait garanti le paiement de la dette.
4. Omnipotents : tout-puissants.
5. Tripotages véreux : magouilles malhonnêtes.
6. Israélite : juif. Dans la France du XIXᵉ siècle, largement antisémite, le terme « juif » est péjoratif, à l'inverse de celui d'« israélite », plus neutre et respectueux. Cette dénomination marque donc l'évolution du statut social de Walter.

Il le voulut montrer.

20 Sachant la gêne du prince de Carlsbourg qui possédait un des plus beaux hôtels de la rue du Faubourg-Saint-Honoré[1], avec jardin sur les Champs-Élysées, il lui proposa d'acheter, en vingt-quatre heures, cet immeuble, avec ses meubles, sans changer de place un fauteuil. Il en offrait trois millions. Le prince, tenté par

25 la somme, accepta.

Le lendemain, Walter s'installait dans son nouveau domicile.

Alors il eut une autre idée, une véritable idée de conquérant qui veut prendre Paris, une idée à la Bonaparte.

Toute la ville allait voir en ce moment un grand tableau du

30 peintre hongrois Karl Marcowitch, exposé chez l'expert Jacques Lenoble, et représentant le Christ marchant sur les flots[2].

Les critiques d'art, enthousiasmés, déclaraient cette toile le plus magnifique chef-d'œuvre du siècle.

Walter l'acheta cinq cent mille francs et l'enleva, coupant ainsi

35 du jour au lendemain le courant établi de la curiosité publique, et forçant Paris entier à parler de lui pour l'envier, le blâmer ou l'approuver.

Puis, il fit annoncer par les journaux qu'il inviterait tous les gens connus dans la société parisienne à contempler, chez lui, un

40 soir, l'œuvre magistrale du maître étranger, afin qu'on ne pût pas dire qu'il avait séquestré une œuvre d'art.

Sa maison serait ouverte. Y viendrait qui voudrait. Il suffirait de montrer à la porte la lettre de convocation.

Elle était rédigée ainsi : « Monsieur et Madame Walter vous

45 prient de leur faire l'honneur de venir voir chez eux, le trente décembre, de neuf heures à minuit, la toile de Karl Marcowitch : *Jésus marchant sur les flots* éclairée à la lumière électrique[3]. »

---

1. Rue du Faubourg-Saint-Honoré : rue où réside la noblesse traditionnelle.
2. Tous ces noms sont imaginaires.
3. À l'époque, la lumière électrique est une invention toute nouvelle ; c'est donc un luxe de posséder ce type d'éclairage.

Puis, en post-scriptum, en toutes petites lettres, on pouvait lire : « On dansera après minuit. »

50   Donc, ceux qui voudraient rester resteraient, et parmi ceux-là les Walter recruteraient leurs connaissances du lendemain.

Les autres regarderaient la toile, l'hôtel et les propriétaires, avec une curiosité mondaine, insolente ou indifférente, puis s'en iraient comme ils étaient venus. Et le père Walter savait bien

55   qu'ils reviendraient, plus tard, comme ils étaient allés chez ses frères israélites[1] devenus riches comme lui.

Il fallait d'abord qu'ils entrassent dans sa maison, tous les pannés titrés qu'on cite dans les feuilles[2] ; et ils y entreraient pour voir la figure d'un homme qui a gagné cinquante millions en six semaines ;

60   ils y entreraient aussi pour voir et compter ceux qui viendraient là ; ils y entreraient encore parce qu'il avait eu le bon goût et l'adresse de les appeler à admirer un tableau chrétien chez lui, fils d'Israël.

Il semblait leur dire : « Voyez, j'ai payé cinq cent mille francs le chef-d'œuvre religieux de Marcowitch : *Jésus marchant sur les*

65   *flots*. Et ce chef-d'œuvre demeurera chez moi, sous mes yeux, toujours, dans la maison du juif Walter. »

Dans le monde, dans le monde des duchesses et du Jockey[3], on avait beaucoup discuté cette invitation qui n'engageait à rien, en somme. On irait là comme on allait voir des aquarelles chez

70   M. Petit[4]. Les Walter possédaient un chef-d'œuvre ; ils ouvraient leurs portes un soir pour que tout le monde pût l'admirer. Rien de mieux.

La Vie française, depuis quinze jours, faisait chaque matin un écho[5] sur cette soirée du trente décembre et s'efforçait d'allumer

75   la curiosité publique.

---

1. Ses frères israélites : ses concitoyens juifs.

2. Pannés : désargentés (populaire) ; titrés : nobles ; feuilles : journaux.

3. Il s'agit du Jockey Club, le club privé le plus sélect de Paris.

4. M. Petit : Georges Petit, qui possédait une galerie d'art à Paris.

5. Écho : article.

Du Roy rageait du triomphe du Patron.

Il s'était cru riche avec les cinq cent mille francs extorqués à sa femme, et maintenant il se jugeait pauvre, affreusement pauvre, en comparant sa piètre fortune à la pluie de millions tombée autour de lui, sans qu'il eût su en rien ramasser.

Sa colère envieuse augmentait chaque jour. Il en voulait à tout le monde, aux Walter qu'il n'avait plus été voir chez eux, à sa femme qui, trompée par Laroche, lui avait déconseillé de prendre des fonds marocains, et il en voulait surtout au ministre qui l'avait joué, qui s'était servi de lui et qui dînait à sa table deux fois, par semaine. Georges lui servait de secrétaire, d'agent, de porte-plume, et quand il écrivait sous sa dictée, il se sentait des envies folles d'étrangler ce bellâtre[1] triomphant. Comme ministre, Laroche avait le succès modeste, et pour garder son portefeuille[2], il ne laissait point deviner qu'il était gonflé d'or. Mais Du Roy le sentait, cet or, dans la parole plus hautaine de l'avocat parvenu[3], dans son geste plus insolent, dans ses affirmations plus hardies, dans sa confiance en lui complète.

Laroche régnait, maintenant, dans la maison Du Roy, ayant pris la place et les jours du comte de Vaudrec, et parlant aux domestiques ainsi qu'aurait fait un second maître.

Georges le tolérait en frémissant, comme un chien qui veut mordre, et n'ose pas. Mais il était souvent dur et brutal pour Madeleine, qui haussait les épaules et le traitait en enfant maladroit. Elle s'étonnait d'ailleurs de sa constante mauvaise humeur, et répétait : « Je ne te comprends pas. Tu es toujours à te plaindre. Ta position est pourtant superbe. »

Il tournait le dos et ne répondait rien.

Il avait déclaré d'abord qu'il n'irait point à la fête du patron, et qu'il ne voulait plus mettre les pieds chez ce sale juif.

---

1. Bellâtre : bel homme prétentieux et niais (péjoratif).
2. Portefeuille : ministère.
3. Parvenu : personne qui a fait fortune et s'est élevée dans l'échelle sociale.

Depuis deux mois, Mme Walter lui écrivait chaque jour pour le supplier de venir, de lui donner un rendez-vous où il lui plairait, afin qu'elle lui remît, disait-elle, les soixante-dix mille francs qu'elle avait gagnés pour lui.

110 Il ne répondait pas et jetait au feu ces lettres désespérées. Non point qu'il eût renoncé à recevoir sa part de leur bénéfice, mais il voulait l'affoler, la traiter par le mépris, la fouler aux pieds. Elle était trop riche ! Il voulait se montrer fier.

Le jour même de l'exposition du tableau, comme Madeleine lui
115 représentait qu'il avait grand tort de n'y vouloir pas aller, il répondit :

« Fiche-moi la paix. Je reste chez moi. »

Puis, après le dîner, il déclara tout à coup :

« Il vaut tout de même mieux subir cette corvée. Prépare-toi vite. »
120 Elle s'y attendait.

« Je serai prête dans un quart d'heure », dit-elle.

Il s'habilla en grognant, et même dans le fiacre il continua à expectorer sa bile[1].

La cour d'honneur de l'hôtel de Carlsbourg était illuminée par
125 quatre globes électriques qui avaient l'air de quatre petites lunes bleuâtres, aux quatre coins. Un magnifique tapis descendait les degrés du haut perron et, sur chacun, un homme en livrée[2] restait roide comme une statue.

Du Roy murmura : « En voilà de l'épate[3]. » Il levait les épaules,
130 le cœur crispé de jalousie.

Sa femme lui dit : « Tais-toi donc et fais-en autant. »

Ils entrèrent et remirent leurs lourds vêtements de sortie aux valets de pied[4] qui s'avancèrent.

---

1. **Expectorer sa bile** : cracher sa colère.
2. **Degrés** : marches ; **perron** : escalier extérieur menant au palier de la porte d'entrée ; **livrée** : uniforme des domestiques.
3. **Épate** : esbroufe, frime (populaire).
4. **Valets de pied** : valets qui escortent les invités.

Plusieurs femmes étaient là avec leurs maris, se débarrassaient
135 aussi de leurs fourrures. On entendait murmurer :

« C'est fort beau ! fort beau ! »

Le vestibule énorme était tendu de tapisseries qui représentaient
l'aventure de Mars et de Vénus[1]. À droite et à gauche partaient les
deux bras d'un escalier monumental, qui se rejoignaient au premier
140 étage. La rampe était une merveille de fer forgé, dont la vieille
dorure éteinte faisait courir une lueur discrète le long des marches
de marbre rouge.

À l'entrée des salons, deux petites filles, habillées l'une en folie
rose, et l'autre en folie[2] bleue, offraient des bouquets aux dames.
145 On trouvait cela charmant.

Il y avait déjà foule dans les salons.

La plupart des femmes étaient en toilette de ville pour bien
indiquer qu'elles venaient là comme elles allaient à toutes les
expositions particulières. Celles qui comptaient rester au bal
150 avaient les bras et la gorge nus.

Mme Walter, entourée d'amies, se tenait dans la seconde pièce,
et répondait aux saluts des visiteurs. Beaucoup ne la connaissaient
point et se promenaient comme dans un musée, sans s'occuper des
maîtres du logis[3].

155 Quand elle aperçut Du Roy, elle devint livide[4] et fit un mouvement pour aller à lui. Puis elle demeura immobile, l'attendant.
Il la salua avec cérémonie, tandis que Madeleine l'accablait de
tendresses et de compliments. Alors, Georges laissa sa femme
auprès de la Patronne ; et il se perdit au milieu du public pour
160 écouter les choses malveillantes qu'on devait dire, assurément.

---

1. Mars et Vénus : dans la mythologie gréco-romaine, dieu de la guerre et déesse
de l'amour, couple d'amants célèbre.

2. En folie : en costume de folie, justaucorps découpé en pointes garnies de
grelots, et avec une marotte (petit sceptre garni lui aussi de grelots) à la main.

3. Du logis : de maison.

4. Livide : très pâle.

Cinq salons se suivaient, tendus d'étoffes précieuses, de broderies italiennes ou de tapis d'Orient de nuances et de styles différents, et portant sur leurs murailles des tableaux de maîtres[1] anciens. On s'arrêtait surtout pour admirer une petite pièce Louis XVI, une sorte de boudoir tout capitonné[2] en soie à bouquets roses sur un fond bleu pâle. Les meubles bas, en bois doré, couverts d'étoffe pareille à celle des murs, étaient d'une admirable finesse.

Georges reconnaissait des gens célèbres, la duchesse de Ferracine, le comte et la comtesse de Ravenel, le général prince d'Andremont, la toute belle marquise des Dunes puis toutes celles qu'on voit aux premières représentations[3].

On le saisit par le bras et une voix jeune, une voix heureuse lui murmura dans l'oreille : « Ah ! vous voilà enfin, méchant Bel-Ami. Pourquoi ne vous voit-on plus ? »

C'était Suzanne Walter le regardant avec ses yeux d'émail fin, sous le nuage frisé de ses cheveux blonds.

Il fut enchanté de la revoir et lui serra franchement la main. Puis s'excusant : « Je n'ai pas pu. J'ai eu tant à faire, depuis deux mois, que je ne suis pas sorti. »

Elle reprit d'un air sérieux : « C'est mal, très mal, très mal. Vous nous faites beaucoup de peine, car nous vous adorons, maman et moi. Quant à moi, je ne puis me passer de vous. Si vous n'êtes pas là je m'ennuie à mourir. Vous voyez que je vous le dis carrément pour que vous n'ayez plus le droit de disparaître comme ça. Donnez-moi le bras, je vais vous montrer moi-même Jésus marchant sur les flots, c'est au fond, derrière la serre. Papa l'a mis là-bas afin qu'on soit obligé de passer partout. C'est étonnant comme il fait le paon[4], papa, avec cet hôtel. »

---

1. Murailles : murs ; **maîtres** : grands peintres.
2. Boudoir : petit salon de dame ; **capitonné** : recouvert de tissu rembourré fixé par des piqûres régulières.
3. Premières représentations : premières représentations des pièces de théâtre.
4. Fait le paon : se pavane.

Ils allaient doucement à travers la foule. On se retournait pour
regarder ce beau garçon et cette ravissante poupée.

Un peintre connu prononça : « Tiens ! Voilà un joli couple.
Il est amusant comme tout. »

Georges pensait : « Si j'avais été vraiment fort c'est celle-là que
j'aurais épousée. C'était possible, pourtant. Comment n'y ai-je pas
songé ? Comment me suis-je laissé aller à prendre l'autre ? Quelle
folie ! On agit toujours trop vite, on ne réfléchit jamais assez. »

Et l'envie, l'envie amère, lui tombait dans l'âme goutte à
goutte, comme un fiel[1] qui corrompait toutes ses joies, rendait
odieuse son existence.

Suzanne disait : « Oh ! venez souvent, Bel-Ami, nous ferons des
folies maintenant que papa est si riche. Nous nous amuserons
comme des toqués. »

Il répondit, suivant toujours son idée : « Oh ! vous allez vous
marier maintenant. Vous épouserez quelque beau prince, un peu
ruiné, et nous ne nous verrons plus guère. »

Elle s'écria avec franchise : « Oh ! non, pas encore, je veux
quelqu'un qui me plaise, qui me plaise beaucoup, qui me plaise
tout à fait. Je suis assez riche pour deux. »

Il souriait d'un sourire ironique et hautain, et il se mit à lui
nommer les gens qui passaient, des gens très nobles, qui avaient
vendu leurs titres[2] rouillés à des filles de financiers comme elle,
et qui vivaient maintenant près ou loin de leurs femmes, mais
libres, impudents, connus et respectés.

Il conclut : « Je ne vous donne pas six mois pour vous laisser
prendre à cet appât-là. Vous serez madame la Marquise, madame
la Duchesse, ou madame la Princesse, et vous me regarderez de
très haut, mam'zelle. »

---

1. Un fiel : une amertume.

2. Titres : titres de noblesse. De nombreux nobles désargentés épousaient en
effet des filles de la haute bourgeoisie, comme Suzanne, pour une question
d'argent.

Elle s'indignait, lui tapait sur le bras avec son éventail, jurait qu'elle ne se marierait que selon son cœur.

220   Il ricanait : « Nous verrons bien, vous êtes trop riche. »

Elle lui dit : « Mais vous aussi, vous avez eu un héritage. »

Il fit un « Oh ! » de pitié : « Parlons-en. À peine vingt mille livres de rentes. Ce n'est pas lourd par le temps présent.

— Mais, votre femme a hérité également.

225   — Oui. Un million à nous deux. Quarante mille de revenu. Nous ne pouvons même pas avoir une voiture à nous avec ça. »

Ils arrivaient au dernier salon, et, en face d'eux, s'ouvrait la serre, un large jardin d'hiver plein de grands arbres des pays chauds abritant des massifs de fleurs rares. En entrant sous
230   cette verdure sombre où la lumière glissait comme une ondée d'argent, on respirait la fraîcheur tiède de la terre humide et un souffle lourd de parfums. C'était une étrange sensation douce, malsaine et charmante, de nature factice[1], énervante et molle. On marchait sur des tapis tout pareils à de la mousse entre deux
235   épais massifs d'arbustes. Soudain Du Roy aperçut à sa gauche, sous un large dôme de palmiers, un vaste bassin de marbre blanc où l'on aurait pu se baigner et sur les bords duquel quatre grands cygnes en faïence de Delft[2] laissaient tomber l'eau de leurs becs entrouverts.

240   Le fond du bassin était sablé de poudre d'or et l'on voyait nager dedans quelques énormes poissons rouges, bizarres monstres chinois aux yeux saillants[3], aux écailles bordées de bleu, sortes de mandarins[4] des ondes qui rappelaient, errants et suspendus ainsi sur ce fond d'or, les étranges broderies de là-bas.

245   Le journaliste s'arrêta le cœur battant. Il se disait : « Voilà, voilà le luxe. Voilà les maisons où il faut vivre. D'autres y sont parvenus.

---

1. **Factice** : artificielle.
2. **Faïence de Delft** : faïence hollandaise.
3. **Saillants** : bombés.
4. **Mandarins** : hauts fonctionnaires de l'empire chinois.

Pourquoi n'y arriverais-je point ? » Il songeait aux moyens, n'en trouvait pas sur-le-champ, et s'irritait de son impuissance.

Sa compagne ne parlait plus, un peu songeuse. Il la regarda de côté et il pensa encore une fois : « Il suffisait pourtant d'épouser cette petite marionnette de chair. »

Mais Suzanne tout d'un coup parut se réveiller :

« Attention », dit-elle. Elle poussa Georges à travers un groupe qui barrait leur chemin, et le fit brusquement tourner à droite.

Au milieu d'un bosquet de plantes singulières qui tendaient en l'air leurs feuilles tremblantes, ouvertes comme des mains aux doigts minces, on apercevait un homme immobile, debout sur la mer.

L'effet était surprenant. Le tableau, dont les côtés se trouvaient cachés dans les verdures mobiles, semblait un trou noir sur un lointain fantastique et saisissant.

Il fallait bien regarder pour comprendre. Le cadre coupait le milieu de la barque où se trouvaient les apôtres à peine éclairés par les rayons obliques d'une lanterne, dont l'un d'eux, assis sur le bordage[1], projetait toute la lumière sur Jésus qui s'en venait.

Le Christ avançait le pied sur une vague qu'on voyait se creuser, soumise, aplanie, caressante sous le pas divin qui la foulait. Tout était sombre autour de l'Homme-Dieu. Seules les étoiles brillaient au ciel.

Les figures des apôtres, dans la lueur vague du fanal[2] porté par celui qui montrait le Seigneur, paraissaient convulsées[3] par la surprise.

C'était bien là l'œuvre puissante et inattendue d'un maître, une de ces œuvres qui bouleversent la pensée et vous laissent du rêve pour des années.

Les gens qui regardaient cela demeuraient d'abord silencieux, puis s'en allaient, songeurs, et ne parlaient qu'ensuite de la valeur de la peinture.

---

1. Apôtres : disciples de Jésus ; bordage : bord.
2. Fanal : lanterne.
3. Convulsées : bouleversées.

Du Roy, l'ayant contemplée quelque temps, déclara : « C'est chic de pouvoir se payer ces bibelots-là[1]. »

Mais, comme on le heurtait, en le poussant pour voir, il repartit gardant toujours sous son bras la petite main de Suzanne qu'il serrait un peu.

Elle lui demanda : « Voulez-vous boire un verre de champagne. Allons au buffet. Nous y trouverons papa. »

Et ils retraversèrent lentement tous les salons où la foule grossissait, houleuse[2], chez elle, une foule élégante de fête publique.

Georges soudain crut entendre une voix prononcer :

« C'est Laroche et Mme Du Roy. » Ces paroles lui effleurèrent l'oreille comme ces bruits lointains qui courent dans le vent. D'où venaient-elles ?

Il chercha de tous les côtés, et il aperçut en effet sa femme qui passait, au bras du ministre. Ils causaient tout bas d'une façon intime en souriant, les yeux dans les yeux.

Il s'imagina remarquer qu'on chuchotait en les regardant, et il sentit en lui une envie brutale et stupide de sauter sur ces deux êtres et de les assommer à coups de poing.

Elle le rendait ridicule. Il pensa à Forestier. On disait peut-être : « Ce cocu de Du Roy. » Qui était-elle ? une petite parvenue assez droite, mais sans grands moyens, en vérité. On venait chez lui parce qu'on le redoutait, parce qu'on le sentait fort, mais on devait parler sans gêne de ce petit ménage de journalistes. Jamais il n'irait loin avec cette femme qui faisait sa maison toujours suspecte, qui se compromettait toujours, dont l'allure dénonçait l'intrigante[3]. Elle serait maintenant un boulet à son pied. Ah ! s'il avait deviné, s'il avait su ! Comme il aurait joué un jeu plus large, plus fort ! Quelle belle partie il aurait pu gagner avec la petite Suzanne pour enjeu. Comment avait-il été assez aveugle pour ne pas comprendre ça ?

---

1. Ces bibelots-là : ce type d'objets décoratifs.

2. Houleuse : agitée.

3. Intrigante : femme habile en *intrigues*, en manigances.

Ils arrivaient à la salle à manger, une immense pièce à colonnes de marbre, aux murs tendus de vieux Gobelins[1].

Walter aperçut son chroniqueur[2] et s'élança pour lui prendre
310 les mains. Il était ivre de joie : « Avez-vous tout vu ? Dis, Suzanne, lui as-tu tout montré ? Que de monde, n'est-ce pas, Bel-Ami ? Avez-vous vu le prince de Guerche ? Il est venu boire un verre de punch, tout à l'heure. »

Puis il s'élança vers le sénateur Rissolin qui traînait sa femme
315 étourdie et ornée comme une boutique foraine.

Un monsieur saluait Suzanne, un grand garçon mince, à favoris blonds, un peu chauve, avec cet air mondain[3] qu'on reconnaît partout. Georges l'entendit nommer : le Marquis de Cazolles, et il fut brusquement jaloux de cet homme. Depuis quand le connais-
320 sait-elle ? Depuis sa fortune sans doute ? Il devinait un prétendant.

On le prit par le bras. C'était Norbert de Varenne. Le vieux poète promenait ses cheveux gras et son habit fatigué d'un air indifférent et las.

« Voilà ce qu'on appelle s'amuser, dit-il. Tout à l'heure on dansera ;
325 et puis on se couchera ; et les petites filles seront contentes. Prenez du champagne, il est excellent. »

Il se fit emplir un verre et, saluant Du Roy qui en avait pris un autre : « Je bois à la revanche de l'esprit sur les millions. »

Puis il ajouta, d'une voix douce : « Non pas qu'ils me gênent chez
330 les autres ou que je leur en veuille. Mais je proteste par principe. »

Georges ne l'écoutait plus. Il cherchait Suzanne qui venait de disparaître avec le marquis de Cazolles, et quittant brusquement Norbert de Varenne, il se mit à la poursuite de la jeune fille.

---

1. Tendus de vieux Gobelins : couverts de tapisseries du XVIIe siècle fabriquées par la manufacture parisienne des Gobelins, qui connaît son grand essor sous Louis XIV.

2. Chroniqueur : journaliste.

3. Mondain : snob.

Une cohue épaisse qui voulait boire l'arrêta. Comme il l'avait
enfin franchie, il se trouva nez à nez avec le ménage de Marelle.

Il voyait toujours la femme ; mais il n'avait pas rencontré
depuis longtemps le mari, qui lui saisit les deux mains : « Que je
vous remercie, mon cher, du conseil que vous m'avez fait donner
par Clotilde. J'ai gagné près de cent mille francs avec l'emprunt
marocain. C'est à vous que je les dois. On peut dire que vous êtes
un ami précieux. »

Des hommes se retournaient pour regarder cette brunette
élégante et jolie. Du Roy répondit : « En échange de ce service,
mon cher, je prends votre femme, ou plutôt je lui offre mon bras.
Il faut toujours séparer les époux. »

M. de Marelle s'inclina : « C'est juste. Si je vous perds, nous
nous retrouverons ici dans une heure.

– Parfaitement. »

Et les deux jeunes gens s'enfoncèrent dans la foule, suivis par
le mari. Clotilde répétait : « Quels veinards que ces Walter. Ce que
c'est tout de même que d'avoir l'intelligence des affaires. »

George répondit : « Bah ! les hommes forts arrivent toujours,
soit par un moyen, soit par un autre. »

Elle reprit : « Voilà deux filles qui auront de vingt à trente millions
chacune. Sans compter que Suzanne est jolie. »

Il ne dit rien. Sa propre pensée sortie d'une autre bouche l'irritait.

Elle n'avait pas encore vu Jésus marchant sur les flots.
Il proposa de l'y conduire. Ils s'amusaient à dire du mal des gens,
à se moquer des figures inconnues. Saint-Potin passa près d'eux,
portant sur le revers de son habit des décorations nombreuses, ce
qui les amusa beaucoup. Un ancien ambassadeur, venant derrière,
montrait une brochette[1] moins garnie.

Du Roy déclara : « Quelle salade[2] de société ! »

---

1. **Brochette** : petite *broche* garnie de décorations.
2. **Salade** : méli-mélo (familier).

Boisrenard, qui lui serra la main, avait aussi orné sa bouton-
365 nière du ruban vert et jaune sorti le jour du duel.

La vicomtesse de Percemur, énorme et parée, causait avec un
duc dans le petit boudoir[1] Louis XVI.

Georges murmura : « Un tête-à-tête galant. » Mais en traversant la serre, il revit sa femme assise près de Laroche-Mathieu,
370 presque cachés tous deux derrière un bouquet de plantes. Ils
semblaient dire : « Nous nous sommes donné un rendez-vous ici,
un rendez-vous public. Car nous nous fichons de l'opinion. »

Mme de Marelle reconnut que ce Jésus de Karl Marcowitch
était très étonnant ; et ils revinrent. Ils avaient perdu le mari.

375 Il demanda : « Et Laurine, est-ce qu'elle m'en veut toujours ?

– Oui, toujours autant. Elle refuse de te voir et s'en va quand
on parle de toi. »

Il ne répondit rien. L'inimitié subite de cette fillette le chagri-
nait et lui pesait.

380 Suzanne les saisit au détour d'une porte, criant :

« Ah ! vous voilà ! Eh bien, Bel-Ami, vous allez rester seul.
J'enlève la belle Clotilde pour lui montrer ma chambre. »

Et les deux femmes s'en allèrent, d'un pas pressé, glissant à
travers le monde, de ce mouvement onduleux, de ce mouvement
385 de couleuvre qu'elles savent prendre dans les foules.

Presque aussitôt une voix murmura : « Georges. » C'était
Mme Walter. Elle reprit très bas : « Oh ! Que vous êtes férocement
cruel ! Que vous me faites souffrir inutilement. J'ai chargé Suzette
d'emmener celle qui vous accompagnait afin de pouvoir vous dire
390 un mot. Écoutez, il faut… il faut que je vous parle ce soir… ou
bien… ou bien… vous ne savez pas ce que je ferai. Allez dans la
serre. Vous y trouverez une porte à gauche et vous sortirez dans le
jardin. Suivez l'allée qui est en face. Tout au bout vous verrez une

---

1. Boudoir : petit salon de dame.

tonnelle[1]. Attendez-moi là dans dix minutes. Si vous ne voulez
395   pas, je vous jure que je fais un scandale, ici, tout de suite ! »

Il répondit avec hauteur :

« Soit. Je serai dans dix minutes à l'endroit que vous m'indi-
quez. »

Et ils se séparèrent. Mais Jacques Rival faillit le mettre en
400   retard. Il l'avait pris par le bras et lui racontait un tas de choses
avec l'air très exalté. Il venait sans doute du buffet. Enfin Du Roy
le laissa aux mains de M. de Marelle retrouvé entre deux portes,
et il s'enfuit. Il lui fallut encore prendre garde de n'être pas vu par
sa femme et par Laroche. Il y parvint, car ils semblaient fort
405   animés, et il se trouva dans le jardin.

L'air froid le saisit comme un bain de glace. Il pensa : « Cristi[2],
je vais attraper un rhume », et il mit son mouchoir à son cou en
manière de cravate. Puis il suivit à pas lents l'allée, y voyant mal
au sortir de la grande lumière des salons.

410   Il distinguait à sa droite et à sa gauche des arbustes sans feuilles dont
les branches menues frémissaient. Des lueurs grises passaient dans ces
ramures[3], des lueurs venues des fenêtres de l'hôtel. Il aperçut quelque
chose de blanc, au milieu du chemin, devant lui, et Mme Walter,
les bras nus, la gorge nue, balbutia d'une voix frémissante :

415   « Ah ! te voilà ? tu veux donc me tuer ? »

Il répondit tranquillement : « Je t'en prie, pas de drame, n'est-
ce pas, ou je fiche le camp tout de suite. »

Elle l'avait saisi par le cou, et, les lèvres tout près des lèvres, elle
disait : « Mais qu'est-ce que je t'ai fait ? Tu te conduis avec moi
420   comme un misérable ! Qu'est-ce que je t'ai fait ? »

Il essayait de la repousser : « Tu as entortillé tes cheveux à tous
mes boutons la dernière fois que je t'ai vue, et ça a failli amener
une rupture entre ma femme et moi. »

---

1. **Tonnelle** : petit abri de verdure.
2. **Cristi** : sacristi (juron).
3. **Ramures** : branchages.

Elle demeura surprise, puis, faisant « non » de la tête : « Oh ! ta
femme s'en moque bien. C'est quelqu'une de tes maîtresses qui
t'aura fait une scène.

— Je n'ai pas de maîtresses.

— Tais-toi donc ! Mais pourquoi ne viens-tu plus même me
voir ? Pourquoi refuses-tu de dîner, rien qu'un jour par semaine,
avec moi ? C'est atroce ce que je souffre ; je t'aime à n'avoir plus
une pensée qui ne soit pour toi, à ne pouvoir rien regarder sans te
voir devant mes yeux, à ne plus oser prononcer un mot sans avoir
peur de dire ton nom ! Tu ne comprends pas ça, toi ! Il me semble
que je suis prise dans des griffes, nouée dans un sac, je ne sais pas.
Ton souvenir, toujours présent, me serre la gorge, me déchire
quelque chose là, dans la poitrine, sous le sein, me casse les jambes
à ne plus me laisser la force de marcher. Et je reste comme une
bête, toute la journée, sur une chaise, en pensant à toi. »

Il la regardait avec étonnement. Ce n'était plus la grosse gamine
folâtre qu'il avait connue, mais une femme éperdue, désespérée,
capable de tout.

Un projet vague, cependant, naissait dans son esprit. Il répondit :
« Ma chère, l'amour n'est pas éternel. On se prend et on se quitte.
Mais quand ça dure comme entre nous ça devient un boulet
horrible. Je n'en veux plus. Voilà la vérité. Cependant, si tu sais
devenir raisonnable, me recevoir et me traiter ainsi qu'un ami, je
reviendrai comme autrefois. Te sens-tu capable de ça ? »

Elle posa ses deux bras nus sur l'habit noir de Georges et
murmura : « Je suis capable de tout pour te voir.

— Alors c'est convenu, dit-il, nous sommes amis, rien de plus. »

Elle balbutia : « C'est convenu. » Puis tendant ses lèvres vers
lui :

« Encore un baiser... le dernier »

Il refusa doucement. « Non. Il faut tenir nos conventions. »

Elle se détourna en essuyant deux larmes, puis tirant de son
corsage un paquet de papiers noués avec un ruban de soie rose elle

l'offrit à Du Roy : « Tiens. C'est ta part de bénéfice dans l'affaire du Maroc. J'étais si contente d'avoir gagné cela pour toi. Tiens, prends-le donc… »

460   Il voulait refuser : « Non, je ne recevrai point cet argent ! »

Alors elle se révolta : « Ah ! Tu ne me feras pas ça, maintenant ! Il est à toi, rien qu'à toi. Si tu ne le prends point, je le jetterai dans un égout. Tu ne me feras pas cela, Georges ? »

Il reçut le petit paquet et le glissa dans sa poche.

465   « Il faut rentrer, dit-il, tu vas attraper une fluxion de poitrine[1]. »

Elle murmura : « Tant mieux ! si je pouvais mourir. » Elle lui prit une main, la baisa avec passion, avec rage, avec désespoir, et elle se sauva vers l'hôtel.

Il revint doucement, en réfléchissant. Puis il rentra dans la
470 serre, le front hautain, la lèvre souriante.

Sa femme et Laroche n'étaient plus là. La foule diminuait. Il devenait évident qu'on ne resterait pas au bal. Il aperçut Suzanne qui tenait le bras de sa sœur. Elles vinrent vers lui toutes les deux pour lui demander de danser le premier quadrille[2] avec le Comte de Latour-Yvelin.

475   Il s'étonna.

« Qu'est-ce encore que celui-là ? »

Suzanne répondit avec malice :

« C'est un nouvel ami de ma sœur. »

Rose rougit et murmura :

480   « Tu es méchante, Suzette, ce monsieur n'est pas plus mon ami que le tien. »

L'autre souriait : « Je m'entends. »

Rose, fâchée, leur tourna le dos et s'éloigna.

Du Roy prit familièrement le coude de la jeune fille restée près
485 de lui, et de sa voix caressante : « Écoutez, ma chère petite, me croyez-vous bien votre ami ?

---

1. Fluxion de poitrine : pneumonie.
2. Quadrille : danse à la mode au XIXᵉ siècle, où quatre couples de danseurs se font face et exécutent des figures.

— Mais oui, Bel-Ami.

— Vous avez confiance en moi ?

— Tout à fait.

490 — Vous vous rappelez ce que je vous disais tantôt ?

— À propos de quoi ?

— À propos de votre mariage, ou plutôt de l'homme que vous épouserez.

— Oui.

495 — Eh bien ! voulez-vous me promettre une chose ?

— Oui, mais quoi ?

— C'est de me consulter toutes les fois qu'on demandera votre main, et de n'accepter personne sans avoir pris mon avis.

— Oui, je veux bien.

500 — Et c'est un secret entre nous deux. Pas un mot de ça à votre père ni à votre mère.

— Pas un mot.

— C'est juré ?

— C'est juré. »

505 Rival arrivait, l'air affairé : « Mademoiselle, votre papa vous demande pour le bal. »

Elle dit : « Allons, Bel-Ami. »

Mais il refusa, décidé à partir tout de suite, voulant être seul pour penser. Trop de choses nouvelles venaient de pénétrer dans
510 son esprit et il se mit à chercher sa femme. Au bout de quelque temps il l'aperçut qui buvait du chocolat, au buffet, avec deux messieurs inconnus. Elle leur présenta son mari, sans les nommer à lui.

Après quelques instants il demanda :

515 « Partons-nous ?

— Quand tu voudras. »

Elle prit son bras et ils retraversèrent les salons où le public devenait rare.

Elle demanda : « Où est la Patronne ? je voudrais lui dire adieu.

520   — C'est inutile. Elle essayerait de nous garder au bal et j'en ai assez.

— C'est vrai, tu as raison. »

Tout le long de la route ils furent silencieux. Mais, aussitôt rentrés en leur chambre, Madeleine souriante lui dit, sans même
525   ôter son voile :

« Tu ne sais pas, j'ai une surprise pour toi. »

Il grogna avec mauvaise humeur :

— Quoi donc ?

— Devine.

530   — Je ne ferai pas cet effort.

— Eh bien ! c'est après-demain le premier janvier.

— Oui.

— C'est le moment des étrennes[1].

— Oui.

535   — Voici les tiennes, que Laroche m'a remises tout à l'heure. »

Elle lui présenta une petite boîte noire qui semblait un écrin[2] à bijoux.

Il l'ouvrit avec indifférence et aperçut la croix de la Légion d'honneur[3].

540   Il devint un peu pâle, puis il sourit et déclara : « J'aurais préféré dix millions. Cela ne lui coûte pas cher. »

Elle s'attendait à un transport de joie, et elle fut irritée de cette froideur.

« Tu es vraiment incroyable. Rien ne te satisfait maintenant. »

545   Il répondit tranquillement : « Cet homme ne fait que payer sa dette. Et il me doit encore beaucoup. »

Elle fut étonnée de son accent, et reprit : « C'est pourtant beau, à ton âge. »

---

1. Étrennes : présents offerts lors du jour de l'An.
2. Écrin : boîte.
3. La croix de la Légion d'honneur : décoration honorifique qui récompense les services (civils ou militaires) rendus à la nation française.

Il déclara : « Tout est relatif. Je pourrais avoir davantage,
550 aujourd'hui. »

Il avait pris l'écrin, il le posa tout ouvert sur la cheminée, considéra quelques instants l'étoile brillante couchée dedans. Puis il le referma, et se mit au lit en haussant les épaules.

L'*Officiel* du 1ᵉʳ janvier annonça, en effet, la nomination de
555 M. Prosper-Georges Du Roy, publiciste[1], au grade de chevalier de la Légion d'honneur, pour services exceptionnels.

Le nom était écrit en deux mots, ce qui fit à Georges plus de plaisir que la décoration même.

Une heure après avoir lu cette nouvelle devenue publique, il
560 reçut un mot de la Patronne qui le suppliait de venir dîner chez elle, le soir même, avec sa femme, pour fêter cette distinction. Il hésita quelques minutes, puis jetant au feu ce billet écrit en termes ambigus, il dit à Madeleine :

« Nous dînerons ce soir chez les Walter. »

565 Elle fut étonnée. « Tiens ! mais je croyais que tu ne voulais plus y mettre les pieds ? »

Il murmura seulement : « J'ai changé d'avis. »

Quand ils arrivèrent, la Patronne était seule dans le petit boudoir[2] Louis XVI adopté pour ses réceptions intimes. Vêtue de
570 noir, elle avait poudré ses cheveux, ce qui la rendait charmante. Elle avait l'air, de loin, d'une vieille, de près, d'une jeune, et, quand on la regardait bien, d'un joli piège pour les yeux.

« Vous êtes en deuil ? » demanda Madeleine.

Elle répondit tristement : « Oui et non. Je n'ai perdu personne
575 des miens. Mais je suis arrivée à l'âge où on fait le deuil de sa vie. Je le porte aujourd'hui, pour l'inaugurer. Désormais je le porterai dans mon cœur. »

Du Roy pensa : « Ça tiendra-t-il, cette résolution-là ? »

---

1. **Publiciste** : journaliste.
2. **Boudoir** : petit salon de dame.

Le dîner fut un peu morne[1]. Seule Suzanne bavardait sans cesse. Rose semblait préoccupée. On félicita beaucoup le journaliste.

Le soir on s'en alla, errant et causant, par les salons et par la serre. Comme Du Roy marchait derrière, avec la Patronne, elle le retint par le bras.

« Écoutez, dit-elle à voix basse… Je ne vous parlerai plus de rien, jamais. Mais venez me voir, Georges. Vous voyez que je ne vous tutoie plus. Il m'est impossible de vivre sans vous, impossible. C'est une torture inimaginable. Je vous sens, je vous garde dans mes yeux, dans mon cœur et dans ma chair tout le jour et toute la nuit. C'est comme si vous m'aviez fait boire un poison qui me rongerait en dedans. Je ne puis pas. Non. Je ne puis pas. Je veux bien n'être pour vous qu'une vieille femme. Je me suis mise en cheveux blancs pour vous le montrer, mais venez ici, venez de temps en temps, en ami. »

Elle lui avait pris la main et elle la serrait, la broyait, enfonçant ses ongles dans sa chair.

Il répondit avec calme : « C'est entendu. Il est inutile de reparler de ça. Vous voyez bien que je suis venu aujourd'hui, tout de suite, sur votre lettre. »

Walter, qui allait devant avec ses deux filles et Madeleine, attendit Du Roy auprès du *Jésus marchant sur les flots*. « Figurez-vous, dit-il en riant, que j'ai trouvé hier ma femme à genoux devant ce tableau comme dans une chapelle. Elle faisait là ses dévotions. Ce que j'ai ri ! »

Mme Walter répliqua d'une voix ferme, d'une voix où vibrait une exaltation secrète : « C'est ce Christ-là qui sauvera mon âme. Il me donne du courage et de la force toutes les fois que je le regarde. »

Et, s'arrêtant en face du Dieu debout sur la mer, elle murmura : « Comme il est beau ! Comme ils en ont peur et comme ils l'aiment,

---

1. **Morne** : sans entrain.

610 ces hommes ! Regardez donc sa tête, ses yeux, comme il est simple
et surnaturel en même temps ! »

Suzanne s'écria : « Mais il vous ressemble, Bel-Ami. Je suis sûre
qu'il vous ressemble. Si vous aviez des favoris[1], ou bien s'il était rasé,
vous seriez tout pareils tous les deux. Oh ! mais c'est frappant ! »

615 Elle voulut qu'il se mît debout à côté du tableau ; et tout le
monde reconnut en effet que les deux figures se ressemblaient !

Chacun s'étonna. Walter trouva la chose bien singulière. Madeleine,
en souriant, déclara que Jésus avait l'air plus viril.

Mme Walter demeurait immobile, contemplant d'un œil fixe

620 le visage de son amant à côté du visage du Christ, et elle était
devenue aussi blanche que ses cheveux blancs.

---

1. Favoris : touffes de poil que les hommes laissent pousser sur les joues.

8

Pendant le reste de l'hiver, les Du Roy allèrent souvent chez les Walter. Georges même y dînait seul à tout instant, Madeleine se disant fatiguée et préférant rester chez elle.

Il avait adopté le vendredi comme jour fixe, et la Patronne n'invitait jamais personne ce soir-là ; il appartenait à Bel-Ami, rien qu'à lui. Après dîner, on jouait aux cartes, on donnait à manger aux poissons chinois, on vivait et on s'amusait en famille. Plusieurs fois, derrière une porte, derrière un massif de la serre, dans un coin sombre, Mme Walter avait saisi brusquement dans ses bras le jeune homme, et, le serrant de toute sa force sur sa poitrine, lui avait jeté dans l'oreille : « Je t'aime !... je t'aime !... je t'aime à en mourir ! » Mais toujours il l'avait repoussée froidement, en répondant d'un ton sec : « Si vous recommencez, je ne viendrai plus ici. »

Vers la fin de mars, on parla tout à coup du mariage des deux sœurs. Rose devait épouser, disait-on, le comte de Latour-Yvelin, et Suzanne le marquis de Cazolles. Ces deux hommes étaient devenus des familiers de la maison, de ces familiers à qui on accorde des faveurs spéciales, des prérogatives[1] sensibles.

Georges et Suzanne vivaient dans une sorte d'intimité fraternelle et libre, bavardaient pendant des heures, se moquaient de tout le monde et semblaient se plaire beaucoup ensemble.

Jamais ils n'avaient reparlé du mariage possible de la jeune fille, ni des prétendants qui se présentaient.

---

1. **Prérogatives** : avantages.

25   Comme le Patron avait emmené Du Roy pour déjeuner, un matin, Mme Walter, après le repas, fut appelée pour répondre à un fournisseur. Et Georges dit à Suzanne : « Allons donner du pain aux poissons rouges. »

    Ils prirent chacun sur la table un gros morceaux de mie et s'en
30 allèrent dans la serre.

    Tout le long de la vasque[1] de marbre on laissait par terre des coussins afin qu'on pût se mettre à genoux autour du bassin, pour être plus près des bêtes nageantes. Les jeunes gens en prirent chacun un, côte à côte, et, penchés vers l'eau, commencèrent à jeter dedans
35 des boulettes qu'ils roulaient entre leurs doigts. Les poissons, dès qu'ils les aperçurent, s'en vinrent, en remuant la queue, battant des nageoires, roulant leurs gros yeux saillants[2], tournant sur eux-mêmes, plongeant pour attraper la proie ronde qui s'enfonçait, et remontant aussitôt pour en demander une autre.

40   Ils avaient des mouvements drôles de la bouche, des élans brusques et rapides, une allure étrange de petits monstres ; et sur le sable d'or du fond ils se détachaient en rouge ardent, passant comme des flammes dans l'onde transparente, ou montrant, aussitôt qu'ils s'arrêtaient, le filet bleu qui bordait leurs écailles.

45   Georges et Suzanne voyaient leurs propres figures renversées dans l'eau, et ils souriaient à leurs images.

    Tout à coup, il dit à voix basse : « Ce n'est pas bien de me faire des cachotteries, Suzanne. »

    Elle demanda : « Quoi donc, Bel-Ami ?
50   — Vous ne vous rappelez pas ce que vous m'avez promis, ici même, le soir de la fête ?

    — Mais non.

    — De me consulter toutes les fois qu'on demanderait votre main.

    — Eh bien ?

---

1. Vasque : bassin.
2. Saillants : bombés.

55   — Eh bien, on l'a demandée.

    — Qui ça ?

    — Vous le savez bien.

    — Non. Je vous le jure.

    — Si vous le savez ! Ce grand fat[1] de marquis de Cazolles.

60   — Il n'est pas fat, d'abord.

    — C'est possible ; mais il est stupide, ruiné par le jeu et usé par la noce[2]. C'est vraiment un joli parti pour vous, si jolie, si fraîche, et si intelligente. »

Elle demanda, en souriant : « Qu'est-ce que vous avez contre lui ?

65   — Moi ? Rien.

    — Mais si… Il n'est pas tout ce que vous dites.

    — Allons donc. C'est un sot et un intrigant[3]. »

Elle se tourna un peu, cessant de regarder dans l'eau :

« Voyons, qu'est-ce que vous avez ? »

70 Il prononça, comme si on lui eût arraché un secret du fond du cœur :

« J'ai… j'ai… j'ai que je suis jaloux de lui. »

Elle s'étonna modérément : « Vous ?

    — Oui, moi ?

75   — Tiens. Pourquoi ça ?

    — Parce que je suis amoureux de vous, et vous le savez bien, méchante ! »

Alors elle dit, d'un ton sévère : « Vous êtes fou, Bel-Ami ! »

Il reprit : « Je le sais bien que je suis fou. Est-ce que je devrais
80 vous avouer cela, moi, un homme marié, à vous, une jeune fille ? Je suis plus que fou, je suis coupable, presque misérable. Je n'ai pas d'espoir possible, et je perds la raison à cette pensée. Et quand j'entends dire que vous allez vous marier, j'ai des accès de fureur à tuer quelqu'un. Il faut me pardonner ça, Suzanne ! »

---

1. Fat : sot qui se croit intelligent.

2. Noce : fête.

3. Intrigant : homme habile en *intrigues*, en manigances.

85   Il se tut. Tous les poissons à qui on ne jetait plus de pain demeuraient immobiles, rangés presque en ligne, pareils à des soldats
anglais[1], et regardant les figures penchées de ces deux personnes qui
ne s'occupaient plus d'eux.

    La jeune fille murmura, moitié tristement, moitié gaiement :
90 « C'est dommage que vous soyez marié. Que voulez-vous ? On n'y
peut rien. C'est fini ! »

    Il se retourna brusquement vers elle, et il lui dit, tout près,
dans la figure :

    « Si j'étais libre, moi, m'épouseriez-vous ? »
95   Elle répondit, avec un accent sincère :

    « Oui, Bel-Ami, je vous épouserais, car vous me plaisez beau-
coup plus que tous les autres. »

    Il se leva, et balbutiant : « Merci… merci… je vous en supplie,
ne dites "oui" à personne ? Attendez encore un peu. Je vous en
100 supplie ! Me le promettez-vous ? »

    Elle murmura, un peu troublée et sans comprendre ce qu'il
voulait : « Je vous le promets. »

    Du Roy jeta dans l'eau le gros morceau de pain qu'il tenait encore
aux mains, et il s'enfuit, comme s'il eût perdu la tête, sans dire adieu.
105   Tous les poissons se jetèrent avidement sur ce paquet de mie
qui flottait n'ayant point été pétri par les doigts, et ils le dépe-
cèrent de leurs bouches voraces. Ils l'entraînaient à l'autre bout du
bassin, s'agitaient au-dessous, formant maintenant une grappe
mouvante, une espèce de fleur animée et tournoyante, une fleur
110 vivante, tombée à l'eau la tête en bas.

    Suzanne, surprise, se redressa, et s'en revint tout doucement.
Le journaliste était parti.

    Il rentra chez lui, fort calme, et comme Madeleine écrivait des
lettres, il lui demanda : « Dînes-tu vendredi chez les Walter ? Moi,
115 j'irai. »

---

1. Les soldats anglais portaient un uniforme rouge.

Elle hésita : « Non. Je suis un peu souffrante. J'aime mieux rester ici. »

Il répondit : « Comme il te plaira. Personne ne te force. »

Puis il reprit son chapeau et ressortit aussitôt.

120 Depuis longtemps il l'épiait, la surveillait et la suivait, sachant toutes ses démarches. L'heure qu'il attendait était enfin venue. Il ne s'était point trompé au ton dont elle avait répondu : « J'aime mieux rester ici. »

Il fut aimable pour elle pendant les jours qui suivirent. Il parut 125 même gai, ce qui ne lui était plus ordinaire. Elle lui disait : « Voilà que tu redeviens gentil. »

Il s'habilla de bonne heure le vendredi pour faire quelques courses avant d'aller chez le Patron, affirmait-il. Puis il partit vers six heures, après avoir embrassé sa femme, et il alla chercher un 130 fiacre place Notre-Dame-de-Lorette[1].

Il dit au cocher : « Vous vous arrêterez en face du numéro 17, rue Fontaine[2], et vous resterez là jusqu'à ce que je vous donne l'ordre de vous en aller. Vous me conduirez ensuite au restaurant du Coq-Faisan, rue Lafayette[3]. »

135 La voiture se mit en route au trot lent du cheval, et Du Roy baissa les stores. Dès qu'il fut en face de sa porte, il ne la quitta plus des yeux. Après dix minutes d'attente, il vit sortir Madeleine, qui remonta vers les boulevards extérieurs.

Aussitôt qu'elle fut loin, il passa la tête à la portière, et il cria : 140 « Allez. »

Le fiacre se remit en marche, et le déposa devant le Coq-Faisan, restaurant bourgeois[4] connu dans le quartier. Georges entra dans

---

1. Fiacre : voiture à cheval louée à la course (comme les taxis aujourd'hui) ; **Notre-Dame-de-Lorette** : église située dans le 9e arrondissement de Paris, à trois cents mètres du domicile des Du Roy.

2. Numéro 17, rue Fontaine : adresse du domicile des Du Roy.

3. Rue Lafayette : rue qui traverse les 9e et 10e arrondissements de Paris.

4. Restaurant bourgeois : restaurant dont les habitués appartiennent à la classe moyenne.

la salle commune, et mangea doucement, en regardant l'heure à
sa montre de temps en temps. À sept heures et demie, comme il
145 avait bu son café, pris deux verres de fine champagne[1], et fumé,
avec lenteur, un bon cigare, il sortit, héla une autre voiture qui
passait à vide, et se fit conduire rue La Rochefoucauld[2].

Il monta, sans rien demander au concierge, au troisième étage
de la maison qu'il avait indiquée, et quand une bonne lui eut
150 ouvert : « M. Guilbert de Lorme est chez lui, n'est-ce pas ?

– Oui, monsieur. »

On le fit pénétrer dans le salon, où il attendit quelques instants.
Puis un homme entra, grand, décoré, avec l'air militaire, et portant
des cheveux gris, bien qu'il fût jeune encore.

155 Du Roy le salua, puis il dit : « Comme je le prévoyais, Monsieur
le commissaire de police, ma femme dîne avec son amant dans le
logement garni qu'ils ont loué rue des Martyrs[3]. »

Le magistrat s'inclina : « Je suis à votre disposition, monsieur. »

Georges reprit : « Vous avez jusqu'à neuf heures, n'est-ce pas ?
160 Cette limite passée, vous ne pouvez plus pénétrer dans un domicile particulier pour y constater un adultère.

– Non, monsieur, sept heures en hiver, neuf heures à partir du
31 mars. Nous sommes au cinq avril, nous avons donc jusqu'à
neuf heures.

165 – Eh bien, monsieur le commissaire, j'ai une voiture en bas,
nous pouvons prendre les agents qui vous accompagneront, puis
nous attendrons un peu devant la porte. Plus nous arriverons tard,
plus nous avons de chance de bien les surprendre en flagrant délit.

– Comme il vous plaira, monsieur. »

170 Le commissaire sortit, puis revint, vêtu d'un pardessus qui
cachait sa ceinture tricolore. Il s'effaça, pour laisser passer Du Roy.

---

1. Fine champagne : cognac.
2. Rue La Rochefoucauld : rue située à proximité du domicile des Du Roy.
3. Garni : meublé ; **rue des Martyrs** : rue située à proximité du domicile des
Du Roy.

Mais le journaliste, dont l'esprit était préoccupé, refusait de sortir le premier, et répétait : « Après vous… après vous. »

Le magistrat prononça : « Passez donc, monsieur, je suis chez moi. »

175   L'autre, aussitôt, franchit la porte en saluant.

Ils allèrent d'abord au commissariat chercher trois agents en bourgeois[1] qui attendaient, car Georges avait prévenu dans la journée que la surprise aurait lieu ce soir-là. Un des hommes monta sur le siège, à côté du cocher. Les deux autres entrèrent dans le fiacre, qui gagna la

180   rue des Martyrs.

Du Roy disait : « J'ai le plan de l'appartement. C'est au second. Nous trouverons d'abord un petit vestibule, puis une salle à manger, puis la chambre à coucher. Les trois pièces se commandent[2]. Aucune sortie ne peut faciliter la fuite. Il y a un serrurier un peu plus loin.

185   Il se tiendra prêt à être réquisitionné par vous. »

Quand ils furent devant la maison indiquée, il n'était encore que huit heures un quart, et ils attendirent en silence pendant plus de vingt minutes. Mais lorsqu'il vit que les trois quarts allaient sonner, Georges dit : « Allons maintenant. » Et ils montèrent l'escalier sans

190   s'occuper du portier, qui ne les remarqua point, d'ailleurs. Un des agents demeura dans la rue pour surveiller la sortie.

Les quatre hommes s'arrêtèrent au second étage, et Du Roy colla d'abord son oreille contre la porte, puis son œil au trou de la serrure. Il n'entendit rien et ne vit rien. Il sonna.

195   Le commissaire dit à ses agents : « Vous resterez ici, prêts à tout appel. »

Et ils attendirent. Au bout de deux ou trois minutes Georges tira de nouveau le bouton du timbre plusieurs fois de suite. Ils perçurent un bruit au fond de l'appartement ; puis un pas léger s'approcha.

200   Quelqu'un venait épier. Le journaliste alors frappa vivement avec son doigt plié contre le bois des panneaux[3].

---

1. En bourgeois : en civil (de la brigade des mœurs).
2. Se commandent : communiquent.
3. Le bois des panneaux : la porte en bois.

Une voix, une voix de femme, qu'on cherchait à déguiser, demanda : « Qui est là ? »

L'officier municipal répondit : « Ouvrez, au nom de la loi. »

205   La voix répéta : « Qui êtes-vous ?

— Je suis le commissaire de police. Ouvrez, ou je fais forcer la porte. »

La voix reprit : « Que voulez-vous ? »

Et Du Roy dit : « C'est moi. Il est inutile de chercher à nous échapper. »

210   Le pas léger, un pas de pieds nus, s'éloigna, puis revint au bout de quelques secondes.

Georges dit : « Si vous ne voulez pas ouvrir, nous enfonçons la porte. » Il serrait la poignée de cuivre, et d'une épaule il poussait lentement. Comme on ne répondait plus, il donna tout à coup une

215   secousse si violente et si vigoureuse que la vieille serrure de cette maison meublée céda. Les vis arrachées sortirent du bois, et le jeune homme faillit tomber sur Madeleine qui se tenait debout dans l'antichambre, vêtue d'une chemise et d'un jupon, les cheveux défaits, les jambes dévêtues, une bougie à la main.

220   Il s'écria : « C'est elle, nous les tenons. » Et il se jeta dans l'appartement. Le commissaire, ayant ôté son chapeau, le suivit. Et la jeune femme effarée s'en vint derrière eux en les éclairant.

Ils traversèrent une salle à manger dont la table non desservie montrait les restes du repas : des bouteilles à champagne vides,

225   une terrine de foies gras ouverte, une carcasse de poulet et des morceaux de pain à moitié mangés. Deux assiettes posées sur le dressoir[1] portaient des piles d'écailles d'huîtres.

La chambre semblait ravagée par une lutte. Une robe coiffait une chaise, une culotte d'homme restait à cheval sur le bras d'un

230   fauteuil. Quatre bottines, deux grandes et deux petites, traînaient au pied du lit, tombées sur le flanc[2].

---

1. Dressoir : buffet où l'on pose et expose la vaisselle.
2. Flanc : côté.

C'était une chambre de maison garnie[1], aux meubles communs, où flottait cette odeur odieuse et fade des appartements d'hôtel, odeur émanée des rideaux, des matelas, des murs, des sièges, odeur
235 de toutes les personnes qui avaient couché ou vécu, un jour ou six mois, dans ce logis public, et laissé là un peu de leur senteur, de cette senteur humaine qui, s'ajoutant à celle des devanciers, formait à la longue une puanteur confuse, douce et intolérable, la même dans tous ces lieux.

240 Une assiette à gâteaux, une bouteille de chartreuse[2] et deux petits verres encore à moitié pleins encombraient la cheminée. Le sujet de la pendule de bronze était caché par un grand chapeau d'homme.

Le commissaire se retourna vivement, et regardant Madeleine
245 dans les yeux :

« Vous êtes bien Mme Claire-Madeleine Du Roy, épouse légitime de M. Prosper-Georges Du Roy, publiciste[3], ici présent ? »

Elle articula, d'une voix étranglée.

« Oui, monsieur.

250 — Que faites-vous ici ? »

Elle ne répondit pas.

Le magistrat reprit : « Que faites-vous ici ? Je vous trouve hors de chez vous, presque dévêtue, dans un appartement meublé. Qu'êtes-vous venue y faire ? »

255 Il attendit quelques instants. Puis, comme elle gardait toujours le silence : « Du moment que vous ne voulez pas l'avouer, madame, je vais être contraint de le constater. »

On voyait dans le lit la forme d'un corps caché sous le drap.

Le commissaire s'approcha et appela : « Monsieur ? »

260 L'homme couché ne remua pas. Il paraissait tourner le dos, la tête enfoncée sous un oreiller.

---

1. **Garnie** : meublée.
2. **Chartreuse** : liqueur.
3. **Publiciste** : journaliste.

L'officier toucha ce qui semblait être l'épaule, et répéta :

« Monsieur, ne me forcez pas, je vous prie, à des actes. »

Mais le corps voilé demeurait aussi immobile que s'il eût été
265 mort.

Du Roy, qui s'était avancé vivement, saisit la couverture, la tira,
et, arrachant l'oreiller, découvrit la figure livide[1] de M. Laroche-
Mathieu. Il se pencha vers lui et, frémissant de l'envie de le saisir au
cou pour l'étrangler, il lui dit, les dents serrées :

270 « Ayez donc au moins le courage de votre infamie. »

Le magistrat demanda encore : « Qui êtes-vous ? »

L'amant, éperdu, ne répondant pas, il reprit : « Je suis commissaire de police et je vous somme de me dire votre nom ! »

Georges, qu'une colère bestiale faisait trembler, cria :

275 « Mais répondez donc, lâche, ou je vais vous nommer, moi. »

Alors l'homme couché balbutia : « Monsieur le commissaire,
vous ne devez pas me laisser insulter par cet individu. Est-ce à
vous ou à lui que j'ai affaire ? Est-ce à vous ou à lui que je dois
répondre ? »

280 Il paraissait n'avoir plus de salive dans la bouche.

L'officier répondit : « C'est à moi, monsieur, à moi seul. Je vous
demande qui vous êtes ? »

L'autre se tut. Il tenait le drap serré contre son cou et roulait
des yeux effarés. Ses petites moustaches retroussées semblaient
285 toutes noires sur sa figure blême.

Le commissaire reprit : « Vous ne voulez pas répondre ? Alors
je serai forcé de vous arrêter. Dans tous les cas, levez-vous. Je vous
interrogerai lorsque vous serez vêtu. »

Le corps s'agita dans le lit, et la tête murmura : « Mais je ne
290 peux pas, devant vous. »

Le magistrat demanda : « Pourquoi ça ? »

L'autre balbutia : « C'est que je suis... je suis... je suis tout nu. »

---

1. **Livide** : très pâle.

Du Roy se mit à ricaner, et ramassant une chemise tombée à terre, il la jeta sur la couche en criant : « Allons donc… levez-vous… Puisque vous vous êtes déshabillé devant ma femme, vous pouvez bien vous habiller devant moi. »

Puis il tourna le dos et revint vers la cheminée.

Madeleine avait retrouvé son sang-froid, et voyant tout perdu, elle était prête à tout oser. Une audace de bravade faisait briller son œil ; et, roulant un morceau de papier, elle alluma, comme pour une réception, les dix bougies des vilains candélabres[1] posés aux coins de la cheminée. Puis elle s'adossa au marbre tendant au feu mourant un de ses pieds nus, qui soulevait par-derrière son jupon à peine arrêté sur les hanches, elle prit une cigarette dans son étui de papier rose, l'enflamma et se mit à fumer.

Le commissaire était revenu vers elle, attendant que son complice fût debout.

Elle demanda avec insolence : « Vous faites souvent ce métier-là, monsieur ? »

Il répondit gravement : « Le moins possible, madame. »

Elle lui souriait sous le nez : « Je vous en félicite, ça n'est pas propre. »

Elle affectait de ne pas regarder, de ne pas voir son mari.

Mais le monsieur du lit s'habillait. Il avait passé son pantalon, chaussé ses bottines et il se rapprocha, en endossant son gilet.

L'officier de police se tourna vers lui :

« Maintenant, monsieur, voulez-vous me dire qui vous êtes ? »

L'autre ne répondit pas.

Le commissaire prononça : « Je me vois forcé de vous arrêter. »

Alors l'homme s'écria brusquement : « Ne me touchez pas. Je suis inviolable[2] ! »

---

1. Candélabres : chandeliers.
2. Je suis inviolable : je bénéficie de l'immunité.

Du Roy s'élança vers lui, comme pour le terrasser, et il lui grogna dans la figure : « Il y a flagrant délit… flagrant délit. Je peux vous
325 faire arrêter, si je veux… oui, je le peux[1]. »

Puis, d'un ton vibrant : « Cet homme s'appelle Laroche-Mathieu, ministre des Affaires étrangères. »

Le commissaire de police recula stupéfait, et balbutiant : « En vérité, monsieur, voulez-vous dire qui vous êtes, à la fin ? »

330 L'homme se décida, et avec force : « Pour une fois, ce misérable-là n'a point menti. Je me nomme, en effet, Laroche-Mathieu, ministre.

Puis tendant le bras vers la poitrine de Georges, où apparaissait comme une lueur, un petit point rouge, il ajouta : « Et le gredin
335 que voici porte sur son habit la croix d'honneur que je lui ai donnée. »

Du Roy était devenu livide. D'un geste rapide, il arracha de sa boutonnière la courte flamme de ruban, et, la jetant dans la cheminée : « Voilà ce que vaut une décoration qui vient de salops[2]
340 de votre espèce. »

Ils étaient face à face, les dents près des dents, exaspérés, les poings serrés, l'un maigre et la moustache au vent, l'autre gras et la moustache en croc[3].

Le commissaire passa vivement entre les deux et, les écartant
345 avec ses mains : « Messieurs, vous vous oubliez, vous manquez de dignité ! »

Ils se turent et se tournèrent les talons. Madeleine, immobile, fumait toujours, en souriant.

L'officier de police reprit : « Monsieur le ministre, je vous ai
350 surpris, seul avec Mme Du Roy, que voici, vous couché, elle presque nue. Vos vêtements étant jetés pêle-mêle à travers l'appartement,

---

1. L'immunité des députés et des ministres pouvait être levée en cas de flagrant délit.
2. Salops : on écrit plus couramment « salauds ».
3. En croc : recourbée en forme de crochet.

cela constitue un flagrant délit d'adultère[1]. Vous ne pouvez nier l'évidence. Qu'avez-vous à répondre ? »

Laroche-Mathieu murmura : « Je n'ai rien à dire, faites votre devoir. »

Le commissaire s'adressa à Madeleine : « Avouez-vous, madame, que monsieur soit votre amant ? »

Elle prononça crânement : « Je ne le nie pas, il est mon amant !
– Cela suffit. »

Puis le magistrat prit quelques notes sur l'état et la disposition du logis. Comme il finissait d'écrire, le ministre qui avait achevé de s'habiller, et qui attendait, le paletot[2] sur le bras, le chapeau à la main, demanda :

« Avez-vous encore besoin de moi, monsieur ? Que dois-je faire ? Puis-je me retirer ? »

Du Roy se retourna vers lui et souriant avec insolence : « Pourquoi donc ? Nous avons fini. Vous pouvez vous recoucher, monsieur ; nous allons vous laisser seuls. »

Et posant le doigt sur le bras de l'officier de police : « Retirons-nous, monsieur le commissaire, nous n'avons plus rien à faire en ce lieu. »

Un peu surpris, le magistrat le suivit ; mais, sur le seuil de la chambre, Georges s'arrêta pour le laisser passer. L'autre s'y refusait par cérémonie.

Du Roy insistait : « Passez donc, monsieur. » Le commissaire dit : « Après vous. » Alors le journaliste salua, et sur le ton d'une politesse ironique : « C'est votre tour, monsieur le commissaire de police. Je suis presque chez moi, ici. »

Puis il referma la porte doucement, avec un air de discrétion.

Une heure plus tard, Georges Du Roy entrait dans les bureaux de *La Vie française*

---

1. Adultère : infidélité conjugale.
2. Paletot : manteau.

M. Walter était déjà là, car il continuait à diriger et à surveiller avec sollicitude[1] son journal qui avait pris une extension énorme et qui favorisait beaucoup les opérations grandissantes de sa banque.

385 Le directeur leva la tête et demanda : « Tiens, vous voici ? Vous semblez tout drôle ! Pourquoi n'êtes-vous pas venu dîner à la maison ? D'où sortez-vous donc ? »

Le jeune homme, qui était sûr de son effet, déclara, en pesant 390 sur chaque mot :

« Je viens de jeter bas[2] le ministre des Affaires étrangères. »

L'autre crut qu'il plaisantait.

« De jeter bas… Comment ?

— Je vais changer le cabinet. Voilà tout ! Il n'est pas trop tôt de 395 chasser cette charogne[3]. »

Le vieux, stupéfait, crut que son chroniqueur était gris[4]. Il murmura : « Voyons, vous déraisonnez.

— Pas du tout. Je viens de surprendre M. Laroche-Mathieu en flagrant délit d'adultère avec ma femme. Le commissaire de police 400 a constaté la chose. Le ministre est foutu. »

Walter, interdit, releva tout à fait ses lunettes sur son front et demanda : « Vous ne vous moquerez pas de moi ?

— Pas du tout. Je vais même faire un écho[5] là-dessus.

— Mais alors que voulez-vous ?

405 — Jeter bas ce fripon, ce misérable, ce malfaiteur public ! »

Georges posa son chapeau sur un fauteuil, puis ajouta : « Gare à ceux que je trouve sur mon chemin. Je ne pardonne jamais. »

Le directeur hésitait encore à comprendre. Il murmura : « Mais… votre femme ? »

---

1. Sollicitude : attention.
2. Jeter bas : faire tomber.
3. Charogne : pourriture.
4. Chroniqueur : journaliste ; **gris** : ivre.
5. Écho : article relatant des potins mondains et politiques.

410 — Ma demande en divorce sera faite dès demain matin. Je la renvoie à feu[1] Forestier.

— Vous voulez divorcer?

— Parbleu. J'étais ridicule. Mais il me fallait faire la bête[2] pour les surprendre. Ça y est. Je suis maître de la situation. »

415 M. Walter n'en revenait pas; et il regardait Du Roy avec des yeux effarés, pensant: « Bigre. C'est un gaillard bon à ménager. »

Georges reprit: « Me voici libre… J'ai une certaine fortune. Je me présenterai aux élections au renouvellement d'octobre, dans mon pays où je suis fort connu. Je ne pouvais pas me poser ni me

420 faire respecter avec cette femme qui était suspecte à tout le monde. Elle m'avait pris comme un niais, elle m'avait enjôlé[3] et capturé. Mais depuis que je savais son jeu, je la surveillais, la gredine. »

Il se mit à rire et ajouta: « C'est ce pauvre Forestier qui était cocu… cocu sans s'en douter, confiant et tranquille. Me voici

425 débarrassé de la teigne qu'il m'avait laissée. J'ai les mains déliées. Maintenant j'irai loin. »

Il s'était mis à califourchon sur une chaise. Il répéta, comme s'il eût songé: « J'irai loin. »

Et le père Walter le regardait toujours de ses yeux découverts,

430 ses lunettes restant relevées sur le front, et il se disait: « Oui, il ira loin, le gredin[4]. »

Georges se releva: « Je vais rédiger l'écho. Il faut le faire avec discrétion. Mais vous savez, il sera terrible pour le ministre. C'est un homme à la mer. On ne peut pas le repêcher. *La Vie française*

435 n'a plus d'intérêt à le ménager. »

Le vieux hésita quelques instants, puis il en prit son parti: « Faites, dit-il, tant pis pour ceux qui se fichent dans ces pétrins-là. »

---

1. **Feu**: défunt.
2. **Faire la bête**: jouer l'idiot.
3. **Enjôlé**: trompé par de belles paroles.
4. **Gredin**: bandit, fripon.

9

Trois mois s'étaient écoulés. Le divorce Du Roy venait d'être prononcé. Sa femme avait repris le nom de Forestier, et comme les Walter devaient partir, le 15 juillet, pour Trouville[1], on décida de passer une journée à la campagne, avant de se séparer.

On choisit un jeudi, et on se mit en route dès neuf heures du matin dans un grand landau[2] de voyage à six places, attelé en poste[3] à quatre chevaux.

On allait déjeuner à Saint-Germain, au pavillon Henri-IV[4]. Bel-Ami avait demandé à être le seul homme de la partie, car il ne pouvait supporter la présence et la figure du marquis de Cazolles. Mais, au dernier moment, il fut décidé que le comte de Latour-Yvelin serait enlevé, au saut du lit. On l'avait prévenu la veille.

La voiture remonta au grand trot l'avenue des Champs-Élysées, puis traversa le bois de Boulogne.

Il faisait un admirable temps d'été, pas trop chaud. Les hirondelles traçaient sur le bleu du ciel de grandes lignes courbes qu'on croyait voir encore quand elles étaient passées.

Les trois femmes se tenaient au fond du landau, la mère entre ses deux filles ; et les trois hommes, à reculons, Walter entre les deux invités.

---

1. Trouville : station balnéaire de Normandie.
2. Landau : voiture à cheval, décapotable et à deux banquettes.
3. Poste : établissement où se louent les chevaux.
4. Pavillon Henri-IV : célèbre restaurant de Saint-Germain-en-Laye, à l'ouest de Paris, dans les Yvelines.

On traversa la Seine, on contourna le Mont-Valérien, puis on gagna Bougival, pour longer ensuite la rivière jusqu'au Pecq[1].

Le comte de Latour-Yvelin, un homme un peu mûr à longs favoris[2] légers, dont le moindre souffle d'air agitait les pointes, ce qui faisait dire à Du Roy : « Il obtient de jolis effets de vent dans sa barbe », contemplait Rose tendrement. Ils étaient fiancés depuis un mois.

Georges, fort pâle, regardait souvent Suzanne, qui était pâle aussi. Leurs yeux se rencontraient, semblaient se concerter, se comprendre, échanger secrètement une pensée, puis se fuyaient, Mme Walter était tranquille, heureuse.

Le déjeuner fut long. Avant de repartir pour Paris, Georges proposa de faire un tour sur la terrasse.

On s'arrêta d'abord pour admirer la vue. Tout le monde se mit en ligne le long du mur et on s'extasia sur l'étendue de l'horizon. La Seine, au pied d'une longue colline, coulait vers Maisons-Laffitte, comme un immense serpent couché dans la verdure. À droite, sur le sommet de la côte, l'aqueduc de Marly[3] projetait sur le ciel son profil énorme de chenille à grandes pattes, et Marly disparaissait, au-dessous, dans un épais bouquet d'arbres.

Par la plaine immense, qui s'étendait en face, on voyait des villages, de place en place[4]. Les pièces d'eau[5] du Vésinet faisaient des taches nettes et propres dans la maigre verdure de la petite forêt. À gauche, tout au loin, on apercevait en l'air le clocher pointu de Sartrouville[6].

Walter déclara : « On ne peut trouver nulle part au monde un semblable panorama. Il n'y en a pas un pareil en Suisse. »

---

1. Bougival, le **Pecq** : villes des Yvelines au bord de la Seine.
2. Favoris : touffes de poil que les hommes laissent pousser sur les joues.
3. Maisons-Laffitte, **Marly** : villes des Yvelines.
4. De place en place : par endroits.
5. Pièces d'eau : retenues d'eau, comme les lacs.
6. Le Vésinet, **Sartrouville** : villes des Yvelines.

Puis on se mit en marche doucement pour faire une promenade
50 et jouir un peu de cette perspective.

Georges et Suzanne restèrent en arrière. Dès qu'ils furent
écartés de quelques pas, il lui dit d'une voix basse et contenue :
« Suzanne, je vous adore. Je vous aime à en perdre la tête. »

Elle murmura : « Moi aussi, Bel-Ami. »

55 Il reprit : « Si je ne vous ai pas pour femme, je quitterai Paris,
et ce pays. »

Elle répondit : « Essayez donc de me demander à papa. Peut-
être qu'il voudra bien. »

Il eut un petit geste d'impatience : « Non, je vous le répète pour
60 la dixième fois, c'est inutile. On me fermera la porte de votre
maison ; on m'expulsera du journal, et nous ne pourrons plus même
nous voir. Voilà le joli résultat auquel je suis certain d'arriver par
une demande en règle. On vous a promise au marquis de Cazolles.
On espère que vous finirez pas dire : "Oui." Et on attend. »

65 Elle demanda : « Qu'est-ce qu'il faut faire alors ? »

Il hésitait, la regardant de côté : « M'aimez-vous assez pour
commettre une folie ? »

Elle répondit résolument :

« Oui.

70 — Une grande folie ?

— Oui.

— La plus grande des folies ?

— Oui.

— Aurez-vous assez de courage pour braver votre père et votre
75 mère ?

— Oui.

— Bien vrai ?

— Oui.

— Eh bien ! il y a un moyen, un seul ! Il faut que la chose vienne
80 de vous, et pas de moi. Vous êtes une enfant gâtée, on vous laisse
tout dire, on ne s'étonnera pas trop d'une audace de plus de votre

part. Écoutez donc. Ce soir, en rentrant, vous irez trouver votre maman d'abord, votre maman toute seule. Et vous lui avouerez que vous voulez m'épouser. Elle aura une grosse émotion et une

85 grosse colère... »

Suzanne l'interrompit : « Oh ! maman voudra bien. »

Il reprit vivement : « Non. Vous ne la connaissez pas. Elle sera plus fâchée et plus furieuse que votre père. Vous verrez comme elle refusera. Mais vous tiendrez bon, vous ne céderez pas, vous

90 répéterez que vous voulez m'épouser, moi seul, rien que moi. Le ferez-vous ?

– Je le ferai.

– Et en sortant de chez votre mère, vous direz la même chose à votre père, d'un air très sérieux et très décidé.

95 – Oui, oui. Et puis ?

– Et puis, c'est là que ça devient grave. Si vous êtes résolue, bien résolue, bien, bien, bien résolue à être ma femme, ma chère, chère petite Suzanne... Je vous... je vous enlèverai. »

Elle eut une grande secousse de joie et faillit battre des mains.

100 « Oh ! quel bonheur ! Vous m'enlèverez ? Quand ça m'enlèverez-vous ? »

Toute la vieille poésie des enlèvements nocturnes, des chaises de poste[1], des auberges, toutes les charmantes aventures des livres lui passèrent d'un coup dans l'esprit comme un songe enchanteur

105 prêt à se réaliser. Elle répéta : « Quand ça, m'enlèverez-vous ? »

Il répondit très bas : « Mais... ce soir... cette nuit. »

Elle demanda, frémissante : « Et où irons-nous ? »

– Ça, c'est mon secret. Réfléchissez à ce que vous faites. Songez bien qu'après cette fuite vous ne pourrez plus être que ma femme !

110 C'est le seul moyen, mais il est... il est très dangereux... pour vous. »

Elle déclara : « Je suis décidée... où vous retrouverai-je ?

---

1. Chaises de poste : voitures de voyage fermées, tirées par des chevaux.

— Vous pouvez sortir de l'hôtel, toute seule ?

— Oui. Je sais ouvrir la petite porte.

115 — Eh bien ! quand le concierge sera couché, vers minuit, venez me rejoindre place de la Concorde. Vous me trouverez dans un fiacre arrêté en face du ministère de la Marine.

— J'irai.

— Bien vrai ?

120 — Bien vrai. »

Il lui prit la main et la serra : « Oh ! que je vous aime ! Comme vous êtes bonne et brave ! Alors, vous ne voulez pas épouser M. de Cazolles.

— Oh ! non.

125 — Votre père s'est beaucoup fâché quand vous avez dit non ?

— Je crois bien, il voulait me remettre au couvent.

— Vous voyez qu'il est nécessaire d'être énergique.

— Je le serai. »

Elle regardait le vaste horizon, la tête pleine de cette idée
130 d'enlèvement. Elle irait plus loin que là-bas… avec lui !… Elle serait enlevée !… Elle était fière de ça ! Elle ne songeait guère à sa réputation, à ce qui pouvait lui arriver d'infâme. Le savait-elle, même ? Le soupçonnait-elle ?

Mme Walter, se retournant, cria : « Mais viens donc, petite.
135 Qu'est-ce que tu fais avec Bel-Ami ? »

Ils rejoignirent les autres. On parlait des bains de mer où on serait bientôt.

Puis, on revint par Chatou[1] pour ne pas refaire la même route.

Georges ne disait plus rien. Il songeait : donc, si cette petite avait
140 un peu d'audace, il allait réussir, enfin ! Depuis trois mois il l'enveloppait dans l'irrésistible filet de sa tendresse. Il la séduisait, la captivait, la conquérait. Il s'était fait aimer par elle, comme il savait se faire aimer. Il avait cueilli sans peine son âme légère de poupée.

---

1. Chatou : ville des Yvelines, sur la Seine.

Il avait obtenu d'abord qu'elle refusât M. de Cazolles. Il venait
d'obtenir qu'elle s'enfuît avec lui. Car il n'y avait pas d'autre moyen.

Mme Walter, il le comprenait bien, ne consentirait jamais à lui
donner sa fille. Elle l'aimait encore, elle l'aimerait toujours, avec
une violence intraitable. Il la contenait par sa froideur calculée,
mais il la sentait rongée par une passion impuissante et vorace.
Jamais il ne pourrait la fléchir. Jamais elle n'admettrait qu'il prît
Suzanne.

Mais une fois qu'il tiendrait la petite au loin, il traiterait de
puissance à puissance, avec le père.

Pensant à tout cela, il répondait par phrases hachées aux choses
qu'on lui disait et qu'il n'écoutait guère. Il parut revenir à lui
lorsqu'on rentra dans Paris.

Suzanne aussi songeait ; et le grelot des quatre chevaux sonnait
dans sa tête, lui faisait voir des grandes routes infinies sous des
clairs de lune éternels, des forêts sombres traversées, des auberges
au bord du chemin, et la hâte des hommes d'écurie à changer
l'attelage, car tout le monde devine qu'ils sont poursuivis.

Quand le landau[1] fut arrivé dans la cour de l'hôtel, on voulut
retenir Georges à dîner. Il refusa et revint chez lui.

Après avoir un peu mangé, il mit de l'ordre dans ses papiers
comme s'il allait faire un grand voyage. Il brûla des lettres
compromettantes, en cacha d'autres, écrivit à quelques amis.

De temps en temps il regardait la pendule, en pensant : « Ça doit
chauffer là-bas. » Et une inquiétude le mordait au cœur. S'il allait
échouer ? Mais que pouvait-il craindre ? Il se tirerait toujours d'affaire ! Pourtant c'était une grosse partie qu'il jouait, ce soir-là !

Il ressortit vers onze heures, erra quelque temps, prit un fiacre[2]
et se fit arrêter place de la Concorde, le long des arcades du ministère
de la Marine.

---

1. **Landau** : voiture à cheval, décapotable et à deux banquettes.
2. **Fiacre** : voiture à cheval louée à la course (comme les taxis aujourd'hui).

De temps en temps il enflammait une allumette pour regarder l'heure à sa montre. Quand il vit approcher minuit, son impatience devint fiévreuse. À tout moment il passait la tête à la portière pour regarder.

Une horloge lointaine sonna douze coups, puis une autre plus près, puis deux ensemble, puis une dernière très loin. Quand celle-là eut cessé de tinter, il pensa : « C'est fini. C'est raté. Elle ne viendra pas. »

Il était cependant résolu à demeurer jusqu'au jour. Dans ces cas-là il faut être patient.

Il entendit encore sonner le quart, puis la demie, puis les trois quarts ; et toutes les horloges répétèrent une heure comme elles avaient annoncé minuit.

Il n'attendait plus, il restait, creusant sa pensée pour deviner ce qui avait pu arriver. Tout à coup une tête de femme passa par la portière et demanda. « Êtes-vous là, Bel-Ami ? »

Il eut un sursaut et une suffocation.

« C'est vous, Suzanne ?

— Oui, c'est moi. »

Il ne parvenait point à tourner la poignée assez vite, et répétait : « Ah !... c'est vous... c'est vous... entrez. »

Elle entra et se laissa tomber contre lui. Il cria au cocher : « Allez ! » Et le fiacre se mit en route.

Elle haletait, sans parler.

Il demanda : « Eh bien ! comment ça s'est-il passé ? »

Alors elle murmura, presque défaillante :

« Oh ! ça a été terrible, chez maman surtout. »

Il était inquiet et frémissant.

« Votre maman ? Qu'est-ce qu'elle a dit ? Contez-moi ça.

— Oh ! ça a été affreux. Je suis entrée chez elle et je lui ai récité ma petite affaire que j'avais bien préparée. Alors elle a pâli, puis elle a crié : "Jamais ! jamais !" Moi, j'ai pleuré, je me suis fâchée, j'ai juré que je n'épouserais que vous. J'ai cru qu'elle allait me

battre. Elle est devenue comme folle ; elle a déclaré qu'on me renverrait au couvent, dès le lendemain. Je ne l'avais jamais vue comme ça, jamais ! Alors papa est arrivé en l'entendant débiter
210 toutes ses sottises. Il ne s'est pas fâché tant qu'elle, mais il a déclaré que vous n'étiez pas un assez beau parti.

Comme ils m'avaient mise en colère aussi, j'ai crié plus fort qu'eux. Et papa m'a dit de sortir avec un air dramatique qui ne lui allait pas du tout. C'est ce qui m'a décidée à me sauver avec
215 vous. Me voilà, où allons-nous ? »

Il avait enlacé sa taille doucement ; et il écoutait de toutes ses oreilles, le cœur battant, une rancune haineuse s'éveillant en lui contre ces gens. Mais il la tenait, leur fille. Ils verraient, à présent.

Il répondit : « Il est trop tard pour prendre le train ; cette
220 voiture-là va donc nous conduire à Sèvres[1] où nous passerons la nuit. Et demain nous partirons pour La Roche-Guyon. C'est un joli village, au bord de la Seine, entre Mantes et Bonnières[2]. »

Elle murmura : « C'est que je n'ai pas d'effets. Je n'ai rien. »

Il sourit, avec insouciance : « Bah ! nous nous arrangerons
225 là-bas. »

Le fiacre roulait le long des rues. Georges prit une main de la jeune fille et se mit à la baiser, lentement, avec respect. Il ne savait que lui raconter, n'étant guère accoutumé aux tendresses platoniques[3]. Mais soudain il crut s'apercevoir qu'elle pleurait.

230 Il demanda, avec terreur : « Qu'est-ce que vous avez ? ma chère petite. »

Elle répondit, d'une voix toute mouillée : « C'est ma pauvre maman qui ne doit pas dormir à cette heure, si elle s'est aperçue de mon départ. »

235 Sa mère, en effet, ne dormait pas.

---

1. Sèvres : ville proche de Paris.
2. La Roche-Guyon, Mantes, Bonnières : villes du Val-d'Oise au bord de la Seine, au nord-ouest de Paris.
3. Platoniques : chastes.

Aussitôt Suzanne sortie de sa chambre, Mme Walter était restée en face de son mari.

Elle demanda, éperdue, atterrée :

« Mon Dieu ! Qu'est-ce que cela veut dire ? »

240 Walter cria, furieux : « Ça veut dire que cet intrigant[1] l'a enjôlée. C'est lui qui a fait refuser Cazolles. Il trouve la dot bonne, parbleu ! »

Il se mit à marcher avec rage à travers l'appartement et reprit : « Tu l'attirais sans cesse, aussi, toi, tu le flattais, tu le cajolais, tu 245 n'avais pas assez de chatteries[2] pour lui. C'était Bel-Ami par-ci, Bel-Ami par là, du matin au soir. Te voilà payée. »

Elle murmura, livide : « Moi ?... je l'attirais ! »

Il lui vociféra dans le nez : « Oui, toi ! vous êtes toutes folles de lui, la Marelle, Suzanne et les autres. Crois-tu que je ne voyais pas 250 que tu ne pouvais point rester deux jours sans le faire venir ici ? »

Elle se dressa, tragique : « Je ne vous permettrai pas de me parler ainsi. Vous oubliez que je n'ai pas été élevée, comme vous, dans une boutique. »

Il demeura d'abord immobile et stupéfait, puis il lâcha un 255 « Nom de Dieu » furibond, et il sortit en tapant la porte.

Dès qu'elle fut seule, elle alla, par instinct, vers la glace pour se regarder, comme pour voir si rien n'était changé en elle, tant ce qui lui arrivait paraissait impossible, monstrueux. Suzanne était amoureuse de Bel-Ami ! et Bel-Ami voulait épouser Suzanne ! 260 Non ! elle s'était trompée, ce n'était pas vrai. La fillette avait eu une toquade[3] bien naturelle pour ce beau garçon, elle avait espéré qu'on le lui donnerait pour mari ; elle avait fait son petit coup de tête ! Mais lui ? lui ne pouvait pas être complice de ça ! Elle réfléchissait, troublée comme on l'est devant les grandes catastrophes. 265 Non, Bel-Ami ne devait rien savoir de l'escapade de Suzanne.

---

1. Intrigant : homme habile en *intrigues*, en manigances.

2. Chatteries : gentillesses.

3. Toquade : engouement passager (familier).

Et elle songea longtemps à la perfidie et à l'innocence possibles de cet homme. Quel misérable, s'il avait préparé le coup ! Et qu'arriverait-il ? Que de dangers et de tourments elle prévoyait !

S'il ne savait rien, tout pouvait s'arranger encore. On ferait un voyage avec Suzanne pendant six mois, et ce serait fini. Mais comment pourrait-elle le revoir, elle, ensuite ? Car elle l'aimait toujours. Cette passion était entrée en elle à la façon de ces pointes de flèche qu'on ne peut plus arracher.

Vivre sans lui était impossible. Autant mourir.

Sa pensée s'égarait dans ces angoisses et dans ces incertitudes. Une douleur commençait à poindre dans sa tête ; ses idées devenaient pénibles, troubles, lui faisaient mal. Elle s'énervait à chercher, s'exaspérait de ne pas savoir. Elle regarda sa pendule, il était une heure passée. Elle se dit : « Je ne peux pas rester ainsi, je deviens folle. Il faut que je sache. Je vais réveiller Suzanne pour l'interroger. »

Et elle s'en alla, déchaussée pour ne pas faire de bruit, une bougie à la main, vers la chambre de sa fille. Elle l'ouvrit bien doucement, entra, regarda le lit. Il n'était pas défait. Elle ne comprit point d'abord, et pensa que la fillette discutait encore avec son père. Mais aussitôt un soupçon horrible l'effleura et elle courut chez son mari. Elle y arriva d'un élan, blême et haletante. Il était couché et lisait encore.

Il demeura effaré : « Eh bien ! quoi ? Qu'est-ce que tu as ? »

Elle balbutiait : « As-tu vu Suzanne ?

– Moi ? Non. Pourquoi ?

– Elle est… elle est… partie. Elle n'est pas dans… dans sa chambre. »

Il sauta d'un bond sur le tapis, chaussa ses pantoufles et, sans caleçon[1], la chemise au vent, il se précipita à son tour vers l'appartement de sa fille.

---

1. Caleçon : sous-vêtement masculin à jambes longues ou courtes.

Dès qu'il l'eut vu, il ne conserva point de doute. Elle s'était enfuie.

Il tomba sur un fauteuil et posa sa lampe par terre devant lui.

Sa femme l'avait rejoint. Elle bégaya : « Eh bien ? »

300 Il n'avait plus la force de répondre ; il n'avait plus de colère, il gémit :

« C'est fait, il la tient. Nous sommes perdus. »

Elle ne comprenait pas : « Comment, perdus ?

– Eh ! oui, parbleu. Il faut bien qu'il l'épouse maintenant. »

305 Elle poussa une sorte de cri de bête : « Lui ! jamais ! Tu es donc fou ? »

Il répondit tristement : « Ça ne sert à rien de hurler. Il l'a enlevée, il l'a déshonorée. Le mieux est encore de la lui donner. En s'y prenant bien, personne ne saura cette aventure. »

310 Elle répéta, secouée d'une émotion terrible : « Jamais ! jamais il n'aura Suzanne ! Jamais je ne consentirai ! »

Walter murmura avec accablement :

« Mais il l'a. C'est fait. Et il la gardera et la cachera tant que nous n'aurons point cédé. Donc, pour éviter le scandale, il faut

315 céder tout de suite. »

Sa femme, déchirée par une inavouable douleur, répéta :

« Non ! non ! Jamais je ne consentirai ! »

Il reprit, s'impatientant : « Mais il n'y a pas à discuter. Il le faut. Ah ! le gredin, comme il nous a joués… Il est fort tout de même.

320 Nous aurions pu trouver beaucoup mieux comme position, mais pas comme intelligence et comme avenir. C'est un homme d'avenir. Il sera député et ministre. »

Mme Walter déclara, avec une énergie farouche :

« Jamais je ne lui laisserai épouser Suzanne… Tu entends…

325 jamais ! »

Il finit par se fâcher et par prendre, en homme pratique, la défense de Bel-Ami.

« Mais, tais-toi donc… Je te répète qu'il le faut… qu'il le faut absolument. Et qui sait ? Peut-être ne le regretterons-nous pas.

330 Avec les êtres de cette trempe-là, on ne sait jamais ce qui peut
arriver. Tu as vu comme il a jeté bas, en trois articles, ce niais de
Laroche-Mathieu, et comme il l'a fait avec dignité, ce qui était
rudement difficile dans sa situation de mari. Enfin nous verrons.
Toujours est-il que nous sommes pris. Nous ne pouvons plus nous
335 tirer de là. »

Elle avait envie de crier, de se rouler par terre, de s'arracher les
cheveux. Elle prononça encore, d'une voix exaspérée :

« Il ne l'aura pas... Je... ne... veux... pas ! »

Walter se leva, ramassa sa lampe, reprit :

340 « Tiens, tu es stupide comme toutes les femmes. Vous n'agissez
jamais que par passion. Vous ne savez pas vous plier aux circonstances... vous êtes stupides ! Moi, je te dis qu'il l'épousera... Il le
faut. »

Et il sortit, en traînant ses pantoufles. Il traversa, fantôme comique
345 en chemise de nuit, le large corridor du vaste hôtel endormi, et rentra,
sans bruit, dans sa chambre.

Mme Walter restait debout, déchirée par une intolérable
douleur. Elle ne comprenait pas encore bien, d'ailleurs. Elle souffrait seulement. Puis il lui sembla qu'elle ne pourrait pas demeurer
350 là, immobile, jusqu'au jour. Elle sentait en elle un besoin violent de
se sauver, de courir devant elle, de s'en aller, de chercher de l'aide,
d'être secourue.

Elle cherchait qui elle pourrait bien appeler à elle. Quel
homme ! elle n'en trouvait pas ! Un prêtre ! oui, un prêtre ! Elle se
355 jetterait à ses pieds, lui avouerait tout, lui confesserait sa faute et
son désespoir. Il comprendrait, lui, que ce misérable ne pouvait
pas épouser Suzanne et il empêcherait cela.

Il lui fallait un prêtre, tout de suite ! Mais où le trouver ? Où
aller ! Pourtant elle ne pouvait rester ainsi.

360 Alors passa devant ses yeux, ainsi qu'une vision, l'image sereine
de Jésus marchant sur les flots. Elle le vit comme elle le voyait en
regardant le tableau. Donc il l'appelait. Il lui disait : « Venez à

moi. Venez vous agenouiller à mes pieds. Je vous consolerai et je vous inspirerai ce qu'il faut faire. »

365   Elle prit sa bougie, sortit, et descendit pour gagner la serre. Le Jésus était tout au bout, dans un petit salon qu'on fermait par une porte vitrée afin que l'humidité des terres ne détériorât point la toile.

    Cela faisait une sorte de chapelle dans une forêt d'arbres singu-
370 liers.

    Quand Mme Walter entra dans le jardin d'hiver[1], ne l'ayant jamais vu que plein de lumière, elle demeura saisie devant sa profondeur obscure. Les lourdes plantes des pays chauds épaissis-saient l'atmosphère de leur haleine pesante. Et les portes n'étant
375 plus ouvertes, l'air de ce bois étrange, enfermé sous un dôme de verre, entrait dans la poitrine avec peine, étourdissait, grisait, faisait plaisir et mal, donnait à la chair une sensation confuse de volupté énervante et de mort.

    La pauvre femme marchait doucement, émue par les ténèbres où
380 apparaissaient, à la lueur errante de sa bougie, des plantes extrava-gantes, avec des aspects de monstres, des apparences d'êtres, des difformités bizarres.

    Tout d'un coup, elle aperçut le Christ. Elle ouvrit la porte qui le séparait d'elle, et tomba à genoux.

385   Elle le pria d'abord éperdument, balbutiant des mots d'amour, des invocations passionnées et désespérées. Puis, l'ardeur de son appel se calmant, elle leva les yeux vers lui, et demeura saisie d'an-goisse. Il ressemblait tellement à Bel-Ami, à la clarté tremblante de cette seule lumière l'éclairant à peine et d'en bas, que ce n'était plus
390 Dieu, c'était son amant qui la regardait. C'étaient ses yeux, son front, l'expression de son visage, son air froid et hautain !

    Elle balbutiait : « Jésus ! – Jésus ! – Jésus ! » Et le mot « Georges » lui venait aux lèvres. Tout à coup, elle pensa qu'à cette heure même,

---

1. Jardin d'hiver : serre.

Georges, peut-être, possédait sa fille. Il était seul avec elle, quelque
395 part, dans une chambre. Lui! lui! avec Suzanne!

Elle répétait: « Jésus!... Jésus! » Mais elle pensait à eux... à sa
fille et à son amant! Ils étaient seuls, dans une chambre... et
c'était la nuit. Elle les voyait. Elle les voyait si nettement qu'ils se
dressaient devant elle, à la place du tableau. Ils se souriaient. Ils
400 s'embrassaient. La chambre était sombre, le lit entrouvert. Elle se
souleva pour aller vers eux, pour prendre sa fille par les cheveux
et l'arracher de cette étreinte. Elle allait la saisir à la gorge, l'étrangler, sa fille qu'elle haïssait, sa fille qui se donnait à cet homme.
Elle la touchait... ses mains rencontrèrent la toile. Elle heurtait
405 les pieds du Christ.

Elle poussa un grand cri, et tomba sur le dos. Sa bougie, renversée,
s'éteignit.

Que se passa-t-il ensuite? Elle rêva longtemps des choses
étranges, effrayantes. Toujours Georges et Suzanne passaient devant
410 ses yeux enlacés avec Jésus-Christ qui bénissait leur horrible amour.

Elle sentait vaguement qu'elle n'était point chez elle. Elle voulait
se lever, fuir, elle ne le pouvait pas. Une torpeur[1] l'avait envahie, qui
liait ses membres et ne lui laissait que sa pensée en éveil, trouble
cependant, torturée par des images affreuses, irréelles, fantastiques,
415 perdue dans un songe malsain, le songe étrange et parfois mortel que
font entrer dans les cerveaux humains les plantes endormeuses des
pays chauds, aux formes bizarres et aux parfums épais.

Le jour venu, on ramassa Mme Walter, étendue sans connaissance, presque asphyxiée, devant *Jésus marchant sur les flots.* Elle fut
420 si malade qu'on craignit pour sa vie. Elle ne reprit que le lendemain l'usage complet de sa raison. Alors, elle se mit à pleurer.

La disparition de Suzanne fut expliquée aux domestiques par
un envoi brusque au couvent. Et M. Walter répondit à une longue
lettre de Du Roy, en lui accordant la main de sa fille.

---

1. Torpeur: engourdissement.

pages 395-397
lignes 358-407

La violence de la passion amoureuse

« Il lui fallait [...] s'éteignit. »

Quel est l'état intérieur de Mme Walter ?

- Mme Walter ressent une **souffrance** intense. Elle perçoit instinctivement qu'elle doit **échapper** à ce moi intérieur qui la torture. Elle pense trouver secours dans la religion mais se laisse envahir par la folie.
- Elle entremêle **passion mystique et passion amoureuse** : au portrait du Christ se substituent la vision de l'amant, puis celle des amants s'enlaçant. Le fait qu'elle cherche à tuer sa fille traduit la force de sa **jalousie** transformée en haine.

En quoi le cadre renforce-t-il l'état de confusion du personnage ?

- La scène nocturne, l'éclairage à la bougie créent une atmosphère propice au rêve. L'obscurité transforme les formes, fait apparaître des **présences fantastiques**.
- Le **décor baroque** et fantasmagorique de la serre accentue le caractère **dénaturé d'une passion sacrilège** et rend le lieu propice à l'hallucination mystique.

Comment le narrateur fait-il apparaître l'état intérieur du personnage ?

- La **focalisation interne** donne accès à la perception troublée, puis délirante du personnage. Le champ lexical de la **vue** révèle la force de la vision. L'image du Christ se met à parler. Cette **prosopopée** est prolongée par le discours narrativisé adressé à Jésus et par la métonymie finale où les pieds du tableau semblent littéralement prendre chair. La pauvre femme est submergée par son état intérieur qui prend le dessus.
- Le **discours indirect libre** traduit également l'agitation du personnage. Les nombreuses phrases interrogatives et exclamatives expriment la confusion et l'effroi.

Le registre pathétique

- Le mot *pathétique* vient du grec *pathos*, « passion, souffrance ». Expression d'une **douleur violente**, ce registre donne à *voir* la souffrance, l'extériorise. Le personnage pathétique n'est pas aux prises avec une volonté supérieure (registre tragique), mais avec ses propres sentiments. Cette tonalité cherche à susciter la **compassion** du lecteur.
- Or, la ridicule Mme Walter provoque rire et dégoût. Personnage exacerbé et immoral, elle **relève davantage du pathologique que du pathétique**.

425   Bel-Ami avait jeté cette épître[1] à la poste au moment de quitter Paris, car il l'avait préparée d'avance le soir de son départ. Il y disait, en termes respectueux, qu'il aimait depuis longtemps la jeune fille, que jamais aucun accord n'avait eu lieu entre eux, mais que la voyant venir à lui, en toute liberté, pour lui dire : « Je
430 serai votre femme », il se jugeait autorisé à la garder, à la cacher même, jusqu'à ce qu'il eût obtenu une réponse des parents dont la volonté légale avait pour lui une valeur moindre que la volonté de sa fiancée.

    Il demandait que M. Walter répondît poste restante[2], un ami
435 devant lui faire parvenir la lettre.

    Quand il eut obtenu ce qu'il voulait, il ramena Suzanne à Paris et la renvoya chez ses parents, s'abstenant lui-même de paraître avant quelque temps.

    Ils avaient passé six jours au bord de la Seine, à La Roche-
440 Guyon[3].

    Jamais la jeune fille ne s'était tant amusée. Elle avait joué à la bergère. Comme il la faisait passer pour sa sœur, ils vivaient dans une intimité libre et chaste, une sorte de camaraderie amoureuse. Il jugeait habile de la respecter. Dès le lendemain de leur arrivée,
445 elle acheta du linge et des vêtements de paysanne, et elle se mit à pêcher à la ligne, la tête couverte d'un immense chapeau de paille orné de fleurs des champs. Elle trouvait le pays délicieux. Il y avait là une vieille tour et un vieux château où l'on montrait d'admirables tapisseries.

450   Georges, vêtu d'une vareuse[4] achetée toute faite chez un commerçant du pays, promenait Suzanne, soit à pied, le long des berges, soit en bateau. Ils s'embrassaient à tout moment, frémis-

---

1. Épître : lettre.
2. Poste restante : lettre adressée au bureau de poste, où son destinataire doit venir la retirer.
3. La Roche-Guyon : ville du Val-d'Oise, au nord-ouest de Paris.
4. Vareuse : blouse portée par les marins-pêcheurs.

sants, elle innocente et lui prêt à succomber. Mais il savait être fort ; et quand il lui dit : « Nous retournons à Paris demain, votre père m'accorde votre main. » Elle murmura naïvement : « Déjà ? Ça m'amusait tant d'être votre femme ! »

10

Il faisait sombre dans le petit appartement de la rue de Constantinople, car Georges Du Roy et Clotilde de Marelle s'étant rencontrés sous la porte étaient entrés brusquement, et elle lui avait dit, sans lui laisser le temps d'ouvrir les persiennes :

« Ainsi, tu épouses Suzanne Walter ? »

Il avoua avec douceur et ajouta :

« Tu ne le savais pas ? »

Elle reprit, debout devant lui, furieuse, indignée : « Tu épouses Suzanne Walter ! C'est trop fort ! c'est trop fort ! Voilà trois mois que tu me cajoles pour me cacher ça. Tout le monde le sait, excepté moi. C'est mon mari qui me l'a appris ! »

Du Roy se mit à ricaner, un peu confus tout de même et, ayant posé son chapeau sur un coin de la cheminée, il s'assit dans un fauteuil.

Elle le regardait bien en face, et elle dit d'une voix irritée et basse : « Depuis que tu as quitté ta femme, tu préparais ce coup-là, et tu me gardais gentiment comme maîtresse, pour faire l'intérim ? Quel gredin tu es ! »

Il demanda : « Pourquoi ça ? J'avais une femme qui me trompait. Je l'ai surprise ; j'ai obtenu le divorce, et j'en épouse une autre. Quoi de plus simple ? »

Elle murmura, frémissante : « Oh ! comme tu es roué[1] et dangereux, toi ! »

Il se remit à sourire : « Parbleu ! Les imbéciles et les niais sont toujours des dupes ! »

---

1. Roué : rusé et sans scrupules.

25 Mais elle suivait son idée : « Comme j'aurais dû te deviner dès le commencement. Mais non je ne pouvais pas croire que tu serais crapule comme ça. »

Il prit un air digne : « Je te prie de faire attention aux mots que tu emploies. »

30 Elle se révolta contre cette indignation : « Quoi ! tu veux que je prenne des gants pour te parler maintenant ! Tu te conduis avec moi comme un gueux[1] depuis que je te connais, et tu prétends que je ne te le dise pas ? Tu trompes tout le monde, tu exploites tout le monde, tu prends du plaisir et de l'argent partout, et tu
35 veux que je te traite comme un honnête homme ? »

Il se leva, et la lèvre tremblante : « Tais-toi, ou je te fais sortir d'ici. »

Elle balbutia : « Sortir d'ici... Sortir d'ici... Tu me ferais sortir d'ici... toi... toi ?... »

40 Elle ne pouvait plus parler, tant elle suffoquait de colère, et brusquement, comme si la porte de sa fureur se fût brisée, elle éclata :

« Sortir d'ici ? Tu oublies donc que c'est moi qui l'ai payé, depuis le premier jour, ce logement-là ! Ah ! oui, tu l'as bien pris
45 à ton compte de temps en temps. Mais qui est-ce qui l'a loué ?... C'est moi... Qui est-ce qui l'a gardé ?... C'est moi... Et tu veux me faire sortir d'ici... Tais-toi donc, vaurien ! Crois-tu que je ne sais pas comment tu as volé à Madeleine la moitié de l'héritage de Vaudrec ? Crois-tu que je ne sais pas comment tu as couché avec
50 Suzanne pour la forcer à t'épouser... »

Il la saisit par les épaules et la secouant entre ses mains : « Ne parle pas de celle-là ! Je te le défends ! »

Elle cria : « Tu as couché avec, je le sais. »

Il eût accepté n'importe quoi, mais ce mensonge l'exaspérait.
55 Les vérités qu'elle lui avait criées par le visage lui faisaient passer

---

1. **Gueux** : misérable.

tout à l'heure des frissons de rage dans le cœur, mais cette fausseté sur cette petite fille qui allait devenir sa femme éveillait dans le creux de sa main un furieux besoin de frapper.

Il répéta : « Tais-toi… prends garde… tais-toi… » Et il l'agi-
60   tait comme on agite une branche pour en faire tomber les fruits.

Elle hurla, décoiffée, la bouche grande ouverte, les yeux fous : « Tu as couché avec !… »

Il la lâcha et lui lança par la figure un tel soufflet[1] qu'elle alla tomber contre le mur. Mais elle se retourna vers lui, et, soulevée
65   sur ses poignets, vociféra encore une fois : « Tu as couché avec ! »

Il se rua sur elle, et, la tenant sous lui, la frappa comme s'il tapait sur un homme.

Elle se tut soudain, et se mit à gémir sous les coups. Elle ne remuait plus. Elle avait caché sa figure dans l'angle du parquet de
70   la muraille[2], et elle poussait des cris plaintifs.

Il cessa de la battre et se redressa. Puis il fit quelques pas par la pièce pour reprendre son sang-froid ; et, une idée lui étant venue, il passa dans la chambre, emplit la cuvette d'eau froide, et se trempa la tête dedans. Ensuite il se lava les mains, et il revint voir
75   ce qu'elle faisait en s'essuyant les doigts avec soin.

Elle n'avait point bougé. Elle restait étendue par terre, pleu-rant doucement :

Il demanda : « Auras-tu bientôt fini de larmoyer ? »

Elle ne répondit pas. Alors il demeura debout au milieu de
80   l'appartement, un peu gêné, un peu honteux en face de ce corps allongé devant lui.

Puis, tout à coup, il prit une résolution, et saisit son chapeau sur la cheminée : « Bonsoir. Tu remettras la clef au concierge quand tu seras prête. Je n'attendrai pas ton bon plaisir. »

85   Il sortit, ferma la porte, pénétra chez le portier, et lui dit :

---

1. Soufflet : gifle.
2. Muraille : mur.

« Madame est restée. Elle s'en ira tout à l'heure. Vous direz au propriétaire que je donne congé pour le 1er octobre. Nous sommes au 16 août, je me trouve donc dans les limites. »

Et il s'en alla à grands pas, car il avait des courses pressées à
90 faire pour les derniers achats de la corbeille[1].

Le mariage était fixé au vingt octobre, après la rentrée des Chambres[2]. Il aurait lieu à l'église de la Madeleine[3]. On en avait beaucoup jasé[4] sans savoir au juste la vérité. Différentes histoires circulaient. On chuchotait qu'un enlèvement avait eu lieu, mais
95 on n'était sûr de rien.

D'après les domestiques, Mme Walter, qui ne parlait plus à son futur gendre, s'était empoisonnée de colère le soir où cette union avait été décidée, après avoir fait conduire sa fille au couvent, à minuit.

100 On l'avait ramenée presque morte. Assurément, elle ne se remettrait jamais. Elle avait l'air maintenant d'une vieille femme ; ses cheveux devenaient tout gris ; et elle tombait dans la dévotion[5], communiant tous les dimanches.

Dans les premiers jours de septembre *La Vie française* annonça
105 que le baron Du Roy de Cantel devenait son rédacteur en chef, M. Walter conservant le titre de directeur.

Alors on s'adjoignit un bataillon de chroniqueurs connus, d'échotiers[6], de rédacteurs politiques, de critiques d'art et de théâtre, enlevés à force d'argent aux grands journaux, aux vieux
110 journaux puissants et posés.

---

1. **Corbeille** : ensemble des cadeaux qu'offre le fiancé à sa future épouse.
2. **Chambres** : Chambre des députés et Chambre des pairs, équivalant aujourd'hui à l'Assemblée nationale et au Sénat.
3. **Église de la Madeleine** : église située dans le 8e arrondissement de Paris, dans le quartier haussmannien des Grands Boulevards.
4. **Jasé** : parlé avec malveillance.
5. **Dévotion** : religiosité excessive.
6. **Chroniqueurs** : journalistes ; **échotiers** : rédacteurs d'échos, articles rapportant les potins mondains et politiques.

Les anciens journalistes, les journalistes graves et respectables ne haussaient plus les épaules en parlant de *La Vie française*. Le succès rapide et complet avait effacé la mésestime des écrivains sérieux pour les débuts de cette feuille[1].

115 Le mariage de son rédacteur en chef fut ce qu'on appelle un fait parisien, Georges Du Roy et les Walter ayant soulevé beaucoup de curiosité depuis quelque temps. Tous les gens qu'on cite dans les échos se promirent d'y aller.

Cet événement eut lieu par un jour clair d'automne.

120 Dès huit heures du matin, tout le personnel de la Madeleine, étendant sur les marches du haut perron de cette église qui domine la rue Royale un large tapis rouge, faisait arrêter les passants, annonçait au peuple de Paris qu'une grande cérémonie allait avoir lieu.

125 Les employés se rendant à leur bureau, les petites ouvrières, les garçons de magasin s'arrêtaient, regardaient et songeaient vaguement aux gens riches qui dépensaient tant d'argent pour s'accoupler.

Vers dix heures, les curieux commencèrent à stationner. Ils demeu-
130 raient là quelques minutes, espérant que peut-être ça commencerait tout de suite, puis ils s'en allaient.

À onze heures, des détachements de sergents de ville arrivèrent et se mirent presque aussitôt à faire circuler la foule, car des attroupements se formaient à chaque instant.

135 Les premiers invités apparurent bientôt, ceux qui voulaient être bien placés pour tout voir. Ils prirent les chaises en bordure, le long de la nef[2] centrale.

Peu à peu il en venait d'autres, des femmes qui faisaient un bruit d'étoffes[3], un bruit de soie, des hommes sévères, presque tous

---

1. Feuille : journal.
2. Nef : partie avant de l'église, comprise entre le chœur et le portail, où l'on circule librement et où les fidèles s'installent pour prier.
3. D'étoffes : de tissus.

140 chauves, marchant avec une correction mondaine[1], plus graves encore en ce lieu.

L'église s'emplissait lentement. Un flot de soleil entrait par l'immense porte ouverte éclairant les premiers rangs d'amis. Dans le chœur qui semblait un peu sombre, l'autel couvert de cierges
145 faisait une clarté jaune, humble[2] et pâle en face du trou de lumière de la grande porte.

On se reconnaissait, on s'appelait d'un signe, on se réunissait par groupes. Les hommes de lettres, moins respectueux que les hommes du monde, causaient à mi-voix. On regardait les femmes.

150 Norbert de Varenne, qui cherchait un ami, aperçut Jacques Rival vers le milieu des lignes de chaises, et il le rejoignit.

« Eh bien ! dit-il, l'avenir est aux malins ! »

L'autre, qui n'était point envieux, répondit : « Tant mieux pour lui. Sa vie est faite. » Et ils se mirent à nommer les figures aperçues.

155 Rival demanda : « Savez-vous ce qu'est devenue sa femme ? »

Le poète sourit : « Oui et non. Elle vit très retirée, m'a-t-on dit, dans le quartier Montmartre. Mais... il y a un mais... je lis depuis quelque temps dans *La Plume* des articles politiques qui ressemblent terriblement à ceux de Forestier et de Du Roy. Ils sont d'un nommé
160 Jean Le Dol, un jeune homme, beau garçon, intelligent, de la même race que notre ami Georges, et qui a fait la connaissance de son ancienne femme. D'où j'ai conclu qu'elle aimait les débutants et les aimerait éternellement. Elle est riche d'ailleurs. Vaudrec et Laroche-Mathieu n'ont pas été pour rien les assidus de la maison. »

165 Rival déclara : « Elle n'est pas mal, cette petite Madeleine. Très fine et très rouée[3] ! Elle doit être charmante au découvert[4]. Mais,

---

1. Correction mondaine : maintien, allure de gens habitués à fréquenter la haute société.

2. Chœur : partie arrière de l'église, où se tiennent le clergé et les fidèles ; **autel** : dans la religion catholique, table où se célèbre la messe ; **humble** : modeste.

3. Rouée : rusée.

4. Au découvert : à découvert, c'est-à-dire dévêtue.

dites-moi, comment se fait-il que Du Roy se marie à l'église après un divorce prononcé ? »

Norbert de Varenne répondit : « Il se marie à l'église parce que, pour l'Église, il n'était pas marié, la première fois.

– Comment ça ?

– Notre Bel-Ami, par indifférence ou par économie, avait jugé la mairie suffisante en épousant Madeleine Forestier. Il s'était donc passé de bénédiction ecclésiastique, ce qui constituait, pour notre Sainte Mère l'Église, un simple état de concubinage[1]. Par conséquent, il arrive devant elle aujourd'hui en garçon, et elle lui prête toutes ses pompes[2], qui coûteront cher au père Walter. »

La rumeur de la foule accrue grandissait sous la voûte. On entendait des voix qui parlaient presque haut. On se montrait des hommes célèbres, qui posaient, contents d'être vus, et gardant avec soin leur maintien adopté devant le public, habitués à se montrer ainsi dans toutes les fêtes dont ils étaient, leur semblait-il, les indispensables ornements, les bibelots d'art[3].

Rival reprit : « Dites donc, mon cher, vous qui allez souvent chez le Patron, est-ce vrai que Mme Walter et Du Roy ne se parlent jamais plus ?

– Jamais. Elle ne voulait pas lui donner la petite. Mais il tenait le père par des cadavres[4] découverts, paraît-il, des cadavres enterrés au Maroc. Il a donc menacé le vieux de révélations épouvantables. Walter s'est rappelé l'exemple de Laroche-Mathieu et il a cédé tout de suite. Mais la mère, entêtée comme toutes les femmes, a juré qu'elle n'adresserait plus la parole à son gendre. Ils sont rudement drôles, en face l'un de l'autre. Elle a l'air d'une statue, de la statue de la Vengeance, et il est fort gêné, lui, bien qu'il fasse bonne contenance, car il sait se gouverner, celui-là ! »

---

1. **Concubinage** : union libre hors mariage.
2. **Pompes** : déploiement de luxe.
3. **Bibelots d'art** : petits objets d'art.
4. **Cadavres** : secrets compromettants.

Des confrères venaient leur serrer la main. On entendait des bouts de conversations politiques. Et vague comme le bruit d'une mer lointaine, le grouillement du peuple amassé devant l'église entrait par la porte avec le soleil, montait sous la voûte, au-dessus
200 de l'agitation plus discrète du public d'élite massé dans le temple.

Tout à coup le suisse frappa trois fois le pavé du bois de sa hallebarde[1]. Toute l'assistance se retourna avec un long frou-frou de jupes et un remuement de chaises. Et la jeune femme apparut, au bras de son père, dans la vive lumière du portail.

205 Elle avait toujours l'air d'un joujou, d'un délicieux joujou blanc, coiffé de fleurs d'oranger.

Elle demeura quelques instants sur le seuil, puis quand elle fit son premier pas dans la nef, les orgues[2] poussèrent un cri puissant, annoncèrent l'entrée de la mariée avec leur grande voix de métal.

210 Elle s'en venait, la tête baissée, mais point timide, vaguement émue, gentille, charmante, une miniature d'épousée. Les femmes souriaient et murmuraient en la regardant passer. Les hommes chuchotaient : « Exquise, adorable. » M. Walter marchait avec une dignité exagérée, un peu pâle, les lunettes d'aplomb sur le nez.

215 Derrière eux, quatre demoiselles d'honneur, toutes les quatre vêtues de rose et jolies toutes les quatre, formaient une cour à ce bijou de reine. Les garçons d'honneur, bien choisis conformes au type, allaient d'un pas qui semblait réglé par un maître de ballet.

220 Mme Walter les suivait, donnant le bras au père de son autre gendre, au marquis de Latour-Yvelin, âgé de soixante-douze ans. Elle ne marchait pas, elle se traînait, prête à s'évanouir à chacun de ses mouvements en avant. On sentait que ses pieds se collaient aux

---

1. Suisse : employé en uniforme chargé de la garde d'une église ainsi que du bon déroulement des cérémonies religieuses ; **hallebarde** : sorte de hache à long manche, arme ornementale que portent les suisses d'église.
2. Orgues (mot fém. plur. qui désigne un seul instrument) : instrument de musique utilisé dans les églises.

dalles, que ses jambes refusaient d'avancer, que son cœur battait
225 dans sa poitrine comme une bête qui bondit pour s'échapper.

Elle était devenue maigre. Ses cheveux blancs faisaient paraître
plus blême encore et plus creux son visage.

Elle regardait devant elle pour ne voir personne, pour ne songer,
peut-être, qu'à ce qui la torturait.

230 Puis Georges Du Roy parut avec une vieille dame inconnue.

Il levait la tête sans détourner non plus ses yeux fixes, durs, sous
ses sourcils un peu crispés. Sa moustache semblait irritée sur sa
lèvre. On le trouvait fort beau garçon. Il avait l'allure fière, la
taille fine, la jambe droite. Il portait bien son habit que tachait,
235 comme une goutte de sang, le petit ruban rouge de la Légion
d'honneur.

Puis venaient les parents, Rose avec le sénateur Rissolin. Elle
était mariée depuis six semaines. Le comte de Latour-Yvelin
accompagnait la vicomtesse de Percemur.

240 Enfin ce fut une procession bizarre des alliés ou amis de Du Roy
qu'il avait présentés dans sa nouvelle famille, gens connus dans
l'entremonde[1] parisien qui sont tout de suite les intimes, et, à
l'occasion, les cousins éloignés des riches parvenus, gentilshommes
déclassés, ruinés, tachés, mariés parfois, ce qui est pis. C'étaient
245 M. de Belvigne, le marquis de Banjolin, le comte et la comtesse
de Ravenel, le duc de Ramorano, le prince Kravalow, le chevalier
Valréali, puis des invités de Walter, le prince de Guerche, le duc et
la duchesse de Ferracine, la belle marquise des Dunes. Quelques
parents de Mme Walter gardaient un air comme il faut de province,
250 au milieu de ce défilé.

Et toujours les orgues chantaient, poussaient par l'énorme monument les accents ronflants[2] et rythmés de leurs gorges luisantes, qui
crient au ciel la joie ou la douleur des hommes.

---

1. Entremonde : monde entre la haute société et la petite-bourgeoisie.
2. Ronflants : grandiloquents.

On referma les grands battants de l'entrée, et tout à coup, il fit
255   sombre comme si on venait de mettre à la porte le soleil.

Maintenant, Georges était agenouillé à côté de sa femme dans
le chœur, en face de l'autel illuminé. Le nouvel évêque de Tanger[1],
crosse en main, mitre en tête, apparut, sortant de la sacristie[2],
pour les unir au nom de l'Éternel.

260   Il posa les questions d'usage, échangea les anneaux, prononça
les paroles qui lient comme des chaînes, et il adressa aux nouveaux
époux une allocutionchrétienne. Il parla de la fidélité, longuement, en termes pompeux[3]. C'était un gros homme de grande
taille, un de ces beaux prélats[4] chez qui le ventre est une majesté.

265   Un bruit de sanglots fit retourner quelques têtes. Mme Walter
pleurait, la figure dans ses mains.

Elle avait dû céder. Qu'aurait-elle fait ? Mais depuis le jour où elle
avait chassé de sa chambre sa fille revenue, en refusant de l'embrasser,
depuis le jour où elle avait dit à voix très basse à Du Roy, qui la saluait
270   avec cérémonie en reparaissant devant elle : « Vous êtes l'être le plus
vil[5] que je connaisse, ne me parlez jamais plus, car je ne vous répondrai point ! » elle souffrait une intolérable et inapaisable torture. Elle
haïssait Suzanne d'une haine aiguë, faite de passion exaspérée et de
jalousie déchirante, étrange jalousie de mère et de maîtresse,
275   inavouable, féroce, brûlante comme une plaie vive.

Et voilà qu'un évêque les mariait, sa fille et son amant, dans
une église, en face de deux mille personnes, et devant elle ! Et elle
ne pouvait rien dire ! Elle ne pouvait pas empêcher cela ! Elle ne
pouvait pas crier : « Mais il est à moi, cet homme, c'est mon
280   amant. Cette union que vous bénissez est infâme. »

---

1. Tanger : ville du nord du Maroc.
2. Crosse : bâton d'évêque, recourbé à une extrémité ; **mitre** : bonnet haut et
pointu porté par les évêques ; **sacristie** : annexe de l'église où sont conservés les
objets sacrés et où les prêtres se préparent pour célébrer la messe.
3. Allocution : discours ; **pompeux** : cérémonieux.
4. Prélats : hommes d'Église de haut rang.
5. Vil : méprisable.

Plusieurs femmes, attendries, murmurèrent : « Comme la pauvre mère est émue. »

L'évêque déclamait : « Vous êtes parmi les heureux de la terre, parmi les plus riches et les plus respectés. Vous, Monsieur, que votre talent élève au-dessus des autres, vous qui écrivez, qui enseignez, qui conseillez, qui dirigez le peuple, vous avez une belle mission à remplir, un bel exemple à donner… »

Du Roy l'écoutait, ivre d'orgueil. Un prélat de l'Église romaine lui parlait ainsi, à lui. Et il sentait, derrière son dos, une foule, une foule illustre venue pour lui. Il lui semblait qu'une force le poussait, le soulevait. Il devenait un des maîtres de la terre, lui, lui, le fils des deux pauvres paysans de Canteleu[1].

Il les vit tout à coup dans leur humble cabaret[2], au sommet de la côte, au-dessus de la grande vallée de Rouen, son père et sa mère, donnant à boire aux campagnards du pays. Il leur avait envoyé cinq mille francs en héritant du comte de Vaudrec. Il allait maintenant leur en envoyer cinquante mille : et ils achèteraient un petit bien. Ils seraient contents, heureux.

L'évêque avait terminé sa harangue. Un prêtre vêtu d'une étole dorée montait à l'autel. Et les orgues[3] recommencèrent à célébrer la gloire des nouveaux époux.

Tantôt elles jetaient des clameurs prolongées, énormes, enflées comme des vagues, si sonores et si puissantes, qu'il semblait qu'elles dussent soulever et faire sauter le toit pour se répandre dans le ciel bleu. Leur bruit vibrant emplissait toute l'église, faisant frissonner la chair et les âmes. Puis tout à coup elles se calmaient ; et des notes fines, alertes, couraient dans l'air, effleuraient l'oreille comme des souffles légers ; c'étaient de petits chants gracieux,

---

1. Canteleu : village natal de Du Roy en Normandie.

2. Cabaret : café-restaurant.

3. Harangue : discours solennel ; **étole** : large bande d'étoffe portée par l'évêque et le prêtre ; **orgues** (mot fém. plur. qui désigne un seul instrument) : instrument de musique utilisé dans les églises.

menus, sautillants, qui voletaient ainsi que des oiseaux ; et soudain,
310   cette coquette musique s'élargissait de nouveau, redevenant effrayante
de force et d'ampleur, comme si un grain de sable se métamorpho-
sait en un monde.

Puis des voix humaines s'élevèrent, passèrent au-dessus des têtes
inclinées. Vauri et Landeck[1], de l'Opéra, chantaient. L'encens répan-
315   dait une odeur fine de benjoin[2], et sur l'autel le sacrifice divin s'ac-
complissait ; l'Homme-Dieu[3], à l'appel de son prêtre, descendait sur
la terre pour consacrer le triomphe du baron Georges Du Roy.

Bel-Ami, à genoux à côté de Suzanne, avait baissé le front.
Il se sentait en ce moment presque croyant, presque religieux,
320   plein de reconnaissance pour la divinité qui l'avait ainsi favorisé,
qui le traitait avec ces égards[4]. Et sans savoir au juste à qui il
s'adressait, il la remerciait de son succès.

Lorsque l'office fut terminé, il se redressa, et, donnant le bras à
sa femme, il passa dans la sacristie[5]. Alors commença l'intermi-
325   nable défilé des assistants. Georges, affolé de joie, se croyait un roi
qu'un peuple venait acclamer. Il serrait des mains, balbutiait des
mots qui ne signifiaient rien, saluait, répondait aux compliments :
« Vous êtes bien aimable. »

Soudain il aperçut Mme de Marelle ; et le souvenir de tous les
330   baisers qu'il lui avait donnés, qu'elle lui avait rendus, le souvenir
de toutes leurs caresses, de ses gentillesses, du son de sa voix, du
goût de ses lèvres, lui fit passer dans le sang le désir brusque de la
reprendre. Elle était jolie, élégante, avec son air gamin et ses yeux
vifs. Georges pensait : « Quelle charmante maîtresse, tout de
335   même. »

---

1. Vauri et Landeck : noms fictifs.
2. Benjoin : substance aromatique à l'odeur de vanille.
3. L'Homme-Dieu : Jésus-Christ.
4. Avec ces égards : avec cette considération.
5. Sacristie : annexe de l'église où sont conservés les objets sacrés et où les prêtres
se préparent pour célébrer la messe.

Elle s'approcha, un peu timide, un peu inquiète, et lui tendit la main. Il la reçut dans la sienne et la garda. Alors il sentit l'appel discret de ces doigts de femme, la douce pression qui pardonne et reprend. Et lui-même il la serrait, cette petite main, comme pour
340 dire : « Je t'aime toujours, je suis à toi ! »

Leurs yeux se rencontrèrent, souriants, brillants, pleins d'amour. Elle murmura de sa voix gracieuse : « À bientôt, monsieur. »

Il répondit gaiement : « À bientôt, madame. »

Et elle s'éloigna.

345 D'autres personnes se poussaient. La foule coulait devant lui comme un fleuve. Enfin elle s'éclaircit. Les derniers assistants partirent.

Georges reprit le bras de Suzanne pour retraverser l'église.

Elle était pleine de monde, car chacun avait regagné sa place,
350 afin de les voir passer ensemble. Il allait lentement, d'un pas calme, la tête haute, les yeux fixés sur la grande baie ensoleillée de la porte. Il sentait sur sa peau courir de légers frissons, ces frissons froids que donnent les immenses bonheurs. Il ne voyait personne. Il ne pensait qu'à lui.

355 Lorsqu'il parvint sur le seuil, il aperçut la foule amassée, une foule noire, bruissante, venue là pour lui, pour lui Georges Du Roy. Le peuple de Paris le contemplait et l'enviait.

Puis, relevant les yeux, il découvrir là-bas, derrière la place de la Concorde, la Chambre des députés. Et il lui sembla qu'il allait
360 faire un bond du portique de la Madeleine au portique du Palais-Bourbon.

Il descendit avec lenteur les marches du haut perron entre deux haies de spectateurs. Mais il ne les voyait point : sa pensée maintenant revenait en arrière, et devant ses yeux éblouis par l'éclatant
365 soleil flottait l'image de Mme de Marelle rajustant en face de la glace les petits cheveux frisés de ses tempes, toujours défaits au sortir du lit.

pages 411-413
lignes 283-367

Une fin en forme de triomphe ?

« L'évêque déclamait [...] du lit. »

En quoi ce mariage marque-t-il le triomphe de Du Roy ?

• Ce mariage peut se lire comme une **victoire** et une **reconnaissance publique** du personnage. Les **comparaisons hyperboliques** saturent le texte :
– à l'intérieur de l'église, les assistants forment une file « interminable » et empressée (des « personnes se poussaient ») venue féliciter Du Roy. Celui-ci est comparé à « un roi qu'un peuple venait acclamer » et la foule à un « fleuve ». Son agenouillement devant l'évêque assimile la scène à un **sacre**, d'autant plus que le personnage remercie Dieu d'avoir favorisé son ascension sociale ;
– à l'extérieur de l'église, les badauds constituent une « foule noire » qui devient « le peuple de Paris », puis « deux haies de spectateurs ». La **ville entière** semble le contempler et lui faire honneur (le terme « foule », par effet d'insistance, est répété à trois reprises).
• Du Roy est au **centre de l'attention**, alors que son épouse semble transparente. Sa **position élevée, dominante,** sur le seuil de l'église, le place au-dessus de la foule, à la hauteur du Palais-Bourbon, lieu symbolique du pouvoir politique qui semble désormais à sa portée.

Quel regard le narrateur porte-t-il sur le parcours du personnage ?

• Le narrateur adopte un point de vue interne et nous montre le héros en train de se glorifier lui-même. **L'ambitieux est parvenu au sommet de son narcissisme.** Il n'aperçoit que lui à travers l'image de la foule qui lui renvoie celle de sa réussite : « Il ne voyait personne. Il ne pensait qu'à lui ».
• Sa soudaine **religiosité** est **blasphématoire** car lacunaire (« *presque* croyant », « *presque* religieux », il s'adresse à la divinité « sans savoir au juste à qui il s'adress[e] ») et suscitée par des motifs douteux, puisque c'est sa réussite sociale qui le rend temporairement pieux. Le regard du narrateur est par conséquent profondément **ironique** : il fait apparaître la vanité du personnage débordé par le sentiment de sa propre estime.
• Enfin, la moitié de la narration est consacrée au **souvenir de Mme de Marelle**. Personnage sacrilège plus que sacralisé, Du Roy pense à l'adultère, dans l'église au moment même de la célébration de son mariage. Le champ lexical du **plaisir charnel** parcourt le texte et le roman se termine sur le mot « lit ».

Peut-on lire cette fin de roman comme une conclusion finale ?

• L'excipit répond de façon conclusive à l'incipit : en l'espace de deux années et demie, Duroy est devenu Du Roy de Cantel, la prestigieuse église de la Madeleine a remplacé le café-restaurant, les mondaines ont remplacé les bourgeoises, et la richesse, la pauvreté. Le **parcours** du héros semble **abouti**.

• Toutefois, le personnage a peu évolué intérieurement : il demeure l'ambitieux, le calculateur et l'homme méprisant du début. Seule son indécision a disparu. C'est un personnage désormais sûr de lui et du but à atteindre, mais ce ne sont pas ses qualités qui lui ont permis de réussir. D'un point de vue moral, c'est un **antihéros**. *Bel-Ami* serait-il alors le **roman d'un échec** ?

• L'excipit ouvre sur un **horizon indéterminé** : l'ultime regard porté au loin vers la Chambre des députés est détourné par un souvenir intime et charnel, pensée qui mène le personnage « en arrière » et non plus en avant. Se pourrait-il que le **désir charnel** fasse concurrence à la **convoitise politique** ? La trajectoire du personnage demeure incertaine.

Qu'est-ce qu'un excipit ?

• L'excipit désigne les **derniers paragraphes d'un roman**. Son rôle est de **répondre aux questions posées dans l'incipit** : le héros possède-t-il enfin l'objet de son désir ? A-t-il évolué ? Comment ?

• L'excipit peut être **fermé ou ouvert** :
– les dernières pages peuvent se lire comme un **dénouement** qui arrête le sort des personnages, clarifie les incertitudes, mène le héros au bout de sa trajectoire ;
– mais elles peuvent aussi ouvrir sur de **nouvelles perspectives** ou laisser en suspend une ou plusieurs questions posées dans l'incipit.

Anthologie sur

Le personnage de l'ambitieux

L'ambitieux est un individu animé par le désir de dominer, de gagner en prestige, de progresser dans la société. À l'image de la société qui l'entoure, il en souligne les travers. Mais il peut aussi incarner le héros en quête d'idéal, qui, poursuivant un rêve démesuré, développe une force et une énergie exceptionnelles pour atteindre son but. Ainsi, l'ambition s'assimile tantôt à une convoitise excessive du pouvoir et des honneurs, tantôt au désir d'un accomplissement personnel démesuré. Cet aspect en fait un thème éminemment masculin dans une société patriarcale où la femme n'a pas droit de cité dans l'espace public. Pour cette raison, l'ambition féminine est le plus souvent structurée par la différence générique homme/femme. Les femmes aspirent à une reconnaissance sociale et intellectuelle égale à celle des hommes ou cherchent simplement à obtenir leur revanche sur la gent masculine.

Si la figure de l'ambitieux traverse l'ensemble de la littérature d'hier à aujourd'hui, elle se déploie surtout dans le roman du XIXe siècle. La Révolution française a profondément transformé l'organisation sociale en mettant fin aux privilèges de la noblesse, ancien corps à la tête de l'État. Les sommets de la société sont ainsi devenus accessibles à la bourgeoisie : tout individu peut désormais gravir les échelons sociaux, acquérir argent, pouvoir et mérite. Les auteurs réalistes et naturalistes, s'étant donné pour mission de peindre la vie sociale de leur temps, ont perçu dans la figure de l'ambitieux l'incarnation de la société moderne.

Ce sont aussi les consciences individuelles qui s'ouvrent à un monde sans barrières. La Révolution a transformé les esprits, elle a permis aux hommes de prendre conscience de leur capacité à changer l'ordre social mais aussi l'ordre intellectuel. Un seul homme est capable de dévier le cours de l'Histoire, à l'instar de Napoléon Bonaparte. L'ambition personnelle n'est plus immorale, elle devient une valeur sociale et intellectuelle qui engage les individus à se surpasser, à atteindre l'inaccessible, à posséder le monde. L'ambitieux n'est pas uniquement celui qui cherche à réussir, c'est aussi l'homme de savoir ou de passion qui laisse libre cours à ses idées, à son imagination ou à ses pulsions. Davantage romantique, ce dernier cherche à concrétiser des désirs qui dépassent ce que la société et le réel peuvent offrir. Sa vision du monde se heurte à une réalité trop étriquée, ce qui fait généralement de lui un incompris ou un marginal.

Parmi ces personnages ambitieux qui peuplent la littérature, on observe la présence des femmes. Cantonnées par tradition aux travaux domestiques, elles entendent gagner une place et une reconnaissance sociales habituellement réservées aux hommes. Cette volonté de parvenir dans une société où la femme est minorée s'accompagne souvent d'une réflexion féministe. Pour concrétiser leurs aspirations, elles ont à leur disposition l'arme de la séduction et/ou l'acquisition du savoir ; certaines font le choix de la manipulation, d'autres celui de l'émancipation.

■ Ambition et réussite sociale

Personnage souvent ambivalent, l'ambitieux est vecteur d'une satire sociale, satire d'un type d'individu dans la comédie classique, ou satire de la société en général dans le roman des XIXe et XXe siècles. Il est souvent dépeint comme un être vaniteux, orgueilleux, égoïste et arriviste, guidé par le besoin de dominer la société. Personnage bravant la morale et l'ordre social, il aspire à devenir celui qu'il envie ou jalouse : l'aristocrate ou le grand bourgeois appartenant à la classe sociale supérieure.

C'est ainsi que le « bourgeois gentilhomme » de Molière (→TEXTE 1, p. 421) pense passer pour noble en imitant les manières et l'habillement de « l'homme de qualité », alors que sa maladresse ne fait de lui qu'un bouffon parvenu. Stendhal, dans *Le Rouge et le Noir* (→ TEXTE 2, p. 423), met en avant le désir de revanche sociale d'un jeune homme né dans les basses sphères de la société. Balzac termine son roman *Le Père Goriot* (→ TEXTE 3, p. 425), tout comme Maupassant *Bel-Ami*, sur le regard avide de son héros, prêt à conquérir « le beau monde ». Dans une perspective naturaliste, Zola, dans *La Fortune des Rougon* (→ TEXTE 4, p. 426), étudie la physiologie du tempérament ambitieux, tout tempérament étant prédéterminé par l'hérédité et subissant l'influence du milieu social. Enfin, pour illustrer le désenchantement du XXᵉ siècle, le *Voyage au bout de la nuit*, de Céline (→ TEXTE 5, p. 428), renverse l'image du héros conquérant en présentant un personnage léthargique et impuissant dépourvu de toute ambition.

Texte 1

THÉÂTRE

MOLIÈRE, *Le Bourgeois gentilhomme* (1670) ♦ acte I, scène 2

Dans cette comédie-ballet, Molière (1622-1673) met en scène M. Jourdain, un bourgeois cherchant à acquérir toutes les qualités de la noblesse afin de marier sa fille à un gentilhomme. Il commande un nouvel habit, engage quantité de maîtres (professeurs) pour qu'ils le forment à sa nouvelle qualité. Tous le louent en apparence, dissimulant leurs moqueries. Molière fustige la vanité de M. Jourdain, personnage naïf et ridicule, qui ne peut se départir de sa sottise et de sa balourdise. Sous l'Ancien Régime, on naît bourgeois et on le reste.

SCÈNE 2

MONSIEUR JOURDAIN, *en robe de chambre et bonnet de nuit*, DEUX LAQUAIS, MAÎTRE DE MUSIQUE, MAÎTRE À DANSER, VIOLONS, MUSICIENS ET DANSEURS

MONSIEUR JOURDAIN. – Hé bien, messieurs ? Qu'est-ce ? Me ferez-vous voir votre petite drôlerie[1] ?

MAÎTRE À DANSER. – Comment ? Quelle petite drôlerie ?

MONSIEUR JOURDAIN. – Eh ! là… Comment appelez-vous cela ?
5   Votre prologue, ou dialogue[2] de chansons et de danse.

---

1. Drôlerie: divertissement.
2. Prologue: petite pièce musicale servant d'introduction à un opéra; **dialogue**: composition musicale pour deux ou plusieurs voix ou instruments qui se répondent. On voit que M. Jourdain confond les termes, rappelant ainsi son inculture bourgeoise.

MAÎTRE À DANSER. – Ah ! ah !

MAÎTRE DE MUSIQUE. – Vous nous y voyez préparés.

MONSIEUR JOURDAIN. – Je vous ai fait un peu attendre, mais c'est que
je me fais habiller aujourd'hui comme les gens de qualité[1], et mon
tailleur m'a envoyé des bas de soie[2] que j'ai pensé ne mettre jamais.

MAÎTRE DE MUSIQUE. – Nous ne sommes ici que pour attendre
votre loisir[3].

MONSIEUR JOURDAIN. – Je vous prie tous deux de ne vous point
en aller qu'on ne m'ait apporté[4] mon habit, afin que vous me
puissiez voir.

MAÎTRE À DANSER. – Tout ce qu'il vous plaira.

MONSIEUR JOURDAIN. – Vous me verrez équipé[5] comme il faut,
depuis les pieds jusqu'à la tête.

MAÎTRE DE MUSIQUE. – Nous n'en doutons point.

MONSIEUR JOURDAIN. – Je me suis fait faire cette indienne-ci[6].

MAÎTRE À DANSER. – Elle est fort belle.

MONSIEUR JOURDAIN. – Mon tailleur m'a dit que les gens de qualité
étaient comme cela le matin.

MAÎTRE DE MUSIQUE. – Cela vous sied[7] à merveille.

MONSIEUR JOURDAIN. – Laquais[8], holà ! mes deux laquais.

PREMIER LAQUAIS. – Que voulez-vous, monsieur ?

MONSIEUR JOURDAIN. – Rien. C'est pour voir si vous m'entendez
bien. *(Aux deux maîtres.)* Que dites-vous de mes livrées[9] ?

---

1. Gens de qualité : personnes nobles dont les vêtements de couleur s'opposaient à la tenue sombre des bourgeois.

2. Bas de soie : vêtements très luxueux à l'époque, portés par les nobles.

3. Votre loisir : le moment où vous serez disponible.

4. Qu'on ne m'ait apporté mon habit : avant qu'on ne m'ait apporté mon habit.

5. Équipé : habillé.

6. Indienne : robe de chambre en étoffe de coton très coûteuse, importée de l'Inde.

7. Sied : va.

8. Laquais : valets.

9. Livrées : uniformes portés par les laquais d'une même maison.

MAÎTRE À DANSER. – Elles sont magnifiques.

30 MONSIEUR JOURDAIN. – *(Il entrouvre sa robe et fait voir un haut-de-chausses[1] étroit de velours rouge, et une camisole[2] de velours vert, dont il est vêtu.)* Voici encore un petit déshabillé pour faire le matin mes exercices[3].

MAÎTRE DE MUSIQUE. – Il est galant[4].

35 MONSIEUR JOURDAIN. – Laquais!

PREMIER LAQUAIS. – Monsieur?

MONSIEUR JOURDAIN. – L'autre laquais!

SECOND LAQUAIS. – Monsieur?

MONSIEUR JOURDAIN, *ôtant sa robe de chambre.* – Tenez ma robe.

40 *(Aux deux maîtres.)* Me trouvez-vous bien comme cela?

MAÎTRE À DANSER. – Fort bien. On ne peut pas mieux.

Texte 2

ROMAN

STENDHAL, *Le Rouge et le Noir* (1830) ♦ livre I, chapitre 10

Dans ce roman mêlant romantisme et réalisme, Stendhal (1783-1842) relate l'éducation sociale et sentimentale de Julien Sorel, fils de charpentier. Aspirant à gravir les échelons et à prendre sa revanche sur la haute société, ce jeune ambitieux, calculateur et grand admirateur de Napoléon, commence par se faire embaucher par M. de Rénal, maire de la petite ville de Verrières, en tant que précepteur[5] de ses enfants. Exercé à contenir ses émotions, Julien apprend en société à maîtriser gestes et paroles, mais le lecteur devine derrière sa conduite minutieusement planifiée une âme agitée de sentiments violents.

Julien prenait haleine un instant à l'ombre de ces grandes roches, et puis se remettait à monter. Bientôt par un étroit sentier

---

1. **Haut-de-chausses** : sorte de pantalon couvrant le corps de la ceinture au genou.
2. **Camisole** : vêtement porté par-dessus la chemise.
3. **Exercices** : entraînement à l'escrime.
4. **Galant** : ici, élégant.
5. **Précepteur** : maître, professeur.

à peine marqué et qui sert seulement aux gardiens des chèvres, il se trouva debout sur un roc immense et bien sûr d'être séparé de
5 tous les hommes. Cette position physique le fit sourire, elle lui peignait la position qu'il brûlait d'atteindre au moral. L'air pur de ces montagnes élevées communiqua la sérénité et même la joie à son âme. Le maire de Verrières était bien toujours, à ses yeux, le représentant de tous les riches et de tous les insolents de la terre ;
10 mais Julien sentait que la haine qui venait de l'agiter[1], malgré la violence de ses mouvements, n'avait rien de personnel. S'il eût cessé de voir M. de Rênal, en huit jours il l'eût oublié, lui, son château, ses chiens, ses enfants et toute sa famille. Je l'ai forcé, je ne sais comment, à faire le plus grand sacrifice. Quoi ! plus de
15 cinquante écus par an[2] ! un instant auparavant je m'étais tiré du plus grand danger[3]. Voilà deux victoires en un jour ; la seconde est sans mérite, il faudrait en deviner le comment[4]. Mais à demain les pénibles recherches.

Julien, debout, sur son grand rocher, regardait le ciel, embrasé par
20 un soleil d'août. Les cigales chantaient dans le champ au-dessous du rocher, quand elles se taisaient tout était silence autour de lui. Il voyait à ses pieds vingt lieues de pays. Quelque épervier parti des grandes roches au-dessus de sa tête était aperçu par lui, de temps à autre, décrivant en silence ses cercles immenses. L'œil de Julien suivait machina-
25 lement l'oiseau de proie. Ses mouvements tranquilles et puissants le frappaient, il enviait cette force, il enviait cet isolement.

C'était la destinée de Napoléon, serait-ce un jour la sienne ?

---

1. Un double incident vient d'aviver la haine de Julien envers le maire de Verrière.

2. M. de Rênal vient de concéder à Julien une augmentation salariale.

3. Julien cache sous son lit un portrait de Napoléon que M. de Rênal, anti-napoléonien, a failli découvrir. Il s'est tiré d'affaire de justesse, grâce au secours de Mme de Rênal.

4. Julien ignore pourquoi M. de Rênal a consenti si facilement à augmenter son salaire, alors qu'il pensait rencontrer une vive opposition.

Texte 3

ROMAN

HONORÉ DE BALZAC, *Le Père Goriot* (1835) ◆ excipit

Considéré comme le premier romancier réaliste, Balzac (1799-1850) livre dans ce roman une analyse de la société de la Restauration. Le lecteur suit les pas d'un jeune noble désargenté qui rêve de réussir à Paris. S'aidant des femmes comme le fait Bel-Ami, il abandonne peu à peu ses scrupules moraux pour réaliser ses ambitions sociales. La mort du père Goriot, vieillard escroqué par ses propres filles, achève symboliquement d'aguerrir le jeune Eugène de Rastignac au monde corrompu des affaires.

Cependant, au moment où le corps[1] fut placé dans le corbillard, deux voitures armoriées[2], mais vides, celle du comte de Restaud et celle du baron de Nucingen[3], se présentèrent et suivirent le convoi jusqu'au Père-Lachaise. À six heures, le corps du père Goriot fut

5   descendu dans sa fosse, autour de laquelle étaient les gens[4] de ses filles, qui disparurent avec le clergé aussitôt que fut dite la courte prière due au bonhomme pour l'argent de l'étudiant[5]. Quand les deux fossoyeurs eurent jeté quelques pelletées de terre sur la bière[6] pour la cacher, ils se relevèrent, et l'un d'eux, s'adressant à Rasti-

10 gnac, lui demanda leur pourboire. Eugène fouilla dans sa poche et n'y trouva rien, il fut forcé d'emprunter vingt sous à Christophe[7]. Ce fait, si léger en lui-même, détermina chez Rastignac un accès[8] d'horrible tristesse. Le jour tombait, un humide crépuscule agaçait les nerfs, il regarda la tombe et y ensevelit sa dernière larme de jeune

---

1. Le corps : le corps du père Goriot.

2. Armoriées : ornées des armes de la famille.

3. Comte de Restaud, baron de Nucingen : gendres du père Goriot. Ce dernier s'est sacrifié pour marier ses filles à des aristocrates, mais ni ses gendres, ni ses filles n'assistent en personne à son enterrement.

4. Gens : domestiques.

5. L'étudiant : Eugène de Rastignac, qui a payé les frais d'enterrement avec le peu d'argent qui lui restait en poche.

6. Bière : cercueil.

7. Christophe : domestique de la pension (maison d'hôte) où réside Rastignac.

8. Un accès de : une poussée de.

15 homme, cette larme arrachée par les saintes émotions d'un cœur pur, une de ces larmes qui, de la terre où elles tombent, rejaillissent jusque dans les cieux. Il se croisa les bras, contempla les nuages, et, le voyant ainsi, Christophe le quitta.

Rastignac, resté seul, fit quelques pas vers le haut du cimetière 20 et vit Paris tortueusement couché le long des deux rives de la Seine où commençaient à briller les lumières. Ses yeux s'attachèrent presque avidement entre la colonne de la place Vendôme et le dôme des Invalides, là où vivait ce beau monde dans lequel il avait voulu pénétrer. Il lança sur cette ruche bourdonnante un 25 regard qui semblait par avance en pomper le miel, et dit ces mots grandioses : – À nous deux maintenant !

Et pour premier acte du défi qu'il portait à la société, Rastignac alla dîner chez madame de Nucingen[1].

Texte 4

ROMAN

ÉMILE ZOLA, *La Fortune des Rougon* (1871) ♦ chapitre 2

Ce roman initie le cycle des Rougon-Macquart, chronique familiale (composée de vingt romans) se déroulant sous le Second Empire (1852-1870). En racontant l'histoire de toute une lignée, Zola (1840-1902) cherche à analyser les influences de l'hérédité et du milieu social sur les individus. Les aïeuls Rougon ont profité du coup d'État bonapartiste de 1851 pour assurer leur réussite sociale. Le narrateur dresse le portrait du jeune Pierre Rougon, fils légitime de Rougon, un paysan, et d'Adélaïde Fouque, issue de la petite-bourgeoisie. En lui s'inscrivent déjà les gènes de l'ambition.

En face des deux bâtards[2], Pierre semblait un étranger, il différait d'eux profondément, pour quiconque ne pénétrait pas les

---

1. Madame de Nucingen : fille du père Goriot et maîtresse de Rastignac. C'est par elle qu'il intègre le monde de la grande bourgeoisie d'affaires.
2. Deux bâtards : il s'agit d'Antoine et Ursule Macquart. À la mort du père Rougon, la mère de Pierre, Adélaïde, s'est installée hors mariage avec Macquart, un miséreux dont elle a eu deux enfants.

racines mêmes de son être. Jamais enfant ne fut à pareil point la moyenne équilibrée des deux créatures qui l'avaient engendré.
5 Il était un juste milieu entre le paysan Rougon et la fille nerveuse Adélaïde. Sa mère avait en lui dégrossi[1] son père. Ce sourd travail des tempéraments[2] qui détermine à la longue l'amélioration ou la déchéance d'une race[3], paraissait obtenir chez Pierre un premier résultat. Il n'était toujours qu'un paysan, mais un paysan à la peau
10 moins rude, au masque[4] moins épais, à l'intelligence plus large et plus souple. Même son père et sa mère s'étaient chez lui corrigés l'un par l'autre. Si la nature d'Adélaïde, que la rébellion des nerfs[5] affinait d'une façon exquise, avait combattu et amoindri les lourdeurs sanguines de Rougon, la masse pesante de celui-ci s'était
15 opposée à ce que l'enfant reçût le contrecoup des détraquements de la jeune femme. Pierre ne connaissait ni les emportements ni les rêveries maladives des louveteaux de Macquart[6]. Fort mal élevé, tapageur comme tous les enfants lâchés librement dans la vie, il possédait néanmoins un fond de sagesse raisonnée
20 qui devait toujours l'empêcher de commettre une folie improductive. Ses vices, sa fainéantise, ses appétits de jouissance, n'avaient pas l'élan instinctif des vices d'Antoine[7] ; il entendait les cultiver et les contenter au grand jour, honorablement. Dans sa personne grasse, de taille moyenne, dans sa face longue,
25 blafarde[8], où les traits de son père avaient pris certaines finesses du visage d'Adélaïde, on lisait déjà l'ambition sournoise et

---

1. Dégrossi : civilisé (supprimé chez le fils les manières grossières de son paysan de père).

2. Tempéraments : caractères des individus envisagés suivant leur constitution physique.

3. Race : lignée, famille.

4. Masque : apparence.

5. La rébellion des nerfs : la nervosité.

6. Des louveteaux de Macquart : d'Antoine et Ursule Macquart.

7. Antoine agit de façon impulsive.

8. Blafarde : pâle.

rusée, le besoin insatiable[1] d'assouvissement, le cœur sec et l'envie haineuse d'un fils de paysan, dont la fortune et les nervosités de sa mère ont fait un bourgeois.

ROMAN

Texte 5

LOUIS-FERDINAND CÉLINE, *Voyage au bout de la nuit* (1932), © Éditions Gallimard ♦ chapitre 20

Dans ce roman, Ferdinand Bardamu, narrateur et double de Céline (1894-1961), raconte ses errances et ses désillusions. Dans un style à la fois oral et familier, Ferdinand, antihéros contemporain, narre ses mésaventures tout en portant sur le monde un regard distant et amusé. Déçu par la guerre de 14-18 à laquelle il a participé, puis par l'Afrique coloniale et l'Amérique capitaliste industrialisée où il a séjourné, il se retrouve à Rancy, en banlieue parisienne. Sans ambition, il envisage d'y installer son cabinet de médecin.

Toujours plus ou moins seul pendant les heures libres je mijotais[2] avec des bouquins et des journaux et puis aussi avec toutes les choses que j'avais vues. Mes études, une fois reprises, les examens je les ai franchis, à hue à dia[3], tout en gagnant ma croûte. Elle est bien

5   défendue la Science, je vous le dis, la Faculté c'est une armoire bien fermée. Des pots en masse, peu de confiture. Quand j'ai eu tout de même terminé mes cinq ou six années de tribulations académiques, je l'avais mon titre, bien ronflant[4]. Alors, j'ai été m'accrocher en banlieue, mon genre, à la Garenne-Rancy, dès qu'on sort de Paris,

10   tout de suite après la Porte Brancion[5].

---

1. **Insatiable** : inapaisable.

2. **Mijotais** : méditais en croupissant (familier).

3. **À hue à dia** : péniblement (familier).

4. **Tribulations académiques** : mésaventures universitaires ; **mon titre** : mon titre de médecin ; **ronflant** : grandiloquent.

5. **La Garenne-Rancy** : nom imaginaire rappelant Clichy-la-Garenne (ville de banlieue située au nord-ouest de Paris) ; **la porte Brancion** : porte située au sud de Paris.

Je n'avais pas de prétention moi, ni d'ambition non plus, rien que seulement l'envie de souffler un peu et de mieux bouffer un peu. Ayant posé ma plaque[1] à ma porte, j'attendis.

Les gens du quartier sont venus la regarder ma plaque, soup-
15 çonneux. Ils ont même été demander au Commissariat de Police si j'étais bien un vrai médecin. Oui, qu'on leur a répondu. Il a déposé son diplôme, c'en est un. Alors, il fut répété dans tout Rancy qu'il venait de s'installer un vrai médecin en plus des autres. « Y gagnera pas son bifteck ! a prédit tout de suite ma
20 concierge. Il y en a déjà bien trop des médecins par ici ! » Et c'était exactement observé.

En banlieue, c'est surtout par les tramways que la vie vous arrive le matin. Il en passait des pleins paquets avec des pleines bordées d'ahuris bringuebalant[2], dès le petit jour, par le boule-
25 vard Minotaure, qui descendaient vers le boulot.

Les jeunes semblaient même comme contents de s'y rendre au boulot. Ils accéléraient le trafic, se cramponnaient aux marche-pieds[3], ces mignons, en rigolant faut voir ça.

■ Ambition et passion

Depuis le XIXᵉ siècle et la naissance du romantisme, l'individu est perçu non seulement comme un être social, mais aussi comme un « moi » intérieur. Ce moi ne s'assimile pas seulement à un état sentimental, émotif ou spirituel, il agit en tant que force de vie et de création. Balzac parle d'*énergie* qui serait à l'origine des passions humaines. L'être passionné cherche à tout prix les moyens de faire fusionner ses fantasmes avec le monde réel, ce qui le conduit dans une quête d'idéal et d'absolu.

1. **Ma plaque** : ma plaque de médecin.
2. **Bringuebalant** : oscillant de droite et de gauche.
3. **Marchepieds** : marches facilitant la montée dans les tramways. Au figuré, un marchepied désigne aussi un moyen de se hisser au plus haut de l'échelle sociale.

L'artiste et l'homme de sciences se rejoignent dans leur volonté de percer les secrets de la nature afin de maîtriser le réel, voire de le surpasser. Fascinés par la vie matérielle et ses mystères, les héros de Balzac (→ TEXTE 6 ci-dessous) et de Condé (→ TEXTE 8, p. 434) ont l'ambition de rivaliser avec la nature en s'emparant du pouvoir suprême de redonner vie, pouvoir créateur qui peut également s'avérer profondément destructeur. Mégalomanes, ces personnages sont, comme le Gatsby de Fitzgerald (→ TEXTE 7, p. 432), des êtres de désir, amoureux de leur créature et à jamais enfermés dans le monde utopique qu'ils se sont façonné.

Texte 6

NOUVELLE

HONORÉ DE BALZAC, *Le Chef-d'œuvre inconnu* (1831) ♦ chapitre 20

Dans cette nouvelle, Balzac (1799-1850) s'interroge sur le réalisme en peinture à travers l'ambition d'un mystérieux peintre du XVI⁰ siècle, nommé Frenhofer. Doué d'un talent extraordinaire, mais continuellement en quête de perfection, Frenhofer demeure insatisfait de son travail. En présence du jeune élève Nicolas Poussin et de Maître Porbus, grand peintre à la cour du roi, cet artiste visionnaire évoque son chef-d'œuvre (un portrait féminin) auquel il travaille depuis des années et qu'il refuse de montrer.

— Montrer mon œuvre, s'écria le vieillard[1] tout ému. Non, non, je dois la perfectionner encore. Hier, vers le soir, dit-il, j'ai cru avoir fini. Ses yeux me semblaient humides, sa chair était agitée. Les tresses de ses cheveux remuaient. Elle respirait !
5 Quoique j'aie trouvé le moyen de réaliser sur une toile plate le relief et la rondeur de la nature, ce matin, au jour, j'ai reconnu mon erreur. Ah ! pour arriver à ce résultat glorieux, j'ai étudié à

---

1. **Le vieillard** : le peintre Frenhofer dont Phorbus souhaite vivement voir l'œuvre.

fond les grands maîtres du coloris[1], j'ai analysé et soulevé couche par couche les tableaux de Titien[2], ce roi de la lumière ; j'ai, comme ce peintre souverain, ébauché ma figure dans un ton clair avec une pâte souple et nourrie[3], car l'ombre n'est qu'un accident, retiens cela, petit. Puis je suis revenu sur mon œuvre, et au moyen de demi-teintes et de glacis[4] dont je diminuais de plus en plus la transparence, j'ai rendu les ombres les plus vigoureuses et jusqu'aux noirs les plus fouillés ; car les ombres des peintres ordinaires sont d'une autre nature que leurs tons éclairés ; c'est du bois, de l'airain[5], c'est tout ce que vous voudrez, excepté de la chair dans l'ombre. On sent que si leur figure changeait de position, les places ombrées ne se nettoieraient pas et ne deviendraient pas lumineuses. J'ai évité ce défaut où beaucoup d'entre les plus illustres sont tombés, et chez moi la blancheur se révèle sous l'opacité de l'ombre la plus soutenue ! Comme une foule d'ignorants qui s'imaginent dessiner correctement parce qu'ils font un trait soigneusement ébarbé[6], je n'ai pas marqué sèchement les bords extérieurs de ma figure[7] et fait ressortir jusqu'au moindre détail anatomique, car le corps humain ne finit pas par des lignes. En cela, les sculpteurs peuvent plus approcher de la vérité que nous autres. La nature comporte une suite de rondeurs qui s'enveloppent les unes dans les autres. Rigoureusement parlant, le dessin n'existe pas !

---

1. Les grands maîtres du coloris : les grands peintres qui ont su travailler la couleur.

2. Titien : célèbre peintre italien (1488-1576).

3. Pâte : mélange de couleurs ; **nourrie** : abondante.

4. Glacis : teinte transparente qu'on applique sur une couleur sèche pour lui donner de l'éclat.

5. Airain : bronze.

6. Ébarbé : débarrassé des *barbes*, irrégularités, bavures au bord du dessin.

7. Ma figure : mon personnage.

Texte 7

ROMAN

FRANCIS SCOTT FITZGERALD, *Gatsby le Magnifique* (1925), traduit par Philippe Jaworski, © Éditions Gallimard ♦ chapitre 8

Dans ce roman rétrospectif, l'auteur américain F. Scott Fitzgerald (1896-1940) relate l'ascension et la chute du héros éponyme, Gatsby, jeune parvenu richissime et mystérieux évoluant dans l'Amérique des années 1920. Le narrateur, qui se lie d'amitié avec ce personnage, cherche à lever le voile sur sa vie : orphelin sans fortune rêvant d'un destin hors du commun, Gatsby était un ambitieux sans scrupule, ne cherchant qu'à tirer profit de tout ce que la société lui offrait. Jusqu'à ce qu'il rencontre Daisy, une jeune aristocrate. Il en tombe éperdument amoureux mais la guerre les sépare car il est soldat. Dès lors, sa volonté de parvenir dans la société est mise au service de l'amour : il s'enrichit dans le seul but retrouver Daisy, voulant l'éblouir par sa fortune afin de la reconquérir. Le récit de leur rencontre met en avant le changement qui s'opère en Gatsby.

Elle était la première jeune fille « comme il faut » qu'il eût jamais connue. Alors qu'il occupait diverses fonctions dont il ne révéla pas la nature, il était entré en contact avec des gens de ce monde[1], mais il y avait toujours entre eux et lui une impercep-
5 tible barrière de barbelés. Il la trouva follement désirable. Il alla chez elle, d'abord avec d'autres officiers du camp Taylor, puis seul. Il fut ébloui : il n'avait jamais pénétré dans une aussi belle maison. Mais ce qui donnait à la maison cette intensité à couper le souffle, c'est que Daisy y habitait, sans d'ailleurs y attacher plus d'impor-
10 tance que lui à sa tente, au camp. Elle était enveloppée d'un riche mystère ; on y devinait des chambres, à l'étage, plus belles et fraîches que d'autres, des activités joyeuses et rayonnantes dans les couloirs, des aventures sentimentales qui n'étaient pas rances et déjà remisées dans la lavande[2], mais fraîches et palpitantes,

---

1. De ce monde : de la haute société.
2. Rances : usées, défraîchies ; **remisées dans la lavande** : mises au placard (on parfume les placards avec des sachets de lavande).

15   évocatrices des automobiles rutilantes[1] de l'année et de bals dont
les fleurs avaient à peine commencé à se faner. L'idée que beaucoup
d'hommes avaient déjà aimé Daisy l'excitait aussi, augmentait la
valeur de la jeune femme à ses yeux. Il sentait leur présence dans
toute la maison, qui emplissait l'air des ombres et des échos
20   d'émotions toujours palpables.

Mais il savait qu'il se trouvait dans la maison de Daisy par
l'effet d'un phénoménal accident. Quelque glorieux que pût être
son avenir, Jay Gatsby n'était pour l'instant qu'un jeune homme
sans argent ni passé, et à tout moment la cape[2] invisible de son
25   uniforme pouvait glisser de ses épaules. Aussi employa-t-il au
mieux le temps dont il disposait. Il prit ce qu'il pouvait prendre,
avec avidité, avec impudence[3] ; et il finit par prendre Daisy un
calme soir d'octobre, il la prit parce qu'il n'avait pas vraiment le
droit de lui effleurer la main.

30   Il aurait pu se juger indigne, car il l'avait assurément prise sous
de faux prétextes. Je ne veux pas dire qu'il avait tiré profit de ses
millions fantômes, mais il avait sciemment[4] donné à Daisy un
sentiment de sécurité ; il la laissa croire qu'il appartenait plus ou
moins au même milieu qu'elle, qu'il avait tout à fait les moyens
35   de subvenir à ses besoins. En réalité, il n'avait rien, pas de famille
aisée derrière lui, et il était soumis aux caprices d'un gouvernement impersonnel qui pouvait l'expédier n'importe où dans le
monde.

Mais il n'éprouva nul mépris pour ce qu'il faisait, et les choses
40   ne se passèrent pas comme il avait imaginé. Il avait sans doute eu
l'intention de prendre ce qu'il pouvait et de tirer sa révérence,
mais il découvrit bientôt qu'il s'était engagé dans la quête d'un

---

1. Rutilantes : flamboyantes.
2. Cape : mérite superficiel, faux-semblant.
3. Impudence : effronterie.
4. Sciemment : intentionnellement.

Graal[1]. Il savait que Daisy était extraordinaire, mais il n'avait pas compris à quel point une fille « comme il faut » peut être extraor-
45 dinaire.

Texte 8

ROMAN

MARYSE CONDÉ, *Les Belles Ténébreuses* (2008), © Mercure de France
♦ chapitre 2

Ce roman de l'écrivaine guadeloupéenne Maryse Condé (née en 1937) narre le périple d'un jeune métis, Kassem, qui se met au service d'un mystérieux médecin, le Dr Ramzi. Dès leur première rencontre, Kassem est subjugué par ce personnage qui sait manipuler les foules et imposer son pouvoir de façon presque hypnotique. Son orgueil démesuré, son ambition de toute-puissance se laissent deviner à travers ce portrait effectué en focalisation externe.

On ne l'avait jamais vu se prosterner à la mosquée, ni le soir siroter verre sur verre de thé à la menthe dans un des cafés de la place Quadrémicha[2]. Kassem allait répondre qu'il était employé au Dream Land[3] quand l'attention se détourna de lui aussi vite qu'elle l'avait entouré. Un groupe faisait son apparition. Des gardes escor-
5 taient un homme d'une trentaine d'années. De quelle race était-il ? Métis de mille sangs. Taille au-dessous de la moyenne. Plutôt frêle. Vêtu d'une gandoura[4] sombre comme sa peau. Son visage saisissait. Ses yeux clairs – inattendus – semblaient jeter des faisceaux de lumière. Sous la calotte noire des cheveux[5], un front ample trahis-

---

1. La quête d'un Graal : quête impossible (par allusion au Saint-Graal, vase sacré dans lequel aurait été recueilli le sang de Jésus-Christ lors de la crucifixion, à la « quête » duquel se lancent les chevaliers de la Table ronde dans le roman de Chrétien de Troyes [*Le Conte du Graal*, XIIᵉ siècle]).
2. L'histoire se déroule dans un pays africain imaginaire.
3. Dream Land : nom d'un hôtel.
4. Gandoura : longue tunique sans manches, portée notamment en Afrique du Nord.
5. La calotte noire des cheveux : les cheveux du Dr Ramzi sont implantés comme une calotte, petit bonnet rond qui ne couvre que la partie supérieure de la tête.

10 sait des dons intellectuels, tandis que la bouche ourlée[1] débordait
de sensualité et que le menton creusé d'une fossette suggérait la
tendresse. Kassem n'avait jamais contemplé un être aussi attirant.

    – C'est lui! C'est lui! chuchotèrent les jeunes gens en proie à
une vive excitation.

15   Le docteur Ramzi An-Nawawî était l'héritier d'une des plus
anciennes familles de Samssara, et l'idole du Nord[2]. On le disait
diplômé de la faculté de médecine de Leeds, en Angleterre. Pourtant, ce n'était pas un docteur comme les autres, un vulgaire guéris-
seur de maladies humaines. Il se consacrait exclusivement à la
20 recherche et avait construit dans une aile de sa villa un laboratoire
ultramoderne où il se livrait à des expériences sur des rats, des chats,
des singes, des végétaux. Lesquelles exactement? Allez savoir! Les
uns affirmaient qu'il s'agissait de greffes d'organes. D'autres soutenaient qu'il pouvait créer la vie. Ce mystère ne faisait qu'alimenter
25 l'admiration générale. On le comparait à Victor Frankenstein, à
Louis Pasteur, au Sud-Africain Christian Barnard[3], des gens qui
tous avaient fait avancer la cause de l'humanité.

■ L'ambition au féminin

    Les textes des deux sections précédentes ont montré que
l'ambitieux est avant tout une figure masculine. Pour l'arriviste,
la femme n'est qu'un moyen de parvenir. Pour le passionné, elle
n'est qu'un objet de désir. Dans les deux cas, elle se voit sacrifiée
à l'égoïsme masculin.

---

1. Ourlée : bien dessinée.

2. Du Nord : du nord du pays.

3. Victor Frankenstein : le docteur Frankenstein, héros et titre du roman de
Mary Shelley (*Frankenstein ou le Prométhée moderne*, 1818), crée un être humain
artificiel à partir de morceaux de cadavres ; **Louis Pasteur** (1822-1895) : scientifique français ayant inventé la méthode de la pasteurisation et le vaccin contre
la rage ; **Christian Barnard** (1922-2001) : chirurgien sud-africain ayant réalisé
la première greffe du cœur.

Pourtant, la femme aussi peut aspirer à une vie sociale et matérielle plus élevée, comme l'héroïne de Thackeray, version féminine du héros stendhalien (→ TEXTE 11, p. 441). Douée et intelligente, elle manipule les hommes pour progresser dans l'échelle sociale. Également manipulatrice, l'héroïne de Laclos (→ TEXTE 10, p. 439) se donne toutefois une autre fin que la réussite financière : lucide et consternée par sa condition féminine, elle prend sa revanche sur une société sexiste en manœuvrant les hommes. Conscientes de vivre dans une société inégalitaire, les « femmes savantes » de Molière entendent investir le monde des lettres et des sciences (→ TEXTE 9, p. 436).

Tous ces personnages féminins seront malheureusement rattrapés par la société de leur temps et leur projet, condamné. Serait-ce parce qu'ils ne sont que le relais d'une voix auctoriale masculine ? Faut-il attendre que les femmes réelles s'expriment elles-mêmes sur leur condition, à l'instar d'Anna de Noailles ? Auteure emblématique du XXe siècle commençant, amie des plus grands écrivains de son époque, elle est pourtant aujourd'hui ignorée du public. Celle qui rappelle le travail obscur des femmes tapies dans l'ombre des hommes (→ TEXTE 13, p. 444) semble ne pas avoir échappé à sa condition. Dans un de ses poèmes (→ TEXTE 12, p. 443), elle ose pourtant prétendre à la postérité.

Texte 9

THÉÂTRE

MOLIÈRE, *Les Femmes savantes* (1672) ♦ acte III, scène 2

Dans cette comédie, Molière (1722-1773) aborde le thème de l'émancipation féminine par l'accession au savoir. Trois femmes d'une famille bourgeoise délaissent l'espace domestique afin de conquérir les domaines des sciences et des lettres. Elles tiennent un salon où elles reçoivent un certain Trissotin qui dit vouloir les instruire. En réalité, c'est un pédant ridicule qui ne s'intéresse qu'à l'argent et abuse de leur ignorance. La satire est davantage orientée contre les manipulations de Trissotin que contre les ambitions féministes excessives de trois femmes naïves.

PHILAMINTE

Je n'ai rien fait en vers, mais j'ai lieu d'espérer[1]
Que je pourrai bientôt vous montrer, en amie,
Huit chapitres du plan de notre académie[2].
Platon s'est au projet simplement arrêté,
5 Quand de sa République[3] il a fait le traité ;
Mais à l'effet entier[4] je veux pousser l'idée
Que j'ai sur le papier en prose accommodée.
Car enfin je me sens un étrange dépit[5]
Du tort que l'on nous fait du côté de l'esprit,
10 Et je veux nous venger, toutes tant que nous sommes,
De cette indigne classe où nous rangent les hommes,
De borner nos talents à des futilités,
Et nous fermer la porte aux sublimes clartés[6].

ARMANDE

C'est faire à notre sexe[7] une trop grande offense,
15 De n'étendre l'effort de notre intelligence
Qu'à juger d'une jupe et de l'air d'un manteau,
Ou des beautés d'un point, ou d'un brocart[8] nouveau.

---

1. Je n'ai rien fait : je n'ai rien écrit ; **j'ai lieu d'espérer** : j'ai toutes les raisons d'espérer.
2. Académie : doctrine, école.
3. Platon : philosophe grec (428-448 av. J.-C.) fondateur d'une école nommée « Académie » ; *République* : ouvrage où Platon pose les fondements de la République idéale.
4. Mais à l'effet entier je veux pousser l'idée : mais je veux développer l'idée (de *La République*) jusqu'au bout.
5. Dépit : peine mêlée de colère.
6. Clartés : clartés de la connaissance.
7. À notre sexe : aux femmes.
8. Point : point de broderie ; **brocart** : étoffe de soie tissée d'or ou d'argent.

BÉLISE

Il faut se relever de ce honteux partage[1],
Et mettre hautement notre esprit hors de page[2].

TRISSOTIN

20   Pour les dames on sait mon respect en tous lieux ;
Et, si je rends hommage aux brillants de leurs yeux,
De leur esprit aussi j'honore les lumières.

PHILAMINTE

Le sexe aussi vous rend justice en ces matières[3] ;
Mais nous voulons montrer à de certains esprits,
25   Dont l'orgueilleux savoir nous traite avec mépris,
Que de science aussi les femmes sont meublées[4] ;
Qu'on peut faire comme eux de doctes[5] assemblées,
Conduites en cela par des ordres meilleurs,
Qu'on y veut réunir ce qu'on sépare ailleurs[6],
30   Mêler le beau langage et les hautes sciences,
Découvrir la nature en mille expériences,
Et sur les questions qu'on pourra proposer
Faire entrer chaque secte, et n'en point épouser[7].

---

1. Partage : répartition (des tâches entre hommes et femmes).

2. Mettre hautement notre esprit hors de page : affranchir notre esprit de toute tutelle (le page est au service d'un seigneur, donc dépendant).

3. Le sexe : les femmes ; **en ces matières** : à ce sujet.

4. Meublées : pourvues.

5. Doctes : savantes.

6. Conduites en cela par des ordres meilleurs,/Qu'on y veut réunir ce qu'on sépare ailleurs : dirigées sous de meilleurs ordres pour la simple raison qu'on veut y réunir ce qu'ailleurs on sépare.

7. Faire entrer chaque secte, et n'en point épouser : introduire chaque école de pensée (sens du mot « secte ») sans en privilégier aucune. L'académie que souhaitent former les « femmes savantes » regroupe tous les savoirs et tous les systèmes de pensée, ce qui est très novateur. C'est un projet encyclopédique.

ROMAN ÉPISTOLAIRE

CHODERLOS DE LACLOS, *Les Liaisons dangereuses* (1782) ♦ lettre 81

Ce roman par lettres de Laclos (1741-1803), qui a pour sujet le libertinage, met en scène deux protagonistes manipulateurs : la marquise de Merteuil et le vicomte de Valmont. Ils se jouent de la morale et défient la société en séduisant et en corrompant leur entourage. Dans une lettre adressée à Valmont, la marquise rappelle les différences de condition entre hommes et femmes et justifie sa conduite libertine. Son ambition, quelque peu perfide, s'avère en réalité féministe.

Croyez-moi, Vicomte, on acquiert rarement les qualités dont on peut se passer. Combattant sans risque, vous[1] devez agir sans précaution. Pour vous autres hommes, les défaites ne sont que des succès de moins. Dans cette partie[2] si inégale, notre fortune[3] est
5 de ne pas perdre, et votre malheur de ne pas gagner. Quand je vous accorderais autant de talents qu'à nous, de combien encore ne devrions-nous pas vous surpasser par la nécessité où nous sommes d'en faire un continuel usage[4] !

Supposons, j'y consens, que vous mettiez autant d'adresse[5] à
10 nous vaincre, que nous à nous défendre ou à céder, vous conviendrez au moins, qu'elle[6] vous devient inutile après le succès. Uniquement occupé de votre nouveau goût[7], vous vous y livrez sans crainte, sans réserve : ce n'est pas à vous que sa durée importe.

---

1. **Vous** : vous, les hommes.
2. **Cette partie** : ce jeu.
3. **Fortune** : chance de réussir.
4. Mme de Merteuil défend l'idée que les femmes développent plus de talents et de qualités que les hommes : vivre dans l'adversité les oblige à continuellement se surpasser, contrairement aux hommes pour qui tout est gagné d'avance. Sachant qu'ils détiennent le pouvoir, ils n'ont pas besoin d'exceller.
5. **Adresse** : habileté.
6. **Elle** : l'adresse développée par les hommes.
7. **Votre nouveau goût** : votre nouvelle passion.

En effet, ces liens[1] réciproquement donnés et reçus, pour
15 parler le jargon[2] de l'amour, vous seul pouvez, à votre choix, les
resserrer ou les rompre : heureuses encore, si dans votre légèreté,
préférant le mystère à l'éclat, vous vous contentez d'un abandon
humiliant, et ne faites pas de l'idole de la veille[3] la victime du
lendemain !

20 Mais qu'une femme infortunée sente la première le poids de sa
chaîne, quels risques n'a-t-elle pas à courir, si elle tente de s'y
soustraire[4], si elle ose seulement la soulever ? Ce n'est qu'en tremblant qu'elle essaie d'éloigner d'elle l'homme que son cœur
repousse avec effort. S'obstine-t-il à rester, ce qu'elle accordait à
25 l'amour, il faut le livrer à la crainte[5] :

Ses bras s'ouvrent encor, quand son cœur est fermé.

Sa prudence doit dénouer avec adresse, ces mêmes liens que
vous auriez rompus. À la merci de son ennemi, elle est sans
ressource[6], s'il est sans générosité ; et comment en espérer de lui,
30 lorsque, si quelquefois on le loue[7] d'en avoir, jamais pourtant on
ne le blâme d'en manquer ?

Sans doute, vous ne nierez pas ces vérités que leur évidence a
rendues triviales[8]. Si cependant vous m'avez vue, disposant des[9]
événements et des opinions, faire de ces hommes si redoutables le
35 jouet de mes caprices ou de mes fantaisies ; ôter aux uns la volonté,
aux autres la puissance de me nuire ; si j'ai su tour à tour, et

---

1. Ces liens : les liens amoureux.

2. Jargon : langage.

3. L'idole de la veille : l'amante d'hier.

4. Qu'une femme infortunée : qu'une pauvre femme ; **le poids de sa chaîne** :
le poids de la relation amoureuse ; **de s'y soustraire** : de s'en libérer.

5. Ce qu'elle accordait à l'amour, il faut le livrer à la crainte : ce qu'elle
donnait par amour, il lui faut le céder par crainte.

6. Son ennemi : l'homme ; **sans ressource** : sans secours.

7. Loue : félicite.

8. Triviales : communes, banales.

9. Disposant des : menant à ma guise les.

suivant mes goûts mobiles[1], attacher à ma suite[2] ou rejeter loin de moi

Ces tyrans détrônés devenus mes esclaves ;

40 si, au milieu de ces révolutions[3] fréquentes, ma réputation s'est pourtant conservée pure ; n'avez-vous pas dû en conclure que, née pour venger mon sexe et maîtriser le vôtre, j'avais su me créer des moyens inconnus jusqu'à moi[4] ?

Texte 11

ROMAN

WILLIAM MAKEPEACE THACKERAY, *La Foire aux vanités* (1846-1847), traduit par Georges Guiffrey ♦ chapitre 10

Ce célèbre roman de l'auteur britannique Thackeray (1811-1863) constitue une satire sociale de l'Angleterre du XIXᵉ siècle. Le personnage principal, Rebecca Sharp, est une jeune orpheline désargentée qui se défait de tout principe moral pour s'élever dans la société. Après quelques turpitudes, elle est embauchée comme gouvernante dans l'aristocrate famille Crawley. Elle compte sur son intelligence et son esprit ingénieux pour se faire apprécier de son entourage à des fins personnelles.

Miss Sharp commence à se faire des amis

Admise désormais parmi les membres de l'aimable famille dont nous venons de donner une rapide esquisse, Rebecca devait naturellement mettre tous ses efforts à s'y rendre agréable, comme elle disait. On ne manquera pas d'admirer cette disposition à la 5 reconnaissance dans une orpheline sans appui, et, s'il entrait dans ses calculs une certaine dose d'égoïsme, qui ne trouverait après tout à sa prudence de fort légitimes excuses ?

---

1. **Mes goûts mobiles** : mes envies, mes humeurs changeantes.
2. **Attacher à ma suite** : attacher à mon service.
3. **Révolutions** : changements.
4. **Moyens inconnus jusqu'à moi** : moyens encore inconnus jusqu'à moi.

« Je suis seule au monde, disait cette jeune fille, sans amis. Je n'ai rien à espérer que de mon travail, tandis que cette petite Amélia aux joues roses, sans avoir la moitié de mon intelligence, se voit à la tête de dix mille livres et d'un établissement[1] certain. La pauvre Rebecca, dont la figure[2] est bien au-dessus de la sienne, doit compter seulement sur les ressources de son esprit. Eh bien, voyons si mon esprit ne saura pas me créer une position[3] honorable, et si quelque jour miss Amélia n'aura pas à reconnaître de combien je lui suis supérieure. Ce n'est pas que j'en veuille à la pauvre Amélia. Qui pourrait en vouloir à une créature aussi inoffensive et aussi avenante[4] ? Mais ce sera un beau jour que celui où, dans le monde, je prendrai rang au-dessus d'elle. Et qu'y aurait-il, après tout, d'étonnant à cela ? »

C'est ainsi que l'imagination romanesque de notre jeune amie entrevoyait dans l'avenir mille visions dorées. Et pourquoi nous scandaliser, si dans tous ces châteaux en Espagne[5] elle plaçait un mari pour principal habitant ? Les jeunes filles peuvent-elles avoir d'autres rêves qu'un mari ? À quelle autre chose, dites-moi, rêvent leurs chères mamans ? « Je serai ma maman à moi-même », disait Rebecca avec un serrement de cœur, lorsqu'elle pensait à sa mésaventure avec Joe Sedley[6].

Elle résolut donc sagement de donner à sa position dans la famille de Crawley-la-Reine tout le bien-être, toute la sécurité possible, et ne songea plus, dans ce but, qu'à se faire des amis, elle, de tous ceux qui, autour d'elle, pouvaient contribuer à son confort.

---

1. Amélia : amie de pensionnat de Rebecca ; **livre** : monnaie anglaise ; **établissement** : mariage.
2. Figure : apparence, allure.
3. Position : situation sociale.
4. Avenante : aimable.
5. Châteaux en Espagne : projets invraisemblables.
6. Joe Sedley : frère d'Amélia, que Rebecca pensait épouser.

POÉSIE

ANNA DE NOAILLES, « J'écris pour que le jour où je ne serai plus »,
L'Ombre des jours (1902)

*L'Ombre des jours est le deuxième de la quinzaine de recueils
poétiques publiés par Anna de Noailles (1876-1933). Sa poésie,
lyrique, romantique, sensuelle et parfois mystique prend pour thème
la nature, l'amour et la mort. Le poème « J'écris pour que le jour où
je ne serai plus » ouvre la dernière section du recueil. La poétesse
évoque de façon prophétique son désir de postérité, son ambition de
survivre par ses écrits. L'écriture est envisagée comme une entreprise
de séduction qui se prolonge au-delà de la mort. Habituellement
objet érotisé par les poètes, la femme devient ici sujet parlant et
maître de son discours.*

« J'écris pour que le jour où je ne serai plus… »

J'écris pour que le jour où je ne serai plus
On sache comme l'air et le plaisir m'ont plu,
Et que mon livre porte à la foule future
Comme j'aimais la vie et l'heureuse Nature.
Attentive aux travaux des champs et des maisons,
J'ai marqué chaque jour la forme des saisons,
Parce que l'eau, la terre et la montagne flamme
En nul endroit ne sont si belles qu'en mon âme !
J'ai dit ce que j'ai vu et ce que j'ai senti,
D'un cœur pour qui le vrai ne fut point trop hardi,
Et j'ai eu cette ardeur, par l'amour intimée[1],
Pour être, après la mort, parfois encore aimée,
Et qu'un jeune homme, alors, lisant ce que j'écris,
Sentant par moi son cœur ému, troublé, surpris,
Ayant tout oublié des épouses réelles,
M'accueille dans son âme et me préfère à elles…

---

1. Intimée : commandée.

Texte 13

CHRONIQUES

ANNA DE NOAILLES, « Ambition », *Passions et vanités* (1926)

Dans ces chroniques publiées dans la revue Vogue, *Anna de Noailles (1876-1933) porte un regard amusé sur la société aristocratique de son temps. Dans l'article « Ambition », au titre évocateur, elle s'interroge sur la place des femmes dans la société. Elle émet une double critique : l'une envers les femmes radicales qui évincent les hommes de leurs revendications, l'autre envers celles qui se cantonnent dans l'espace domestique. Elle estime que la sphère publique dominée par l'homme est déjà envahie par les femmes : leur rôle, quoique obscur, s'avère cependant réel.*

On peut affirmer qu'un esprit féminin ardemment intéressé par le futur et qui donne son assentiment[1] à l'inévitable modification des mœurs[2] possède une part de l'élan créateur et de la sagesse des hommes.

5   Savoir constater le nécessaire[3], y être lié par l'instinct autant que par la raison, témoigne de ce don rapide, voyageur, courageux, naturel à l'homme plus qu'à la femme, déesse épanouie, à qui l'effort et la course ne sont point commandés pour conquérir, mais qui séduit par la seule promenade nonchalante de son regard et par

10   ses mouvements aussi variés que le balancement des palmes.

L'extrême rareté de la femme qui réfléchit et dont les conclusions restent saines, harmonieuses, adaptées à la vie, nous mettent en défiance aussi contre ce féminisme emporté, optimiste, enthousiaste et comme joyeux, auquel on voudrait nous convertir. Et

15   d'abord, la femme ne veut pas être triste, elle n'admet guère dans ses projets, dans ses perspectives de réussite, les déceptions, les résignations qui sont en conformité avec la nature humaine et le destin. Quand nous la voyons attachée à la tradition, elle nous veut

---

1. Assentiment : consentement.

2. Mœurs : habitudes sociales.

3. Le nécessaire : ce qui est essentiel à la vie.

convaincre que les sachets[1] où dorment, d'un sommeil poétique,
les roses fanées, sont un jardin tout neuf où se compose un miel
toujours nourrissant. Mais on ne peut nous tromper sur la cendre
des fleurs, elle est poussière romanesque, et ne prête son parfum
suranné[2] qu'aux poètes du crépuscule[3].

Si, au contraire, nous assistons aux déclarations des femmes
qui n'ont foi qu'en elles-mêmes, qui ne parlent de l'homme
que malicieusement, qui, intrépides amazones[4], s'offrent pour
tous les combats de la pensée, pour tous les travaux, tous les
risques, toutes les responsabilités, nous ne pouvons nous
empêcher de nous tourner avec gratitude et confiance vers ces
hommes dédaignés, qui portent avec aisance[5] et modestie le
génie des nombres, l'endurance de l'explorateur, l'imagination
du savant, l'habileté du négociateur, – et encore ce bon regard
instruit, ces bonnes mains expertes du maçon, de l'électricien,
du plombier !

– Ah ! – me dira-t-on, – madame de Noailles, vous n'êtes pas
féministe ?

Et je répondrai qu'un poète n'est pas obligé de l'être tout à fait,
il sait comment frémit en lui le cœur d'Apollon[6]. Mais je puis
rassurer ici les femmes qui me reprocheraient de limiter leur
empire[7], – elles peuvent tout puisque l'homme existe. Par lui, qui
prédomine, elles sauront occuper le rang souhaité, si tentant, si
difficile, si haut soit-il, car tout homme, et davantage encore tout
grand homme, est envahi par une femme…

---

1. Sachets : petits sacs dans lesquels on place des fleurs séchées odorantes.
2. Suranné : vieilli.
3. Crépuscule : coucher du soleil.
4. Amazones : peuple fabuleux de femmes guerrières vivant sur les bords de la mer Noire. Ne tolérant pas la présence des hommes, elles tuaient leurs enfants mâles à la naissance.
5. Aisance : légèreté.
6. Apollon : dans la mythologie gréco-romaine, dieu de la poésie et de la musique.
7. Empire : pouvoir.

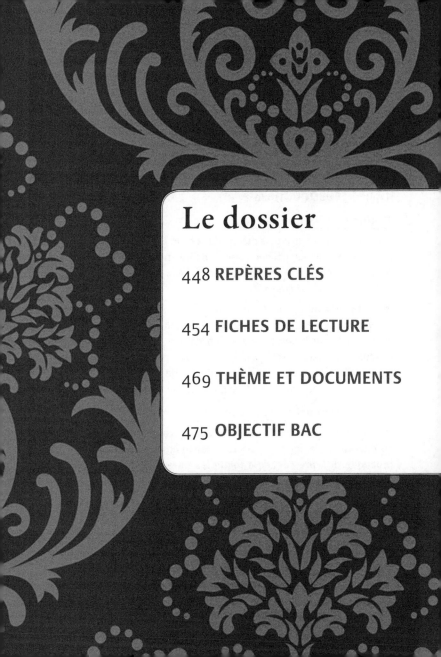

Le dossier

La société moderne de la IIIᵉ République

Bel-Ami, *dont l'histoire se déroule entre 1880 et 1883 est publié en 1885. Autant dire que le roman évoque les événements de son temps : la corruption politique et l'expansion coloniale font l'actualité des concitoyens de Georges Duroy. En tant que journaliste, Maupassant apparaît comme le témoin privilégié d'une société qui se modernise.*

LA IIIᵉ RÉPUBLIQUE (1870-1940)

1 • Une République naissante

● La guerre contre la Prusse met **fin au Second Empire en 1870**, après la défaite de Sedan, et la IIIᵉ République s'installe difficilement. Les **changements ministériels** sont fréquents. Comme le suggère *Bel-Ami*, les ministères «corrompus» se font et se défont facilement.

● C'est **Jules Ferry**, ministre de l'Instruction publique puis président du Conseil, qui domine la scène politique de 1879 à 1885. Il est à l'origine de **nombreuses réformes** : l'école laïque, publique et obligatoire ; la liberté de la presse ; la liberté de réunion publique ; le droit syndical ; le droit au divorce. Même si Ferry n'est pas nommé dans le roman, les contemporains de Maupassant opèrent par eux-mêmes le rapprochement avec son gouvernement.

2 • Le regard acide de Maupassant

● Maupassant ne retient de l'actualité que les **scandales** et les **magouilles politico-financières**, jetant sur la société de son temps un regard acide. Les milieux de la **banque**, de la **presse** et de la **politique** s'entremêlent dans une **société capitaliste** encore peu démocratique.

● En témoignent les multiples facettes de Walter, «député, financier, homme d'argent et d'affaires» et «directeur de *La Vie française*», **journal de propagande** soutenant le gouvernement pour des raisons non pas idéologiques, mais financières : «Les inspirateurs et véritables rédacteurs de *La Vie française* étaient une demi-douzaine de députés intéressés dans toutes les spéculations».

● La manière dont le ministre Laroche-Mathieu est piégé par Duroy et abandonné par Walter montre à quel point le milieu politique est sous l'**emprise de la presse**.

Enfin, l'aisance avec laquelle Duroy obtient la croix de la Légion d'honneur ne fait qu'annoncer un trafic postérieur à la rédaction du roman : le président de la République Jules Grévy dut démissionner en 1887 à la suite d'une affaire de **trafic de décorations**, dans lequel était impliqué son gendre.

LA POLITIQUE COLONIALE

1 • L'expansion coloniale sous Jules Ferry

• Pour redorer l'image de la France après la défaite face à la Prusse, le gouvernement de Ferry entend **relancer l'économie** et **l'esprit patriotique** grâce à l'expansion coloniale.

• En 1881, La France mène une **expédition militaire en Tunisie** qui aboutit à un **protectorat**[1]. Cette action, dont les préparatifs sont maintenus secrets, ressemble à un **coup financier** car la **Tunisie** est fortement **endettée** auprès de banques françaises.

• En 1870, la France réduit la dette et émet des obligations[2] de 500 francs à un faible taux d'intérêt. La Tunisie ne remboursant pas, cette valeur chute jusqu'à atteindre 203 francs en 1879. Or, juste avant l'expédition militaire, certains banquiers et hommes d'affaire rachètent discrètement les titres. Le protectorat mis en place, la France garantit le remboursement de la dette, et la valeur des titres remonte à 506 francs en 1883. Dans cette affaire, le journal *La République française* a joué un rôle de propagande.

2 • L'expansion coloniale dans *Bel-Ami*

• Maupassant évoque la politique coloniale de la France en **transposant les faits au Maroc**, pays qui, en 1885, n'est pas encore sous protectorat français[3]. Dépourvue de toute considération idéologique, l'expédition militaire n'est motivée que par l'**appât du gain** : Walter et Laroche-Mathieu « ont racheté tout l'emprunt du Maroc » (p. 322) et se servent de *La Vie française* pour faire croire aux lecteurs que l'expédition n'aura pas lieu. Duroy, abusé par les deux hommes, est informé du coup qu'ils ont monté

---

1. Protectorat : régime juridique en vertu duquel un État fort assure la protection d'un État faible
2. Obligations : titres de créance émis par un État (ou une société) pour emprunter

de l'argent. Une obligation est une part d'emprunt acheté par un particulier et qui donne lieu à des intérêts annuels.
3. C'est en 1912 que le Maroc devient un protectorat français.

par Mme Walter. Il s'enrichit en rachetant quelques obligations, mais c'est Walter qui profite largement de la situation et multiplie sa fortune.

• Maupassant exprime également son **antimilitarisme** et son **anticolonialisme** en mentionnant la brutalité militaire de Duroy qui « rançonnait les Arabes » (p. 15) et les tirait « comme on tire sur un sanglier, à la chasse » (p. 179).

LA SOCIÉTÉ DE 1880

1 • Le Paris moderne

• C'est l'époque des **grandes constructions** qui feront rayonner Paris : réseau ferré, **Grands Boulevards** et immeubles **haussmanniens**, tour Eiffel, parc Monceau, Halles centrales, Opéra, etc. La première automobile est mise en circulation et la cinématographie fait ses débuts.

• L'ordre moral recule et laisse place aux **plaisirs de l'alcool** et des **music-halls**.

2 • La montée de la bourgeoisie

• Ce Paris moderne est dominé par la **bourgeoisie d'affaires**, notamment les banquiers, à l'exemple de la famille Rothschild. La seule valeur qui compte est l'**argent.** La noblesse, déclassée et désargentée, n'a plus qu'un rôle symbolique. Duroy transforme son nom en baron Du Roy de Cantel uniquement pour une question de prestige, car cela ne change rien à sa situation socioéconomique.

• En revanche, la **France antisémite** stigmatise la population juive, accusée d'« avarice » et de « marchandages » honteux, comme le fait Saint-Potin en parlant de Walter (p. 79).

3 • L'essor de la presse

L'évolution des **techniques d'impression** permet de grands tirages à moindre coût et les titres de **journaux se multiplient**, préférant parfois la quantité à la qualité. Maupassant fait la **satire de la presse**, en dénonçant des méthodes peu recommandables : réutilisation d'un même article, vol d'informations entre journaux, falsification et manque de professionnalisme, propagande politique. C'est ainsi que Saint-Potin forme Duroy au journalisme.

Maupassant, journaliste et écrivain

Bel-Ami n'est pas un roman autobiographique, ce qui n'empêche pas Maupassant de puiser dans son expérience de quoi nourrir son récit. D'origine normande, il s'est installé à Paris après sa scolarité. Il travaille comme employé de bureau, avant de devenir journaliste et écrivain.

UNE ENFANCE EN MILIEU RURAL

1 • Le berceau normand

• Guy de Maupassant naît en 1850 en **Normandie**. Ses parents, Gustave Maupassant (rebaptisé *de* Maupassant) et Laure Le Poittevin, se séparent en 1860 alors qu'ils viennent de s'installer à Paris. Laure retourne en Normandie pour élever Guy et son cadet Hervé dans la **paisible solitude** du port d'**Étretat**.

• Le futur écrivain fait de longues promenades dans la campagne, dans les bois, sur les falaises, côtoie le **monde paysan** et profite pleinement de la **mer**: bains, pêche, navigation. Ce milieu rural et maritime peuplera ses récits.

2 • L'expérience du collège

• À douze ans, Maupassant est envoyé en pension au **collège religieux** d'Yvetot. Ce cadre austère où règnent l'hypocrisie cléricale et l'**ennui** le désespère, et il attend impatiemment les vacances pour vagabonder et se réjouir du **spectacle de la nature**.

• Renvoyé en 1868 pour avoir écrit de la poésie libertine, il termine ses études à Rouen. Cette expérience formera son **esprit antireligieux**.

3 • L'influence de Flaubert

• C'est **Gustave Flaubert**, ami d'enfance de sa mère, qui éveille le jeune Maupassant à la littérature. Laure ne manque pas de lire à ses fils les romans de cet écrivain alors célèbre. Une fois élève à Rouen, Guy rend régulièrement visite à Flaubert qui habite non loin, à Croisset, et lui soumet ses écrits.

• **Application** au travail, **observation** minutieuse, recherche du **mot juste**, musicalité de la phrase, **narration impersonnelle** sont autant d'enseignements que Maupassant reçoit de son maître.

UN JEUNE HOMME À PARIS

1 • L'employé des ministères

• Son baccalauréat en poche, Maupassant est **mobilisé en 1870** pour rejoindre l'armée française en guerre contre la Prusse, expérience déplorable qui inspira certains de ses contes, dont *Boule de Suif* (1880).

• De 1872 à 1881, il mène comme Duroy une **vie d'employé**, d'abord au ministère de la Marine puis à celui de l'Instruction publique. Il continue d'écrire : poèmes, pièces de théâtre et contes. Il se distrait en s'adonnant au **canotage**, à la chasse et multiplie les **conquêtes féminines**.

2 • Le milieu des écrivains

• Grâce à Flaubert, il rencontre de nombreux écrivains confirmés : Zola, Tourgueniev, Daudet et les Goncourt, ainsi que de jeunes auteurs : Huysmans, Mirbeau, Céard, Hennique, Alexis. En avril 1877, la jeune génération invite Zola, Flaubert et Edmond de Goncourt chez Trapp, restaurant parisien. Ce **dîner littéraire** officialise l'existence d'une « armée nouvelle en train de se former[1] » autour du **naturalisme.**

• À partir de 1878, le groupe naturaliste se retrouve régulièrement à Médan (département des Yvelines), dans la maison de campagne de Zola. En **1880**, le groupe publie un **recueil collectif** de six nouvelles intitulé *Les Soirées de Médan*, où sont réaffirmées ses affinités littéraires. La nouvelle *Boule de Suif*, écrite par Maupassant, connaît un tel succès qu'elle le porte sur le devant de la scène littéraire.

3 • La presse

• À partir de 1880, Maupassant est engagé comme **chroniqueur** au journal *Le Gaulois* et collabore au *Gil Blas* et au *Figaro*. Cela lui permet d'arrondir son salaire mais aussi de se roder à l'écriture. Il publiera **plus de deux cinquante chroniques** portant sur l'actualité, la littérature et les arts. En juillet 1881, il **voyage en Algérie** en tant que reporter et mesure les méfaits du colonialisme.

• La presse constitue aussi le moyen pour bon nombres d'écrivains de publier leurs œuvres, d'où la multiplications des **récits courts** et des **romans-feuilletons**[2]. Maupassant y publie la plupart de ses contes et nouvelles, ainsi que *Bel-Ami*[3].

---

1. La formule est d'Edmond de Goncourt.
2. Romans-feuilletons : romans publiés dans la presse par épisodes.

3. *Bel-Ami* est publié en feuilleton dans le *Gil Blas* durant l'année 1885.

LA MALADIE ET LA MORT

1 • La souffrance

● Maupassant a contracté la **syphilis**, maladie vénérienne très répandue à l'époque. Victime d'horribles migraines et de troubles de la vue, il sera également sujet à des troubles liés à la paralysie.

● Est-ce pour cette raison que son œuvre est empreinte d'un **profond pessimisme** ? Même un roman comme *Bel-Ami* laisse apparaître la **hantise de la mort**. Pressentait-il aussi l'urgence d'écrire contre la maladie ? Sa carrière littéraire se concentre sur douze années durant lesquelles il écrit six romans, plus de trois cents contes et nouvelles, trois récits de voyages, cinq pièces de théâtre et un recueil de poésie.

2 • La folie et la mort

● En s'aggravant, la syphilis entraîne des phases hallucinatoires[1]. Tout comme le personnage du *Horla*, l'auteur a peur de sombrer dans la folie.

● Il s'intéresse aux **recherches en psychiatrie** et à l'hypnose. Il suit les cours du docteur Charcot à la Salpêtrière et peuple ses récits de cas cliniques divers, mettant en scène des personnages fous et des médecins.

● Après une **tentative de suicide** en janvier 1892, il est interné à Passy dans la clinique du psychiatre Émile Blanche. Atteint de **paralysie générale**, il y séjourne jusqu'à sa mort, le 6 juillet 1893.

---

1. Maupassant est notamment victime d'hallucinations autoscopiques durant lesquelles il croit voir son double.

La structure du roman : l'ascension d'un ambitieux

La structure de Bel-Ami suit les étapes de l'ascension du personnage : il gravit peu à peu les échelons de la société pour se retrouver, au bout de trois années, à son sommet. Cette élévation est rythmée par ses différentes conquêtes féminines, les dîners mondains, les postes occupés à La Vie française et les apports financiers. Le roman est divisé en deux volets structurés autour de la mort de Forestier, le mentor de Duroy, comme si cette disparition était nécessaire au héros pour qu'il se réalise pleinement et devienne le baron Du Roy de Cantel.

QUATRE FEMMES, QUATRE ÉTAPES DANS L'ÉCHELLE SOCIALE

• Lorsque Duroy rencontre Forestier pour la première fois, ce dernier lui recommande de **se servir des femmes** pour s'élever dans l'échelle sociale. Ce conseil est réitéré par Mme Forestier qui l'engage à séduire Mme de Marelle, puis Mme Walter. C'est lors des dîners mondains – où les femmes jouent un rôle important – que chacun s'illustre et marque son influence. Du salon de Mme Forestier à celui de Mme Walter, Duroy use de son charme pour séduire les femmes.

• Chaque relation amoureuse permet à Duroy de **franchir un échelon supplémentaire** au sein du journal, d'**accroître** ses relations mondaines et de **s'enrichir**. D'abord intimidé et hésitant, il apprend à se servir de son pouvoir de séduction pour parvenir.

1 • Madame de Marelle

Elle est la première conquête de Duroy, elle loue l'appartement dans lequel il s'installe et lui prête de l'argent quand il en manque, la fonction de simple collecteur d'informations ne rapportant à Georges qu'un maigre salaire.

2 • Madame Forestier

Deuxième conquête et première épouse, elle dicte à Duroy sa première chronique sur l'Algérie. Devenue Mme Du Roy de Cantel, elle le forme à la rédaction d'articles qu'elle écrit avec lui. Elle favorise ses relations mondaines et politiques en recevant de nombreuses personnalités dans son salon. Enfin, elle lui offre, non sans contrainte, la moitié de l'héritage que lui a légué le comte de Vaudrec.

3 • Madame Walter

La conquête – sa troisième – de l'épouse du patron de *La Vie française* permet à Bel-Ami de gagner de l'influence à la rédaction et de se rendre indispensable à M. Walter. Avant même d'être sa maîtresse, Mme Walter est à l'origine de sa promotion en tant que chef des Échos. Elle l'informe des manigances politico-financières menées par son mari et Laroche-Mathieu, puis lui prête de l'argent pour qu'il spécule à son tour.

4 • Suzanne Walter

Enfin, son mariage avec l'une des deux héritières Walter permet à Du Roy de s'emparer d'une des plus grosses fortunes de Paris, d'officialiser le titre de « baron » et de briguer le poste de rédacteur en chef à *La Vie française*. Il peut doré-navant envisager un poste de député ou de ministre car ce mariage lui ouvre les portes des milieux politique et financier.

DE L'OCCASION AU STRATAGÈME

1 • Le stratège

● L'ascension de Duroy est rendue possible par des occasions que le personnage sait saisir, et qu'il apprend peu à peu à provoquer **en planifiant et en manipulant les événements**.

● Si la conquête de Mme de Marelle est strictement sentimentale et pulsionnelle (I, 5), celle des trois autres femmes est **utilitaire**. Duroy anticipe sa demande en mariage auprès de Madeleine pour ne pas voir l'occasion disparaître (I, 8). Puis il joue les amoureux transis auprès de Mme Walter (II, 3 et 4), révélant ainsi toute la profon-deur de son hypocrisie et de son mépris des femmes. Enfin, il élabore un plan astu-cieux pour épouser Suzanne Walter : il la séduit d'abord (II, 7 et 8), puis manœuvre pour divorcer de Madeleine (II, 8), et enfin planifie l'enlèvement de la jeune fille (II, 9). Cette **audace réfléchie** acquise au fil des mois fait de Duroy un fin stratège.

2 • L'apprentissage de la patience

● Les premiers chapitres mettent en avant l'« **impatience de cheval entravé** » (p. 91) qui caractérise Duroy, animé par son désir des femmes et son besoin d'argent. Le texte insiste tout particulièrement sur la soif et la faim qui le tenaillent, exprimant ainsi des désirs triviaux et instinctifs. Son travail de subalterne au journal ne lui permet pas de s'enrichir aussi rapidement que prévu et le mépris de Forestier le maintient dans une activité médiocre.

• Duroy doit faire ses preuves. Toujours à l'affût, il apprend à **tempérer ses envies** : il patiente une année avant d'épouser Madeleine Forestier, puis dix mois avant de réaliser son mariage avec Suzanne Walter ; il sait aussi temporiser face aux réticences morales de Mme Walter, attendant le moment propice pour la faire succomber. Le temps **s'étire** dans la seconde partie qui se déroule sur plus de deux années contre dix mois dans la première partie. Le rythme de la progression du personnage et de l'action se voit donc **ralenti**.

AVANT ET APRÈS LA MORT DE FORESTIER

1 • La disparition de Forestier

• Le roman est structuré en **deux parties qui s'articulent autour de la mort de Forestier**, cet ami dont Duroy convoite à la fois la femme et la position sociale. Si Forestier lui ouvre les portes du journalisme, il le maintient cependant sous sa coupe en le reléguant aux travaux subalternes.

• Or son départ pour Cannes permet à Duroy de gagner «une importance plus grande dans la rédaction de *La Vie Française*» (p. 171). Le chapitre 7 de la première partie s'ouvre d'ailleurs sur les mots : «La disparition de Charles», anticipant ainsi la mort de Forestier. Contrairement aux apparences, l'ami est le **dernier obstacle** à l'ascension de Duroy. Après sa mort, celui-ci prend la place de Forestier : il épouse Madeleine, s'installe chez lui, parmi ses meubles et ses objets, et occupe son poste au journal.

2 • Le double de Forestier

• Duroy devient Forestier, il **usurpe son identité à son corps défendant**, car Madeleine œuvre pour son nouveau mari comme elle a œuvré pour l'ancien. Elle lui impose ses fréquentations (Vaudrec et Laroche-Mathieu), rédige ses articles, conduit sa maison comme si elle n'avait pas changé d'époux. Lisant les articles de Duroy, Walter s'accorde à dire : «Oui, c'est du Forestier» (p. 257). Cette ressemblance pousse ses collègues à l'appeler du nom du défunt. Duroy, exaspéré, en vient à **vivre à travers le souvenir de Charles** : «Il ne pouvait plus prendre un objet sans qu'il crût voir aussitôt la main de Charles posée dessus» et «commençait à s'irriter même à la pensée des relations anciennes de son ami et de sa femme» (p. 258).

• Dépossédé de lui-même, Duroy est **rongé par la jalousie et la rancune**. La haine qu'il éprouve pour Forestier finit par se retourner contre Madeleine. Il endosse alors entièrement l'identité de Charles, éprouvant les sentiments que l'autre aurait dû avoir : il devient « jaloux pour le compte de Forestier » (p. 264).

3 • De Duroy à Du Roy

• De la première à la seconde partie s'opère également le **changement de nom**, qui préfigure un autre changement d'identité, d'ordre social cette fois. C'est encore Madeleine qui suggère ce remaniement dont Georges avait eu l'idée sans oser l'accomplir.

• La transformation de **Duroy en Du Roy de Cantel** est suivie de la visite du couple aux parents de Georges, qui se solde par un échec. Le **retour aux origines** s'avère **impossible** : le fils, que les parents peinent à reconnaître, appartient désormais à un autre monde. La mère méprise Madeleine qui est elle-même effrayée par la brutalité paysanne. Le premier chapitre de la seconde partie s'achève sur le départ précipité du couple, alors que le deuxième s'ouvre sur son nouveau patronyme : « Les Du Roy étaient rentrés ». La transformation est entérinée par le narrateur lui-même. Jusqu'à la fin du récit, il ne désignera plus le personnage que sous le nom nobiliaire de Du Roy, nom qui anticipe la trajectoire ascensionnelle de la seconde partie.

Le personnage de Duroy, un ambitieux et un séducteur | FICHE 2 |

Dans Bel-Ami, *les personnages sont fortement caractérisés. Des éléments physiques ou psychologiques sont repris d'un bout à l'autre du récit afin de leur donner épaisseur et relief. Le portrait de Duroy dressé dans l'incipit est une esquisse faisant apparaître l'ambitieux et le séducteur, esquisse que la suite du roman étoffera et complétera, tout en révélant l'image factice et superficielle d'un héros enfermé dans le paraître.*

LE PORTRAIT DE L'INCIPIT

• Le portrait physique présenté dans l'incipit insiste sur la **beauté** du personnage. Il est « grand », « blond châtain », les « cheveux frisés », « les yeux bleus ». Sa **moustache** «retroussée, qui sembl[e] mousser sur ses lèvres» et qu'il aime friser de ses doigts, est à la fois signe de **virilité** et de **sensualité**. Maupassant a consacré toute une nouvelle à la moustache[1], insistant sur son effet de séduction: «Elle vous donne l'air doux, tendre, violent, croquemitaine, bambocheur[2], entreprenant!»; quant aux moustaches «retournées, frisées, coquettes» comme celle de Georges, elles «semblent aimer les femmes avant tout!» C'est ainsi que Mme Walter **fantasme** sur cet attribut, «conquise, rien que par le poil de sa lèvre» (p. 298).

• Cette beauté est rehaussée par son **allure militaire**: il marche «la poitrine bombée, les jambes un peu entrouvertes», le regard fier et hautain, l'«air crâne et gaillard». Mais cette **prestance** est doublée d'**agressivité**: il bouscule les passants sur son passage, dévisage les clients attablés aux cafés, jugeant «d'un coup d'œil, à la mine, à l'habit» l'argent qu'ils gardent dans leur poche.

• Derrière cette allure se cachent le **mépris** et la **colère**, hérités de son origine sociale très modeste. Sa **rancœur** le conduirait presque à **tuer pour quelques pièces**, en soldat habitué à «rançonn[er] les Arabes». Il agit comme un **animal en chasse**, en quête d'argent et d'amour. Il se débarrassera avec mépris de tous ceux qui lui feront obstacle.

UN ÊTRE ENFERMÉ DANS LE PARAÎTRE

• Duroy a conscience de son charme et **joue sur son apparence**. Il «cambr[e] sa taille», porte son chapeau légèrement incliné sur l'oreille, et arbore une «élégance tapageuse». Son reflet lui renvoie une image positive de lui-même et lui confère toute son assurance. Enfermé dans le paraître, il **maîtrise son image** et **calcule sa posture**.

• En témoigne la présence récurrente des **miroirs**. Chez les Forestier, le miroir est une sorte de **témoin du parcours social** de Duroy; il ponctue trois étapes: son entrée dans le monde (II, 2), son installation chez Madeleine (II, 2), l'héritage de Vaudrec (II, 6). À cette dernière occasion, Duroy déclare devant son reflet et celui de Madeleine: «des millionnaires qui passent» (p. 346). Le miroir offre également un **reflet du couple**, celui qu'il forme avec Madeleine, mais aussi avec Mme de Marelle (I, 5) ou encore avec Suzanne Walter (II, lorsqu'ils se penchent au-dessus du bassin).

---

1. Intitulée *La Moustache* (1883), cette nouvelle se présente sous la forme d'une lettre où une femme vante les mérites de la moustache à une amie.

2. Bambocheur: fêtard (familier).

• Mais le miroir agit également comme **révélateur des failles** du personnage : juste avant le duel, Duroy découvre dans la glace quelqu'un qu'il n'a jamais vu ; sa pâleur fait naître en lui l'image de la mort (I, 7). Cette vision funeste, qui se présentera à nouveau à lui sous les traits de Forestier agonisant, est rapidement évacuée par le personnage en quête de réussite.

• Enfin, le surnom de « **Bel-Ami** », que le titre du roman place au premier plan, attire l'attention sur les faux-semblants d'un personnage adulé par les femmes alors qu'il les méprise. Ce surnom affectueux recèle une réalité cruelle et douloureuse : il désigne par **antiphrase** un être hostile et nuisible dissimulé sous l'apparence de la bonté et de la beauté.

Les personnages féminins dans *Bel-Ami*

Si les hommes offrent à Duroy des modèles de réussite à imiter, les femmes sont les agents indispensables à sa progression. Il se réalise par elles, passant d'un échelon social à l'autre selon le milieu d'appartenance de chacune. D'abord fasciné et séduit par ces femmes, il finit par les utiliser : il passe de la femme libre, incarnée par Clotilde de Marelle et Madeleine Forestier, à la femme objet, représentée par les Walter mère et fille.

CLOTILDE DE MARELLE

1 • Une femme libre et moderne

• C'est une « une petite brune, de celles qu'on appelle des brunettes » (p. 37), **jolie, coquette, sensuelle** et mettant ses formes en valeur dans des robes moulantes et élégantes. Elle est vive, **spirituelle**, drôle, sympathique, **spontanée** et bon enfant. C'est une femme issue de la bourgeoisie mais aimant la vie de **bohème**, s'encanaillant dans les milieux populaires et maniant une langue parfois familière. Elle aurait tout à fait sa place dans les parties champêtres peintes par Renoir.

• Mal mariée, elle a pourtant su garder son **indépendance**. Elle préfère sortir et se divertir que s'occuper des travaux domestiques. Son **amoralité**, sa **liberté** d'agir et de penser en font une **femme moderne**.

2 • Un double féminin de Duroy

• Elle est présentée comme un **double féminin de Duroy** : «deux êtres de même caractère et de même race» (p. 92), «l'un et l'autre, de la race aventureuse des vagabonds de la vie» (p. 317). Elle devient aussitôt sa complice et semble être l'unique femme pour qui Duroy éprouve une affection sincère. Cependant, sa tendresse, sa générosité et sa sincérité en font un être **en opposition au cynisme et à l'arrivisme** de Duroy.

3 • Un modèle pour le journaliste

• Elle fait aussi **figure de modèle** pour le journaliste, par «**son esprit facile**» dont il entrevoit toutes les qualités journalistiques : «On écrirait des chroniques parisiennes charmantes en la faisant bavarder sur les événements du jour» (p. 93). Cette réflexion de Duroy laisse penser que ce dernier s'est formé au contact de Clotilde, devenant lui-même par la suite «rapide» et «subtil» (p. 89).

LAURINE DE MARELLE

• Entre l'enfance et l'adolescence, aux «manières cérémonieuses», Laurine de Marelle est de fait la **première conquête de Bel-Ami**. Réputée sauvage, elle se laisse câliner par lui chez les Forestier, puis joue avec lui à chat perché. À ses côtés, l'enfant réservée devient agitée et bavarde, annonçant le pouvoir «ensorceleur» qu'il exerce sur les femmes. C'est d'ailleurs Laurine qui le **baptise «Bel-Ami»** (p. 109), surnom que tous finissent par adopter.

• Elle change cependant de comportement quand Duroy épouse Madeleine Forestier : prenant une «allure de femme outragée» (p. 272), elle décide de l'ignorer définitivement, comme si, désormais adolescente, elle voyait clair dans le jeu du séducteur.

MADELEINE FORESTIER

1 • Une femme de tête

• Madeleine est décrite comme une «jolie blonde élégante», à la «taille souple», à la «figure irrégulière et séduisante, pleine de gentillesse et de malice» (p. 36). Femme **fascinante** et **impénétrable,** elle garde en toute occasion un **calme indifférent** (même lors du flagrant délit d'adultère où elle se montre ironique) et **préserve son mystère** jusqu'à la fin du récit.

• Elle repousse d'abord les avances de Duroy puis accepte de l'épouser dans un **mariage de raison** qu'elle considère comme une **association** où la femme, «égale» de l'homme, est «libre» de ses actes. Elle n'évoque jamais l'**amour qu'elle juge «inutile»**, lui préférant «la communion des âmes».

2 • Une manipulatrice

Journaliste talentueuse, passionnée par la politique, elle joue auprès de Duroy le rôle de **protectrice**, mais elle est aussi **manipulatrice** : elle manœuvre les hommes pour mener sous leur nom sa carrière de journaliste et intrigue en politique en «rude diplomate» (p. 255), faisant de son salon un «centre influent» (p. 309) où se rencontrent les membres du gouvernement. Divorcée de Duroy, elle écrit à nouveau des articles sous le nom de Jean Le Dol, jeune journaliste débutant, tout comme l'étaient Duroy et Forestier (p. 406).

3 • «Deux natures semblables»

L'ambition, la supériorité et l'intelligence de Madeleine en font un **double féminin de Duroy**. La complicité intellectuelle des époux se lit à travers leur capacité à rédiger ensemble l'article qui lancera la campagne contre le gouvernement : ils travaillent de concert, «d'un commun accord», «se révél[ant] l'un à l'autre», «émus d'admiration et d'attendrissement» (p. 254). Mais cet équilibre reste précaire, tant ces deux forces demeurent indépendantes et antagonistes.

VIRGINIE WALTER

1 • Une épouse irréprochable

• Elle incarne la **grande bourgeoise**, fille de banquier vivant dans l'ombre de son mari et dont la **vie** est **réglée** par la tenue de son salon, les réceptions et les œuvres caritatives. Personnage raisonnable, **bienveillant** et **convenu**, aux idées «sages, méthodiques, bien ordonnées, à l'abri de tous les excès» (p. 274), elle passe d'abord inaperçue aux yeux du séducteur. Madeleine la juge fidèle et honnête, «**inattaquable** sous tous les rapports», ce qui aiguise finalement le désir de conquête de Duroy.

• L'ambitieux cherche à s'éprouver et à se mesurer au patron en lui prenant sa femme. Son portrait (qui n'est esquissé qu'au chapitre 6) est peu élogieux, insistant sur sa **future décrépitude** et son **inconsistance** : «belle encore», mais «à l'âge dangereux où la débâcle est proche», elle est «une de ces femmes dont l'esprit est aligné comme un jardin français»: «On y circule sans surprise» (p. 142).

2 • Une protectrice discrète

• Auprès de Duroy, Mme Walter tient le rôle de **protectrice discrète**. Elle lance sa carrière de journaliste lors du premier dîner chez les Forestier, en suggérant que la relation de son expérience algérienne ferait un bon article.

• Elle ne laisse rien paraître de son amour pour Bel-Ami, jusqu'à l'assaut chez Jacques Rival, où son regard se trouble. Pour la conquérir, le journaliste joue les chevaliers servants éperdument amoureux, tantôt timide et serviable, tantôt fougueux et brutal.

3 • Une femme pathétique

• Femme naïve et sans caractère, elle se laisse séduire par une «banale musique d'amour» (p. 290). Dans les bras de son amant, elle devient **niaise**, **puérile** et ridicule, ce qui finit par dégoûter Duroy. **Dévorée par la passion**, elle devient excessive, **incontrôlable**, **névrosée**.

• Elle finit par tomber dans un état de déchéance totale, sans que le lecteur n'éprouve la moindre compassion, tant son personnage est **grotesque**[1]: son mysticisme religieux est traité avec ironie par le narrateur.

SUZANNE WALTER

• À l'instar de sa mère, Suzanne n'est qu'un **simple jouet** entre les mains de Duroy. Désignée systématiquement par les termes «poupée», «marionnette» ou encore «bibelot», elle fait figure de **trophée** ou **d'ornement**. Elle intéresse le journaliste au moment où elle devient mariable, elle est alors un marché à prendre, dont la valeur est estimée de «vingt à trente millions» (p. 359).

• Jeune femme **fantaisiste**, à l'esprit vif et moqueur, Suzanne distrait Duroy. Mais elle est aussi **naïve et romanesque**, ce dont il se sert pour l'entraîner dans une **relation platonique ambiguë**. Il la met en confiance en jouant les confidents, se lie à elle par une «sorte d'intimité fraternelle et libre» (p. 369), lui fait promettre de lui révéler le nom de ses prétendants, puis de refuser tout engagement. Entretemps, il lui confie sa passion tout en prenant soin de se condamner pour ne pas

---

1. Grotesque: ridicule par son caractère excessif.

l'effrayer. Elle agit telle une marionnette, sans réfléchir, prenant tout pour un jeu : le stratagème de l'enlèvement passe pour une **aventure enchanteresse**.

Bel-Ami, un roman réaliste ? | FICHE 4 |

Appartenant à la mouvance réaliste et naturaliste, Bel-Ami décrit la société de son temps, en dévoile les mécanismes tout en en peignant la modernité. Cependant les déterminismes sociaux sont loin de constituer la substance de ce roman qui se révèle être une satire du paraître soutenue par une vision pessimiste de l'existence. Le réalisme/naturalisme ne peut qu'échouer à vouloir disséquer l'être humain jusque dans sa réalité psychique. Si Maupassant fait le choix d'une écriture réaliste, ce n'est pas au nom de préoccupations scientifiques, mais dans un souci purement esthétique hérité de Flaubert.

RÉALISME ET NATURALISME

1 • L'ancrage réaliste

• Le courant réaliste né en peinture au milieu du XIXe siècle cherche à peindre la réalité telle qu'elle est, de **façon objective**, sans l'embellir. L'**artiste** est un **observateur** et un **témoin** de son temps, il refuse tout idéalisme. Il s'efface derrière son sujet afin de ne rien laisser transparaître de son « moi », de sa sensibilité. **Balzac** (1799-1850) fait figure de pionnier en envisageant l'homme comme une « espèce sociale » à étudier. Il met l'invention au service de la science, faisant de l'écrivain un historien ou un sociologue. Dans la seconde moitié du siècle, **Flaubert** (1821-1880) cherche à son tour l'**impersonnalité de l'œuvre**, préconisant l'observation approfondie du réel et la documentation, mais pour des raisons plus esthétiques que scientifiques.

• Le cadre spatiotemporel doit donner l'**illusion du vrai**. Maupassant choisit de décrire la société parisienne de 1880 dans son cadre historique, en privilégiant le milieu journalistique qu'il connaît bien. Ses personnages sont des **types sociaux** représentant une classe d'individus. Paris n'est pas un simple décor, la ville est peuplée de **silhouettes** anonymes **caractéristiques.** Que ce soit dans les rues, dans les cafés populaires, sur les Champs-Élysées ou l'avenue du bois de Boulogne, dans la salle de rédaction du journal, dans le salon mondain de Mme Walter, dans la salle d'armes de Jacques Rival ou encore dans l'auberge des parents Duroy, les présences humaines sont caractérisées physiquement ou psychologiquement en fonction de leur **appartenance sociale**. Tous les milieux sont représentés.

• Les **thèmes** abordés reflètent également la société moderne matérialiste[1].

– La **presse** s'impose comme puissance politique en publiant rumeurs et sous-entendus insidieux. Les potins et faits divers deviennent des armes de persuasion, d'où l'importance de la rubrique des «Échos». L'adultère commis par Madeleine est transformé en scandale politique qui provoque la chute de Laroche-Mathieu. Le journal sert également les intérêts capitalistes des politiciens.

– L'**argent** apparaît comme le thème central : tout le monde calcule, spécule, économise, marchande. Les sommes chiffrées inondent le récit, allant du simple sou aux millions.

– L'**amour** lui-même n'échappe pas au matérialisme : présenté d'emblée sous les traits de la prostituée Rachel, il se réduit à un échange économique entre **appétits sexuels**. La description des personnages féminins met en valeur leurs formes, leur chair, leur sensualité, alors que Duroy agit comme une brute se jetant férocement sur ses victimes «comme un épervier sur une proie» (p. 233). La place attribuée au **corps** est centrale, qu'il soit envisagé du point de vue du plaisir sensuel, de la physiognomonie[2] ou de l'observation clinique (description du corps malade de Forestier).

2 • L'analyse naturaliste des milieux

• Après 1870, **Zola** (1840-1902) oriente le réalisme vers le naturalisme. S'inspirant du **positivisme**[3] et des sciences expérimentales, il envisage le récit comme un **laboratoire des comportements** sociaux déterminés par l'hérédité, l'environnement social et les événements historiques. Or, Maupassant éclaire les **mécanismes de la société** moderne, à commencer par le rôle de la presse. Il met aussi en valeur les inventions nouvelles, tels que l'éclairage des rues, l'utilisation de l'électricité (la lumière qui illumine *Le Christ marchant sur les flots*, II, 7), le transport ferroviaire, l'urbanisation haussmannienne. Si Rouen apparaît comme une cité ancienne et gothique, elle est aussi décrite comme une ville ouvrière et industrielle. Le travail

---

1. Matérialiste : qui s'attache aux biens, aux valeurs et aux plaisirs matériels.

2. Physiognomonie : étude des caractères d'après la physionomie des individus.

3. Positivisme : système de pensée qui n'accepte comme vrais que les faits vérifiés par l'expérience.

et la commodité structurent la société contemporaine de Maupassant, ce qui explique l'**utilitarisme** dont font preuve les personnages du roman.

● La **description des logements** répond à une **fonction explicative**. L'appartement des Forestier, décoré avec élégance et sobriété, enrobe les corps «comme une caresse». Tout semble y prendre instinctivement sa place. Il est à l'image de Madeleine, femme sécurisante, dont le goût est sûr et en accord avec son époque. À l'opposé, l'appartement de Clotilde est dépouillé, peu commode, mal décoré (tableaux placés de travers): il reflète sa vie de bohème et sa négligence. Quant à l'hôtel particulier des Walter, pourvu de sa grande serre au goût de l'époque, il évoque tout le luxe et l'excès des bourgeois parvenus. Les intérieurs ne sont que la **continuité des personnages**, ainsi que le préconisait déjà Balzac.

● La **visite aux parents** de Duroy à Canteleu est certainement la scène la plus naturaliste du roman. Elle met en évidence l'**opposition socioculturelle** entre la paysannerie et la bourgeoisie parisienne : la grossièreté et la brutalité rustique du «pé Duroy» et de sa femme contrastent avec la finesse et la distinction de Madeleine. Quelques traits caractéristiques du **milieu paysan** ressortent: la balourdise, la trivialité, le manque de culture, le souci de l'économie, la jalousie. Ce retour aux sources permet aussi d'expliquer le caractère de Duroy par le déterminisme des origines: sa jalousie, sa haine d'autrui lui viennent de sa mère; sa jovialité et sa vulgarité, de son père. Enfin, son inculture explique ses difficultés à écrire.

● La **variété** des **registres langagiers** permet également de caractériser les individus, traduisant à la fois une psychologie et un milieu social.
– **Mme Forestier** utilise un vocabulaire riche et abstrait, des phrases complexes et recourt souvent à la métaphore ou à l'ironie.
– Le langage de **Mme Walter** est châtié et convenu, il devient extrêmement creux quand elle exprime ses sentiments amoureux.
– **Mme de Marelle** se distingue de Madeleine et de Virginie en recourant intentionnellement à un vocabulaire populaire en adéquation avec son esprit bohème.
– **Forestier et Walter**, d'origine plus modeste, utilisent un registre plus courant : phrases simples et vocabulaire parfois familier.
– La palette langagière de **Duroy** est plus large : personnage grossier au début, il acquiert peu à peu un langage raffiné et spirituel en s'adaptant à ses locuteurs, mais sans jamais se départir totalement de sa vulgarité.

– La trivialité de la **langue populaire**, paysanne ou parisienne, transparaît à travers les propos des parents de Duroy, de Rachel, ou encore de la dame Aubert.

UNE ESTHÉTIQUE ET UNE SENSIBILITÉ PERSONNELLES

1 • La satire d'une société du paraître

• L'apparence supplante toute valeur humaine, surtout à Paris, où « il vaudrait mieux n'avoir pas de lit que pas d'habit ». L'**habit** est une **seconde peau** que Duroy ne quitte sous aucun prétexte. Il l'a intégré en tant que **signe identitaire** : « La sensation de son habit noir [...] lui donnait le sentiment d'une personnalité nouvelle, la conscience d'être devenu un autre homme, un homme du monde, du vrai monde » (p. 150). Duroy apprend au contact des autres par pur mimétisme. Le *vrai* est désormais dans l'apparat et l'illusion.

• C'est bien ce que représente *La Vie française*, journal au titre éloquent qui conduit le lecteur à s'interroger sur la **vie humaine** : serait-elle à l'image de la **fausse agitation** qui règne à la rédaction du journal, cachant des **existences** aussi **creuses** et vides que ces heures passées à jouer au bilboquet et aux cartes, jeux de chiffres et d'adresse ?

• **Tout est représentation** dans la vie sociale de *Bel-Ami*. Les dîners et les réceptions chez les Walter, l'assaut organisé par Jacques Rival, le mariage final célébré en grande pompe sont autant d'**événements mondains convenus** et artificiels. Il faut se faire voir, fréquenter les lieux recherchés et les personnes en vue. Le quartier haussmannien des **Grands Boulevards**, qui représente le Paris nouveau et festif, est un cadre idéal, choisi pour cette raison même. La **culture** s'assimile à une **société du spectacle** et du divertissement, ce dont témoigne l'intérêt de Walter pour la peinture : il achète des toiles non par goût, mais pour spéculer et en imposer aux visiteurs.

2 • Une vision nihiliste ?

• Contrairement aux héros des romans de formation confrontés à des choix moraux, Duroy est présenté d'emblée comme amoral. Il réussit à progresser dans l'échelle sociale car tous les milieux sont infestés par la **corruption**. L'ambitieux incarne l'**homme tristement moderne** de la nouvelle République, où les médias (la presse), les affaires et la politique servent les ambitions personnelles et où on « devient plus facilement ministre que chef de bureau » (p. 19).

• Sachant analyser les signes extérieurs, juger un homme à son apparence, le personnage partage avec l'écrivain Maupassant une grande **capacité d'observation**. Mais au lieu de dénoncer les travers sociaux et de s'interroger sur l'être humain, il se sert de ses talents à des **fins manipulatrices**. Et pour échapper à tout état d'âme, il fait preuve d'un profond **cynisme**.

• La salle de spectacle des **Folies-Bergère**, lieu très en vogue à l'époque, offre une **image décadente** de la société : sont identifiés les bourgeois, les boulevardiers, puis tout un mélange de « crapules » où toutes les catégories se côtoient indistinctement. Quant aux femmes, elles sont toutes des prostituées.

• Cette vision est relayée par **Norbert de Varenne**, personnage anachronique de vieux poète romantique[1], qui porte sur le monde un **regard lugubre** et atrocement **négatif**. Sa **satire** n'épargne personne, pas même les écrivains mis au même rang que les technocrates : « combien ont peu d'importance les querelles des romantiques et des naturalistes, et la discussion du budget » (p. 161). Il regarde et participe passivement à cette société dégradée où tout n'est que mascarade, n'échappant pas lui-même à la satire.

• Cette **vision nihiliste et cruelle** du vieux poète n'est pas celle que partage Maupassant. Mais force est de constater le profond pessimisme qui traverse le roman, quoique le rire y soit aussi omniprésent grâce à l'**ironie**.

AU-DELÀ DU RÉALISME

• Au delà des questions du réalisme et du naturalisme, il y a l'œuvre littéraire située en dehors de tout système de pensée. Le roman met d'emblée le lecteur en garde **contre les recettes d'écriture** et les grilles de lecture : appliquant les méthode de la science pour analyser les faits d'actualité, les personnages adoptent « cette manière de voir spéciale des marchands de nouvelles, des débitants de comédie humaine à la ligne » (p. 39). Réalisme et naturalisme sont implicitement dénoncés, leur trivialité ne peut que nuire à la littérature.

• La narration des faits sociaux est ponctuée par des **phases introspectives**. Duroy cherche à analyser ses sentiments : sa peur éprouvée avant le duel, sa jalousie envers Forestier, sa haine contre Madeleine. Cette vie intérieure qui le torture résiste à son raisonnement, ses pensées tournent en rond, glissant vers l'**absurde**

1. Romantique : appartenant au mouvement romantique de la première moitié du XIXe siècle.

et la **folie**. Lorsque Duroy et Madeleine s'affrontent, la lutte devient psychologique, chacun tentant de «découvrir cet inconnu de l'être qu'on ne pénètre jamais» (p. 338). Le narrateur omniscient n'élucide pas plus que les personnages les mécanismes psychiques, ces profondeurs insondables et inquiétantes. Face à ses propres fantômes, Duroy choisit la fuite en avant.

● Comment, alors, résister au nihilisme et à l'absurde ? Flaubert semble avoir répondu à la question en rédigeant le chef-d'œuvre qu'est *Madame Bovary*, ce «livre sur rien» qui tient «lui-même par la force interne de son style». L'œuvre **impersonnelle** est érigée en réponse au vide de l'existence, à la dépersonnalisation de la société, et lui oppose la **puissance de son esthétique**. Le roman ne fournit pas une simple copie ou encore une satire du réel, il est à lui seul une unité, une **harmonie** où tous les constituants se font écho, où chaque procédé narratif vise à transmettre une **vision du monde particulière**.

● Il n'y a pas de «détail vrai» servant uniquement à rendre réelle une fiction. Chaque objet, chaque personnage, chaque action, chaque parole prononcée fait sens en renvoyant à d'autres éléments du récit. Dans *Bel-Ami*, les personnages fonctionnent en **symétrie**, à la fois doubles et opposés. Les paysages reflètent les états intérieurs des personnages ou annoncent un état futur. Le **thème du regard** (voir et être vu) place l'observation, faculté essentielle de l'écrivain, au centre du récit, tout en éclairant sa **dimension réflexive**. Même les effets de réel semblent davantage répondre à cette construction esthétique, car jamais le narrateur n'en souligne la visée scientifique (comme l'auraient fait Balzac ou Zola). Enfin, le jeu des focalisations et l'usage du discours indirect libre participent au brouillage du point de vue, rendant imperceptible la présence du narrateur. Or, l'ensemble de ces éléments relève davantage d'une **esthétique impressionniste** que d'une esthétique réaliste.

La représentation du couple dans la littérature du XIXᵉ siècle

La littérature du XIXᵉ siècle traite abondamment la question du couple, marié ou adultérin. Le mariage, qu'aucun auteur ne remet en cause en tant qu'institution sociale, est cependant perçu sous le signe de l'échec. L'adultère est chose commune, à la fois symptôme de l'insatisfaction des époux et cause de drames familiaux. Chez la femme, il révèle une profonde aspiration à l'amour ; chez l'homme, il est le plus souvent un divertissement. Cet état de fait est étroitement lié aux statuts inégalitaires des époux : la femme mariée est considérée comme une personne mineure sous la tutelle de son mari, elle n'a aucun droit civil. Les textes narratifs et discursifs qui suivent mettent en évidence cette inégalité dans le couple.

DOCUMENT 1

HONORÉ DE BALZAC, *La Physiologie du mariage* (1829)

Dans cet essai au ton humoristique, qui a surtout pour but de divertir le lecteur, Balzac part du constat de l'infidélité féminine dans les classes sociales supérieures. Loin de blâmer les femmes, il explique leur inconstance par les défauts des maris. Ce traité analyse les situations conjugales tout en prodiguant des conseils aux époux pour diriger leurs femmes.

Dans cette longue crise[1], il est bien difficile à un mari de ne pas commettre de fautes ; car, pour la plupart d'entre eux, l'art de gouverner une femme est encore moins connu que celui de la bien choisir. Cependant la politique maritale ne consiste guère que dans la constante application de trois principes
5   qui doivent être l'âme de votre conduite. Le premier est de ne jamais croire à ce qu'une femme dit ; le second, de toujours chercher l'esprit de ses actions sans vous arrêter à la lettre ; et le troisième, de ne pas oublier qu'une femme n'est jamais si bavarde que quand elle se tait, et n'agit jamais avec plus d'énergie que lorsqu'elle est en repos.
10   Dès ce moment, vous êtes comme un cavalier qui, monté sur un cheval sournois, doit toujours le regarder entre les deux oreilles, sous peine d'être désarçonné.

Mais l'art est bien moins dans la connaissance des principes que dans la manière de les appliquer : les révéler à des ignorants, c'est laisser des rasoirs

1. Crise : crise conjugale précédant l'adultère.

15 sous la main d'un singe. Aussi, le premier et le plus vital de vos devoirs est-il dans une dissimulation perpétuelle à laquelle manquent presque tous les maris. En s'apercevant d'un symptôme minotaurique[1] un peu trop marqué chez leurs femmes, la plupart des hommes témoignent, tout d'abord, d'insultantes méfiances. Leurs caractères contractent une acrimonie qui

20 perce ou dans leurs discours, ou dans leurs manières ; et la crainte est, dans leur âme, comme un bec de gaz sous un globe de verre, elle éclaire leur visage aussi puissamment qu'elle explique leur conduite.

Or, une femme qui a, sur vous, douze heures dans la journée pour réfléchir et vous observer, lit vos soupçons écrits sur votre front au moment

25 même où ils se forment. Cette injure gratuite, elle ne la pardonnera jamais. Là, il n'existe plus de remède ; là, tout est dit : le lendemain même s'il y a lieu, elle se range parmi les femmes inconséquentes[2].

Vous devez donc, dans la situation respective des deux parties belligérantes, commencer par affecter envers votre femme cette confiance sans bornes que

30 vous aviez naguère en elle. Si vous cherchez à l'entretenir dans l'erreur par de mielleuses paroles, vous êtes perdu, elle ne vous croira pas ; car elle a sa politique comme vous avez la vôtre. Or, il faut autant de finesse que de bonhomie dans vos actions, pour lui inculquer, à son propre insu, ce précieux sentiment de sécurité qui l'invite à remuer les oreilles, et vous permet de n'user

35 qu'à propos de la bride ou de l'éperon.

DOCUMENT 2

GEORGE SAND, *Lettre aux membres du Comité central*[3] (1848)

Dans cette lettre, George Sand fait état de la condition civile de la femme, notamment dans le mariage. La femme est « esclave » de l'homme et doit recourir à la ruse pour gagner quelques libertés. Cette situation est aussi nocive pour l'homme que pour la femme. Il est urgent de réformer les lois du mariage pour que règne un meilleur équilibre dans le couple. Les mœurs ayant évolué, les lois doivent changer.

En effet, quelle est la liberté dont la femme peut s'emparer par fraude ? celle de l'adultère. Quelle est la dignité dont elle peut se targuer à l'insu de son

1. Minotaurique : relatif au Minotaure, monstre de la Grèce antique, au corps d'homme et à la tête de taureau, né de l'union d'une femme et d'un taureau, union illégitime s'il en est. Pour Balzac, le « symptôme minotaurique » est le signal d'un futur adultère (qu'il appelle « minotaurisme »).
2. Inconséquentes : irréfléchies, légères.
3. Comité central : parti politique d'extrême gauche fondé en 1848.

mari ? la fausse dignité d'un ascendant ridicule pour elle comme pour lui.
Il faut que cet abus cesse et que le bon mari ne soit plus le type du niais que l'on
5   dupe et dont ses amis se moquent avec sa femme. Il faut aussi que la femme
douce, loyale et pieuse, ne soit pas la dupe de son dévouement et qu'elle ne soit
pas exploitée et tyrannisée. Il faut enfin que la femme coupable un jour par
entraînement, ne soit pas flétrie et punie publiquement, déshonorée aux yeux
de ses enfants, mise ainsi dans l'impossibilité de revenir au bien, et dans la
10 nécessité de haïr à jamais l'auteur de son châtiment et de sa honte.

Punir l'adultère, on ne saurait trop insister sur ce point délicat, le plus
sérieux et le moins sérieusement traité par l'opinion, punir l'adultère est une
loi sauvage et faite pour perpétuer et multiplier l'adultère. L'adultère porte en
lui-même son châtiment, son remords et ses ineffaçables regrets. Il faut qu'il
15 soit une cause suffisante de divorce ou de séparation pour le mari qui ne peut
en supporter l'outrage. Mais cette loi qui permet à l'homme de reprendre sa
femme déshonorée et mise par lui en prison, cette loi qui force la femme
à revenir savourer goutte à goutte le martyre de sa dégradation et à le subir à
toute heure en présence de ses enfants, c'est là une loi infâme, odieuse, et qui
20 déshonore encore plus l'homme qui l'invoque que la femme qu'elle frappe.
C'est une loi de haine et de vengeance personnelle. Les résultats de son
application, c'est le scandale, la honte de la famille, une tache indélébile sur ses
enfants. Mieux vaut celle qui permet au mari d'assassiner sa femme surprise en
flagrant délit, mieux vaut celle des Orientaux qui peuvent jeter leurs femmes
25 cousues dans un sac à la mer ou dans un puits. La mort n'est rien au prix de
l'existence d'une esclave condamnée à subir les embrassements du maître qui
l'a foulée aux pieds.

Oui, l'égalité civile, l'égalité dans le mariage, l'égalité dans la famille, voilà
ce que vous pouvez, ce que vous devez demander, réclamer. Mais que ce soit
30 avec le profond sentiment de la sainteté du mariage, de la fidélité conjugale, et
de l'amour de la famille. Veuillez être les égales de vos maris pour ne plus être
exposées par l'entraînement de vos passions et les déchirements de votre vie
domestique, à les tromper et à les trahir. Veuillez être leurs égales afin de
renoncer à ce lâche plaisir de les dominer par la ruse. Veuillez être leurs égales
35 afin de tenir avec joie ce serment de fidélité qui est l'idéal de l'amour et le
besoin de la conscience dans un pacte d'égalité. Veuillez être leurs égales afin
de savoir pardonner un jour d'égarement et de savoir accepter le pardon à votre
tour, chose beaucoup plus difficile. Veuillez être leurs égales, au nom même de
ce sentiment chrétien de l'humilité qui ne signifie pas autre chose que le
40 respect du droit des autres à l'égalité.

DOCUMENT 3

GUSTAVE FLAUBERT, *Madame Bovary* (1857) ♦ deuxième partie, chapitre 10

Ce roman raconte l'histoire d'Emma Bovary, jeune femme mariée à un médecin de campagne. Ayant rêvé du grand amour pendant sa jeunesse au couvent, elle est rapidement désillusionnée par la vie maritale, d'autant plus que son mari, Charles, est un homme simple, routinier et quelque peu niais. Elle le trompe avec Rodolphe, séducteur et célibataire habitué aux conquêtes féminines. Amoureuse, elle finira par être abandonnée par son amant, lassé de son sentimentalisme naïf.

Rodolphe réfléchit beaucoup à cette histoire de pistolets. Si elle avait parlé sérieusement, cela était fort ridicule, pensait-il, odieux même, car il n'avait, lui, aucune raison de haïr ce bon Charles, n'étant pas ce qui s'appelle dévoré de jalousie ; – et, à ce propos, Emma lui avait fait un grand
5   serment qu'il ne trouvait pas non plus du meilleur goût.

D'ailleurs, elle devenait bien sentimentale. Il avait fallu échanger des miniatures, on s'était coupé des poignées de cheveux, et elle demandait à présent une bague, un véritable anneau de mariage, en signe d'alliance éternelle. Souvent elle lui parlait des cloches du soir ou des *voix de la nature* ;
10   puis elle l'entretenait de sa mère, à elle, et de sa mère, à lui. Rodolphe l'avait perdue depuis vingt ans. Emma, néanmoins, l'en consolait avec des mièvreries[1] de langage, comme on eût fait à un marmot abandonné, et même lui disait quelquefois, en regardant la lune :

Je suis sûre que là-haut, ensemble, elles approuvent notre amour.
15   Mais elle était si jolie ! il en avait possédé si peu d'une candeur pareille ! Cet amour sans libertinage était pour lui quelque chose de nouveau, et qui, le sortant de ses habitudes faciles, caressait à la fois son orgueil et sa sensualité. L'exaltation d'Emma, que son bon sens bourgeois dédaignait, lui semblait au fond du cœur charmante, puisqu'elle s'adressait à sa personne. Alors, sûr
20   d'être aimé, il ne se gêna pas, et insensiblement ses façons changèrent.

Il n'avait plus, comme autrefois, de ces mots si doux qui la faisaient pleurer, ni de ces véhémentes caresses qui la rendaient folle ; si bien que leur grand amour, où elle vivait plongée, parut se diminuer sous elle, comme l'eau d'un fleuve qui s'absorberait dans son lit, et elle aperçut la vase. Elle n'y voulut pas croire ; elle
25   redoubla de tendresse ; et Rodolphe, de moins en moins, cacha son indifférence.

Elle ne savait pas si elle regrettait de lui avoir cédé, ou si elle ne souhaitait point, au contraire, le chérir davantage. L'humiliation de se sentir faible se

---

1. Mièvreries de langage : propos gentillets, doucereux.

tournait en une rancune que les voluptés tempéraient. Ce n'était pas de l'attachement, c'était comme une séduction permanente. Il la subjuguait. Elle en avait presque peur.

30

Les apparences, néanmoins, étaient plus calmes que jamais, Rodolphe ayant réussi à conduire l'adultère selon sa fantaisie ; et, au bout de six mois, quand le printemps arriva, ils se trouvaient, l'un vis-à-vis de l'autre, comme deux mariés qui entretiennent tranquillement une flamme domestique.

DOCUMENT 4

GUY DE MAUPASSANT, *Une vie* (1883) ♦ chapitre 4

Ce roman retrace les malheurs conjugaux de Jeanne, mariée dès sa sortie du couvent avec Julien, premier jeune homme d'une condition égale à la sienne qu'elle rencontre. Elle n'a aucune expérience de la vie. Il est beau, elle est aussitôt séduite. Mais une fois le mariage célébré, Julien se révèle brutal et égoïste. Ce trait de caractère se révèle dès leur première nuit d'amour, qui prend les allures d'un viol.

Et tout à coup, en caleçon, en chaussettes, il traversa vivement la chambre pour aller déposer sa montre sur la cheminée. Puis il retourna, en courant, dans la petite pièce voisine, remua quelque temps encore, et Jeanne se retourna rapidement de l'autre côté en fermant les yeux, quand elle sentit qu'il arrivait.

5

Elle fit un soubresaut, comme pour se jeter à terre lorsque glissa vivement contre sa jambe une autre jambe froide et velue ; et, la figure dans ses mains, éperdue, prête à crier de peur et d'effarement, elle se blottit tout au fond du lit.

Aussitôt il la prit en ses bras, bien qu'elle lui tournât le dos, et il baisait voracement son cou, les dentelles flottantes de sa coiffure de nuit et le col

10 brodé de sa chemise.

Elle ne remuait pas, raidie dans une horrible anxiété, sentant une main forte qui cherchait sa poitrine cachée entre ses coudes. Elle haletait bouleversée sous cet attouchement brutal ; et elle avait surtout envie de se sauver, de courir par la maison, de s'enfermer quelque part, loin de cet homme.

15

Il ne bougeait plus. Elle recevait sa chaleur dans son dos. Alors son effroi s'apaisa encore et elle pensa brusquement qu'elle n'aurait qu'à se retourner pour l'embrasser.

À la fin il parut s'impatienter, et d'une voix attristée : « Vous ne voulez donc point être ma petite femme ? » Elle murmura à travers ses doigts : « Est-

20 ce que je ne la suis pas ? » Il répondit avec une nuance de mauvaise humeur : « Mais non, ma chère, voyons, ne vous moquez pas de moi. »

Elle se sentit toute remuée par le ton mécontent de sa voix ; et elle se tourna tout à coup vers lui pour lui demander pardon.

Il la saisit à bras le corps, rageusement, comme affamé d'elle ; et il parcourait
25 de baisers rapides, de baisers mordants, de baisers fous, toute sa face et le haut de sa gorge, l'étourdissant de caresses. Elle avait ouvert les mains et restait inerte sous ses efforts, ne sachant plus ce qu'elle faisait, ce qu'il faisait, dans un trouble de pensée qui ne lui laissait rien comprendre. Mais une souffrance aiguë la déchira soudain ; et elle se mit à gémir, tordue dans ses bras, pendant
30 qu'il la possédait violemment.

Que se passa-t-il ensuite ? Elle n'en eut guère le souvenir, car elle avait perdu la tête ; il lui sembla seulement qu'il lui jetait sur les lèvres une grêle de petits baisers reconnaissants.

Puis il dut lui parler et elle dut lui répondre. Puis il fit d'autres tentatives
35 qu'elle repoussa avec épouvante ; et comme elle se débattait, elle rencontra sur sa poitrine ce poil épais qu'elle avait déjà senti sur sa jambe et elle se recula de saisissement.

Las enfin de la solliciter sans succès, il demeura immobile sur le dos.

Alors elle songea ; elle se dit, désespérée jusqu'au fond de son âme, dans
40 la désillusion d'une ivresse rêvée si différente, d'une chère attente détruite, d'une félicité crevée : « Voilà donc ce qu'il appelle être sa femme ; c'est cela ! c'est cela ! »

DOCUMENT 5

GUY DE MAUPASSANT, *Bel-Ami* (1885) ♦ première partie, chapitre 8

Charles Forestier vient de mourir et Duroy en profite pour demander sa veuve en mariage. Cette union serait pour lui une belle opportunité d'ascension sociale. Mme Forestier lui expose une vision du couple particulièrement moderne, à l'opposé des conditions réelles de la vie conjugale.

De « Mme Forestier proposa à Duroy de faire un tour dans le jardin » à la fin du chapitre → p. 215-217, l. 680-737.

Le roman et le personnage de l'ambitieux

| SUJET D'ÉCRIT 1 |

Objet d'étude: Le personnage de roman, du XVIIIe siècle à nos jours.

DOCUMENTS

- **CHODERLOS DE LACLOS**, *Les Liaisons dangereuses* (1782), lettre 81 → texte 10, p. 436
- **STENDHAL**, *Le Rouge et le Noir* (1830), livre I, chapitre 10 → texte 2, p. 423
- **HONORÉ DE BALZAC**, *Le Chef-d'œuvre inconnu* (1831), chapitre 20 → texte 6, p. 430
- **GUY DE MAUPASSANT**, *Bel-Ami* (1885), de « Le jeune homme, qui était sûr de son effet » à la fin du chapitre, partie II, chapitre 8 → p. 382-383

QUESTIONS SUR LE CORPUS

1 Par quels procédés le sentiment de supériorité des personnages est-il exprimé dans les quatre textes ?

2 Quelles motivations poussent les personnages, dans les quatre textes, à désirer plus que ce qu'ils n'ont ?

TRAVAUX D'ÉCRITURE

Commentaire (série générale)

Vous ferez le commentaire du texte de Stendhal (texte 2, p. 423).

Commentaire (série technologique)

Vous ferez le commentaire du texte de Stendhal (texte 2, p. 423) en vous aidant des pistes de lecture suivantes.

– Analysez les procédés par lesquels le narrateur arrive à transcrire les sentiments et les pensées de son personnage.

– Montrez comment la nature environnante reflète l'ambition du personnage.

Dissertation

Le héros idéal d'un roman est-il nécessairement un héros positif, pourvu de toutes les qualités humaines ?

Écriture d'invention

Vous rédigerez la suite du texte de Maupassant en narrant comment Georges Duroy s'y prit pour rédiger son article et quelles furent les conséquences de cette publication dans la vie des trois personnages (Duroy, Madeleine Forestier et Laroche-Mathieu).

L'inégalité dans le couple au XIXe siècle

| SUJET D'ÉCRIT 2 |

Objet d'étude : La question de l'homme dans les genres de l'argumentation.

DOCUMENTS

- **HONORÉ DE BALZAC, *La Physiologie du mariage*** (1829) → DOC. 1, p. 469
- **GEORGE SAND, *Lettre aux membres du Comité central*** (1848) → DOC. 2, p. 470
- **GUSTAVE FLAUBERT, *Madame Bovary*** (1857) → DOC. 3, p. 472
- **GUY DE MAUPASSANT, *Bel-Ami*** (1885) → DOC. 5, p. 473

QUESTIONS SUR LE CORPUS

1 Comment la situation d'infériorité de la femme est-elle soulignée par ces différents textes ?

2 Quelle représentation du couple offrent-ils ? Vous veillerez, en répondant, à formuler les thèses (implicites ou explicites) des textes de Balzac et de George Sand.

TRAVAUX D'ÉCRITURE

Commentaire (série générale)

Vous ferez le commentaire du texte de Maupassant (doc. 5, p. 473).

Commentaire (série technologique)

Vous ferez le commentaire du texte de Maupassant (doc. 5, p. 473) en vous aidant des pistes de lecture suivantes.

– Montrez que la réponse de Madeleine révèle un personnage féminin à la fois méthodique par sa façon de pensée et moderne par ses idées.

– Montrez en quoi cette scène ne répond pas aux critères d'une demande en mariage traditionnelle.

Dissertation

Le héros de roman est-il toujours représentatif de la pensée de son temps ?

Écriture d'invention

Imaginez la réponse que George Sand pourrait formuler à Balzac après avoir lu son texte sur le mariage. Vous rédigerez un texte contre-argumentatif en prenant en compte les idées que l'auteure développe dans sa lettre adressée au Comité central.

Les dessous de la presse | SUJET D'ORAL 1 |

• **GUY DE MAUPASSANT**, *Bel-Ami*, partie I, chapitre 6

De : «*La Vie française* était avant tout un journal d'argent » à : «avec lui et par lui »
→ p. 144-146, l. 300-353

QUESTION

Comment le narrateur fait-il la satire du milieu journalistique ?

Pour vous aider à répondre

a Montrez comment cette description du journal met au jour le mécanisme corrompu de *La Vie française*.
b En quoi le rôle de chef des Échos est-il stratégique ?
c Montrez que le portrait de Boisrenard est en opposition avec le personnage de Duroy. Échappe-t-il pour autant à la satire du narrateur ?

COMME À L'ENTRETIEN

1 Donnez un exemple de manigance opérée par la «bande à Walter ».

2 Dans quelle mesure la société décrite dans *Bel-Ami* est-elle à l'image de *La Vie française* ?

3 Quels rapprochements peut-on faire entre le monde de la presse dans *Bel-Ami* et celui d'aujourd'hui ?

Une scène introspective | SUJET D'ORAL 2 |

• **GUY DE MAUPASSANT**, *Bel-Ami*, partie I, chapitre 7

De : « Il se mit à raisonner » à : « pour regarder dehors » → p. 180-181, l. 282-307

QUESTION

En quoi cette scène crée-t-elle une atmosphère effrayante ?

Pour vous aider à répondre

a Analysez la focalisation et les registres présents dans cette scène.
b Montrez que cette introspection est menée par un raisonnement à la fois logique et argumentatif.
c Comment et pourquoi le personnage succombe-t-il cependant au délire ?

COMME À L'ENTRETIEN

1 En quoi cette scène révèle-t-elle une autre face du héros ?

2 En quoi *Bel-Ami* traduit-il une obsession de la mort ?

3 Montrez que la thématique du double est omniprésente dans le roman.

Une scène naturaliste ? | SUJET D'ORAL 3 |

• **GUY DE MAUPASSANT**, *Bel-Ami*, partie II, chapitre 1

De : « Ce fut un long déjeuner de paysans » à : « de vagues soupçons » → p. 244-245, l. 674-715

QUESTION

Dans quelle mesure s'agit-il d'une scène naturaliste ?

Pour vous aider à répondre

a Montrez que la description des parents Duroy est en accord avec leur milieu social.
b En quoi cette scène met-elle en valeur la différence des milieux sociaux (paysannerie et bourgeoisie parisienne) ?
c Dans quelle mesure peut-on affirmer qu'il s'agit aussi d'une scène introspective ?